U0648534

王承略 劉心明 主编

二十五史藝文經籍志考補萃編

第六卷

補續漢書藝文志 〔清〕錢大昭 撰 陳錦春 整理

補後漢書藝文志 〔清〕顧櫰三 撰 項永琴 整理

補後漢書藝文志 〔清〕侯康 撰 王正一 郭偉宏 整理

侯康補後漢書藝文志補 〔清〕陶憲曾 撰 陳錦春 整理

清華大學出版社 北京

圖書在版編目(CIP)數據

二十五史藝文經籍志考補萃編. 第6卷/王承略,劉心明主編. —北京:清華大學出版社,2012

ISBN 978-7-302-29172-5

Ⅰ.①二… Ⅱ.①王… ②劉… Ⅲ.①中国历史—古代史—纪传体②二十五史—研究 Ⅳ.①K204.1

中國版本圖書館CIP數據核字(2012)第143071號

責任編輯:馬慶洲
封面設計:曲小華
責任校對:王榮静
責任印製:楊　艷

出版發行:清華大學出版社
網　址:http://www.tup.com.cn, http://www.wqbook.com
地　址:北京清華大學學研大厦A座　**郵　編**:100084
社總機:010-62770175　**郵　購**:010-62786544
投稿與讀者服務:010-62776969, c-service@tup.tsinghua.edu.cn
質量反饋:010-62772015, zhiliang@tup.tsinghua.edu.cn
印刷者:清華大學印刷廠
裝訂者:三河市金元印裝有限公司
經　銷:全國新華書店
開　本:148mm×210mm　**印　張**:18.5　**字　數**:392千字
版　次:2012年10月第1版　**印　次**:2012年10月第1次印刷
印　數:1~3000
定　價:55.00元

產品編號:040805-01

《二十五史藝文經籍志考補萃編》編纂委員會

學術顧問：董治安

主　　編：王承略　劉心明

副 主 編：馬慶洲　陳錦春　朱新林

常務編委：項永琴　尹　承　張海峰　張祖偉　王正一
張緒峰

編　　委：董建國　劉克東　盧芳玉　郭偉宏　周晶晶
蘇麗娟　馬小方　許建立　張　雲　馬常録
李　林　李湘湘　陳金麗　梁瑞霞　朱莉莉
李　淩　王　盼　魏奕元　蔡　喆　郭怡穎

校對組成員：辛世芬　謝　麟　吕　婷　王　蕾　王慶玲
楊俊秀　王緒福　張　倩　鄭民令　宋　凱

目　録

補續漢書藝文志

[清]錢大昭 撰

陳錦春 整理

底本：清光緒十四年廣雅書局刻本

班孟堅《漢書》因劉子駿《七略》作《藝文志》,西京書籍略見其梗概矣。後代史家遞相祖述,《隋書》、《舊唐書》、《文獻通攷》作"經籍",宋孝王《關東風俗傳》作"墳籍",其名不同,其書一也。范氏《後漢書》本未及撰志,司馬彪《續漢書》有《律曆》、《禮儀》、《祭祀》、《天文》、《五行》、《郡國》、《百官》、《輿服》八志,而不及《蓺文》,東京諸儒撰述泯焉無聞,良可深惜。嘉定錢可廬先生精通經史,其説經之書,實事求是,得未曾有。其於兩漢三國,有《辨疑》一書,王光禄稱賞不置,以爲突過三劉。今復有《補續漢書蓺文志》二卷,予受而讀之,蓋取蔚宗本史所載,及書之見存於今代,引證於古書,著録於别史,暨藏書家所録者,輯爲此編,以補司馬氏之闕漏。部分條析,悉依前書。於一代著述,固已搜采無遺,洋洋美備矣。不登上古之書者,依劉知幾之説,斷代爲史,例不當載古人,且東漢時,古書之存亡,亦非幾千百年以下所能審知也。乾隆五十三年三月,餘姚邵晉涵序。

經　部

易類

洼丹　易通論七篇　丹字子玉,南陽人,官大鴻臚。世傳《孟氏易》,世號"洼君通"。

樊英　易章句　英字季齊,南陽人。世稱"樊氏學"。

彭宣　易傳　宣字子佩,淮陽人。見《册府元龜》。

袁京　難記　凡二十萬言。　京習《孟氏易》。

宋忠　周易注十卷　《七録》及新、舊《唐志》同。《釋文序録》"九卷"。　忠字仲子,南陽人。

馬融　周易注十卷　《七録》"九卷",《釋文序録》作《周易傳》。　融字季長,扶風人,南郡太守。

鄭玄　周易注十卷　《七録》"十二卷",《隋志》"九卷",《釋文序録》"十卷,録一卷"。　玄字康成,北海人,官大司農。

荀爽　易傳十卷　《隋志》作"《周易注》十一卷"。　爽字慈明,潁川人,官司空。

劉表　周易章句　陸德明引《中經簿録》:"表注《易》十卷。《七録》'九卷,録一卷'。"　表字景升,山陽人,爲荆州牧。

崔篆　周易林六十四篇　篆涿郡人,以此書決吉凶,多占驗。

張滿　周易林七卷　《唐志》列許峻前。

許峻　易林一卷　《七録》"十卷"。　《隋志・五行家》作《易新林》。

許峻　易決　《七録》作"《易要決》三卷",《隋志・五行家》"一卷"。

許峻　易灾條　《隋志・五行家》"二卷"。

許峻　易雜占 《七録》"七卷"。

魏伯陽　參同契 《唐志》"二卷",《通攷》"三卷"。　晁公武、黄震俱以爲漢人。

周易版詞 《通攷》"一卷"。　陳振孫云:"當是漢魏以前人,其閒官名皆東京制也。"

書類

朱普　歐陽尚書章句 凡四十萬言。　普字公文,九江人,爲博士。

牟卿　尚書章句 凡四十五萬餘言。　卿受《歐陽尚書》于周堪。

楊揆嘉案,此據章懷《張奂傳》注。攷《前書·儒林傳》,周堪事夏侯勝,經最高,授牟卿,爲博士。不言卿有章句。其《奂傳》所稱《牟氏章句》,係世祖時博士牟長作,章懷注恐誤。

桓榮　歐陽尚書章句　榮字春卿,沛郡人,封關内侯。以朱普章句浮辭繁長,減爲二十三萬言。

桓郁　歐陽尚書章句　榮子郁,字仲恩。復删省,定成十二萬言,由是有桓君大、小太常章句。榮、郁父子並爲太常,故有大小之稱。

牟長　尚書章句　長字君高,樂安人,官中散大夫。少習《歐陽尚書》,俗號《牟氏章句》。

劉陶　尚書訓詁　陶字子奇,潁川人,官諫議大夫。

劉陶　中文尚書　陶推三家《尚書》及古文,是正文字三百餘事。三家,謂夏侯建、夏侯勝、歐陽和伯也。

張楷　尚書注　楷字公超,蜀郡人,通《古文尚書》。

周防　尚書雜記三十二篇 凡四十萬言。　防字偉公,汝南人,官陳留太守。受《古文尚書》于徐州刺史蓋豫。

杜林　漆書古文尚書一卷　林字伯山,得自西州。衛宏、徐巡傳其書,由是古文遂行。

衛宏　**古文尚書訓旨**　宏字敬仲,東海人,官議郎。

賈逵　**歐陽大小夏侯尚書古文同異三卷**　逵字景伯,扶風人,官左中郎將、侍中。奉詔撰。

賈逵　**尚書訓**　用《漆書》。

馬融　**尚書注十一卷**　本《漆書》,故與今文多異。

張奂　**尚書章句**　奂字然明,敦煌人,官大司農。以《牟氏章句》浮辭繁多,減爲九萬言。

張奂　**尚書記難**　一作"難記"。凡三十餘萬言。

盧植　**尚書章句**　植字子幹,涿郡人,官尚書。

鄭玄　**尚書注九卷音一卷**　**又有書贊**　孔穎達云:"避《序》名,故謂之贊。"

荀爽　**尚書正經**

詩類

伏黯　**齊詩解説九篇**　黯字稚文,瑯琊人,改定章句成此書。

伏恭　**齊詩章句**　恭字叔齊,官司空。以父黯章句繁多,乃省簡浮詞,定爲二十萬言。

薛漢　**韓詩章句二十二卷**　漢字公子,淮陽人,官千乘太守。王應麟曰:"《馮衍傳》注引薛夫子《韓詩章句》,即漢也。"《困學紀聞集證》:"夫子非通稱,乃薛漢父方丘之字,見《唐書·宰相世系表》,王氏誤合爲一人"。

杜撫　**韓詩題約義通**　撫字叔和,犍爲人,官公車令。受業于薛漢,世稱"杜君法"。

趙長君　**詩細二卷**　《七録》作《詩譜》。　長君,會稽人。舉有道,受《韓詩》于杜撫。蔡邕讀《詩細》,以爲長于《論衡》。

趙長君　**歷神淵一卷**

張匡　**韓詩章句**　匡字文通,山陽人。

侯包　韓詩翼要十卷

衛宏　毛詩序

馬融　毛詩注十卷

賈逵　毛詩雜義難《七録》"十卷"。　逵奉詔撰。其書皆述齊、魯、韓《詩》與毛氏異同。

鄭玄　毛詩箋二十卷　毛詩譜三卷

吕叔玉　詩説　不知主何家説，杜子春注《周官》引之。

荀爽　詩傳　荀悦稱其附正義，無他説，通人學者多好尚之。

禮類

馬融　三禮注

鄭玄　三禮目録一卷　三禮圖《隋志》"一卷"。

盧植　三禮解詁

景鸞　禮略二卷　鸞字漢伯，廣漢人。撰《禮内外記》，號曰《禮略》。

阮諶　三禮圖三卷　諶字士信。《隋書》注以爲後漢侍中。

曹充　慶氏禮章句辨難　充魯國人，官侍中。

曹褒　禮通義十二篇　褒字叔通，官侍中。父充，治《慶氏禮》，故褒亦承其家學。

鄭玄　儀禮注十七卷　儀禮音《七録》"二卷"，《釋文序録》"二卷"。

喪服經傳注一卷　喪服譜注一卷

馬融　喪服經傳注一卷

劉表　後定喪禮一卷

衛宏　周官解詁

張衡　周官訓詁　衡字平子，南陽人，官尚書。

鄭興　周官解詁　興字少贛，河南人，官大中大夫。

鄭衆　周官傳 一作“解詁”。　興子衆,字仲師,官大司農。

杜子春　周官注

賈逵　周官解故　見本傳。

馬融　周官傳十二卷

鄭玄　周官注十二卷　答臨碩周禮難

高誘　禮記注　《藝文類聚》引之。

盧植　禮記注 《釋文序録》“二十卷”,隋、唐《志》“十卷”。

鄭玄　禮記注二十卷　魯禮禘祫義　禮記音 《七録》“一卷”。

荀爽　禮傳

景鸞　月令章句

蔡邕　月令章句十二卷

春秋類

孔奇　春秋左氏删　《孔奮傳》注:“删定其義也。”《連叢子》:“奇字子異,魯人。删撮《左氏傳》之難者,集爲義詁,未畢而卒。宗人子通校其篇目,并序答問,凡三十一卷。”

孔嘉　左氏説　《後漢書》注:“説,猶今之疏也。”《釋文序録》:“嘉字山甫,扶風人,官城門校尉。”

服虔　左氏傳解誼三十一卷 《唐志》、《釋文序録》“三十卷”。　**春秋塞難三卷**

春秋成長説九卷 《新唐志》“七卷”。　**左氏膏肓釋痾一卷** 《隋志》“十卷”,《新唐志》“五卷”。

春秋音隱 《唐志》“一卷”。　虔字子慎,河南人,官九江太守。

服虔　駮駮漢事十一卷 《隋志》作《漢議駮》。《七録》“二卷”。　虔以《左傳》駮何休之《駮漢事》,凡六十條。

賈徽　左氏條例二十一篇　徽字元伯,賈逵之父。扶風人,官潁陰令。

鄭興　左氏傳條例章句訓詁

鄭衆　春秋難記條例 《隋志》作《左氏傳條例》。　**春秋删十九篇** 衆奉詔撰。徐彦曰:"衆作《長義》十九條十七事,專論《公羊》之短,《左氏》之長。"　**左氏牒例章句九卷** 見《新唐志》。《釋文序録》作《條例》。

陳元　左氏訓詁 《釋文序録》作《左氏同異》。　元字長孫,蒼梧人,官司空、南閣祭酒。

賈逵　左氏傳解詁三十篇　左氏長經章句二十卷 《釋文序録》作《長義》。徐彦曰:"逵作《長義》四十條,云《公羊》理短,《左氏》理長"。　**左氏條例二十一篇　左氏經傳朱墨别一卷　春秋釋訓一卷　春秋三家經本訓詁十二卷**

潁容　左氏條例十卷 凡五萬餘言。《隋志》作《春秋釋例》,《新唐志》作"《釋例》七卷"。

延篤　左氏傳注　篤字叔堅,南陽人,官京兆尹。

鄭玄　左氏分野 《七録》"一卷"。　**春秋十二公名**

王玢　左氏達義一卷 《唐志》作《達長義》。　《隋書》:"玢,漢司徒掾。"

李譔　左氏指歸　《華陽國志》:"譔字仲欽,涪人,官右中郎將。著《左氏著解》則依賈、馬,異於康成。"《釋文序録》"梓潼人"。

樂詳　左氏問 凡二十七事。　《魏略》:"詳字文載。聞謝該善《左氏》,乃步詣南陽問之。"

謝氏釋　建安中河東人樂詳條《左氏》疑滯數十事,以問謝該,該皆爲通解之,名爲《謝氏釋》。該字文儀,南陽人,官議郎。

許淑　左氏傳注解　《釋文序録》:"淑字惠卿,魏郡人,官太中大夫。"

彭汪　左氏奇説　汪字仲博,汝南人。

樊儵　删定公羊嚴氏春秋章句　儵字長魚,南陽人,封侯燕,官長水校尉。世號"樊氏學"。

何休　**公羊解詁十一卷**　《唐志》"十三卷",《釋文序録》"十二卷"。　**春秋議十卷**　**公羊文謚例一卷**　**公羊傳條例一卷**　見《隋志》。　**春秋漢義十三卷**　以《春秋》駮漢事六百餘條,妙得《公羊》本旨。　**公羊墨守十四卷**　《唐志》"一卷",《高麗史》"十五卷"。　**左氏膏肓十卷**　《崇文總目》"九卷"。　**穀梁廢疾三卷**　休善曆算,與其師博士羊弼,追述李育意,以難二《傳》。

鍾興　**嚴氏春秋章句**　興字次文,汝南人,官左中郎將,封關内侯。奉詔撰,去其復重,以授皇太子。

李育　**難左氏義四十一事**　育字元春,扶風人,官尚書令、侍中。習《公羊春秋》。

鄭玄　**發墨守**　**鍼膏肓**　**起廢疾**　**駮何氏漢議**　《隋志》"二卷"。　**駮何氏漢議叙**　《隋志》"一卷"。

張霸　**減定嚴氏春秋章句**　霸字伯饒,蜀郡人,官會稽太守。以樊儵删《嚴氏春秋》猶多浮詞,乃減定爲二十萬言,更名"張氏學"。

荀爽　**公羊問答**　《七録》"五卷",《唐志》同。

戴宏　**解疑論**　難《左氏》。

北海敬王睦　**春秋旨義終始論**

劉陶　**春秋條例**　奉詔撰。　**春秋訓詁**

馬融　**三傳異同説**

荀爽　**春秋條例**

孔融　**春秋雜議難**　《隋志》"五卷"。

楊終　**春秋外傳改定章句十二篇**　凡十五萬言。　終字子山,蜀郡人,官校書郎。

鄭衆　**國語章句**　宋庠曰:"亡其篇數。"

賈逵　**國語解詁二十一篇**　《隋志》作《春秋外傳國語注》二十卷。

論語類

包咸　論語章句　咸字子良，會稽人，官大鴻臚。

周氏　失名。**論語章句**　邢昺曰："就《張侯論》爲之訓解。"

沛獻王輔　論語傳

鄭衆　論語傳　見《册府元龜》。

何休　論語注訓

馬融　論語注　融注《古論語》。

鄭玄　論語注十卷　《七録》作《古文論語注》。　陸德明云："就《魯論》張、包、周之篇章，攷之齊、古，爲之注焉。"

鄭玄　注論語釋義　《唐志》"十卷"。　**孔子弟子目録一卷**　《新唐志》作《論語篇目弟子》。

麻達　論語注　見《廣韻》注。

孝經類

何休　孝經注訓

鄭衆　孝經注　《隋志》"一卷"。

高誘　孝經解

宋均　孝經皇義　《七録》"一卷"。

馬融　孝經注一卷

鄭玄　孝經注一卷

爾雅類

樊光　爾雅注　《隋志》"三卷"，《唐志》、《釋文序録》"六卷"。　光，京兆人，官中散大夫。

李巡　**爾雅注三卷**　巡,汝南人,官中黄門。

孫炎　**爾雅注**　《隋志》"七卷",《唐志》"六卷",《宋志》"十卷",《釋文序録》"三卷"。　**爾雅音**　《七録》"二卷",《釋文序録》"一卷"。　炎字叔然。

孟子類

趙岐　**孟子章句十四卷**　岐字邠卿,初名嘉,字臺卿,京兆人。

程曾　**孟子章句**　曾字彦升,豫章人,官海西令。

鄭玄　**孟子注**　《隋志》"七卷"。

劉熙　**孟子注七卷**

經解類

曹褒　**五經通義十二篇**　**演經雜論百二十篇**

白虎通德論　一作《議奏》,一作《通議》。《隋志》"六卷",《宋志》"十卷"。　建初五年,詔太常,將、大夫、博士、議郎、郎官及諸生、諸儒,講論五經同異于北宫白虎觀。使五官中郎將魏應主承制問難,侍中淳于恭奏上,帝親稱制臨決,如孝宣石渠故事。時廣平王羡及諸儒丁鴻、樓望、成封、桓郁、賈逵、班固、楊終、魯恭、趙博,皆與其議。鴻以才高,議難最明,時人語曰"殿中無雙丁孝公"。

劉珍等　**校定五經**　珍字秋孫,南陽人,永初中,爲謁者僕射。鄧太后詔使與校官郎劉騊駼、馬融及五經博士,校定東觀五經、諸子傳記、百家蓺術,整齊脱誤,是正文字。

沛獻王輔　**通論**　獻王好經書,善説《京氏易》、《孝經》、《論語傳》及圖讖,作《五經論》,時號曰"沛王通論"。

綦母闓等　後定五經章句　闓及宋忠撰《五經章句》，謂之後定。

程曾　五經通難　凡百餘篇。

魯丕　難賈逵黄香説　無卷數。見《丕傳》。

景鸞　交集　鸞治《齊詩》、《施氏易》，兼受《河》、《洛》圖緯，作《易説》及《詩解》，文句兼取《河》、《洛》，以類相從，名爲《交集》。

許慎　五經異義十卷　慎字叔重，汝南人，官太尉南閣祭酒。以五經傳説臧否不同而作。

蔡邕　正定六經文字　熹平四年，邕與五官中郎將堂谿典、光禄大夫楊賜、諫議大夫馬日磾、議郎張馴、韓説、太史令單颺等正定。邕自書丹于碑，使工鐫刻，立于太學門外。

許慎　説文解字十四篇。《隋志》"十五卷"。

郭顯卿　字指一卷　官太子中庶子。

鄭玄　六蓺論　駮五經異義

鄭志八篇　《隋志》"十一卷"，《唐志》"九卷"。　門生相與撰鄭康成答諸弟子問五經，依《論語》作。

鄭記六卷　《隋志》："鄭玄弟子撰。"

讖緯類

易稽覽圖　《通志》"七卷"，《通考》"三卷"。　**乾鑿度二卷　坤靈圖　通卦驗**　《通考》"二卷"。**是類謀**　《通考》"一卷"。　**辨終備**　《通考》"一卷"。　**乾元序制記一卷　乾坤鑿度二卷　萬形經**

宋均　易緯注　《唐志》"九卷"。

鄭玄　易緯注　《七録》"九卷"，《隋志》"八卷"。

書旋璣鈐　考靈曜　刑德放　帝命驗　運期授

宋均　書緯注　五種俱有。

鄭玄　書緯注　注家所引有《璇璣鈐》、《考靈曜》二種。

尚書中候　有《握河紀》、《敕省圖》、《我應瑞》、《雒師謀》、《準纖哲》、《合符后》、《考河命》、《摘雒貳》、《雒予命》、《運衡》、《覬期》、《義明》、《霸免》、《苗興》、《契握》、《稷起》諸篇。

鄭玄　尚書中候注五卷

詩推度災　汎歷樞　含神霧

宋均　詩緯注　三種俱有。

禮含文嘉　稽命徵　斗威儀

宋均　禮緯注　三種俱有。

鄭玄　禮緯注　有《含文嘉》三卷。

樂動聲儀　稽曜嘉　叶圖徵

宋均　樂緯注　三種俱有。

春秋演孔圖　元命包　説題詞　文耀鉤　運斗樞　感精符　合誠圖　考異郵　保乾圖　漢含孳　佐助期　潛潭巴　命曆序　握誠圖　孔録法

宋均　春秋緯注　《七録》"三十卷",《新唐志》"三十八卷"。

孝經鉤命決六卷　援神契七卷

翟酺　援神鉤命解詁十二篇　酺字子超,廣漢人,官將作大匠。

宋均　孝經雜緯注　《七録》"十卷",《新唐志》"五卷"。

論語撰考讖　比考讖　糾滑讖　素王受命讖　崇爵讖　陰嬉讖　摘衰聖承進讖　摘輔象讖

宋均　論語讖注　《七録》"十卷",《新唐志》"五卷"。

河圖帝覽嬉　帝通紀　闓苞受　赤伏符　會昌符　挺佐輔　括地象　稽耀鉤　籙運法　提劉子　始開圖　真記鉤　説徵示　皇參持　帝視萌　記命符　稽命曜　祕徵篇　合古篇　揆命　玉版　龍文　矩起　天靈　握矩　龍魚河圖

雒書靈準聽　甄曜度　寶號命　録運期　摘亡辭

郄萌　春秋災異《隋志》"十五卷"。　萌漢末人，官郎中。

楊統　家法章句　統父春卿，善圖讖學。所云"家法"，即祕記也。統字仲通，官彭城令。

楊統　内讖解説二卷

史　部

國史類

班彪　續太史公書　范史作《後傳》。　彪字叔皮,扶風人,官望都長。彪自言"今此後篇,慎覈其事,整齊其文,不爲世家,唯紀傳而已"。王充稱其書"百篇以上,記事詳悉,義淺理備"。

楊終　删太史公書　終受詔删《太史公書》爲十餘萬言。

班固　漢書百篇　《隋志》"一百一十五卷"。　固字孟堅,奉詔撰。

服虔　漢書音訓一卷

光武本紀　明帝撰。

世祖本紀　蘭臺令史班固與前睢陽令陳宗、長陵令尹敏、司隸從事孟異等撰。

建武注記　永平中,詔馬嚴留仁壽闥,與校書郎杜撫、班固等雜定。

顯宗起居注　明德馬皇后撰。

長樂宫注　史官爲和熹鄧皇后著。

聖德頌　史官爲和熹鄧皇后著。

中興以下名臣列士傳　永寧中,鄧太后召平望侯劉毅、東郡劉騊駼、謁者僕射劉珍入東觀著。《劉珍傳》作《建武已來名臣傳》。

漢史　臨邑侯劉復與班固、賈逵共述。

漢記　安帝時詔諫議大夫李尤、謁者僕射劉珍等撰。

漢德頌　臨邑侯劉復著。盛稱王扶爲名臣。　見《劉平傳》。

東觀漢記一百四十三卷　《新唐志》"一百二十六卷,又録一卷"。　元嘉一作永壽。中，詔屯騎校尉伏無忌與議郎黄景、崔寔、延篤、朱穆、邊韶、鄧嗣共著作東觀。

伏侯古今注　伏無忌，琅琊人。采集古今删著事，號“伏侯注”。章懷云：“其書上自黄帝，下盡漢質帝。凡八卷。”

周長生　洞歷十篇　王充稱其：“上自黄帝，下至漢朝，鋒芒毛髮之事，莫不紀載，與太史公表、紀相似類也。上通下達，故曰‘洞歷’。”

侯瑾　皇德傳三十篇　瑾字子瑜，敦煌人。案《漢紀》撰中興以來行事，《隋志》云：“起光武，至沖帝。”

荀悦　漢紀三十篇　悦字仲豫，潁川人，官黄門侍郎。獻帝以班固《漢書》文繁難省，乃令悦依《左氏傳》體作此書。

衛颯　史要十卷　颯字子産，河内人，官桂陽太守。約《史記》要言，以類相從。

應奉　漢書後序　奉字世叔，汝南人，官司隸校尉。

應奉　漢事十七卷　章懷引《袁山松書》：“奉删《史記》、《漢書》及《漢記》三百六十餘年，[①]自漢興至其時，名曰《漢事》。”

應劭　漢書集解音義二十四卷　劭字仲瑗，汝南人，官泰山太守。

應劭　建武以來災異

蔡邕集漢事　《靈帝紀》及《十意》，又補列傳四十二篇。李傕之亂，湮没無存。

荀爽　漢語　集漢事成敗可爲鑒戒者。

光武受命中興頌　東平憲王蒼撰。明帝以其文典雅，特令校書郎賈逵爲之訓詁。

---

① “漢書”，原訛作“漢事”，據中華書局點校本《後漢書》卷四八《應奉傳》注改。

建武以來章奏　東平憲王蒼撰。

班固　列傳載記二十八篇　述平林新市公孫述事。

高誘　戰國策注二十二卷

趙長君　吴越春秋十二卷

袁康　越絶書十五卷　其友吴平同定,凡二十五篇。《隋志》以爲子貢作,非也。

馬融　列女傳注

曹大家　列女傳注十五卷　大家,名昭,字惠姬。班彪之女,扶風曹壽之妻。和帝數召入宫,令皇后、貴人師事之,號曰大家。

典章類

曹褒　改定禮制百五十篇　章和中,褒奉詔次序禮事,依準舊典,雜以五經讖記之文,撰次天子至于庶人冠昏吉凶終始制度,寫以二尺四寸簡。

曹褒　禮制章句　和帝以新禮二篇冠之。

衛宏　漢舊儀四卷　《崇文總目》"三卷"。　載西京雜事。

蔡邕　獨斷二卷

王隆　小學漢官篇　隆字文山,馮翊人,官新汲令。

胡廣　漢官解詁三卷　廣字伯始,南郡人,官太傅。

蔡質　漢官典儀一卷　《隋志》及《崇文總目》作《漢官典職儀式選用》二卷。

應劭　漢官五卷　見《隋志》。　**漢官儀十卷　司徒都目　五曹詔書禮儀故事　中漢輯序**　論當世行事。

百官箴四十八篇　初,揚雄作《十二州二十五箴》,其九箴亡闕。後崔駰及子瑗,又臨邑侯劉騊駼,增補十六篇。胡廣復繼作四篇,乃悉撰次首目,爲之解釋,名曰《百官篇》。

刑法類

鮑昱　奏定詞訟比七篇　時詞訟久者至數十年,比例輕重非其事類,錯雜難知。司徒鮑昱乃令掾屬陳寵撰此書,決事科條,皆以事類相從,奏上之。昱字文泉,上黨人。寵字昭公,沛郡人,官司空。

鮑昱　決事都目八卷

陳忠　決事比二十三條　《崇文總目》"十卷"。　忠字伯始,沛國人,官尚書令。

應劭　駮議三十卷　凡八十二事。《隋志》作《朝議駮》。　**律本章句　尚書舊事　廷尉板令　決事比例　春秋斷獄　律略論五卷**　見《隋志》。　**漢議**　一作《漢儀》,删定律令爲之。《宋・刑法志》作《漢議》。

子　部

馬融　老子注

嚴遵　老子注二卷　老子指歸十一卷　陸德明作十四卷。

高誘　吕氏春秋注二十六卷

許慎　淮南子注二十一卷

高誘　淮南子注二十一卷

馬融　離騷注

王逸　楚辭章句十七卷　逸字叔師,南郡人,官侍中。因劉向本,益以自作《九思》及班固二叙勒成之,且爲作注。

韋卿子十二篇　韋彪撰。彪字孟達,扶風人,章和時官大鴻臚。

牟子二卷　牟融撰。融字子優,北海人,肅宗時官太尉。

唐子二十八篇　唐檀撰。檀字子産,豫章人。

魏子三卷　魏朗撰。朗字少英,會稽人,官尚書。

陳子　陳紀撰。紀字元方,潁川人,官大鴻臚。

陽成子　長樂經　王充稱其"造于助思,極窅冥之深,非庶幾之才不能及也"。

桓譚　新論十七卷　凡二十九篇。　譚字君山,沛國人,官議郎。

王逸　正部論八卷

郅惲書八篇　惲字君章,汝南人,官長沙太守。

梁竦　七序　竦字叔敬,安定人。班固以爲孔子著《春秋》而亂臣賊子懼,梁竦作《七序》而竊位素餐者慙。

應奉　後序十二卷　洞序九卷録一卷　見《隋志》。

應劭　風俗通三十卷　辨物類名號,識俗嫌疑。文雖不典,世服其洽聞。

班固續成琴道一篇　桓譚撰《琴道》未畢，固奉詔續成之。

王充　論衡三十卷 凡八十五篇。　充字仲任，會稽人。

王充　養性書十六篇

王符　潛夫論十卷 凡三十餘篇。　符字節信，安定人。

仲長統　昌言三十四篇 《崇文總目》"二卷"。　統字公理，山陽人，官尚書郎。

蘇竟　記海篇　竟字伯況，扶風人。

荀悦　崇德正論

德行一篇　太尉李固以忠直爲梁冀所害，弟子河内趙承、潁川杜訪、汝南鄭遂等七十二人，共述固言迹，作此篇。

劉毅　憲論十二篇　漢德論　毅，北海敬王子，官議郎。

趙岐　禦寇論

王景　金人論　景字仲通，樂浪人，官廬江太守。頌雒邑之美，天人之符。

劉梁　破羣論　梁字曼山，東平人，官尚書郎。嘗疾世多利交，以邪曲相黨，乃作此論。

崔瑗　飛龍篇　瑗字子玉，涿郡人，官濟北相。

班固　在昔篇、太甲篇各一卷

蔡邕　勸學篇、聖皇篇、女史篇各一卷

杜篤　明世論十五篇　篤字季雅，京兆人。官從事中郎。

靈帝　皇羲篇五十章

侯瑾　矯世論

荀悦　申鑒五卷

崔寔　四民月令一卷　政論六卷　寔字子真，涿郡人。論當世便事數十條爲《政論》，切指事要，言辨而确。仲長統曰："凡爲人主，宜寫一通，置之坐側。"

徐榦　中論二卷　榦字偉長，北海人。

荀爽　新書　爽作《辨讖》及他所論叙,題爲《新書》。

趙岐　三輔決録七卷

圏稱　陳留耆舊傳二卷　陳留風俗傳二卷　並見《隋志》。

楊孚　異物志一卷

郭憲　洞冥記四卷拾遺一卷　憲字子横,官光禄大夫。

王逸　漢詩百二十三篇

桓譚　樂元起二卷

劉熙　謚法三卷　熙字成國,北海人,徵士。

劉珍　釋名八卷　凡三十篇。《隋志》作劉熙撰。　辨萬物之稱謂。

服虔　通俗文

崔瑗　南陽文學官志

杜林　蒼頡訓詁二卷

杜篤　女誡一卷

班昭　女誡一卷　凡七篇。

劉洪　乾象術五卷

鄭玄　天文七政論　乾象術

鄭興校三統術

李梵　四分術

霍融　漏刻經

劉陶　七曜論　匡老子　反韓非　復孟子

甄叔遵　七曜本起三卷

張衡　靈憲一卷　渾天儀一卷　算罔論

明帝　五家要説章句　華嶠書作《五行章句》。

應劭　狀人紀　劭父奉爲司隸時,並下諸官府、郡國,各上前人像贊,劭乃連綴其名,録之。

何休　風角注訓　風角,謂候四方四隅之風以占吉凶。

何休　七分注訓　七分者,六日七分也。其術本《易稽覽圖》卦氣之法，以坎、離、震、兑四正卦，分主春、夏、秋、冬，爻主一氣。餘六十卦，卦主六日七分，始中孚，終頤，而周一歲之日。大指即《説卦傳》“帝出乎震”一章之文，而推演之。其以風雨寒温驗政治得失，亦與《洪範》五行相爲表裏。

景鸞　興道一篇　鈔風角雜書，列其占驗。

王景　大衍元基　景以六經所載，皆有卜筮，作事舉止質于蓍龜，而眾書錯糅，吉凶相反，乃參稽眾家數術文書、冢宅禁忌、堪輿日相之屬適於時用者，集爲此書。

鄭玄　黄帝九宫經注三卷　九宫行棊經注。

圖宅術　以五行、五姓、五聲，定宫室向背方位。王充《論衡》引之。

徐岳　術數紀遺一卷

楊由　其平十餘篇　見《方術傳》。

太平清領書百七十卷　順帝時，琅琊宫崇詣闕，上其師于吉于曲陽泉上所得神書。襄楷言神書專以奉天地、順五行爲本，亦有興國廣嗣之術。章懷曰：“即今道家《太平經》也。其經以甲乙丙丁戊己庚辛壬癸爲部，每部一十七卷。”

蔡邕　本草七卷　見《隋志》。

涪翁　鍼經　診脈法

張機　傷寒論十卷　《隋志》作《辨傷寒》。　**金匱要略二十四卷**　《通考》作《金匱玉函經》八卷，《崇文總目》“三卷”。　**評病要方一卷**　見《隋志》。　機字仲景，南陽人，官長沙太守。

華佗　中藏經一卷　枕中灸刺經一卷　觀形察色并三部脈經一卷　佗字元化，譙郡人。

集　部

文集類

桓譚集二卷　《隋志》"五卷"。　有賦、誄、書、奏二十六篇。

馮衍集五卷　有賦、誄、銘、説、《問交》、《德誥》、《慎情》、書記説、自叙、官録説、策五十篇。衍字敬通，京兆人，官司隸從事。　章懷云："《衍集》見有二十八篇。"

班彪集五卷　有賦、論、書、記、奏事，合九篇。

東平憲王蒼集五卷　有書、記、賦、頌、七言、别字、歌詩。

胡廣集二卷　有詩、賦、銘、頌、箴、弔及諸解詁，凡二十二篇。

北海敬王睦集　有賦、頌數十篇。

劉騊駼集二卷　有賦、頌、書、論四篇

賈逵集一卷　有詩、頌、誄、書、連珠、酒令，凡九篇。

桓麟集二卷　麟字元鳳，沛郡人，官許令。有碑、誄、讚、説、書，凡二十一篇。章懷引摯虞《文章志》云："麟文見在者十八篇，有碑九首，誄七首，《七説》一首，《沛相郭府君書》一首。"據此則讚三首也。

班固集十七卷　有《典引》、《賓戲》、《應譏》、詩、賦、銘、誄、頌、書、文、記、論、議、六言，凡四十一篇。

朱穆集二卷　穆字公叔，南陽人，官尚書。有論、策、奏、教、書、詩、記、嘲，凡二十篇。

崔駰集十卷　駰字亭伯，涿郡人，官長岑長。有詩、賦、銘、頌、書、記、表、《七依》、《婚禮結言》、《達旨》、《酒警》，合三十二篇。

桓彬集 彬字彦林，沛郡人。有《七説》及書，凡三篇。

劉珍集二卷 有誄、頌、連珠，凡七篇

張衡集十一卷 有詩、賦、銘、七言、《應間》、《七辯》、《巡誥》、《縣圖》，凡三十二篇①。章懷云："縣圖"，《衡集》作"玄圖"。

崔瑗集六卷 有賦、碑、銘、箴、頌、《七蘇》、《歎詞》、《移社文》、《悔祈》、《草書埶》、七言，②凡五十七篇。

劉陶集三卷 有條教、賦、奏、書、記、辨疑，凡百餘篇。

籍順集二卷

崔寔集二卷 有碑、論、箴、銘、答、七言、祠文、表、記、書，凡十五篇。

李固集十二卷 有章、表、奏、議、教令、對策、記、銘，凡十一篇。

延篤集一卷 有詩、論、銘、書、應訊、表、教令，凡二十篇。

衞宏集 有賦、誄、頌七首。

服虔集 有碑、誄、書、記、連珠、《九憤》，凡十餘篇。

王隆集二卷 有詩、賦、銘、書，凡二十六篇。

夏恭集 有賦、頌、詩、《勵學》，凡二十篇。

崔烈集 烈涿郡人，官城門校尉。有詩、書、教、頌四篇。

杜篤集五卷 有賦、誄、弔、書、讚、七言及雜文，凡十八篇。

史岑集 岑字孝山，沛國人。有頌、誄、《復神》、《説疾》四篇。

夏牙集 牙梁國人，有賦、頌、讚、誄，凡四十篇。

傅毅集二卷 毅字武仲，扶風人，官郎中。有詩、賦、誄、頌、祝文、《七激》、連珠，凡二十八篇。

黄香集二卷 香字文彊，江夏人，官魏郡太守。有賦、牋、書、

① "間"原訛作"問"，"辯"原訛作"辨"，"誥"原訛作"詰"，據中華書局點校本《後漢書》卷五九《張衡傳》改。

② "草書埶"原訛作"草書蓺"，據中華書局點校本《後漢書》卷五二《崔瑗傳》改。

奏、令五篇。

李尤集五卷　尤字伯仁,廣漢人,官樂安相。有詩、賦、銘、誄、頌、《七歎》、《哀典》,凡二十八篇。

李勝集　勝廣漢人。有詩、誄、頌、論數十篇。

蘇順集　順字孝山,京兆人,官郎中。有賦、論、誄、哀辭、雜文,凡十六篇。

曹眾集　眾字伯師,扶風人。有誄、書、論四卷。

葛龔集六卷　龔字元甫,梁國人,官臨汾令。有文、賦、碑、誄、書、記,凡二十篇。

王逸集二卷　有賦、誄、書、論及雜文,凡二十一篇。

崔琦集　琦字子瑋,涿郡人,官臨濟長。有賦、頌、銘、誄、箴、弔、論、《九咨》、七言,凡十五篇。

邊韶集二卷　韶字孝先,陳留人,官陳相。有詩、頌、碑、誄、書、策,凡十五篇

張升集二卷　升字彦眞,陳留人,官外黄令。有賦、誄、頌、碑、書,凡六十篇。

趙壹集二卷　壹字元叔,漢陽人。有賦、頌、箴、誄、書、論及雜文十六篇。

張超集五卷　超字子並,河閒人,官别部司馬。有賦、頌、碑文、薦、檄、牋、書、謁文、嘲,凡十九篇。

韓説集　説字叔儒,會稽人,官侍中。有賦、頌、連珠。

馬融集　《隋志》"九卷"。　有賦、頌、碑、誄、書、記、奏、表、七言、琴歌、對策、遺令,凡二十一篇。

蔡邕集二十卷　有詩、賦、碑、誄、銘、讚、連珠、箴、弔、論議、《勸學》、《釋誨》、《叙樂》、《女訓》、《篆勢》、祝文、章表、書記[①],凡

① "樂"原訛作"學",據中華書局點校本《後漢書》卷六十《蔡邕傳》改。

百四篇。

荀悦　論數十篇

盧植集二卷　有碑、誄、表、記，凡六篇。

皇甫規集五卷　規字威明，安定人，官護羌校尉。有賦、銘、碑、讚、禱文、弔、章表、教令、書、檄、牋記，凡二十七篇。

張奂集二卷　有銘、頌、書、教、誡述、志、對策、章表二十四篇。

孔融集十卷　融字文舉，魯國人，官少府。有詩、頌、碑文、論議、六言、策文、表、檄、教令、書記，凡二十五篇。

陳元集一卷

高彪集二卷　彪字義方，吴郡人，官内黄令。

潘勖集二卷　勖字九茂，陳留人，官尚書左丞。

王延壽集二卷　延壽字文考，南郡人。

侯瑾集二卷　有《應難》。

竇章集二卷　章字伯向，扶風人，官大鴻臚。

荀爽集三卷

廉品集二卷

朱勃集二卷

鄭玄集二卷

劉梁集三卷

梁鴻集二卷

蔡邕外文一卷

士孫瑞集一卷

酈炎集三卷　炎字文勝，范陽人。

張紘集二卷

虞翻集三卷　翻字仲翔，會稽人，官侍御史。

禰衡集二卷　衡字正平，平原人，有賦。

阮瑀集五卷　瑀字元瑜，陳留人。

繁欽集十卷　欽字休伯,潁川人。

陳琳集十卷　琳字孔璋,廣陵人。

楊修集二卷　修字德祖,恒農人。有賦、頌、碑、讚、詩、哀詞、表、記、書,凡十五篇。

王粲集十一卷　粲字仲宣,山陽人。

丁儀集二卷　儀字正禮。

丁翼集二卷　翼字敬禮,官黄門侍郎。

曹大家集二卷　有賦、頌、銘、誄、問、注、哀詞、書、論、上疏、遺令,凡十六篇。

徐淑集　黄門侍郎秦嘉妻。

蔡文姬集　董祀妻。

别集類

梁竦　悼騷賦　竦感悼子胥、屈原以非辜沈身,乃作此賦,繫玄石而沈之。

賈逵　神雀賦

應奉　感騷三十篇　奉追愍屈原,因以自傷,凡數十萬言。

曹朔　漢頌四篇

王延壽　魯靈光殿賦　夢賦

崔琦　白鵠賦

馬芝　申情賦　芝,馬融女。

補續漢書藝文志終　南海潘乃成、番禺黄濤校字

補後漢書藝文志

[清] 顧櫰三 撰

項永琴 整理

底本：1955 年中華書局影印《二十五史補編》本
校本：《金陵叢書》本

卷　一

洼丹　易通論《東觀漢記》作《通論》七篇。

丹,字子玉,南陽育陽人。世傳《孟氏易》。王莽時,避亂教授,徒衆數百人。建武初,爲博士。作《易通論》七篇,世號"洼君通"。丹學問研深,易家宗之,稱爲大儒。

崔篆　易林

篆,涿郡安平人。客居滎陽,閉門潛思,著《周易林》六十四篇,用決吉凶,多所占驗。《孔僖傳》:僖拜臨晉令,崔駰以《家林》筮之,謂爲不吉。注:篆所著《易林》。李石曰:"篆,駰之祖,著《易林》六十四篇,或曰《卦林》,或曰《象林》。"

鄭衆　易章句

衆,字叔師,河南開封人。傳《費氏易》,作《易章句》,以授馬融。卦下之彖辭,文王所作。爻下之象辭,周公所作。《山堂攷索》引。從俗所爲,服民之教,故君子治人不求變俗是也。如封太公於齊,五月報政,爲簡其君臣禮從俗,不同伯禽於魯,變其俗,易其禮三年報政也。史徵《口訣義·觀大象》引。身既不安,豈能安衆?同上,《震》九四"震遂泥"注引。荒耽於酒,則有沈酗之患。志累於衆,則有傷性之患。所以君子樂之善者,莫過於尚《詩》、《書》,敦習道義,教之美矣。《兑·大象》注引,同上。

景鸞　易説

《益部耆舊傳》:鸞,字漢伯,梓潼人。少隨師學經,涉七州之地,作《易説》、《禮略》及《詩解》,文句兼取《河》、《洛》,以類相從,名曰《交集》。

袁京　孟氏易傳難記

京,字仲譽,汝陽人。世傳《孟氏易》,作《難記》,凡三十萬言。

袁太伯　易章句

《論衡》:東番鄒伯奇,臨淮袁太伯、袁文術,會稽吴君高、周長生,位雖不至公卿,誠能知之囊橐,文雅之英雄也。觀伯奇之《玄思》、太伯之《易章句》、文術之《箴銘》、君高之《越紐録》、長生之《洞歷》,雖劉子政、揚子雲不能過也。秋碧案:君高,名平,見《越絶書》離合姓名詩。長生,名樹,見謝承《後漢書》。伯奇有《檢論》,亦見《論衡》,惟名爵及太伯、文術並無攷。

張滿　易林

張滿,未詳何代人。《唐志》列於許峻之前,姑附於此。

許峻　易章句《隋志》五卷。梁有十卷,《唐志》同。

峻,字季山,平輿人。善占卜之術。時人方之京房,所著《易新林》至今傳於世。孫曼傳祖業。

樊英　易章句

英,字季齊,南陽魯陽人。習《京氏易》,兼明《五經》、《七緯》。安帝初,徵爲博士,著《易章句》,世名"樊氏學"。

馮顥　易章句

《華陽國志》:顥,字赤宰,郪人也。少師事楊仲桓及蜀郡張光超,又事東平虞赤雅,作《易章句》及《刺奢説》。

周易版詞《文獻通考》"《周易版詞》一卷"。

陳振孫《書録解題》曰:"不知名氏,當是漢魏以前人所爲,其間官名皆東京制也。"

張遐　太極説

《饒州府志》:遐,字子遠,江西餘干人。侍徐穉,過陳蕃,穉指之曰:"此張遐也。"通《易》理,所著有《太極説》。

馬融　易注《隋志》一卷。《舊唐書・藝文志》"馬融《易章句》十卷"。陸德明《經典釋文》作《易傳》九卷。

融，字季長，右扶風人。案：近有輯本刊行。

鄭玄　易注《隋志》九卷。《舊唐書・志》作十二卷。《經典釋文》、《新唐書・志》並作十卷。《崇文總目》：今惟《文言》、《説卦》、《序卦》、《雜卦》四篇，餘皆逸。

玄，字康成，北海高密人。《經典・序録》：北海鄭玄傳《費氏易》。鄭自序：爲袁譚所逼，來至元城，迺注《周易》。王應麟《輯鄭氏易注》叙曰："鄭氏《易注》九卷，多論互體。江左與王輔嗣學並立，顔延之爲祭酒，黜鄭置王。齊陸澄貽王儉書云：'《易》自商瞿之後，雖有異家之學，同以象數爲宗。數百年後，迺有王弼之注。'王濟云：'弼所誤者多，何能頓廢前儒？河北諸儒專主鄭氏。'隋興，學者慕弼之學，遂爲中原之師。唐因之。鄭注不傳，此景迂晁氏所慨歎也。李鼎祚云：'鄭多參天象，王全釋人事，《易》道豈偏滯於天人者哉？'合《彖》、《象》於經，蓋自康成始，其説間見於鼎祚《集解》及《釋文》、三《禮》、《春秋》義疏、《後漢書》、《文選注》。迺於讀書之暇，輯爲一卷，庶使先儒象數之學猶有攷焉。"又曰："康成《詩箋》多改字，其注《易》亦然。如'包蒙'，謂'包'作'彪'，文也；《泰》'包荒'，謂讀爲'康'，虚也；'豶豕之牙'，讀'牙'爲'互'；《大過》'枯楊生荑'，讀'枯'音'姑'，山榆也；《晉》'錫馬蕃庶'，讀爲'蕃遮'，謂'蕃遮，禽也'；《解》'百果草木皆甲坼'作'甲宅'，"皆"讀爲'解'，'解'謂'坼'，呼'皮'曰'甲'，'根'曰'宅'；《困》'劓刖'當爲'槸杌'；'一握爲笑'，'握'讀如'夫三爲屋'之'屋'；《繫辭》'道濟天下'之'道'當作'導'；'言天下之至賾'，'賾'當爲'動'；《説卦》'爲乾卦'，'乾'當爲'幹'。其説多鑿。"魏淳于俊曰："康成合"彖"、《象》於經，欲使學者尋省易了。"王儉曰："《易》理微遠，實貫羣籍。施孟異聞，周韓殊旨,豈可專據小王,便爲該備? 依舊存鄭,意謂可安。”李延壽曰:“鄭玄並爲衆經注解,大行於河北。魏末,大儒徐遵明門下講鄭氏所注《周易》。”朱震曰:“康成始以《彖》、《象》連經文,王弼又以《文言》附《乾》、《坤》。自康成而後,其本加‘彖曰’、‘象曰’;自弼而後,加‘文言曰’。至於文辭連屬,不可附卦爻,則仍其舊篇。”吴仁傑曰:“鄭康成省去六爻之畫,又省去用九、用六之畫,移上下體於卦畫之下,又移卦名兩體之下,又移初九至用九,爻位之文加之爻辭之上,又合《彖》傳、《象》傳於經,於《彖》傳加‘彖曰’二字,於《象》傳加‘象曰’二字。”《經義攷》:鄭氏之《易》與王輔嗣本不同者甚多,如“爲其嫌於無陽也”,“嫌”作“謙”;“君子以經綸”,作“論”;“君子幾”,作“機”;“包蒙”,“包”作“彪”;“需”讀爲“秀”;“需於沙”作“沚”;“致寇”作“戎患”;“至掇也”,“掇”作“惙”;“終朝三褫”之“褫”,作“拕”;“王三錫命”,“錫”作“賜”;“乘其墉”,作“庸”;“明辨晢也”,“晢”作“遰”;“裒多益寡”,“裒”作“捊”;“舍車而徒”,“車”作“輿”;“賁如皤如”,“皤”作“蹯”;“頻復”,作“顰復”;“枯楊生梯”,作“荑”;“不鼓缶而歌”,作“擊缶”;“則大耋之嗟”下無“凶”字;“離王公也”,“離”作“麗”;“竣恒”,作“濬恒”;“或承之羞”,“或”作“咸”;“羸其角”,作“纍”;“不詳也”,“詳”作“祥”;“失得勿恤”,作“矢得勿恤”;“文王以之”,作“似之”;“夷於左股”,“夷”作“睇”;“其牛掣”,作“犎”;“先張之弧,後脱之弧”,作“壺”;“宜待也”,作“宜待時也”;“懲忿窒欲”,“窒”作“懫”;“壯於頄”,作“頯”;“其行次且”,作“趑且”;“姤”作“遘”;“后以施命誥四方”,作“詰四方”;“升”作“昇”;“劓刖”作“倪伔”;“其形渥”,作“剭”;“列其夤”,作“膑”;“遇其配主”,作“妃”;“豐其蔀”,作“菩”;“豐其沛”,作“芾”;“日中見沫”,作“見昧”;“天際翔也","翔"作"祥";"麗澤兑",作"離澤";"所樂而玩者","玩"作"翫";"故君子之道鮮矣","鮮"作"尟";"藏諸用","藏"作"臧";"議之而後動",作"儀之有功";"而不德",作"不置";"冶容"作"野容";"又以尚賢也",作"有以待";"暴客"作"虣客";"雜物撰德","撰"作"算";"爲廣顙",作"黄顙";"爲科上槁",作"槀";"爲黔喙",作"黯喙";"蠱則飭也","飭"作"飾"。當日河北諸儒專主鄭學,今則王伯厚所纂一卷,見於陸氏《釋文》僅此爾。"

鄭玄　易贊

《正義》:鄭玄作《易贊》及《易論》。王應麟曰:"《易》有《序卦》,《書》有孔子作序,鄭玄避之,謂之爲贊。贊,明也。"

夏曰《連山》,殷曰《歸藏》。《書·洪範》疏引鄭《易贊》。

蔡景君　易注

虞翻《易注》引。案:景君名爵里未詳。

荀爽　易傳《隋志》"漢司空荀爽注十卷"。《新》、《舊唐書·志》並同。

爽,字慈明,一名諝,潁川潁陰人。著《禮》、《易傳》、《詩傳》、《尚書正經》、《春秋條例》。又作《公羊問》及他所論説,凡百餘篇。荀悦《漢紀》曰:"臣悦叔父故司徒爽著《易傳》,專據爻象承應陰陽變化之義,以十篇之文解説經意,由是兖豫之言《易》者,咸傳荀氏學。"虞翻曰:"漢初以來,海内英才其讀《易》者,解之率少。至孝靈之際,潁川荀諝號爲知《易》,臣得其注,有愈俗儒。又南郡太守馬融,有俊才,其所解釋,復不及諝。"鄒湛曰:"《易》'箕子之明夷',荀爽訓'箕'爲'荄',詁'子'爲'滋',漫衍無經,不可致詰。"陸德明曰:"《荀爽九家集注》十卷,不知何人集。所稱荀爽者,以爲主也。其序有荀爽、京房、馬融、鄭玄、宋衷、虞翻、陸績、姚信、翟子元,注内又有张氏、朱氏,并不詳何人。其《説卦》傳本《乾》後有四,爲龍、爲直、爲衣、爲言;《坤》後有八,爲牝、爲迷、爲方、爲囊、爲黄、爲裳、爲帛、爲漿;《震》後有三,为玉、为鵠、为鼓;《巽》後有二,爲揚、爲鸛;《坎》後有八,爲宫、爲律、爲可、爲棟、爲叢棘、爲狐、爲蒺藜、爲桎梏;《離》後有一,爲牝牛;《艮》後有三,爲鼻、爲虎、爲狐;《兑》後有二,爲常、爲輔頰,注云'常,西方神也'。"朱震曰:"秦漢之時,《易》亡《説卦》。孝宣時,河内女子發老屋,得之。至後漢荀爽,又得八卦逸象三十有一。"吴仁傑曰:"《易》爻三百八十六,諸儒但知三百八十四爻耳。獨荀爽論八純之爻,通用九、用六而爲五十,他未有以爲言者。案《説卦》所論二篇之策,此三百八十四爻之策也。《乾》、《坤》之策,則用九、用六周公之策也。《注》、《疏》既通《乾》、《坤》之策爲兩篇之策,朱氏又破荀爽之説,謂用九、用六皆在八卦爻數之内。若爾,則《乾》、《坤》之策未免於重出,而用九、用六兩爻亦幾於贅而可削矣。夫有是爻則有是策,今三百八十六爻具而獨置兩爻不論,聖人之意豈若是乎?"王應麟曰:"爽《易》其文散見於李鼎祚《集解》,若乾升於坤曰雲行,坤降於乾曰雨施;乾起坎而終於離,坤起離而終於坎;離坎者,乾坤之家而陰陽之府,故曰'大明終始',皆諸儒所未發。"《經義攷》:案荀氏《易注》見於《釋文》所引,其文不同者:"陰疑於陽必戰","疑"作"凝";"爲其嫌於无陽也","嫌"作"嗛";"財成天地之道",作"裁成";"裒多益寡","裒"作"捊";"朋盍簪",作"宗";"賁如,皤如","皤"作"波";"蔑真凶",作"滅";"其欲逐逐",作"悠悠";"大耋之嗟",作"差","下戚嗟若",亦爾;"出涕沱若"作"池";"咸其拇",作"母","解而拇"同;"咸其腓",作"肥";"有疾憊也",作"備";"文王以之",作"似之";"家人嗃嗃",作"確確";"其牛掣",作"觭";"以正邦也",爲漢諱,作"國";"已事遄往","遄"作

"頫";"愓號",作"錫";"包有魚",作"胞";"聚以正也","聚"作"取";"君子以除戎器","除"作"慮";"劓刖",作"臲卼";"井谷射鮒","射"作"耶";"井收勿幕","收"作"甃";"震來虩虩",作"愬愬";"震遂泥",作"隊";"列其夤",作"朋";"厲薰心",作"動";"孕不育","孕"作"乘";"歸妹以須",作"獳";"月幾望",作"既望",《中孚》同;"雖旬",作"均";"匪夷所思","夷"作"弟";"喪其茀",作"紱";"言天下之至賾而不可惡也","惡"作"亞";"可與佑神矣","佑"作"侑";"六爻之義易以貢",作"功";"爲矯輮,作撓;爲亟心",作"極心";"豐多故親",句。"寡旅也",别爲句。

劉表　周易章句《隋志》五卷。《新》、《舊唐書·志》同。《中經簿》録十卷。《七録》九卷,目録一卷。

表,字景升,山陽高平人,魯恭王之後也。爲鎮南將軍,荆州牧。關西、兖、豫學士歸者千數。起立學校,博求儒術。綦毋闓、宋忠等撰《五經》章句,謂之"後定章句"。謝承《後漢書》:表受學於同郡王暢。《劉鎮南碑》:君深愍末學遠本離直,乃令諸儒改定《五經》章句,删刻浮疑,芟除煩重,又求遺書,寫還新者,於是古典畢集,充於州閭。"纏用徽纆"劉表云:"繩三股爲徽,兩股爲纆。"《穀梁疏》引。

宋忠　易注十卷《隋志》"梁有漢荆州從事宋忠注《周易》十卷,亡"。

忠,一名衷,字仲子,南陽章陵人。虞翻曰:"北海鄭玄、南陽宋忠,雖各立注,忠小差玄,而皆未得其門,難以問世。"王伯厚曰:"忠,字仲孚,一字仲子。"案:宋忠《易注》今有輯本刊行。

陸績　易注

績,字公紀,吴郡吴人。博覽多識,星曆算數,無不該覽。作《渾天圖》,注《易》,釋《玄》,皆傳於世。官至鬱林太守。預自知亡,乃爲辭曰:"有漢志士,吴郡陸績。幼敦《詩》、《書》,長玩《禮》、《易》。受命南征,遘疾遇厄。遭命不幸,嗚呼悲隔!"蕭常《續後漢書》曰:"績,風度英偉,博學多識,星曆之書,無不研究。虞翻舊齒名德,龐統荆楚碩望,皆與友善。"案:陸績《易注》今有輯本刊行。

陸績　京房積算雜占繇例注

李譔　古文易注

《華陽國志》:譔,字欽仲,梓潼涪人。譔所注書,皆依準賈、馬,而異於鄭,與王氏殊隔。初不見其所述,而意指多同。

孫炎　周易例

蕭常《續後漢書》:炎,字叔然,樂安人。受學鄭玄之門,稱東州大儒。王肅作《聖證論》以譏短玄。炎駁而釋之,及作《周易》、《春秋例》、《毛詩》、《禮記》、《春秋三傳》、《國語》、《爾雅》諸注,又著書十餘篇。

程秉　周易摛

蕭常《續後漢書》:秉,字德樞,汝南南頓人。逮事鄭玄,後避地交州,與劉熙攷論大義,遂博通五經,著《周易摛》、《尚書駁》、《論語弼》三萬餘言。

附　王朗　易傳

朗,字景興,東海郯人。以通經爲郎,師事太尉楊賜。著《易》、《春秋》、《孝經》、《周官》傳,奏議論記,皆傳於世。其所注《易傳》,子肅爲之撰定,立於太學。

王弼　易傳《釋文》:弼注《易》上下經六卷,作《易略例》一卷。《七志》云"注《易》十卷。"

弼,字輔嗣,山陽人。幼敏慧,年十餘,好老氏,已能辨析。其注《周易》,以《老》、《莊》爲宗,以無爲爲旨。潁川荀融難弼《大衍義》。弼又注《老子》,爲之指略,頗有理致。又注《道略論》。太原王濟好談《老》、《莊》,常云"見弼《易注》,所悟者多"。

王肅　周易注十卷

肅，字子邕，司徒朗之子。魏衛將軍、太常、蘭陵景侯。又注《尚書》、《禮》、《喪服》、《論語》、《孔子家語》，述《毛詩注》，作《聖證論》難鄭玄。余蕭客曰："案本傳，肅不注《周易》，但撰定父朗所作《易傳》，則諸引肅注，本王朗《易傳》，然諸志一不及朗，遂與班固遺親攘美之罪同。至蘇易簡《文房四譜》第五卷引顧野王《輿地志目》'王朗爲會稽太守，子肅隨之郡，住東齋，注《周易》'，則謬誤顯然。案朗《與許靖書》'大男名肅，生於會稽'，即非隨父之郡明矣。"案：肅作《周易音》。

董遇　章句十二卷《七志》、《七録》並云"十卷"。

遇，字季直，弘農華陰人。魏侍中、大司農。遇性質訥而好學。興平中，關中亂，與兄季中依將軍段煨，采稆負販，而常挾持書傳。建安中，舉孝廉，稍遷黄門侍郎。旦夕侍講，爲帝所愛。善治《老子》，作訓詁。又喜《左氏春秋傳》，作《朱墨别異》。人有從學者，遇不肯教，云："必當先讀百遍，其義自見。"

何晏　周易私記　周易講疏《册府元龜》"《私記》十卷、《講疏》十三卷。"

晏，字平叔，大將軍進之孫。尚操女，封關内侯。好《老》、《莊》，作《道德論》。余蕭客曰："案本傳及諸書，並不載此二書，未知王欽若所本。《隋志》有《周易私記》二十卷，不著撰人。下接《周易講疏》十三卷，注云'何妥撰'。恐編《册府》時，誤'妥'爲'晏'，復誤兩書爲一人。然李鼎祚《周易集解》引晏説而不詳書名，故備具目。"

虞翻　易傳

翻，字仲翔，會稽餘姚人。世受《孟氏易》，最有師法。翻少好學，有大志。爲《易傳》、《老子》、《論語》訓注，皆傳於世。後徙交州，雖處放廢，而講學不倦，門徒常數百人。以典籍自慰,依《易》設象,以占吉凶。又以宋氏解玄頗有舛謬,更爲立法。又著《明揚釋宋》,以理其滯。初,翻欲注《易》,奏疏曰:“臣生值衰亂,長於軍旅,習經於枹鼓之間,承先師之説,依經立注。又臣郡吏陳桃,夢臣与道士相遇,披髪被鹿裘,布《易》六爻,撓其三以飲臣。臣乞盡吞之,道士言《易》道在天,三爻足矣。豈臣受命,應當知經。而所覽諸家解,不離流俗,義有不當,輒悉改定,以就其正。”又曰:“經之大者,莫過於《易》。自漢初以來,讀《易》者解之率少。孝靈之世,潁川荀諝號爲知《易》,臣得其注,愈於俗儒。至釋‘西南得朋,東北喪朋’,顛倒反逆,了不可曉。”又言:“鄭玄解《尚書》,違失事因。臣聞周公制禮,以辨上下。孔子曰:‘有君臣然後有上下,有上下然後禮義有所措。’是故尊君卑臣,禮之大同也。伏見玄所注《尚書》,顧命以康王執瑁,古‘冃’似‘同’,從誤作‘同’,既不覺定,復訓爲‘杯’,謂之酒杯;‘成王疾困憑几洮頮’,以爲‘洮’字,虚更作‘濯’字,以從其非;又古大篆‘丣’字讀當爲‘柳’,古‘柳’、‘丣’同字,而以爲昧;‘分北三苗’,‘北’古‘别’字,又訓‘北’,言‘北猶别’也。若此之類,誠可怪也。又馬融以爲‘同者大同天下’,今經益‘金’作‘銅’字,訓詁言天子副璽。雖皆不得,猶愈於玄。又玄所注五經,違義尤甚者百六十七事,不可不正。行乎學校,傳乎將來,臣竊恥之。”翻與少府孔融書,并示以所注《易》。融復書曰:“聞延陵之理樂,觀吾子之治《易》,乃知東南之美,非徒會稽之竹箭也。”

虞翻　周易日月變例六卷

翻與陸績同撰。

姚信　易注十卷《七録》云十二卷。《隋志》十卷。

信,字德祐,《七録》云字元直,吴興人。吴太常卿。

袁準　易傳

準,字孝尼,渙第四子。著書百萬言,論經世之術,爲《易》、《周官》、《詩》傳及論釋《五經》滯義。案范蔚宗《後漢書》斷自獻帝建安二十五年,而蕭常《續後漢書》則以昭烈爲正統,而吴、魏爲載記,故吴、魏諸臣並附入列傳。郝經《續後漢書》亦以昭烈爲正統,而吴、魏君臣並歸列傳。然儒林則上及馬融、鄭玄、盧植、服、潁諸儒,而狂士則下逮阮孚、阮籍,論者病其疏於界限。今載諸儒撰述,起建武,迄末帝禪,而吴魏諸儒著述則斷自司馬氏受禪以前,從蕭、郝二書例也。以下諸經放此。

右周易類。

桓君歐陽尚書大小太常章句

桓榮,字春卿,沛郡龍亢人。少學長安,習《歐陽尚書》,事博士九江朱普。普卒,榮奔喪九江,負土成墳,因留教授。莽敗,天下亂。榮抱其經書,與弟子逃匿山谷。雖常飢困,而講論不輟。後復客授江淮間。建武十九年,年六十餘,始辟大司徒府。時顯宗始立爲太子,擢榮弟子豫章何湯爲虎賁中郎將,以《尚書》授太子。世祖從容問湯本師爲誰,對曰:"沛國桓榮。"帝即召榮,令説《尚書》,甚善,拜議郎,授太子經。顯宗即位,親自執業。永平三年,三雍成,拜爲五更,封關内侯。子郁,字仲恩,傳父業,以《尚書》教授,門徒嘗數百人。永平十五年,入授皇太子經,父子給事禁省。永元四年,爲太常。初,榮受朱普章句四十萬言,浮辭繁長,多過其實。及榮入授顯宗,減爲二十三萬言。郁復删省,定成十二萬言。由是有《桓君大小太常章句》。

五家要説章句

顯宗自制,桓郁校。

牟長　尚書章句

長,字君高,樂安臨濟人。少習《歐陽尚書》。建武二年,拜博士。遷河内太守。諸生講學者常千餘人,著録前後萬人。著《尚書章句》,皆本之歐陽氏,俗號爲"牟氏章句"。

周防　尚書雜記

防,字偉公,汝南汝陽人。師事徐州刺史蓋豫,受《古文尚書》。建武中,以經明舉孝廉。撰《尚書雜記》三十二篇,四十萬言。太尉張禹薦博士,稍遷陳留太守。

杜林　漆書古文尚書一卷

林,字伯山,扶風茂陵人。光武徵拜侍御史。林前於西州得漆書《古文尚書》,嘗寶愛之。雖遭艱困,握持不離身。出以示衛宏等曰:"林流離兵亂,常恐斯經將絶。何意東海衛子、濟南徐生復能傳之,是道竟不墜於地也。古文雖不合時務,然願諸生無悔所學。"於是古文遂行。

衛宏　尚書訓旨

宏,字敬仲,東海人。從大司空杜林受《古文尚書》,作《尚書訓旨》。時濟南徐巡師事宏,後更從林受學。宏《定古文尚書序》云:"伏生老不能言,言不可曉,使其女傳言教錯。齊人語多與潁川異,錯所不知凡十二三,略以意屬讀而已。""克明峻德",宏説:"摯立九年而唐德盛,乃禪位焉。"《史記》索隱。武王崩,成王年十歲,《書》正義鄭康成用衛宏説。戒成康叔以慎酒,成就人之道也,故曰成王。同上。賈逵《訓》四。

賈逵　尚書注

逵,字景伯,扶風平陵人。杜林傳《古文尚書》,同郡賈逵爲之作訓,馬融作傳,鄭玄注解,由是《古文尚書》遂顯於世。案:《東漢會要》作《古文尚書訓》。六宗者:天宗三,日、月、星;地宗三,河、海、岱也。劉昭《注補後漢書》。堯順孝其道而行之。《册府元龜》引賈逵《訓》。甸服之外,每百里爲差,所納總銍秸粟米者是,甸服之外特爲此數。其侯服之外,每言三百二百里還就,其服之内别为名耳，非是服外更有其地也。《诗》正义引賈《训》。曰："圛，古文作'悌'，賈逵以今文校之，定为'圛'。"《诗》正义。賈逵《奏尚書疏》云："流爲烏"，是爲孔異也。《經義攷》：按《漆書古文》，雖不詳其篇數，而馬、鄭所注實依是書。陸氏《釋文》采馬氏注甚多，蓋惟《今文》及《小叙》有注，而孔氏增多二十五篇，無一語及焉。安國叙中稱伏生口授裁二十餘篇，德明謂即馬、鄭所注二十九篇是也。蓋《今文》二十八篇，益以《小叙》，合二十九。德明又云馬、鄭所注並伏生所誦，非古文也，然則漆書所載，亦止有《今文》二十八篇而已。孔氏增多之書無之也。夫東漢为《古文尚書》者不一家，有蓋豫所傳者，有杜林所得，初不本於安國。而孔穎达達《正義》謬稱孔所傳者，賈逵、馬融等皆是，世儒不察，見古文字即以爲安國所傳，亦粗疏甚矣。

賈逵　尚書古文同異三卷

肅宗降意儒術，特好《古文尚書》。逵數爲帝言《古文尚書》與經傳《爾雅》訓詁相應，詔令撰歐陽、大小夏侯《尚書》古文同異。逵集爲三卷，帝善之。陳振孫曰："攷《儒林傳》，安國以《古文尚書》授都尉朝，弟子相承，以及塗惲、桑欽。至東都則賈逵作訓，馬融作傳，鄭玄注解。而逵父徽實受《書》於塗惲，逵傳父業，雖曰遠有源流，然而兩漢名儒皆未嘗實見孔氏古文也。豈惟兩漢，魏晉猶然。凡杜征南以前所注經傳，有援引《大禹謨》、《五子之歌》、《胤征》諸篇，皆曰《逸書》；《太誓》，則云今《太誓》所無，[1]蓋伏生《書》無《太誓》，《太誓》後出。或云武帝末民有獻者，或云宣帝時河内女子得之，所載'白魚火

① "《太誓》，則云今《太誓》所無，"陳振孫《直齋書録解題》卷二原作："其援《太誓》者，則云今《太誓》無此文"。此處節引，删減數字，易生誤解。

烏之祥’,實僞書也,則馬鄭所解豈真古文哉?”

張楷　尚書注

楷,字公超,通《嚴氏春秋》、《古文尚書》。隱居弘農山中,學者隨之,所居成市。

馬融　尚書傳《隋志》十一卷。

馬融《書序》曰:“《泰誓》後得,其文似若淺露。又云‘八百諸侯不召自至,不期同時’,及‘火復於上,至於王屋,流爲雕,五至,以穀俱來,舉火’,神怪,得毋所謂子不語乎?又《春秋》引《泰誓》‘民之所欲,天必從之’,《國語》引《泰誓》曰‘朕夢協朕卜,襲於休祥,戎商必克’,《孟子》引《泰誓》曰‘我武惟揚,侵于之疆,取彼凶殘,我伐既張,于湯有光’,《孫卿》引《泰誓》曰‘獨夫受’,《禮記》引《泰誓》曰‘予克受,非予武,惟朕文考無罪,受克予,非朕文考有罪,惟予小子無良’。今文《泰誓》皆無此語。吾見《書》傳多矣,所引《泰誓》而不在《泰誓》者甚多,弗復悉記,略舉五事以明之,亦可知矣。”又云:“逸十六篇絶無師説。”《通典》:顯慶二年十一月二十一日,講武於滍水之南,行三驅,上設次於尚書臺以觀之。時許州刺史封道弘奏言:“後漢南郡太守馬融講《尚書》於此,因爲名。今請改爲講武臺。”從之。孔穎達曰:“馬融《書序》云‘經傳所引《泰誓》,《泰誓》並無此文’,又云‘逸十六篇絶無師説’,是融亦不見孔氏古文也。”王應麟曰:“鳥獸蹌蹌,馬融注以爲‘筍簴’,《七經小傳》用其説。”《經義攷》:馬氏《尚書注》本於杜林漆書,故多與今文異。如“至於北岳,如西禮”作“如初”;“天叙有典”,“有”作“五”;“天明畏”作“威”;“暨稷播,奏庶囏食鮮食”,“囏”作“根”,云“根生之食謂百穀”;“日、月、星、辰、山、龍、華蟲、作會”,“會”作“繪”;“作十有三載”,“載”作“年”;“瑤琨篠蕩”,“琨”作“瓂”;“沿於江海”,“沿”作“均”;“滎波既豬"，"波"作"播"，云"滎播，澤名"；"導岍及岐"，"岍"作"開"；"天用勦絶其命"，"勦"作"巢"；"誕告用亶"作"單"；"用乂讎斂"，"讎"作"稠"，云"數也"；"自靖"作"清"，云"潔也"；"弗迓克奔"，"迓"作"禦"，云"禁也"；"無虐煢獨"，作"毋侮煢獨"；"我之弗辟"作"避"，謂"避居東"；"信，噫"作"懿"，云"猶億也"；"大誥爾多邦"，作"大誥繇爾多邦"；"降割"作"害"；《酒誥》"王若曰"，作"成王若曰"；"皇天既付中國民"，"付"作"附"；"非我小國敢弋殷命"，"弋"作"翼"；"大淫泆有辭"，"泆"作"屑"，云"過也"；"嚴恭寅畏"作"儼"；"文王卑服"，"卑"作"俾"；"譸張爲幻"，"譸"作"輈"；"其終出于不祥"，"終"作"崇"，云"充也"；"我道惟寧王德延"，"道"作"迪"；"若南宫括"，"宫"作"君"；"迪簡在王廷"，"迪"作"攸"，云"所也"；"爾罔不克臬"作"劓"；"王不懌"，作"不釋"，云"疾不解也"；"在後之侗"作"詷"；"冒貢"，作"勗贛"，云"陷也"；"王崩"作"成王崩"，注"安民立政曰成"；"四人綦弁"，"綦"作"騏"，云"青黑色"；"三咤"作"詫"；"折民惟刑"，"折"作"悊"，云"智也"；"王曰吁"作"于"；"惟來"，作"求"，云"有所求請賕也"；"仡仡勇夫"，作"訖訖"，云"無所省録之貌"；"諞言"作"偏"，云"少也，辭約指明，大辨佞之人"。蓋其書唐初尚存，此陸氏《釋文》引之。案馬融《尚書注》王應麟有輯本，孫伯淵補輯，近王氏《漢魏遺書》亦有輯本刊行。

張奂　尚書記難

奂字然明，敦煌酒泉人。師事太尉朱寵，學《歐陽尚書》。延熹九年，拜大司農。建寧元年，遷少府。尋以黨罪禁錮，歸田里，閉門養徒不出。著《尚書記難》三十萬言。案：《詩》"流離之子"正義引張奂云"鶹鷅食母"，不言所出，當是"名之曰鴟鴞"注文。

張奂　牟氏尚書章句删

《牟氏章句》浮辭繇多,有四十餘萬言,奂減爲九萬言。

鄭玄　尚書注《隋志》九卷。

梁陳所講有孔鄭二家,齊代惟傳鄭義,至隋孔鄭並行,而鄭氏甚微。玄《尚書序》:《虞夏書》二十篇,《商書》四十篇,《周書》四十篇。孔穎達曰:"鄭亦不見古文,故注《書序》、《舜典》云'入麓伐木',注《五子之歌》云'避亂於洛汭',注《胤征》云'胤征,臣名',又注《禹貢》引《胤征》云'厥篚玄黄,昭我周王',又注《咸有一德》云'伊陟臣扈曰',又注《典寶》引《伊訓》云'載孚在亳',又曰'征是三朡',又注《旅獒》云'獒,讀曰豪,西戎無君,名強大者爲酋豪,國人遣其酋豪獻於周',又古文有《仲虺之誥》、《太甲》、《説命》等見在而云亡,其《汨作》、《典寶》一十三篇見亡而云已逸,是亦不見古文也。"案:穎達既云馬融不見孔氏古文,下又云孔所傳者膠東庸生、劉歆、賈逵、馬融等所傳,豈非自相矛盾。鄭《毛詩箋》"阿倚,衡平也。伊尹,湯所依倚取平也",又曰"太甲時曰保衡",鄭不見古文《太甲》"不惠於阿衡",故爲此解。《禮記》"使之行商容而復其位"鄭注:"箕子視商禮樂之容,賢者所處,皆令復其位。"商容,人名,鄭不見《古文尚書》,故以爲禮樂也。"小民惟曰怨資","資"當爲"至",齊魯語聲之誤也。"祁"之言"是"也,齊西偏之語也。案:《尚書》"小民惟曰怨咨",此本作"資",鄭又讀"資"爲"至",鄭不見《古文尚書》也。百篇次第之序,孔鄭不同。孔以《湯誓》在《夏社》前,於百篇爲二十六,鄭以爲在《臣扈》後第二十九。孔以《咸有一德》次《太甲》後第四十,鄭以爲在《湯誥》後第三十九。孔以《蔡仲之命》次《君奭》後第八十三,鄭以爲在《費誓》前第九十六。孔以《周官》在《立政》後第八十八,鄭以爲在《立政》前第八十六。孔以《費誓》在《文侯之命》後第九十九,鄭以爲在《吕刑》前第九十七。孔依壁内篇次及序爲文,鄭依賈氏所奏别録爲次。案:孔傳凡五十八篇四十六卷,三十三篇與鄭注同,二十五篇增多鄭注。其二十五篇:《大禹謨》一,《五子之歌》二,《胤征》三,《仲虺之誥》四,《湯誥》五,

《伊訓》六,《太甲》三篇九,《咸有一德》十,《説命》三篇十三,《泰誓》三篇十六,《武成》十七,《旅獒》十八,《微子之命》十九,《蔡仲之命》二十,《周官》二十一,《君陳》二十二,《畢命》二十三,《君牙》二十四,《冏命》二十五。值巫蠱不行,前漢諸儒不見孔傳,遂有張霸之徒僞造《尚書》二十四篇,其數雖與孔同,其篇則有異。孔則於伏生所傳二十九篇内無古文《泰誓》,除序尚二十八篇,分出《舜典》、《益稷》、《盤庚》三篇、《康王之誥》爲三十二篇,增二十五篇爲五十八篇。鄭則於伏生二十九篇之内分出《盤庚》二篇、《康王之誥》,又《泰誓》三篇爲三十四篇。更增益僞書二十四篇爲五十八篇,所增二十四篇則鄭所注:《舜典》一,《汩作》二,《九共》九篇十一,《大禹謨》十二,《益稷》十三,《五子之歌》十四,《胤征》十五,《湯誥》十六,《咸有一德》十七,《典寶》十八,《伊訓》十九,《肆命》二十,《原命》二十一,《武成》二十二,《旅獒》二十三,《冏命》二十四,以此二十四爲十六卷,以《九共》九篇共卷,除八篇爲十六。王應麟曰:"鄭康成《書注》間見於疏義,如作服十二章、州十有二師,孔注皆所不及。"又曰:"康成注《禹貢》九河曰'齊桓公塞之,同爲一'。案《春秋緯·保乾圖》云'移河爲界在齊吕,填閼八流以自廣',鄭蓋據此文。"又曰:"康成云'祖乙居耿,奢侈踰禮,土地迫近山川,嘗圮焉。至昜甲立,盤庚爲之臣,乃謀徙居湯舊都。上篇是盤庚爲臣時事,中篇、下篇是盤庚爲君時事',正義以爲謬妄。《書裨傳》云'鄭大儒,必有所據而言'。"顧炎武曰:"馬融、鄭玄注《古文尚書》,載於《舊唐書·經籍志》,則開元之時尚有其書,而未嘗亡也。"又《經義攷》有康成《書贊》,孔穎達曰:"避序名,故謂之贊。"孔子乃尊而命之曰《尚書》。三科之條五家之教是。我先師棘下生安國,亦好此學,衛、賈、馬二三君子之業,則雅才好博,既宣之矣。《書》正義。歐陽氏失其本義,今疾此蔽冒,猶復疑惑。後又亡其一篇,故五十七。《漢書》注。《鄭志》:張逸問《贊》云:"我先師棘下生何時人?"答云:"齊田氏時,善學者所會處也。齊人號之棘下生,無常人也。"《水經》。又《書》疏引鄭《書論》云:"孔子求書,得黄帝玄孫帝魁之書,迄於秦穆,凡三千二百四十篇,斷遠取近,可以爲世法者百二十篇,以百二篇爲《尚書》,十八篇爲《中候》。”民間得《泰誓》。並《山堂攷案》。

鄭玄　尚書音《七録》一卷。

陸德明曰:“爲《尚書音》者四人:孔安國、鄭康成、李軌、徐邈。”

鄭玄　尚書大傳注《隋志》三卷。《中興書目》:康成始詮次爲八十一篇。

序曰:“蓋自伏生也。伏生爲秦博士,至孝文時年且百歲,歐陽生、張生從其學而授焉。數子各論所聞,以己意彌縫其闕,而别作章句。又特撰其大義,因經屬指,名之爲傳。劉子政校中書,奏此目録,凡四十一篇。”晁公武曰:“康成詮次爲八十一篇,今本四卷,首尾不倫。”王楙曰:“《尚書大傳》與《古文尚書》所載不同,《大傳》謂‘周公死,王誦欲葬於成周,天乃雷電以風,禾盡偃,大木斯拔,國人大恐,王乃葬周公於畢,示不敢臣也’,梅福、張奂皆引以爲言。據《今書》,言大雷電以風見於周公居東之日,而非死葬之時,以此一事觀之,則知《大傳》與經抵牾多矣。”王應麟曰:“《大傳》説《堯典》謂之‘唐傳’,則伏生不以是爲《虞書》。”又曰:“《書大傳·虞傳》有《九共》篇引《書》‘予辯下土,使民平明,使民無傲慢’,有《帝告》篇引《書》‘章施乃服,明上下’,豈伏生亦見《古文逸書》耶?”又曰:“《大傳》以《西伯戡黎》爲《戋耆》,《冏命》爲《羿命》,《費誓》爲《甫刑》。”《經義考》:《大傳》引經文異者,《大誥》“民獻有十夫”,“獻”作“儀”;《康誥》“惟乃丕顯考文王,克明德”,上有“俊”字;《無逸》作“毋”。又引《般庚》云“若德明哉”,引《酒誥》曰“王乃封,惟曰若圭璧”,今無其文。案:《雅雨堂叢書》有鄭玄《尚書大傳》輯本刊行。

劉陶　中文尚書

陶,字子奇,一名偉,潁川潁陰人,濟北貞王勃之後。舉孝廉,除順陽長。陶明《春秋》、《尚書》,爲之訓詁,推三家《尚書》及古文是正三百餘事,名曰《中文尚書》。張懷瓘《書斷》:陶以杜北山本爲正。案:“北山”當作“伯山”,即漆書古文也,賈逵、鄭玄皆傳其學。

盧植 尚書章

植，字子幹，涿郡涿人。少與鄭玄俱事馬融。建寧中，徵爲博士，拜九江太守，以疾去官，作《尚書章句》。

荀爽 尚書正經爵里見前易注。

亡名氏 書傳略説

案：《周禮·大行人》疏、《禮記·曲禮》、《檀弓》、《王制》、《玉藻》疏、《春秋公羊傳》俱引是書，未詳著者姓氏。

王粲 尚書釋問《七録》四卷。

粲，字仲宣，山陽高平人。辟丞相掾，遷軍謀祭酒。魏國建，遷侍中。《舊唐書·志》注：王粲問，田瓊、韓益正。王粲曰："世稱伊雒以東、淮漢以北，康成一人而已，咸言先儒多闕，鄭氏道備。粲竊歎怪，因求所學，得《尚書注》。退思其意，意皆盡矣。所疑猶有未諭焉，凡有二篇。"《顔氏家訓》：吾初入鄴，與博陵崔文彦交遊，嘗説《王粲集》中難鄭玄《尚書》事。崔轉爲諸儒道之，始將發口，横見排蹙，云："文集止有詩、賦、銘、誄，豈當論經史事乎？且先儒之中，未聞有王粲也。"案：粲卒於建安二十二年，魏國雖建，而鼎祚未移，故繫以漢。

程秉 尚書駮爵里見前易類。

附 王肅 尚書注十卷

《經典·序録》：肅亦注今文，而解大與古文相類，或肅私見孔傳而秘之乎？王肅注《堯典》，自"慎徽五典"以下分爲《舜典》。肅善賈、馬學，而不好鄭氏，采合同異，爲《尚書》、《論語》、三《禮》、《左氏》解，及撰定父朗所作《易傳》，皆列於學。

右尚書類

景鸞 詩解文句

鸞，字景伯，廣漢梓潼人。能理《齊詩》，作《詩解文句》。

伏黯　齊詩解説

黯,字稚文。明《齊詩》。少傳父業,改定章句,作《解説》九篇。

伏恭　删定齊詩章句

恭,字叔齊。司徒湛之兄子也,黯無子,以恭爲後。恭少傳黯學,教授不輟,以父黯章句繇多,迺減省浮辭,定爲二十萬言。

魯詩許氏章句

許晏,字偉君。習《魯詩》。師事琅邪王扶,改學曰《許氏章句》。

薛方丘　韓詩章句

薛漢　韓詩章句《隋志》二十二卷。

漢,字公子,淮陽人。世習《韓詩》,父子以章句著名。漢少傳父業。建武初爲博士。當世言《詩》者推漢爲長。永平中,爲千乘太守。案:《唐書・宰相世系表》:漢薛廣德生饒,饒生愿,愿生方丘,字夫子,方丘生漢,字公子。與《漢書・儒林傳》合。然則夫子非通稱也,夫子乃漢父方丘之字,王氏《困學紀聞》誤爲一人。今《章句》及《韓詩内》、《外傳》經解鉤沈,《漢魏遺書》業經采輯。

杜撫　詩題約義通

撫,字叔和,犍爲武陽人。受業於薛漢,定《韓詩章句》。後歸鄉里教授,弟子千餘人。東平王蒼辟爲大夫。建初中,爲公車令。其所作《詩題約義通》,學者傳之,曰"杜君注"。《華陽國志》:撫治五經,教授門生千人。杭堇浦《諸史然疑》:《儒林傳》"杜撫作《詩題約義通》"劉攽刊誤云"案'題'下當有脱字,合云'文約義通'也",此貢父妄解。《詩題約義》,撫書名如此,吴陸璣作《草木蟲魚疏》末附《四詩源流》,亦稱撫作《詩題約義通》,蓋已在范曄前百餘年矣。

趙曄　詩細《七録》作《詩譜》二卷。

曄,字長君,會稽山陰人。詣杜撫受《韓詩》,卒業迺歸。州補從事,不就,舉有道。卒於家。曄著《吴越春秋》、《詩細》、《歷神淵》。蔡邕至會稽,讀《詩細》而善之,以爲長於《論衡》。邕還京師傳之,學者咸誦習焉。

趙曄　歷神淵《隋志》"《詩神泉》一卷"。案:"淵"作"泉",避高祖諱。

虞翻曰:"有道山陰趙曄,徵士上虞王充,各洪才淵懿,學究道源,著書垂藻,絡繹百篇,釋經傳之宿疑,解當世之盤結,上窮陰陽之奥秘,下據人情之歸極。"

張匡　韓詩章句

匡,字文通,山陽人。習《韓詩》,作章句。後舉有道,博士徵,不就,卒於家。

侯包　韓詩翼要《隋志》作《韓詩翼》十卷,爵里未詳。

房中之樂有鍾磬。《樂書》引《韓詩翼要》。裼示之方也。衛武公刺王室,亦以自戒。行年九十有五,猶使臣日誦是詩,而不離於其側。並《詩正義》。

杜瓊　韓詩章句

瓊,字伯瑜,成都人。仕至大鴻臚、太常。少受學于任安,精究其術,著《韓詩章句》十餘萬言。

賈逵　毛詩雜義難《七録》十卷。

永平中,帝令逵撰《齊》、《魯》、《韓詩》與《毛詩》異同。八年九月,詔諸儒各選高才生受《左氏》、《穀梁春秋》、《古文尚書》、《毛詩》,由是國經復行于世。

衛宏　毛詩序案:《詩序》鄭康成以爲毛公作,《後漢書》以爲宏作,今仍之,而附諸家論駁于其後。

宏,字敬仲,東海人。初,九江謝曼卿善《毛詩》,迺爲其訓。宏從曼卿受學,因作《毛詩序》,善得風雅之旨,於今傳于世。《隋志》:先儒相承,謂《毛詩序》子夏所剏,毛公及衛敬仲又加潤益。芣苢實似李,食之宜子,出于西戎。《詩正義》引衛宏傳。《釋文》引同。

葉夢得曰:"世人疑《詩序》非衛宏所爲,此殊不然。使宏鑿空为之乎?雖孔子亦不能。使宏誦師説为之乎?則雖宏有餘矣。且宏《詩序》,有專取諸書之文而为之者,有雜取諸書所説而重複互見者,有委曲婉轉附經而成其書者。'《詩》有六義,一曰風,二曰賦,三曰比,四曰興,五曰雅,六曰頌',其文全出于《周官》。'情動于中而形于言,言之不足故嗟嘆之',其文全出于《禮記》。'成王未知周公之志,公乃爲詩以遺王',其文全出于《金縢》。'高子好利而不顧其君,文公惡而遠之不能,使高克將兵而禦狄于境,陳其師旅,翱翔于河上,久而不召,師散而歸,高克奔陳',其文全出于《左傳》。'微子至于戴公,禮樂廢壞',其文出于《國語》。'古者長民,衣服不貳,從容有常,以齊其民',其文全出于《公孫尼子》。則《詩序》之作,實在數書既傳之後明矣。此吾所謂專取諸書所言也。'《載馳》之詩,許穆公夫人作也,閔其宗國顛覆',又曰'衛懿公爲狄人所滅';《絲衣》之詩,既曰'繹賓尸矣',又曰'靈星之尸',蓋眾説並傳,衛氏得善辭美意並録,而不忍棄之。此吾所謂雜取諸書之説,而重複互見也。《騶虞》之詩,先言'人倫既明,朝廷既治,天下純被文王之化',而復繼之曰'蒐田以時,仁如騶虞,則王道成';《行葦》之詩,先言'周家忠厚,仁及草木',然後繼之曰'内睦九族,外尊事黄耇,養老乞言',此又吾所謂委曲宛轉,附經而成其義也。即三者而觀之,序果非宏之年作乎?漢世文章未有引《詩序》者,惟黄初四年,有'曹共公遠君子,近小人'之説,蓋宏之《詩序》至魏始行也。"惠棟《後漢書補注》:案《左傳·襄二十九年》季札見歌《秦》,曰"美哉!此之謂夏聲",服虔《解誼》曰"秦仲始有車馬禮樂之好,侍御之臣,戎車四牡,田獵之事,與諸夏同風",此《秦風·車鄰》序也。太尉楊震疏"朝無《小明》之晦",此《小雅·小明》序也。李尤《刻漏銘》曰"挈壺失職，刺流在詩"，此《齊風·東方未明》序也。蔡邕《獨斷》載《周詩》三十二章，盡録《詩序》。服、楊、李、蔡皆東漢儒者，當時已用《詩序》，何嘗至黄初始行耶？《養新録》：陳啓源云："司馬相如《難蜀父老》云'王者未有不始于憂勤，而終于逸樂'，此《魚麗》詩序也。班固《東都賦》'德廣所及'，此《漢廣》序也。一當武帝時，一當明帝時，可謂非漢世耶？"曹粹中曰："'羔羊之皮，素絲五紽'，《毛傳》謂'古者素絲有英裘，不失其制，大夫羔裘以居'，其説如此而已。而序云'在位皆節儉正直，德如羔羊'，且以退食爲節儉，其説出於康成，毛無此意也。'維鵲有巢，維鳩居之'，《毛傳》爲'鳩不自爲巢，居鵲之成巢'，其説如此而已，而序云'德如鳲鳩，乃可以配焉'。'君子偕老，副笄六珈'，《毛傳》云'能與君子偕老，乃宜居尊位，服盛服'，而序云'故陳人君之德，服飾之盛，宜與君子偕老'，則與傳意先後顛倒矣。序若出于《毛傳》，亦安得自相矛盾如此？要知《毛傳》初行之時，猶未有序也。意毛公既託之子夏，其後門人互相傳授，各記其師説，至宏而遂著之，後人又復加，殆非成于一人之手，則或以爲子夏，或以爲毛公，或以爲衛宏，其勢然也。"程大昌曰："謂《詩序》爲子夏作者，毛公、鄭玄、蕭統也。謂子夏有不序《詩》之道三，疑爲漢儒附託者，韓愈是也。范蔚宗之傳衛宏也，曰：'九江謝曼卿善《毛詩》，宏從受學，作《毛詩序》，善得風雅之旨，于今傳於世。'而鄭玄作《毛詩箋》也，其序著傳受明審如此，則今傳之序爲宏所作，何疑哉？然《詩》之古序非宏也，古序之與宏序，今混并無别。然有可攷者，凡詩發端兩語，如《關雎》'后妃之德也'，世人謂之小序者，古序也。兩語之外，續而申之，世謂大序者，宏語也。鄭玄之釋《南陔》曰：'子夏序《詩》，篇義合編，遭戰國至秦，而《南陔》六詩亡。毛公作傳，蓋引其序冠之篇首，故詩雖亡而義猶在也。'玄謂序出子夏，失其傳矣。至謂六詩發序兩語，古嘗合編,至毛公分冠篇首者,玄之在漢,蓋親見之。今六序兩語之下,明言有義亡辭,知其爲秦火之後見序而不見詩者所爲也。毛公于《詩》,第爲之傳,不爲之序,則其申釋先序時義,非宏而孰爲之哉?"顧炎武曰:"《詩》之世次不可信,今詩必皆孔子所正,且如'褒姒滅之',幽王之詩也,而次于前;'召伯營之',宣王之詩也,而次于後。序者不得其説,遂並《楚茨》、《信南山》、《甫田》、《瞻彼洛矣》、《裳裳者華》、《桑扈》、《鴛鴦》、《魚藻》、《采菽》十詩,皆以爲刺幽王之詩,恐不然也。又如《碩人》,莊姜初歸事也,而次于後;《緑衣》、《日月》、《終風》,莊姜失位而作,《燕燕》送歸妾作,《擊鼓》國人怨州吁作,而次于前。《渭陽》,秦康公爲太子時作也,而次于後;《黄鳥》,穆公薨後事也,而次于前。此皆經有明文可據,故鄭謂《十月之交》、《雨無正》、《小明》、《小宛》皆刺厲王之詩。漢興之初,經師移其第耳。而《左氏傳》楚莊王之言曰'武王作《武》',其卒章曰'耆定爾功',其三曰'敷時繹思,我徂維求定',其六曰'綏萬邦,屢豐年',今詩但以'耆定爾功一章爲《武》,而其三爲《賚》,其次爲《桓》,章次復相隔越。《儀禮》歌《召南》三篇,越《草蟲》而取《采蘋》,正義以爲《采蘋》舊在《草蟲》之前,知今日之《詩》已失古人之次矣。"朱錫鬯曰:"《詩》之有序,不獨《毛傳》爲然,説《韓詩》、《魯詩》者,亦莫不有序。如'《關雎》,刺時也','《芣苢》,傷夫有惡疾也','《漢廣》,説人也','《汝墳》,辭家也','《蝃蝀》,刺奔女也','《黍離》,伯封作也','《雞鳴》,讒人也','《雨無極》,正大夫刺幽王也','《賓之初筵》,衛武公飲酒悔過也',此《韓詩》之序也。楚元王受《詩》于浮丘伯,劉向元王之孫,實爲《魯詩》,其所撰《新序》,以《二子乘舟》爲伋之傅母作,《黍離》爲壽閔其兄作,《列女傳》以《芣苢》爲蔡人妻作,《汝墳》爲周南大夫妻作,《行露》

爲申人女作，《邶·栢舟》爲衛宣夫人作，《燕燕》爲定姜送婦作，《式微》爲黎莊公夫人作，《大車》爲息夫人作，此皆本于《魯詩》之序也。《齊詩》雖亡，度當日經師必有序。惟《毛詩》之序本于子夏，子夏習《詩》而明其義，又能推原國史，明乎得失之故，試稽之《尚書》、《儀禮》、《左氏内外傳》、《孟子》，其説無不合。《毛詩》出，學者舍齊、魯、韓三家而從之，以其有子夏之序，不同于三家也。惟其序作于子夏，子夏授《詩》于高行子，此《絲衣》序有高子之言；又子夏授曾申，申授李克，克授孟仲子，此《維天之命》有孟仲之言，皆以補師説之所未及，毛公因而傳之不廢。若《南陔》六詩，有其義而亡其辭，則出自毛公足成之，所謂有其義者，据子夏之序也。而論者多謂序作于衛宏，夫《毛詩》雖後出，亦在武帝時，《詩》必有序而後可授受，《韓》、《魯》皆有序，《毛詩》豈獨無序，直至東漢之世俟宏之序以爲序乎?"《四庫全書提要》：案《詩序》之説，紛如聚訟：以爲大序孔子作，小序子夏、毛公合作者，鄭玄《詩譜》也；以爲子夏所序《詩》即今《毛詩序》者，王肅《家語注》也；以爲衛宏受學謝曼卿乃作《詩序》者，《後漢書·儒林傳》也；以爲子夏所創，毛公及衛宏又加潤色者，《隋書·經籍志》也；以爲子夏不序《詩》者，韓愈也；以爲子夏惟裁初句，以下出于毛公者，成伯璵也；以爲詩人所自製者，王安石也；以小序爲國史之舊文，以大序多孔子作者，明道程子也；以首句即爲孔子所題者，王得臣也；以爲《毛傳》初行尚未有序，其後門人互相傳授，各記其師説者，曹粹中也；以爲村野妄人所作，昌言排擊而不顧者，則倡之者鄭樵、王質，和之者朱子也。然樵所作《詩辨妄》一出，周孚即作《非鄭樵〈詩妄辨〉》一卷，摘其四十事攻之。質所作《詩總聞》亦不甚行于世。朱子同時如吕祖謙、陳傅良、葉適皆以同志之交，各持異議。黄震篤信朱子,而所作《日抄》亦申序説。馬端臨作《經籍考》,于佗書無所攷辨,惟《詩序》一事,反覆攻詰,至數千言。自元明以至今日,越數百年,儒者尚各分左右袒,豈非説經之家第一争端乎?攷鄭玄之釋《南陔》曰:“子夏序《詩》,篇義合編。遭戰國至秦,而《南陔》六詩亡。毛公作傳,各引其序,冠之篇首,故詩雖亡而義猶在也。”程大昌《攷古編》亦曰:“今六序兩語之下,明言有義無辭,知其爲秦火之後見序而不見詩者所爲。”朱鶴齡又舉《宛丘》序首句與《毛傳》異辭,其説皆足爲小序首句原在毛前之明證。丘光庭《兼明書》舉《鄭風·出其東門》篇,謂《毛傳》與《序》不同。曹粹中《放齋詩説》亦舉《召南·羔羊》、《曹風·鳲鳩》、《衛風·君子偕老》三篇,謂詩意序意不相應,若出于毛,安得自相違戾?其説尤足爲續申之語出于毛後之明證。觀蔡邕本習《魯詩》,而所作《獨斷》載《周頌》三十一篇,皆祗有首二句,與《毛序》文有詳略,而大旨略同。蓋子夏五傳至孫卿,孫卿授毛亨,毛亨授毛萇,是《毛詩》距孫卿再傳,申培師浮丘伯,浮丘伯師孫卿,是《魯詩》距孫亦再傳、故二家之序大同小異,其爲孫卿以來,遞相授受者可知。其所授受祗首二句,而以下出于各家之演説亦可知也。且《唐書·藝文志》稱《韓詩》“卜商序,韓嬰注,二十卷”,是《韓詩》亦有序,其序亦稱出子夏矣。而《韓詩》遺説之傳于今者,往往與毛迴異,豈非傳其學者之遞有增損哉?今參攷諸説,定序首二語爲毛萇以前經師所傳,以下續申之詞爲毛萇以下弟子所附,仍録詩部之首,明淵源之有自。並録朱子之説,著門户所由分,蓋數百年朋黨之争兹其發端矣。

馬融　**毛詩注**《七録》十卷。陸德明曰:“無下帙。”

鄭玄　**毛詩箋**《隋志》二十卷。

鄭自序:遭黨錮之事,逃難黨錮事,解注《古文尚書》、《毛詩》、

《論語》。《六藝論》：注《詩》，宗毛爲主，毛義若隱略，則更表明，如有不同，即下己意。《養新録》：鄭箋宗毛，然亦閒有從韓、魯説者，如《唐風》"素衣朱襮"，以"繡黼"爲"綃黼"，《十月之交》爲厲王之詩，《皇矣》"侵阮徂共"爲三國名，皆《魯詩》也。《衡門》"可以樂飢"爲"瘵飢"，"抑此皇父"，"抑"讀爲"意"，"古之人無斁"，"斁"作"擇"，以"狄彼東南"作"鬄"，皆《韓詩》説也。案：康成先通《韓詩》，故注《禮》與箋《詩》異，如"先君之思，以勗寡人"爲定姜之詩，"生甫及申"爲仲山甫、申伯，又"不濡其翼"、"維禹敶之"、"上天之載"、"匪革其猶"、"汭坃之即"、"至于湯齊"是也，又"温良而能斷者，宜歌《商》"，鄭注謂"《商》，宋詩"，蓋用《韓詩》説也。《正義》：當桓靈之世，著此書也。陸德明曰"鄭氏作箋，申明毛義，以難三家，于是三家遂廢"。曰鄭氏箋者，相傳是雷次宗題。案周續之釋題已如此，又恐非雷之題也。《初學記》：箋，薦也，言薦成毛意。《日聞録》：古無紙，用簡牘。簡以竹爲之，牘以木爲之。鄭康成釋《詩》，别爲注文以附毛公之下，以竹簡書之，故特名之曰箋，其字從竹。《直齋書録解題》：鄭氏曰"箋"者，案《正義》云"鄭于諸經皆謂之'注'，獨此言'箋'者，《字林》云'箋，表也，識也'，鄭遵毛學，表明毛言，記識其事，故稱爲'箋'。"又案《後漢書》傳注引張華《博物志》"鄭注《毛詩》曰箋，不解此意。或云毛公曾爲北海相，鄭是郡人，故以爲敬"。雖未必由此，然漢魏達上之辭，皆謂之"箋"，則其爲敬明矣。朱錫鬯曰："《毛詩》經文久而滋誤者，因鄭箋可證其非。若《小旻》'如彼泉流'，今誤'流泉'，鄭箋曰'如原泉之流'，則'流泉'非矣。《旱麓》'延于條枚'，今誤作'施'，鄭箋云'延蔓于木之枚，木而茂盛'，則當作'延'矣。《吕覽》、《韓詩外傳》亦同作"延"。《思齊》'厲假不瑕'，'厲'今作'烈'，鄭箋云'厲、假皆病也'。又'古之無擇'，今作'斁'，鄭箋云'口無擇言，身無擇行，以身化其臣下'。《卷阿》'嗣先公爾酋矣'，今作'似先公酋矣'，鄭箋云'嗣先君之功而終成之'。《蕩》'殷鑒不遠，近在夏后之世'，今本失'近'字，鄭箋云'近在夏后之世，謂湯誅桀也'。凡此可補王伯厚《詩攷》之闕。”

鄭玄　毛詩譜《隋志》三卷,有太叔裘及劉炫注。

《書録解題》:漢鄭康成撰,歐陽修補亡。其叙云:“慶曆四年至絳州得之,有序而不見名氏。譜序自周公致太平以上皆亡之,取孔氏《正義》所載補足之,因爲之注。自此以下即用舊注。攷《春秋》、《史記》,合以毛、鄭之説,補譜之亡,于是其書復完。”《古今書録》:有徐正陽注。《經典釋文·序録》所稱“徐整暢,太叔裘隱括之”,蓋整既演暢而裘隱括之也。《宋兩朝國史》:歐陽修于絳州得之,注本卷首殘闕,因補成進之。然不知注者乃太叔裘也。王應麟曰:“鄭于三《禮》、《論語》爲之作序,此譜亦序類,避子夏序,以其列諸侯世及詩之次,故名譜。譜者,普也。”

鄭玄　毛詩音

陸德明曰:“爲《毛詩音》者九人:鄭玄、徐邈、蔡氏、孔氏、阮侃、王肅、江惇、干寶、李軌。”

荀爽　詩傳

荀悦《漢紀》:臣悦叔父故司空爽著《詩傳》,皆明正義,無它説。通人學者多好尚之,然希得立于學官也。

李譔　毛詩傳爵里見前易類。

劉楨　毛詩義問《隋志》十卷。《通志》三卷。《册府元龜》九卷。楨爵里見後集類。

夫婦失禮則虹氣盛,有赤色在上者,陰乘陽氣也。《北堂書鈔》。烏有鶋烏、雅烏、楚烏也。《初學記》。弸所以覆矢也,謂箭筒蓋也。《太平御覽》。國貧兵役,男女怨曠,于是女感傷而思男,故出游于洧之外,采芬香之草,而爲淫佚之行,乃時草始生,而云蔓者,女情急欲以促時也。同上。横一木作門而上無屋謂之衡門。《藝文類聚》。辰風,今之鷂。同上。蟋蟀食蠅而化成。《太平御覽》。欝，其樹高五尺，其實大如李而赤，食之正甜。《詩正義》。狐之類，貉貒貍也。貉子曰貆。貆形狀與貉異，世人皆名貆。貉子似貍。《初學記》。蠨蛸，長脚蠅鼄也。《太平御覽》。鍘羹，有菜鹽豉其中，菜爲其形象，可食，因以鍘爲名。《初學記》。

附　王肅　毛詩注《經典釋文》二十卷。

王肅　毛詩義駁　毛詩奏事　毛詩問難

王基　毛詩駁

基，字伯輿，東萊人。官至荆州刺史。作《毛詩駁》以申鄭難王。

孫炎　毛詩傳爵里見前易類。

陸璣　毛詩草木鳥獸蟲魚疏三卷

璣，字元恪，吴郡人。吴太子中庶子、烏程令。案：陸氏《疏》《津逮秘書》有刊本。

袁準　時傳爵里見前易類。

徐整　毛詩譜暢《隋志》三卷。

整，字文操，豫章人。吴太常卿。案：東漢末有兩徐整，一柏人令，《顔氏家訓》所稱"柏人令徐整碑"者是也；一吴太常卿，陸氏《釋文》所稱"徐演暢"者是也，又整亦字正陽。

韋昭　毛詩問難七卷

右詩類

曹充　慶氏禮章句辨難

曹褒父充，持《慶氏禮》。建武中爲博士。顯宗即位，拜侍中，作《章句辨難》，自是遂有慶氏學。

曹褒　禮通義十二篇

褒，字叔通，魯國薛人。舉孝廉，拜博士，遷侍中。博物識古，爲儒者宗。作《通義》十二篇，演經雜論百二十篇，又傳《禮記》四十九篇。教授諸生千餘人。慶氏學遂行於世。《隋書》:大戴、小戴、慶氏三家並立,後漢惟曹充傳慶氏,以授子褒。然三家雖存並微,相傳不絶。《漢名臣奏》:詔褒先叙禮樂,以《帝新》一篇冠首。葛龔《與梁相箋》:曹褒寢懷鉛,筆行誦文書。

鄭眾　婚禮謁文

眾,字仲師,河南開封人。官至大司農。納采,始相言語,采擇可否之時。問名,謂問女名,將歸上之。納吉,謂歸卜吉,往告之也。納徵,用束帛,徵成也。請期,謂吉日將親迎,成之也。百官六禮大略同於周制,而納采女家答辭末云:"奉酒肉若干。"再拜,反命。其所稱前人,不云吾子,皆云君。六禮文皆封之,先以紙封表,又加以皁囊,著篋中。乂以皁衣篋表,訖以大囊表。題檢文言:"謁篋某君門下。"其禮物凡三十種,各内謁文,外有贊文,各一首。封如禮文,篋表訖,蠟卦題,用皁帔蓋於箱中,無囊表,便檢題文言:"謁篋某君門下。"便書贊文,通共在檢上。《通典》。禮物以玄纁、羊、雁、旨酒、白酒、粳米、稷米、蒲、葦、卷柏、嘉禾、長命縷、膠、漆、五色絲、合歡鈴、九子墨、金錢、得禄香草、鳳皇、舍利獸,鴛鴦、受福獸、魚、鹿、烏、九子婦、陽燧。鑚言:物之所象者眾,玄象天,纁法地。羊者,祥也,羣而不黨。雁則隨陽。清酒降神,白酒次之。粳米羞食。稷米粢盛。蒲眾多性柔,葦柔之久。卷柏屈卷附生。嘉禾須禄。長命縷縫衣延壽。膠能合異類。漆内外光好。五色絲章采屈伸不窮。合歡鈴意解和諧。九子墨長生子孫。金錢和明不止。得禄香草爲吉祥。鳳皇雌雄伉合。舍利獸仁而謙。鴛鴦飛止須匹,鳴則相和。受福獸體恭心慈。魚處淵,無射。鹿者,禄也。烏知反哺,孝於父母。九子婦有四德。陽燧成明安身。又有丹爲二十五色之宗,青爲色，東方始。《山堂攷索》。羣而不黨，跪乳有義。《羊贊》，《初學記》、《白帖》引同。雁候陰陽，待時乃舉，冬南夏北，貴有其所。《雁贊》，同上。秔米馥芬，昏禮之珍。《秔米贊》，《北堂書鈔》。稷爲太官。《稷贊》，《藝文類聚》。九子之墨成於松煙，本性長生子孫圖邊。《九子墨贊》。金錢爲質，所歷長久。金取和明，錢用不止。《金錢贊》。長命之縷，女工所爲。《長命縷贊》。舍利爲獸，獸而能謙，禮義乃信，口無譏訾。《舍利贊》。卷栢藥草，附生山顛。屈拳成性，終無自申。《卷柏贊》。嘉禾爲穀，班禄是宜。吐秀五七，乃名爲嘉。《嘉禾贊》，同上。女貞之樹，柯葉冬生。寒涼守節，險不能傾。《女貞贊》，《太平御覽》。鴛鴦之鳥，雄雌相類，飛止相匹。《鴛鴦贊》，同上。案：是書久佚，贊文亦多殘闕不完，今從各書采輯，得若干條，知東京時士大夫家昏禮儀節如此。

崔駰　昏禮結言

駰，字亭伯，涿郡人。乾坤其德，恒久不已。爰定大綱，夫婦作始。乃降英媛，有淑其儀。姬姜是倂，比則姚嬀。載納嘉贄，申結鞶褵。《藝文類聚》。委禽奠雁，配以儷皮。温如蒲葦，固以膠漆。《太平御覽》。

景鸞　禮略

本傳："撰《禮内外記》。"

杜子春　周官注

《隋志》：漢時，有李氏得《周官》，上於河間獻王，獨闕《冬官》一篇。獻王購以千金不得，遂取《攷工記》以補其闕，合成六篇奏之。至王莽時，劉歆始置博士，以行於世。河南緱氏杜子春受業於歆，因以教授。陸德明曰："河南緱氏杜子春受業于劉歆，還家以授門徒，好學之士鄭興父子等多師事之。"賈公彦曰："劉歆門徒河南緱氏杜子春，永平初年且九十，家於南山，通《周官》説，鄭眾、賈逵往受業焉。"

鄭興　周官解詁

興,字少贛,河南開封人。建武六年,徵爲大中大夫,作《周官解詁》。鄭康成注稱爲鄭大夫者,即興之《解詁》也。《書序》言成王既黜殷命,還歸在豐,作《周官》,則此《周官》也。《通典》引鄭興《解詁》。

鄭眾　周官解詁

馬融《周官注》序:鄭眾、賈逵洪雅博聞,又以經書記轉相證明爲解,逵解行於世,眾解不行。然眾所解説,近得其實。晁公武曰:"鄭興、鄭眾傳授《周禮》,康成引以參釋同異。云大夫者,興也;司農者,眾也。"

賈逵　周官解詁

本傳:并作《周官解故》。陸德明曰:"賈景伯亦作《周官解詁》。"

衛宏　周官解詁

張衡　周官訓詁

衡,字平子,南陽西鄂人。安帝徵拜郎中,再遷爲太史令,出爲河間相,徵拜尚書,著《周官訓詁》。崔瑗以爲不能有異於諸儒也。順帝時,平子爲侍中,典校書,乃作《周官解説》。外史,五帝之書。五典,五帝之常道也。《春秋疏》引張衡《解》。

胡廣　周官解詁

廣,字伯始,南郡華容人。官至太傅,著詩、賦、銘、頌、箴、弔及諸解詁凡二十篇。案:諸解詁即《周官解詁》、《漢書解詁》、《漢官解詁》等書。

馬融　周官傳十二卷

孔穎達曰:"馬融爲《周官注》,欲省學者兩讀,故具載本文。後漢以來始就經爲注。"趙岐讀《周官》,二義不通,往造馬融。融《周官傳》序:秦法與《周官》相反,故始皇特疾惡,欲絶滅之，搜求焚燒之獨悉。孝武帝始除挾書之律，開獻書之路，《周官》出於山巖屋壁。至孝成皇帝，達才通人劉向、子歆，校理祕書，始得列序，著於《録》《略》。然亡其《冬官》，以《攷工記》足之。時眾儒並出共排之，以爲非是。惟歆獨識，其年尚幼，務在廣覽博觀。末年，乃知周公致太平之迹，迹具在此。奈遭天下倉卒，兵革並起，弟子死喪，僅有門人河南緱氏杜子春，永平之初，年且九十，能通其讀。鄭眾、賈逵往受業焉。逵、眾洪雅博聞，又以經書轉相證明。逵解行於世，眾解不行。然眾所解説近得其實。予至六十，爲武都守。郡小事少，乃述平生之志，著《易》、《尚書》、《詩》、《禮》傳皆訖，惟念前業未畢者，惟《周官》。年六十有六，目瞑意倦，自力補之，謂之《周官傳》也。

鄭玄　周官注十二卷

玄初從東郡張恭祖受《周官》、《禮記》，後師事馬融。融作《周官傳》，授鄭玄。玄作《周官注》。鄭《周官序》：世祖以來，通人達士大中大夫鄭少贛名興，及子大司農仲師名眾，及故議郎衛次仲、侍中賈景伯、南郡太守馬季長，皆作《周官解詁》。玄竊觀之二三君之文章，顧省竹帛之浮辭，其所變易，灼然如晦之見明；其所彌縫，奄然如合符復析，斯可謂雅達廣覽者也。然猶有參錯，同事相違，則就其原文字之聲類，攷訓詁，捃祕逸。謂二鄭者，實同宗之大儒，明理於典籍，觕識皇祖大經《周官》之義，存古字，發疑正讀，亦信多善，徒寡且約，用不顯傳於世。今讚而辨之，庶成此家世所訓也。酈道元曰："湛水出犨縣北魚齒山，《周禮》'荆州，其浸潁、湛'，鄭玄注云'未聞'，蓋偶有不照也。"王應麟曰："鄭康成注經，以緯書亂之，以臆説汩之，而聖人之微旨晦焉。徐氏《微言》謂鄭注誤有三：《王制》，漢儒之書，今以釋《周禮》，其誤一；《司馬法》，兵制也,今以證田制,其誤二;漢官制皆襲秦,今引漢官以比《周官》,小宰乃漢御史大夫之職,謂小宰如今御史中丞,如此之類,其誤三。"又曰:"《唐·禮志》云:'讖緯亂經,鄭玄主其説。以禋祀祀昊天上帝,此天也。玄以爲天皇大帝者,北辰耀魄寶也。兆五帝於四郊,此五行精氣之神也。玄以靈威仰、赤熛怒、含樞紐、白招拒、汁光紀者五天也,由是有六天之説。顯慶二年,禮官議六天出緯書,南郊、圜丘一也,玄以爲二。郊及明堂祭天,而玄以爲祭太微五帝。啓蟄而郊,郊而後耕,而玄謂周祭感生帝靈威仰,配以后稷,因而祈穀,皆謬論也。'"魏了翁曰:"康成以漢制解經,以賦爲口率出泉,三代安有口賦?王介甫用之以誤熙寧,皆鄭注啓之。"

鄭玄　答臨碩周禮難

碩,字孝存,北海人。博學多聞,早卒。孔融爲北海相,令與甄孝然配食縣社。《正義》:臨孝存以爲武帝知《周官》末世不經之書,作十論七難排之。何休以爲六國陰謀之書。惟鄭玄知爲周公致太平之迹,故能答臨碩之難。

鄭玄　周官音一卷陸德明曰:"三禮音各一卷。"

附　王肅　周官注十二卷

袁準　周官傳

王朗　周官傳

鄭玄　儀禮注《隋志》十七卷。

玄本習小戴《禮》,後以古今校之,取其義長者爲鄭氏學。《晉書》:元帝踐祚,《周官》、《禮記》鄭氏置博士。荀崧上疏曰:"《儀禮》一經,所謂《曲禮》,鄭玄於禮特明,皆有證據,宜置鄭《儀禮》博士一人。"阮孝緒曰:"古經出魯淹中,其書周宗伯所掌五禮威儀之事,有六十六篇,無敢傳者。後博士侍其生傳十七篇,鄭玄注《儀禮》是也,餘篇皆亡。"《隋書》:古經十七篇，惟鄭注立於國學，其餘並多散亡，又無師説。晁公武曰："《儀禮》十七篇，惟鄭注。西漢諸儒得《古文禮》，凡五十六篇。高堂生傳《士禮》十七篇，爲《儀禮》。《喪服傳》一卷，子夏所爲。其説曰：《周禮》爲本，聖人體之；《儀禮》爲末，聖人履之。爲本則重者在前，故宗伯序五禮以吉、凶、軍、賓嘉爲次；爲末則輕在前，故《儀禮》先冠、昏，後喪、祭。"

鄭玄　儀禮音《七録》二卷。《釋文·序録》一卷。

馬融　喪服經傳一卷

朱錫鬯曰："陸氏《序録》載注解傳述人，於《儀禮》有鄭康成注，此外馬融、王肅、孔倫、陳銓、裴松之、雷次宗、蔡超宗、田僧之、劉道拔、周續之，凡十家，云自馬融以下並注。攷《隋書·經籍志》，十家之中，惟載王肅《儀禮注》十七卷，其餘未嘗有全書注也。《舊唐書·經籍志》於馬融《喪服紀》下，又一卷鄭玄注，又一卷袁準注，又一卷陳銓注，又二卷蔡超宗注，又二卷田僧紹注，亦未載諸家有全書注。至《新唐書·藝文志》始載袁準注《儀禮》一卷，孔倫注一卷，陳銓注一卷，蔡超宗注二卷，田僧紹注二卷，並不著其注《喪服》，則誤以《喪服》注爲《儀禮》全書注也。至鄭氏《通志·略》，既於《儀禮》全書注載袁準、孔倫、陳銓、蔡超宗、田僧紹，又於《喪服傳》注五家複出，由是西亭王孫《受經圖》、焦氏《經籍志》並沿其誤，當以陸氏《序録》爲正也。"傳"麻之有蕡者也"注："蕡者，枲實，枲麻之有子者。其色粗惡，故用之。""以下斬衰。"傳"天子至尊也"注："君，一國所尊也，故曰至尊也。"傳"君至尊也"注："君，一國所尊也，故曰至尊"。傳"父爲長子，正體於上，又乃將所傳重也"。注："體者適，適相承也。正爲體在長子之上，上正於高祖，體重其正，故服三年。此爲五世之適，父乃爲之斬也。"傳"庶子不得爲長子三年，不繼祖也"注："庶子賤，爲長子服,其服不得隨父服三年,故云不繼祖也。"傳"夫,至尊也"注:"婦人天夫,故曰至尊。"傳"妾爲君,君至尊也"注:"妾賤,事夫如君,故曰至尊。"傳"子嫁反在父之室,爲父三年"注:"爲犯七出,還在父母之家。"傳"受重者"注:"受人宗廟之重,故三年。"傳"斬衰三年,公士大夫之衆臣爲君"注:"士,卿士。公卿大夫厭於天子諸侯,故降其衆臣布帶繩屨。""公卿大夫室老、士,貴臣也,其餘皆衆臣。君,有采地者,故曰君也。"傳"衆臣杖,不以即位。近臣,君服斯服矣"注:"衆臣室老,家相也。士,邑宰也。近臣,閽寺之屬。君,嗣君也。斯,此也。近臣從君喪服,無所降。"傳"牡麻絰,右本在上"注:"在上指右,故曰右本。"以下齊衰三年。傳"父卒則爲母齊衰三年"注:"父卒無所復屈,故得伸重服三年也。"傳"慈母如母"注:"謂大夫士之妾,妾子之無母者,父命爲母子者。其使養之,不命爲母子,則亦服庶母慈己之服可也。"傳"母爲長子齊衰三年。父之所不降,母亦不敢降也"注:"父不傳重無五代之義,而服三年,隨父從於夫也。不在斬衰章者,以子當爲母服齊衰也。"傳"父在,爲母齊衰杖周,屈也"注:"屈者,子自屈於父,故周而除母服也。父至尊,子不敢申母服三年。"以下齊衰周。傳"爲妻齊杖周。妻,至親也"注:"妻與己共承宗廟,所以至親。"傳"出妻之子爲母同"注:"犯七出爲之服周。""絶族無施服,親者屬"注:"在旁而及曰施。親者屬也,母子至親,無絶道也。"傳"父卒,繼母嫁,從爲之服報"注:"繼母爲己父三年喪,禮畢嫁後夫,重成母道,故隨爲之服。繼母不終己父三年喪,則不服也。"傳"與尊者一體也"注:"與父一體,故不降而服周。"傳"父之所不降,子亦不敢降也"注:"大夫重適不降大功,子從父不敢降其妻,故服周也。"傳"不貳斬也"注:"爲大宗後,當爲大宗斬,還爲小宗周,故曰不貳斬也。"傳"爲其父母昆弟之爲父後者，周"注："婦人以適人降，故服父母周，爲昆弟之爲父後者亦爲之周也。"傳"必有歸宗，曰小宗"注："歸宗者，歸父母之宗也。昆弟之爲父後者曰小宗。"傳"與之適人"注："無大功之親，以收養之故，母與之俱行適人。"傳"妻不敢與焉"注："不敢與知之也。"傳"未嘗同居，則不爲異居"注："謂己自有宗廟，不隨母適人。初不同居，何異居之有。"傳"爲夫之君，周"注："夫爲君服三年，妻從夫降一等，故服周。"傳"從服也"注："從夫而爲之服也。從服降一等，故夫服三年，妻服周也。"傳"報之也"注："伯母叔母報之"傳"公妾大夫之妾"注："公，諸侯也。"傳"女子爲祖父母"注："不言女孫，言女子者，婦質者親親，故繫父言之。出入服同，故不在言室適人也。"傳"大夫不敢降其祖與適也"注："尊祖重適，自尊者始也。""以及士妾"注："其間有卿大夫妾，故言。"傳"丈夫婦人爲宗子、宗子之母妻"注："言一族男女，皆爲宗子母與妻。"傳"庶人爲國君"注："眾人爲國君服齊衰三月。"傳"大夫不敢降其宗也"注："五屬孫雖爲大夫，不敢降宗子者，故服齊衰三月。"以下齊衰三月。"傳"大夫不敢降其祖也"注："尊祖，故不降。"傳"其成人"注："成人，謂十五以上許嫁未行者也。"傳"不敢降其祖也"注："以祖名曾，明婦人雖爲天王后，不降其祖宗也。"傳"公爲適子之長殤中殤，大夫爲適子之長殤中殤"注："重適也。大夫亦重適，故皆不降服。大功也。"以下大功。傳"纓絰"注："長殤以成人，其絰有纓。"傳"不纓絰"注："中殤賤禮，略其絰無纓也。"傳"爲人後者爲其昆弟"注："昆弟在周而降之，以所後爲親也。"傳"不降其適也"注："重適，故不降之爲服也。"傳"爲眾昆弟"注："適人，降其昆弟，故大功也。"傳"姪"注："嫁姑爲嫁姪服也，俱出也。"傳"從服也"注："從夫爲之服降一等。"傳"子"注："謂庶子也,皆周也。大夫尊降士,故服大功也。”傳“尊同,則得服其親服”注:“尊同者亦爲大夫服周也。”傳“公之庶昆弟,大夫之庶子爲母”注:“言庶者,諸侯異母昆弟也。庶子,大夫妾子也。諸侯貴妾子,父在爲母周,父没申服三年。大夫貴妾子,父在爲母周。賤妾子父在爲母大功。所從大夫而降也。”傳“爲夫之昆弟之婦人子適人者”注:“在室者周,適人者降大功也。”傳“女子子嫁者未嫁者”注:“合大夫之妾爲君之庶子、女子子嫁者未嫁者,言大夫之妾爲此三人同服。”傳“大夫。大夫之妻,大夫之子,公之昆弟,爲姑姊妹女子子嫁於大夫者”注:“此上四人者,各爲其姑姊妹女子子嫁於大夫者服也。在室大功,嫁於大夫大功,尊同也。”傳“君爲姑姊妹女子子嫁於國君者”注:“君,諸侯也。爲姑姊妹女子子嫁於國君者服也。不言諸國者,關天子元士卿大夫也。上但言君者,欲關天子元士卿大夫嫁女諸侯皆爲大功也。”傳“尊同則得服其親服”注:“諸侯絶周,姑姊妹在室無服也。嫁於國君者,尊與己同,故服周親服。”傳“牡麻絰”注:“絰帶從大功制度,小功言澡麻。是言牡麻,知從大功也。”傳“叔父之下殤,適孫之下殤,昆弟之下殤,大夫庶子爲適昆弟之下殤,爲姑姊妹女子子之下殤”注:“本皆周服,下殤降二等,故小功也。”以下小功。傳“爲人後者,爲其昆弟從父昆弟之長殤”注:“成人服大功也,長殤降一等,故小功。”傳“爲夫之叔父之長殤”注:“成人大功,長殤降一等。”傳“夫之昆弟之子,女子子之下殤”注:“伯叔父母爲之服也。成人在周,下殤降二等,故服小功。”傳“大夫公之昆弟大夫之子,爲其昆弟庶子姑姊妹女子子之長殤”注:“大夫以尊降公之昆弟,以尊厭大夫子,以父尊厭各降在大功,長殤復降一等,故服小功也。大夫無昆弟之殤,此言殤者,關有罪,若畏厭溺當殤服之也。”傳“大夫之妾爲庶子之長殤”注:“除適子一人,其餘皆庶子也。男女至成人,同在大功。長殤降一等,故小功也。不言君者,殤賤見妾亦得子之也。”傳“從祖祖父母”注:“曾祖之子,祖之昆弟也。正服小功。”傳“從祖父母報”注:“從祖,祖父之子,是父之從父昆弟也。云報者,恩輕欲見兩相爲服。”傳“從祖昆弟”注:“謂曾祖孫也,於己爲再從昆弟,同出曾祖,故言從祖昆弟,正服小功。”傳“從父姊妹”注:“伯叔父之女。”傳“孫適人者”注:“祖爲女孫適人者降一等,故小功。”傳“爲人後者,爲其姊妹適人者。”注:“在室者齊衰周,適人大功以爲大宗後,疏之降二等,故小功也。不言姑者,明降一體不降姑也。”傳“以尊加也。”注:“本服緦,以母所至尊,加服小功,故曰以尊加。”傳“從母丈夫婦人報”注:“母之姊妹也。言丈夫婦人者,異姓無出入,降皆以丈夫婦人成人之名名之也。”傳“以名加也”注:“外祖從母,其親皆緦也。以尊名加,故小功也。”傳“娣姒婦”注:“兄弟之妻相名也。長稚自相爲服,不言長者,婦人無所專,以夫爲長幼,不自以年齒也。妻雖小,猶隨夫爲長也。先娣後姒者,明其尊敬也。”傳“報”注:“姑報姪婦也。言婦者,廟見成婦乃相爲服。”傳“大夫大夫之子,公之昆弟,爲從父昆弟庶孫姑姊妹女子子適士者”注:“謂上三人各自爲其從父昆弟庶孫姑姊妹女子子適士者服也。從父昆弟庶孫大功也,以尊降,故服小功。姑姊妹女子子適人大功,適士降二等,故服小功。”傳“大夫之妾爲庶子適人者”注:“適夫人庶子也。在室大功,出適降一等,故服小功。”傳“庶婦”注:“庶子婦也。舅姑爲之服。”傳“君母之父母從母”注:君母者,母之所君事者。從母者,君母之姊妹也。妾子爲之服小功也,自降,外祖服緦麻,外無二統者。”傳“君母不在,則不服”注:“從君母爲親服也。君母亡無所復厭,則不爲其親服也。自得申其外祖小功也。”傳“君子子爲庶母慈己者”注:“爲慈養己者,服小功。”傳“貴人之子也”注:“貴人者,適夫人也。子以庶母慈養己,加一等小功也。爲父賤妾服緦,父没之後,貴賤妾皆小功也。”傳“族祖父母”注:“族祖父,祖之從父昆弟也。亦高祖之孫。”以下緦麻。傳“族父母。”注:“族父,從祖昆弟之親也。”傳“庶孫之婦”注:“祖父母爲適孫之婦小功,庶孫降一等,故緦也。”傳“庶孫之中殤”注:“祖爲孫成人大功,長殤降一等,中下殤降二等,故服緦也。言中,則有下文不備疏者略耳。”傳“從祖姑姊妹適人者。”注:“於己再從,在室小功,適人降一等,故緦也。”傳“從祖父從祖昆弟之長殤”注:“成人服小功、長殤降一等,故緦也。中下殤無服,故不見也。”傳“從父昆弟姪之下殤”注:“降二等,故服緦。”傳“夫之叔父之中殤下殤”注:“妻爲之服也。成人在大功,中下殤降二等。”傳“從母之長殤”注:“成人小功,長殤降一等。”傳“與尊者爲一體,不敢服其私親也”注:“承父之體,四時祭祀,不敢申私親服,廢尊者之祭,故服緦也。”傳“則爲之三月不舉祭”注:“緣先人在時,哀傷臣僕有死宫中者,爲缺一時不舉祭,因是服緦也。”傳“士爲庶母”注:“以有母名,爲之服緦。”傳“貴臣貴妾”注:“君爲貴臣貴妾服也。天子貴公,諸侯貴卿,大夫貴室老。貴妾,謂姪娣。”傳“乳母以名服也”注:“士爲乳母服,以其乳養於己者,有母名。”傳“從母昆弟以名服也。”注:“姊妹子相爲服也。以從母有母名,以子有昆弟名。”傳“甥”注:“從其母而服己緦,故報之。”傳“壻”注:“壻從女而爲己服緦,故報之以緦也。”傳“從服也”注:“壻從妻而服緦也。”傳“舅之子從服也”注:“姑之子爲舅之子服,今之中外兄弟也。從其母來服舅之子緦。”傳“夫之諸祖父母報”注:“所服者四,其報者二,曾祖正小功,故妻服緦,不報也。從祖祖父旁尊,故報也。”傳“君母之昆弟"注:"妾子爲適夫人昆弟服也。君母卒則不服。"傳"從服也"注:"從母在,爲之服。"傳"昆弟之孫之長殤"注:"成人小功,長殤降一等。"傳"則生緦之親焉"注:娣姒以同室相親,生以繐緦之服。"經云"袪,尺二寸"注:"袪,末也,尺二寸,足以容拱手也。喪拱尚右手下。又衣下施腰,取半幅横綴身下,長短隨衣。"傳"繼母之配父與因母同。"注:"因猶親也。"記"爲其妻縓冠,葛絰帶"注:"天子諸侯之庶子爲其妻,輕,故縓冠葛帶。"記"改葬緦"注:"棺有弛壞,將亡屍柩,故制改葬。棺物敗者,設之如初,其奠如大斂時。不制斬者,禮已終也。從墓之墓,事已而除,不必三月。惟三年者服緦,周以下無服。"案:馬氏《喪服經傳注》見陸德明《經典·序録》,而杜氏《通典》所采尤多,是唐時書尚存,《宋史》始不著録。今人不講《喪服》久矣。今據余蕭客《古經解鉤沈》所輯,參以注疏,録之,以爲治經者之一助云。

鄭玄　喪服經傳一卷

經云"凡衰外削幅,裳内削幅"鄭云:"削猶殺也。太古衣,先知爲上,外殺其幅,以便禮也;後知爲下,内殺其幅,稍有飾也。後代聖人易之而以此爲喪服是也。其制身長二尺二寸,合前後爲四尺四寸,兩邊凡八尺八寸。"經云"衣二尺有二寸"鄭云:"衣自領至腰二尺二寸。""齊衰不書受月,亦天子諸侯及卿大夫士卒哭異數也。"經云"衣帶下尺"鄭云:"謂腰也。廣尺足以掩裳上際,又於腰兩旁當縫各綴一衽。"經云"衽二尺有五寸"鄭云:"衽所以掩裳際。其制:上正方一尺,於方一尺之下,角斜向下,長尺五寸,末頭闊六寸。今但取三尺五寸布,交解相當裁之即可,[①]亦謂之燕尾。今闊頭向上,取象與吉服之衽相反。又取布方尺八寸,置背上,上縫著領,下垂

① "相當",《通典》卷八七作"相沓"。

之,謂之負。”經云“負廣出於適寸”鄭云:“負,在背上也。適,辟領也。負出於辟領旁一寸也。今據辟領廣尺六寸,各出一寸,故知尺八寸。其開領處交右各開四寸孔,向辟厭之,謂之適。”經云“適博四寸,出於衰”鄭云:“適辟領廣四寸,則内闊八寸也,兩之爲尺六寸。又取布長六寸,博四寸,綴於外矜上,謂之縗。”經云“衰長六寸,博四寸”鄭云:“廣袤當心也。負左右有辟領,孝子哀戚之心無所不在。其裳之制:前三幅,後四幅,開兩邊,故以衹蔽之於腰上。每一幅爲三辟積,其辟積相向爲之,謂之鉤。其鉤大小隨人腰粗細爲之。”經云“裳内削幅,幅三袧”鄭云:“袧謂辟兩側空中央也。凡裳前三幅後四幅,若斬衰即衰與裳不緶緝,若齊縗以下,縗則外緶之,裳則内緶之。”經云“若齊,裳内衰外”鄭云:“齊,緝也。凡五服之衰,一斬四緝。緝裳者,内展之;緝衰者,外展之。展則緶緝也”傳“妾爲君,君至尊也”鄭云:“不得體之,加尊焉,雖士亦然。”傳“父爲長子,正體在乎上,又乃將所傳重也。庶子不得爲長子三年,不繼祖也”鄭云:“此言爲父後者,然後爲長子三年,重其當先祖之正體,又以其將代己爲宗廟主也。庶子爲父後者之弟也,言庶者,遠别之也。《小記》曰:‘不繼祖與禰。’此但言祖,容祖禰共廟。”傳“子嫁反在父之室,爲父三年”鄭云:“謂遭喪而出者。始服齊衰周,出而虞,則受以三年之喪受。既虞而出,則小祥亦如之。既除而出,則已。女行於大夫以上曰嫁,行於士庶人曰適人。”傳“母爲長子三年,父之所不降,母亦不敢降也”鄭云:“不敢降者,謂不敢以己尊降祖禰之正體也。”傳“爲妻齊衰杖周,妻至親也”鄭曰:“適子,父在則爲妻不杖,以父爲之主也。《服問》曰:‘君所主,夫人妻、太子適婦。’父在爲妻以仗即位,謂庶子也。”傳“父卒繼母嫁,從爲之服,報貴終也”鄭云:“嘗爲母子,貴終其恩也。”

鄭玄　喪服變除

臣爲君不笄纚。諸侯爲天子、父爲長子，皆爲次於内。襲而括髮者，彼据大夫以上之禮，死之明日，與士小斂同日，俱是死後二日也。尸襲，去纚括髮，在二日大斂之前。至死之明日，士則死日襲，明日小斂。小斂之後，大夫以上冠素弁，士則素委貌。其素弁、素冠皆環絰。

鄭玄　喪服譜一卷

劉表　後定喪服一卷《隋志》作《喪禮》一卷。

父亡在祖後，則不得爲祖母三年，以爲婦人之服不得踰夫。孫爲祖服周，父亡之後，爲祖母不得踰祖也。既除喪，有來弔者，以縞冠深衣於墓受之，畢事反吉。君來弔臣，主人待君到，脱頭絰，貫左臂，去杖，出門迎。門外再拜，乃厭，還，先入門，東壁向君。讓君於前聽，即堂先哭。乃止於廬外伏哭，當先君止。君起致辭，子對而不言，稽顙以答之。

蔣琬　喪服要記一卷

琬，字公琰，零陵湘鄉人。爲尚書令，遷大將軍，録尚書事，封安陽亭侯。延熙二年，加大司馬。卒，謚曰恭。

譙周　喪服集圖一卷

周，字允南，巴西人。《衰服圖》：童子不降成人，小功親以上皆服本親之衰。童子不杖不廬，不免不麻。當室著免麻，十四以下不堪麻則否。内宗外宗，女在己國，則得爲君服斬衰，夫人齊衰；若在它國，則不得也。國君爲卿大夫，皮弁錫衰以居，它事出，亦如之。其弔，則皆錫衰，布弁而絰，三月服吉。弔士，則服弁絰疑衰，亦往則服，出則否。公及大夫弔衆妾，如君弔它國卿大夫，皮弁錫衰不絰。君使人弔襚，主人迎於寢門外，見使者不哭。先入門右，北面。弔者入，升自西階，東面。主人至於中庭，弔者致君命，主人哭拜稽顙成踊。弔者出去,主人拜送於門外,致君命。襚者左執領,右執腰,致命訖,入室,衣尸乃出。它皆如弔。既斂之後,不衣尸,委於尸東席上。凡主人出送,因拜賓;所拜者拜訖,皆即位西階下,東面哭踊,哭訖,反室。大夫弔,服以錫衰,用麻布兩而夾理之曰錫。士弔服以疑衰,用錫布爲衣而素裳,儗於吉也。其冠各以其衰。歸其家,猶弔服弁絰以居。其以它事出,則脱絰。三月既葬,服吉。五代兄弟相爲亦然。凡大夫弔於其臣,異者,主人不迎於門外,主君入,即位堂下,西面。主人北面,衆主人南面。遷祖之奠,升自西階如初。及日載於車,下奠設於西方,乃陳遣車於庭。訖,徹奠以巾席,俟於西方,乃祖。車既祖,旋向外,離於載處,爲行始也,布席乃奠如初。爲父,始死,去冠及羔裘大帶,其笄纚革帶者皆如故。衣布深衣,扱上衽,徒跣,拊心號咷而無常聲,哭踊無數。始死者至小斂,大功以上者皆在室。丈夫在尸床東,西面;婦人夾牀,東面。雖諸父兄姑姊,不踰主人,皆次其後。餘衆婦人户外,北面;衆兄弟堂下,北面。諸侯之喪,惟主人主婦坐,其餘皆立。卿大夫亦在室外,命婦户外北面,有司庶士堂下北面。大夫之喪,主人主婦及有命夫命婦者皆坐,無者皆立,室老亦立,室老之妻户外北面,衆臣堂下北面。士之喪,父兄子姪婦人皆坐,它皆如前。父爲長子,不徒跣,不歠粥。凡父兄雖往哭,不於子弟之宫設哀次也。女子子未嫁爲父,始卒,去彩飾之屬,笄纚及帶如故,衣布深衣,不扱上衽,不徒跣,吉白麻屨無絇,拊心哭泣無數,不袒,其踊不絶地。父卒爲母,始死,去玄冠;尸襲之後,因其笄纚而加素冠,其餘與爲父同。爲父,至葬,腰絰散垂如小幼時。反哭於廟,升自西階。虞祭於寢,杖不入室。父卒母嫁,非父所絶,適子雖主祭,猶宜服期。《檀弓》疏。據母嫁猶服周。則親母可知。凡外親正服皆緦,加者不過小功。今異父兄弟，父没母嫁，所生者皆相報服。父母既没，兄弟異居，又或改娶，則娣姒有初而異室者矣。若不本夫爲論，惟取同室而已，則親娣姒與堂娣姒不應有殊。經殊其服以夫之親疏行，是本夫與爲倫也。婦人於夫昆弟，本有大功之倫；從服其婦，有小功之倫；於夫昆弟，有小功之倫；從服其婦，有緦麻之倫也。夫以遠之而不服，故婦從無服而服之。然則初而異室，猶自以其倫服。大夫之子，父在降旁親，亦如大夫，從父厭也。大夫庶子爲妻父母無服，爲其母、妻大功，父没皆如國人。諸侯夫人亦隨其君降旁親無服，爲其族人亦降旁親，非諸侯，自周以下無服，爲其父母及祖如國人。大夫命婦爲其旁親，以大夫爵降又降一等；其爲父後者，不以嫁降，但以尊降一等。諸侯降旁親，旁親若爲諸侯及女子嫁於諸侯者，服如國人。天子、諸侯爲外祖父小功，諸侯適子爲母、妻及外祖父母、妻父母皆如國人。嗣子雖無正爵，與君爲體，其誓於天子，則下其成人。舊説外祖父母，母族正統也；妻父母，妻族正統也。母、妻與己尊同，其所當降亦不降也，故嗣子亦不降妻之父母。大夫命婦爲其昆弟爲父後者、大宗，則服如國人。男子幼取必冠，女子幼嫁必笄。禮之則從成人，不爲殤。

附　王肅　喪服經傳注《隋志》一卷。

王肅　喪傳要記《隋志》一卷。

袁準　喪服經傳注《釋文》

射慈　喪服變除圖《隋志》五卷。

慈，字孝宗，彭城人。吴中書侍郎。齊王傅。案：《孫休傳》作"射慈"，《孫奮傳》作"謝姓之改"。《三輔決録》："射援，其先本姓謝，與北地諸謝同族。始祖謝服爲將軍出征，天子以謝服非令名，改爲射，子孫氏焉。"

薛綜　述鄭氏禮五宗圖

綜,字敬文,沛郡竹邑人。少避地交州,從劉熙學,所著詩、賦、難、論數十萬言。又定《五宗圖述》、《二京解》,皆傳於世。

馬融　禮記注《東漢會要》十二卷。

《隋志》:河間獻王得仲尼弟子及後學者所記一百三十一篇,劉向考校經籍,裒獲百三十篇。又得《明堂陰陽記》三十三篇、《孔子三朝記》七篇、《王史氏記》二十一篇、《樂記》二十三篇,凡五種,合二百十四篇。戴德删其繁重,爲八十五篇。戴聖又删爲四十六篇。馬融又益《月令》、《明堂位》、《樂記》,合四十九篇。案:《橋玄傳》"七世祖仁從戴聖學,著《禮記章句》四十九篇",《曹褒傳》"傳《禮記》四十九篇",則四十九篇不始於馬融。《經典・序録》:後漢馬融、盧植考諸家同異,附戴聖篇章,去其繁重及所叙略而行於世,即今之《禮記》是也。鄭玄亦依盧、馬之本而注焉。元行沖曰:"小戴《禮記》行於漢末,馬融爲之傳。"

高誘　禮記注

《藝文類聚》:引高誘《禮記注》。案:誘《淮南子注》、《吕覽注》序不言作《禮記注》,《類聚》所引當是《吕氏春秋・月令》注,誤以爲《禮記》也。

盧植　禮記注《隋志》三十二卷。《釋文》二十卷。《東漢會要》作《禮記解詁》十二卷。《新》、《舊唐書》同作二十卷。

元行沖曰:"《小戴禮》行於漢末,盧植合二十九篇爲之解,世所不傳。"案:植本傳作《尚書章句》、《三禮解詁》,則《周官》、《儀禮》皆各有注也。然《隋書》已不著録,則亡佚已久矣。《釋文》:《毛詩》故大題在下,案馬融、盧植、鄭玄《禮記注》並大題在下,如《詩經》卷首"周南訓詁傳第一"列於上,"毛詩"兩字列於此行下,所謂大題在下,唐刻石經亦然。時始立太學石經,以正五經文字,植上書曰:"臣少從通儒故南郡太守馬融受古學,頗知今之《禮記》特多回穴。案:《韓詩》"回遹"作"回穴",康成《禮記》注"先君之思",注"勗寡人",作

"定姜",云"注《禮記》時就盧君,後得《毛傳》,乃改之",是子幹亦兼治《韓詩》也。臣以《周禮》發起紕繆,敢率愚淺,爲之解詁,而家乏,無力供繕寫上。願將能書生二人,共詣東觀,就官財糧,專心研精。合《尚書》章句,考《禮記》得失,庶幾裁定聖典,刊正碑文。古文科斗,近於爲實,而厭抑流俗,降在小學。中興以來,通儒達士班固、賈逵、鄭興父子,並執説之。今《毛詩》、《左氏》、《周禮》各有傳記,其與《春秋》共相表裏,宜置博士,爲立學官,以助後學,以廣聖意。"案:盧植《禮記注》,王氏《漢魏遺書》採輯刊行。

荀爽　禮傳

天下諸侯事曾祖已上皆稱曾孫。《通典》。

鄭玄　禮記注《釋文》二十卷。《隋志》同。

鄭《禮記注·序》:舉大略小,缺其殘者。《明堂位》疏。禮者,體也,履也。統之於心曰禮,踐而行之曰履。《春秋》正義。衛湜曰:"鄭氏注《禮》,雖間有拘泥,而簡嚴核貫,非後學可及。"李覯曰:"鄭康成注《禮記》,其字誤處但云'某當爲某',《玉藻》全篇次第亦止於注下發明,未嘗便就經文改正,此蓋尊經重師,不敢自謂己見爲得。"

鄭玄　禮記音一卷《釋文》三禮音各一卷。

鄭玄　三禮目録一卷

案:《三禮目録》散見《正義》,近《漢魏遺書》有輯本刊行。

鄭玄　禮議二十卷

鄭玄　魯禮禘祫義

鄭《禘祫志·序》:儒家之説禘祫也,通俗不同。或云歲祫終禘,或云三年一禘,五年再禘。學者競傳其聞,是用訩訩,從數百年來矣。竊念《春秋》者,書天子、諸侯中失之事,得禮則善,違禮則譏,可以發起是非,故據而述。案:鄭《禘祫志》,近《漢魏遺書》采輯刊行。

鄭玄　三禮圖一卷

鄭玄及阮諶共撰。諶字士信,陳留人。精求禮制,與康成同時有名。受禮於潁川綦毋君,取其説,爲圖三卷,世傳《三禮圖》,諶所作也。

鄭小同　禮記難記一卷

《鄭玄别傳》:玄一子,名益,字益恩,年二十三,國相孔府君舉孝廉。府君以多寇屯都昌,爲賊管亥所圍,乃令從家將兵奔救,遇賊見害,時年二十七。妻有遺體,生男,玄以太歲在丁卯生,此男以丁卯日生,又手文與玄相似,故名曰小同。

李撰　三禮傳

孫炎　禮記注《隋志》三十卷。《釋文》二十九卷。

附　王肅　禮記注《隋志》三十卷。《釋文》同。

王肅　禮記音《釋文》三禮音各一卷。《七録》惟云撰《禮記音》。

射慈　禮記音一卷

右三禮類

卷　二

北海王睦　春秋旨義終始論

睦少好學,博通書傳。光武愛之。顯宗在東宫,尤見幸待,入侍講誦,出則執轡。睦性謙恭好士,千里交結,自名儒宿德,莫不造門。作《春秋旨義終始論》。

陳欽　春秋説

欽,字子佚,蒼梧廣信人。許慎《五經異義》引奉德侯陳欽《春秋説》:麟,西方毛蟲,孔子作《春秋》,有立言,西方兑,兑爲口,故麟來。

陳元　春秋訓詁

元,字長孫。少傳父欽業,爲之訓詁。鋭精覃思,至不與鄉里通。建武初,與桓譚、杜林、鄭興俱爲學者所宗。帝立《左氏》學,太常選博士四人,元爲第一。《經典·序録》:司空南閣祭酒陳元作《左氏同異》。

鍾興　删定嚴氏春秋章句

興,字次文,汝南汝陽人。少從少府丁恭受《嚴氏春秋》。恭薦興學行高明,光武召見,拜郎中,稍遷左中郎將。詔定《春秋章句》,去其重複,以授皇太子。又使宗室諸侯從興受章句。

孔奇　春秋左氏删三十一卷

一名《左氏傳義》。《孔奮傳》:奮,字君魚,扶風茂陵人。少從劉歆受《春秋左氏傳》,歆稱之。弟奇博通經典,作《春秋左氏删》。《連叢子》載孔子通《左氏傳義序》曰:“先生名奇,字子異,其先褒成侯次儒第二子之後也。兄君魚,王莽末,避地大河之西,以論道爲事,是時先生年二十一矣。每與其兄論學,其兄謝服焉。及世祖即阼,君魚乃仕,官至武都太守、關内侯,以清儉聞海内。先生雅好儒術,淡忽榮禄,不願從政,遂删撮《左氏傳》之難者,集爲義詁,發伏闡幽,讚明聖祖之道,以祛學者之蔽,著書未畢,而早世不永。宗人子通,痛其不遂,惜兹大訓不行於世,乃校其篇目,各如本第,并序答問,答凡三十一卷,將來君子儻肯游息,幸詳録之焉。"

孔嘉　左氏説

奮晚有子嘉,官至城門校尉,作《左氏説》。《經典·序録》:侍中孔嘉,字山甫,扶風人。

鄭眾　春秋左氏條例《隋志》九卷。

興少學《公羊春秋》,晚善《左氏傳》,遂積精深思,通曉其旨,學者皆師之。天鳳中,將門人從劉歆質正大義,歆美興才,使撰條例、章句、訓詁。興好古學,尤明《左氏》、《周官》,長於曆數,自杜林、桓譚、衛宏之屬,莫不斟酌焉。

鄭眾　春秋難記條例《隋志》九卷。

《釋文》作大司農鄭眾《左氏條例章句》。《東觀漢記》:永平五年,廬江獻鼎,詔問眾齊桓公之鼎在柏寢見何書,《春秋左氏》有鼎事幾。眾對狀,除爲郎。"是以隐公立而奉之"章句:"隐公攝立爲君,奉桓爲太子。""城櫟而置子元焉":"子元即檀伯也。""先配":"配謂共牢食也。""厲公殺檀伯而居櫟,因櫟之眾逼弱昭公,使至殺死。""二叔之不咸":"二叔:管叔、蔡叔。傷其不和睦而流言作亂,故封建親戚。""二子死焉":"穀甥、牛父二人死耳。""天王使石尚來歸蜃":"蜃酒可以白器,令色白"。"皆髽":"枲麻與髮。""魯於是始尚羔":"天子之卿執羔，大夫執雁。諸侯之卿當天子之大夫，故《傳》曰'惟卿爲大夫'。當執雁而執羔，僭天子之禮也。魯人效之而始尚羔，記禮所從壞。""使死士"："欲以死報恩者。""立於社宫"："社宫中有室屋。""弗及，不踐其難"："是時輒已出，不及事，不當踐其難。子羔言不及，以爲子路欲死難也。""如魚竀尾"："魚勞則尾赤，以喻蒯聵淫縱。"

鄭衆　春秋删

衆受詔作《春秋删》十九篇。案：即《左氏長義》。徐彦曰："鄭衆作《長義》十九條十七事，專論《公羊》之短《左氏》之長。"

鄭衆　牒例章句九卷

鄭衆　國語訓解二十篇

韋昭《國語解・序》：鄭大司農爲《國語訓注》，解疑釋滯，昭晰可觀。至於細碎，有所缺略，侍中賈君敷而衍之，其所發明文義，略舉爲已瞭矣。

賈徽　左氏條例二十一篇

賈逵父徽，從劉歆受《左氏春秋》，兼習《國語》、《周官》，又受《古文尚書》於塗惲，學《毛詩》於謝曼卿，作《左氏條例》二十一篇。《經典・序録》：徽，字伯慎，後漢潁陰令。"相半結之。""三分四軍"："分四軍爲三部"。"數疆潦"："經界中有水潦者。""欒范易行"："易行謂中軍與下軍易卒也。""自幕"："幕，舜之先也。""辰在子卯"："五行子卯自刑。""五大不在邊，五細不在庭"："太子晉申生居曲沃是也，母弟鄭共叔段居京是也，貴寵公子若棄疾在蔡是也，貴寵公孫若無知食渠丘是也，累世正卿衛寧殖居蒲、孫氏居戚是也。五細：賤妨貴，少陵長、遠間親、新間舊、小加大也。不在庭，不使居朝廷爲政也。""渠丘殺無知"："渠丘，無知邑。""争承"："争所爲承次貢賦之輕。""物官"："物官，相其才之所宜而官之。""攝屏至於大宫":"攝束茅以爲屏蔽,祭神之處草易然,故巡行之。""琴張":"子張,即顓孫師。""王未應":"太子壽卒,王命猛代之,復欲廢猛立朝。""使各居一館":"使叔孫、子服回各居一館。邾魯大夫本不同館,欲分别叔孫與子服回不得相見,各聽其辭。""介其雞":"介甲爲雞著甲。""蒨筏":"蒨筏,旆名。""始尚羔":即賈注猶班班可考,且如《類聚》、《書鈔》于耕籍門所引《國語》數條,具載賈注,則賈書固不以韋廢也。案:宋王應麟賈、服《春秋》、《古文尚書》、《古文論語》輯本,獨《紅豆齋祕鈔》相傳,近《漢魏遺書》有賈逵《左氏解詁》、《國語解詁》輯本刊行。

許淑　左氏傳注解

《經典·序録》:大中大夫許淑,字惠卿,魏郡人。"葬蔡桓侯"注:"桓卒而季歸無臣子之辭也。蔡侯無子,以弟承位,羣臣無廢主,社稷不乏祀,故傳稱'蔡人',嘉之,非貶之也。杞柏稱子,傳爲三發,蔡侯有貶,史亦宜然。史官謬誤,疑有闕文。""公以楚伐齊":"諸稱'以',皆小以大、下以上,非其宜也。"

樊儵　删定嚴氏春秋章句

儵,字長魚,南陽湖陽人。就侍中丁恭受《公羊嚴氏春秋》。永平元年,拜長水校尉。初,儵删定《公羊嚴氏春秋》章句,世號"樊氏學"。

張霸　減定嚴氏春秋章句

霸,字伯饒,蜀郡成都人。就長水校尉樊儵受《嚴氏春秋》。永平中,爲會稽太守。霸以儵《删嚴氏春秋》猶多繁辭,迺減定爲二十萬言,更名"張氏學"。

楊終　春秋外傳

終,字子山,蜀郡成都人。年十三,爲郡小吏。太守奇其才,遣詣京師,受業習《春秋》。顯宗時,徵詣蘭臺,拜校書郎,著《春秋外傳》,改定章句十五萬言。

李育　難左氏義

育，字元春，扶風桼人。少習《公羊春秋》。嘗讀《左氏傳》，雖樂文采，然謂不得聖人深意，以爲前世陳元、范升之徒，更相非析而多引圖讖，不據理體，於是作《難左氏義》四十一事。建初元年，舉方正，爲議郎。後拜博士。詔與諸儒講五經於白虎觀。遷尚書令侍中。

戴宏　公羊春秋解疑論

宏，字元襄，濟北剛縣人。官至酒泉太守。戴宏序曰："子夏傳與公羊高，高傳與其子平，平傳與其子地，地傳與其子敢，敢傳與其子壽。至漢景帝時，壽迺共弟子胡母子都著於竹帛，與董仲舒皆見於圖讖。"論曰："聖人不空生，受命而制作，所以生斯民覺後生也。西狩獲麟，知天命去周，赤帝方起，麟爲周亡之異、漢興之瑞，故孔子曰：'我欲託諸空言，不如載諸行事。'又聞端門之命，有制作之狀，乃遣子夏等求周史記，得百二十國寶書，修爲《春秋》，故《孟子》云：'世衰道微，邪説暴行。臣弒其君者有之，子弒其父者有之。孔子懼，作《春秋》。'故《史記》云：'春秋之中，弒君三十六，亡國五十二，諸侯奔走不得保其社稷者，不可勝數。'故有國者不可以不知《春秋》，爲人臣者不可以不知《春秋》。爲人君父而不通於《春秋》之義，必蒙首惡之名；爲人臣子而不通於《春秋》之義，必陷簒弒之誅。"《解疑論》：譏丑父。徐彦曰："何氏恨先師觀聽不決，多隨二創。先師，戴宏等也，宏作《解疑論》以難《左氏》，不得《左氏》之理，不能以正義決之，故云'觀聽不決，多隨二創'者。背經任意，反傳違戾，與《公羊》爲一創；後引它經，失其句讀，與《公羊》爲一創。"

賈逵　春秋左氏傳訓解詁三十卷

逵弱冠能誦五經，兼通五家《穀梁》之説，尹更始、劉向、周慶、丁姓、王彦。尤明《左氏》、《國語》,爲之解詁五十一篇。注:《左氏》三十篇,《國語》二十一篇。永平中,上疏獻之。顯宗重其書,寫藏祕館。建初元年,詔逵入講北宫白虎觀、南宫雲臺。帝善逵説,使出《左氏》大義長於二傳者,逵於是摘出《左氏》三十事,帝嘉之。令逵自選《公羊》嚴、顔諸生高才者二十人,教以《左氏》,與簡紙經傳各一通。

賈逵　春秋左氏長經章句《隋志》二十卷。《舊唐書·志》三十卷。

徐彦曰:"賈逵作《長義》四十一條,云《公羊》理短,《左氏》理長。""鄭衆雖扶《左氏》而毁《公羊》,但不與讖合。逵作《長義》奏御於帝,幾廢《公羊》也。""宋人執鄭祭仲"《公羊》曰:"祭仲之權是也。"長義:"若臣子得行,則閉君臣之道。"《公羊》疏。

賈逵　春秋釋訓一卷

賈逵　春秋三家經本訓詁十二卷

"天王":"畿内稱王,諸夏稱天王,夷狄稱天子。"《穀梁》疏。

賈逵　春秋左氏經傳朱墨例一卷

賈逵　春秋外傳國語解詁二十一卷《隋志》二十卷。《唐志》無。

王氏謨曰:"案宋庠《國語補注》序録云:'今惟韋氏所解傳於世,諸家章句遂無存者。'然當唐世,賈書實自别行,故李善注《文選》,每并引賈逵、韋昭《國語》,而韋解多也。"

馬融　三傳異同説

融嘗欲訓《左氏春秋》,及見賈逵、鄭衆注,乃曰:"賈君精而不博,鄭氏博而不精。既精既博,吾何加焉。"但著《三傳異同説》。"雉長三丈。""虢仲、虢叔":"虢叔,同母弟。虢仲,異母第。虢仲封下陽,虢叔封上陽。""夷吾無禮":"申生不自明而死,夷吾改葬之,章父之過,故曰無禮。""二叔之不咸":"夏殷之叔世。""二子死焉":"皇父之二子從父在軍,爲敵所殺。名不見者，方道二子死，故得勝之，如令皆死，誰殺緣斯。""田於首山"："首山在蒲坂，華山之北，河曲之中。""組甲三百，被練三千"："組甲，以組爲甲裏，公族所服。被練，以練爲甲裏，卑者所服。""皆鑒"："屈布爲巾，高四寸，著於額上。""予敢忘高圉亞圉"："高圉、亞圉，周人所報而不立廟。""《三墳》、《五典》、《八索》、《九丘》"："《三墳》，三氣，陰陽始生，天地人之氣也。《五典》，五行也。《八索》，八卦。《九丘》，九州之數也。""圻招"："圻爲王圻，王者遊戲，不過圻内。昭，明也，言千里之内足明德。""圻宫"："圻内游觀之宫也。""肅爽"："肅爽，雁也，其羽如練，高首而修脛。馬似之，天下稀有，故子常欲之。"

何休　春秋公羊解詁十一卷

休，字邵公，任城樊人。父豹，少府。休以列卿子詔拜郎中，辭病去。陳蕃辟之。蕃敗，休坐廢錮，迺作《春秋解詁》。覃思不出門，十有七年。又以《春秋》駁漢事六百餘條，妙得《公羊》本意。休善曆算，與其師博士羊弼追述李育意，以難二傳，作《公羊墨守》、《左氏膏肓》、《穀梁廢疾》。黨禁解，拜議郎，再遷諫議大夫。張華曰："休注《公羊傳》，云'何氏學'，或云休謙辭，受學於師，乃宣此義不出於己。"《拾遺記》：何休木訥多智，三墳、五典、陰陽算術、河洛讖緯及遠年古諺、歷代圖籍，莫不成誦。門徒有問者則爲注記，而口不能說。作《左氏膏肓》、《公羊墨守》、《穀梁廢疾》，謂之三闕，言理幽微，非知幾藏往不可通焉。京師謂休爲"學海"。晁說之曰："何休特負於《公羊》之學，五始、三科、九旨、七等、六輔、二類、七缺之設，何其紛紛耶！既曰據百二十國寶書，而又謂三世異辭，何耶？"陳振孫曰："其書多引讖緯，所謂黜周、王魯、變周、文從殷質之類，《公羊》皆無明文，蓋爲其學者相承有此說也。"吕大圭曰："何、范、杜三家各自爲説，而説之謬者莫如何休，如'元年春，王正月，公即位'，《公羊》不過曰'君之始年爾'，何休則曰'《春秋》紀新王，受命於魯'；'滕侯卒，不名'，不過曰'滕，微國而侯不嫌也'，而休則曰'《春秋》王魯，託隱公以爲始'；'黜周王魯'，《公羊》未有明文也，而休乃倡之，其誣聖人也甚矣！《公羊》曰'母弟稱弟，母兄稱兄'，其言已有失矣，而休又從爲之説，曰'《春秋》變周之文，從商之質，質家親親，明當厚於羣公子也'，使後世有親厚於同母弟而薄於父之枝葉者，未必不由斯言啟之。《公羊》曰'立適以長不以賢，立子以貴不以長'，此言固有據，休乃爲之説曰'適子有孫而死，質家親親，先立弟；文家尊尊，先立孫'，使後世有惑於質文之異而適庶互争者，未必非斯語禍之。其釋會戎之文，則曰'王者不治夷狄，録戎者來者勿拒，去者勿追也'，《春秋》之作，本以正夫夷夏之分，今乃謂之不治，可乎？其釋'天王使來歸賵'之義，則曰'王者據土，與諸侯分職，俱南面而治，有不純臣之義'，《春秋》之作，本以正君臣之分，乃謂有不純臣之義，可乎？'隱三年，春，二月，己巳日，有食之'，《公羊》不過曰'記異也'，而休則曰'是後衛州吁弑其君，諸侯初僭'。'桓元年，秋，大水'，《公羊》不過曰'記災也'，而休則曰'先是桓篡隱，與專易朝宿之地，陰逆與怨氣所致'。而凡地震、山崩、星雹、雨雪、螽螟、彗孛之類，莫不推尋其致變之由，考驗其爲異之應，其不合者，必强爲之説。《春秋》記災而不説其應，曾若是之瑣碎磔裂乎？若此之類不一而足，凡此皆休之妄也。"

何休　公羊墨守《隋志》十四卷。《唐志》一卷。《高麗史》十五卷。

何休　左氏膏肓《隋志》十卷。《崇文總目》九卷。《中興書目》七卷，闕。《通志》三卷。

《崇文總目》：漢司空掾何休始撰答賈逵事，因記《左氏》所短，遂頗流布，學者稱之，更删補爲定本。今每事左方輒附鄭康成之學，因引鄭説竄何書，今殘闕，第七卷亡。徐彦曰："休作《墨守》等書，皆有注傳之前。"陳振孫曰："何休著《公羊墨守》等三書，鄭康成作《箴膏肓》、《起廢疾》、《發墨守》以排之。今其書多不存，惟范寧《穀梁集解》載休之説，而'鄭君釋之'當是所謂《起廢疾》者。今此書並存二家之言，意亦後人所録。《館閣書目》闕第七篇，今本亦正闕《宣公》，而於第六卷分'文十六年'以後爲第七卷，當併合十卷，止於《昭公》，亦闕《定》、《哀》，固非全書也，而錯誤殆未可讀，未有它本可正。"

何休　穀梁廢疾《隋志》三卷。

何休撰，鄭玄釋，張靖箋。《鄭玄傳》：任城何休好《公羊》學，遂著《公羊墨守》、《左氏膏肓》、《穀梁廢疾》。玄乃《發墨守》、《箴膏肓》、《起廢疾》。休見而歎曰："康成入我室，操我矛，以伐我乎？"徐彦曰："賈逵作《長義》四十一條，云《公羊》理短，《左氏》理長。鄭衆亦作《長義》十一條，專論《公羊》之短，《左氏》之長，在逵之前。何氏作《墨守》以距《長義》，爲《廢疾》以難《穀梁》，造《膏肓》以短《左氏》。"《拾遺記》謂之三闕，言理幽微，非知機藏往不可通焉。及鄭康成起而攻之，求學者不遠千里，贏糧而至，如細流之赴巨海，京師謂康成爲"經神"，何休爲"學海"。

何休　春秋左氏難

休與博士羊弼追求李育之意，作《難左氏》四十事。

何休　春秋議《隋志》十卷。

何休　春秋漢議十三卷

"孝安皇帝崩，立北鄉侯，未踰年，薨，以王禮葬，於《春秋》何義也？"答曰："《春秋》未踰年魯君子野卒，降成人稱子，從大夫禮可也。"

何休　公羊文謚例

此《春秋》五始、三科、九旨等,以矯枉撥亂,爲受命品道之端,正德之紀也。詳《義疏》,不具録。

何休　春秋公羊傳條例一卷“葬我小君成風”:“母以子貴,庶子爲君,母爲夫人,葬卒赴告,皆以成禮,不以妾母之制,夫人成風是也。”

何休　公羊音訓

《史記》索隱及《困學紀聞》引。

彭汪　左氏奇説

《經典·序録》:汝南彭汪,字仲,博記先師奇説及舊注。“齊侯號衛,衛慚而下。問守備焉,以無備告。揖之,乃登”:“問衛之守高唐者。衛無恩信,故令守者以無備告。齊侯善其言,故揖之,乃命士卒登城。”“是無若我何”:“當言:‘是無我若何’,無我當如何,‘我’字當在‘若’上。”

王玢　春秋左氏達義《七録》一卷。

《隋志》:王玢,漢司徒掾。

服虔　春秋左氏傳解誼《隋志》三十一卷。《唐志》三十卷。《釋文》同。

《漢南記》:虔,字子慎,河南滎陽人。少行清苦,爲諸生。尤明《春秋左氏傳》,爲作訓解。舉孝廉,爲尚書郎、九江太守。本傳:虔入太學受業,作《春秋左氏傳解》,行之至今。《世説》:鄭欲注《春秋傳》,尚未成。行與服子慎遇,宿過舍,先未相識。服在外車上與人説己注意,玄聽之良久,多與己同。玄就車與語,曰:“吾久欲注,尚未了。聽君向言,多與吾同,今當盡以所注與君。”遂爲服氏注。又曰:“服虔既善《春秋》,將爲注,欲參考同異。聞崔烈集門生講傳,遂匿姓名,爲烈門人賃作食。當至講時,輒竊聽户壁間,既知不能踰己,稍共諸生叙其短長。烈聞,不測何人,然素聞虔名,意疑之。明早往，及未寤應，便呼‘子慎’，虔不覺驚應，便相與友善。”謝承《後漢書》：服虔從棠谿典受《左氏春秋》，論解經傳，多所駁正，後儒以爲折衷。《隋書》：諸儒傳《左氏》甚衆，其後賈、服並爲訓解，至魏遂行於世。晉杜預又爲《經傳集解》，服虔、杜預注俱立國學，而後學惟傳服義。至隋，杜氏盛行，服氏寖微，殆無師説。《北史》：河北諸儒能通《春秋》者，並服子慎所注。《潛研齋·春秋左氏傳古注輯存序》曰：“漢儒傳《春秋》者，公、穀爲今文，左氏爲古文。班孟堅謂《左氏傳》多古字古言，而今所傳杜元凱本，文多淺俗，轉不如公、穀二家。而《左氏》解誼莫精於服子慎，魏、齊、周、隋之世，與鄭康成注諸經並行。當時至有‘寧道周孔誤，不言鄭服錯’之諺。自唐初《正義》專用杜説，而服學遂亡，遂不復知左氏之爲古文者。此嚴子豹人古注輯存所爲作也。”案：賈、服《左氏》傳注，宋王應麟有輯本，祕鈔藏惠紅豆齋。近余氏《古經解鉤沈》、王氏《漢魏遺書鈔》並有輯本刊行。

服虔　春秋左氏膏肓釋痾《隋志》十卷。《唐志》五卷。鄭樵《通志》、焦竑《國史經籍志》並作一卷。

遺越人以冠，終不以爲惠。《初學記》引《春秋釋痾》。漢家郡守行大夫禮，鼎俎籩豆，工歌懸。注：《補後漢書》引《左氏膏肓釋痾》。

服虔　春秋漢議駁《七録》二卷。《唐志》十一卷。

本傳：虔又以《左氏》駁何休之所議漢事十六條。

服虔　春秋成長説《隋志》九卷。《唐志》七卷。

邾婁本附庸，三十里耳，而言五分之，爲六里國也。《公羊疏》引《成長義》。

服虔　春秋塞難《隋志》一卷。**春秋音隱**《隋志》一卷。《舊唐志》同。《釋文》《左氏傳音》一卷。

劉陶　春秋訓詁春秋條例

本傳：靈帝詔陶次第《春秋條例》。

延篤　左氏傳注篤爵里見子集類。

《經典·序録》：京兆尹延篤受《左氏春秋》於賈逵之孫伯升，因而注之。“《三墳》、《五典》、《八索》、《九丘》”：“張平子説：

‘《三墳》,三禮,禮爲大防。’《爾雅》:‘墳,大防也。’《書》曰:‘誰能典朕三禮?’三禮,天、地、人之禮也。《五典》,五帝之常道也。《八索》,《周禮》八議之刑,索,空也,空設之。《九丘》,《周禮》之九刑,亦空設之。”延篤《左傳註》。

鄭玄　春秋左氏分野《七録》一卷。**春秋十二公名**《七録》一卷。

鄭玄　駁何氏漢議《隋志》二卷。**駁何氏漢議叙一卷**

王晢曰:“鄭康成不爲章句,特緣何氏興辭曲爲二傳解紛,不顧聖人本旨。”

鄭玄　發墨守　箴膏肓　起廢疾

《四庫全書提要》:《箴膏肓》一卷,《起廢疾》一卷,《發墨守》一卷,漢鄭玄撰。《後漢書》玄本傳稱,任城何休好《公羊》學,遂著《公羊墨守》、《左氏膏肓》、《穀梁廢疾》。玄乃《發墨守》、《箴膏肓》、《起廢疾》。休見而歎曰:“康成入吾室,操吾矛,以伐我乎?”其卷目之見於《隋書·經籍志》者,有《左氏膏肓》十卷、《穀梁廢疾》三卷、《公羊墨守》十四卷,皆注“何休撰”。而又别出《穀梁廢疾》三卷,注云“鄭玄釋,張靖箋”,似鄭氏所釋與休原本,隋以前本自别行。至《舊唐書·經籍志》所載《膏肓》、《廢疾》二書,卷數並同,特《墨守》作三卷,爲稍異。其下並注“鄭玄箴”、“鄭玄發”、“鄭玄釋”云云,則已與休書合而爲一。迨於宋世,漸以散佚。惟《崇文總目》有《左氏膏肓》九卷。而陳振孫所見本復闕宣、定、哀三公。振孫謂其錯誤不可復讀,疑爲後人所録,已非《隋》、《唐》之舊。其後漢學益微,即振孫所云不全之《左氏膏肓》,亦遂不可復見。此本凡《箴膏肓》二十餘條,起《廢疾》四十餘條,《發墨守》四十條,並從諸書所引掇拾成篇,不知出自誰氏,或題爲“宋王應麟集”,亦别無顯據。殆因應麟嘗輯鄭氏《周易注》、《齊魯韓三家詩考》,而以類推之與? 然《玉海》之末不附此書,不應其孫不見而後來反有傳本也。今以諸書校勘,惟《詩・大明》篇疏所引"宋襄公戰泓"一條,尚未收入,其餘並已蒐采無遺。雖不出自應麟手,然亦究心古學者之所爲矣。謹爲掇拾補綴,著之於録。雖視原書不及什之一二,而排比薈萃,略存梗概,爲鄭氏之學者,或亦有所考。案:《問經堂叢書》及《藝海珠塵》並刊有《箴膏肓》、《發墨守》、《起廢疾》各一卷。

鄭玄　左傳音

《羣經音辨》引。

荀爽　春秋公羊問答《七録》五卷。《唐志》同。

《隋志》: 爽問,魏安平太守徐欽答。

荀爽　春秋條例

見本傳。

潁容　春秋釋例《隋志》十卷。《唐志》七卷。

容,字子嚴,陳國長平人。善《春秋左氏》,師事太尉楊賜。郡舉孝廉,州辟,公車徵,皆不就。初平中,避亂荆州,劉表以爲武陵太守,不肯起。著《春秋左氏條例》五萬餘言。容《春秋釋例》序曰:"漢興,博物洽聞著述之士,前有司馬遷、揚雄、劉歆,後有鄭眾、賈逵、班固,近即馬融、鄭玄,其所著作違義正者,遷尤多。略舉一兩事以言:《史記》不識畢公爲文王之子,而言與周同姓; 揚雄著《法言》,不識六十四卦,所從來尚矣。"杜預《左氏集解》序"末有潁子嚴者,雖淺近,亦復名家。"

孔融　左氏雜義難《七録》五卷。

謝該　左氏解釋

該,字文儀,南陽章陵人。善《春秋左氏傳》,門徒數百人。建安中,河東人樂詳條《左氏》疑滯數十事以問,該皆爲通解之,名爲《謝氏釋》,行於世。仕爲公車司馬令,少府孔融薦之,拜議郎。

樂詳　左氏問

詳,字文載。少好學。建安初,聞南郡謝該善《左氏傳》,乃從南陽徒步詣該,問疑難諸要。今《左氏樂氏問》七十二事,詳所撰也。

段肅　春秋穀梁傳注《隋志》十四卷,疑漢人。《唐志》十三卷。

陸德明曰:"不知何人。"案:段肅,疑作"殷肅",見《東平王蒼傳》。

宋忠　春秋傳

《東京賦》注引宋衷《春秋傳》"帝魁,黄帝子孫也"。

李齊　左氏難

李譔　左氏指歸

《華陽國志》:譔,字仲欽,涪人。爲太子中庶子、右中郎將。著《左氏注解》,依則賈、馬,異於鄭玄。《經典·序録》:梓潼李仲欽著《左氏指解》。

郄萌　春秋菑異十五卷

《隋志》:漢末,郄萌集圖緯雜讖爲五十篇,謂之《春秋菑異》。萌,官太史令,字、里未詳。

麋信　春秋説要《隋志》十卷。

《經典·序録》:信,字南山,東海人。

麋信　理何氏漢議《隋志》二卷。

案:信,仕魏,官樂平太守。然《唐志》載鄭康成駁、麋信注一卷,則信之書固作於建安時也。

麋信　穀梁傳注《隋志》十二卷。

案:《漢魏遺書》有輯本刊行。

麋信　穀梁音

《釋文》引。

孫炎　春秋例

見《魏志》。

孫炎　春秋三傳注

見蕭常《續後漢書》。

附　王朗　春秋傳

王肅　左傳注《經典·序録》三十卷。

董遇　左傳章句《隋志》三十卷。《釋文》同。

董遇　朱墨別異

《魏志》注。

王基　左傳注

《經典·序録》：荊州刺史王基、大司農董遇、徵士敦煌周生烈，並注解《左氏傳》。

周生烈　左傳注

高貴鄉公　左傳音

曹髦，字士芳，魏廢帝。

曹耽　左傳音四卷

士燮　春秋經注十一卷

《吴録》：字彦威，蒼梧廣信人。少游學京師，事潁川劉子奇，治《左氏春秋》。補尚書郎，遷交阯太守。耽玩《春秋》，爲之注解。陳國袁徽與尚書令荀彧書曰："交阯士府君官事小闋，輒玩習書傳，《春秋左氏傳》尤簡練精微。吾數以咨傳中諸疑，皆有師説，意思甚密。又《尚書》兼通古今，大義詳備。聞京師古今之學，是非忿争，今欲條《左氏》、《尚書》長義上之。"其見稱如此。

張昭　左傳注

昭，字子布，彭城人。少好學，工屬文，尤精隸書。從白侯子安受《左氏春秋》，博覽羣書，與瑯琊趙昱、東海王朗齊名，作

《左氏春秋注解》。

唐固　公羊傳注　穀梁傳注

唐固　國語注

《經典・序録》：固，字子正，丹陽人。吴尚書僕射。

韋昭　國語注

昭，字弘嗣，吴郡人。吴侍中領左國史，爲晉諱，改爲曜。昭《國語解》叙曰："左丘明采録前世穆王以來，下訖魯悼、智伯之誅，邦國成敗，嘉言善語，陰陽律吕，天時人事，順逆之數，以爲《國語》。其文不主於經，故號曰'外傳'。漢章帝時，鄭大司農爲之訓詁，侍中賈君敷而衍之。建安、黄武之間，故侍御史會稽虞君、尚書僕射丹陽唐君，又因賈爲主而損益之。然猶有異同，昭切不自料，因賈君之精實，采唐虞之信善，復爲之解。"

虞翻　國語注

翻徙交州，講學不倦，門徒嘗數百人。又爲《論語》、《國語》、《老子》訓注，皆行於世。

右春秋三傳類

沛獻王劉輔　論語傳

本傳：輔善説《京氏易》、《孝經》、《論語傳》。熊方《年表》：沛獻王，光武子。建武十五年四月，封右馮翊公。十七年十月，進爲中山王。二十年六月，徙爲沛王。

賈逵　論語注

"當仁不讓於師"注："師，衆也。"

包咸　論語章句

咸，字子良，會稽曲阿人。師事博士右師細君，習《魯詩》、《論語》，舉孝廉，除郎中。建武中，入授皇太子《論語》，又爲其章句。

鄭衆　論語傳

《册府元龜》：鄭衆爲大司農，傳《論語》。

馬融　論語訓説

邢昺曰："後漢順帝時，南郡太守馬融爲《古文論語訓説》。"

何休　論語訓注

何晏《集解》引休《論語注》。

鄭玄　論語注《隋志》十卷。

鄭《論語序》：《論語》，仲弓、子游、子夏等所撰定。《易》、《詩》、《書》、《禮》、《樂》、《春秋》筴皆長二尺四寸；《孝經》謙，半之；《論語》八寸筴者，三分居一，又謙焉。案：王充《論衡》：《論語》者，弟子共紀孔子之言行，敕己之時甚多，數十百篇，以八寸爲策，紀之約者，持之便也。以其遺非經，傳文紀識恐忘，故但以八寸，不二尺四寸也。漢興失亡，至武帝廢孔子壁中古文，得二十一篇，齊、魯、河間九篇，本三十篇。至昭帝女讀二十一篇，宣帝下詔太常博士。時尚稱難曉，名之曰傳，後更隸寫傳誦。初，孔子孫安國以教魯人扶卿，官至荆州刺史，始曰《論語》。《隋志》：《古論語》與《古文尚書》同出，章句煩省，與《魯論》不異，惟分《子張》爲二篇，故有二十一篇。鄭氏以《張侯論》爲本，參考《齊論》而爲之注。梁、陳之時，惟鄭氏、何晏立於國學，而鄭氏甚微。周、齊，鄭學獨立。至隋，何、鄭並行，鄭氏盛於人間。陸德明曰："《古論語》出自孔氏壁中，凡二十一篇，有兩《子張》，篇次不與《齊》、《魯論》同。《齊論語》者，齊人所傳，别有《問王》、《知道》二篇，凡二十二篇，其二十篇中，章句頗多於《魯論》。《魯論語》，魯人所傳，即今所行篇次是也。鄭氏校《魯論》本，以《齊》、《古》讀正，凡五十事。"邢昺曰："康成作注之時，就《魯論》篇章，復考校之以《齊論》、《古論》，擇其善者而爲之。"洪适曰："《季氏》一篇，或以爲《齊論》。"朱錫鬯曰："《漢志》'《論語》十二家，《齊》二十二篇，多《問王》、《知道》'。如淳曰：'《問王》、《知道》皆篇名。'説者謂内聖外王之業,此附會也。《論語》二十篇皆就首章字義名篇,非有包括全篇之義。今逸《論語》見於《説文》、《初學記》、《文選注》、《太平御覽》等書,其詮玉之屬特詳。竊疑《齊論》所逸二篇,其一乃《問玉》,非《問王》也。考之篆法,三畫正均者爲"玉",中畫近上者爲"王",初無大異,因譌'玉'爲'王'耳。王伯厚亦云《問王》疑即《問玉》,亶其然乎?"《魯論語》《堯曰》篇無《不知命》一章,《齊論語》則有之,蓋後儒參入。其字義異讀者"傳不習乎"讀"傳"爲"專","崔子弑齊君"作"高子","未嘗無誨"讀爲"悔","五十以學《易》"讀"易"爲"亦","正唯弟子不能學也"讀"正"爲"誠","君子坦蕩蕩"讀爲"湯湯","冕衣裳者"讀爲"絻","瓜祭"讀"瓜"爲"必","賜生"讀"生"爲"牲","車中不内顧"無"不"字,"仍讀貫"讀"仍"爲"仁","折獄"讀"折"爲"制","小慧"讀"慧"爲"惠","古之矜也廉"讀"廉"爲"貶","天何言哉"讀"天"爲"夫",又讀"躁"爲"傲"、"窒"爲"室"。鄭氏注與今文不同者:"衆星共之","共"作"拱";"先生饌",作"餕";"云食餘",曰"餕";"舉直錯諸枉",作"措",云"投也",下同;"子張問十世可知也",無"也"字;"必也射乎","必也"句截;"哀公問社",作"主",云"主田,主謂社";"無適也,無莫也","適"作"敵","莫"音"慕",云"無所貪慕也";"吾黨之小子",句截;"則吾必在汶上矣",無"則吾"二字;"子之燕居",作"宴";"子疾病",無"病"字;"冕衣裳者","冕"作"弁";"異乎三子者之撰"作"僎",讀曰"詮,詮之言善也";"詠而歸",作"饋",云"饋酒食也";"有是哉,子之迂也","迂"作"于";"狂也直躬",作"弓",云"直人名弓";"子貢方人","方"作"謗";"丘何爲是栖栖者與",無"爲"字;"在陳絶糧",作"粻",音"長",云"糧也";"而謀動干戈於邦内",作"封内";"歸孔子豚",作

“饋”；“惡徼以爲知者”，“徼”作“絞”；“齊人歸女樂”，“歸”亦作“饋”；“朱張”作“侏張”，陟留反；“厲已”，讀爲“賴”，云“恃賴也”；又以申棖爲孔子弟子，申續子、桑伯子爲秦大夫，陳司敗爲人名，齊大夫老彭爲老聃、彭祖，太宰是吴太宰嚭，卞莊子爲秦大夫，與諸家異義。案：鄭君《論語注》近《漢魏遺書》、宋于庭大令并有輯本。

鄭玄　古文論語注《七録》十卷。

《經籍志》：梁别載玄注《古文論語》十卷。案：何晏《論語集解·序》“鄭玄就《魯論》篇章，考之《齊》、《古》爲之注”，是玄未嘗别注《古文論語》也。

鄭玄　論語釋義《唐志》十卷。

鄭玄　論語孔子弟子目録《隋志》一卷。

太史公曰：“學者多稱七十子之徒，譽者或過其實，毁者或損其真，鈞之未覩厥容貌，則論言弟子籍，出孔氏古文近是。余以弟子名姓文字悉取《論語》弟子問，並次爲篇，疑者闕焉。”《闕里志》曰：“案弟子名數，《史記》載孔子言曰：‘受業身通六藝者七十有七人，皆異能之士也。’唐司馬貞索隱曰：‘《孔子家語》亦有七十七人，魏王肅本自顏回至顏祖止，列七十六人，缺一人，不合前數。’乃觀《史記·弟子傳》有顏何字冉，《索隱》證之曰《家語》字稱，則知顏何已載於《家語》，而肅本缺之耳。又北齊顏之推稱仲尼門徒升堂者七十有二，顏氏居八。唐顏真卿自叙家譜稱孔門達者七十有二，顏氏居八。八人之中，顏何與焉。《索隱》去古未遠，之推、真卿俱顏氏裔孫，必各有據。今當以顏何足七十二人之數云。”又曰：“《史記》所載數同《家語》，内無琴張、陳亢、縣亶三人，而别有公伯寮、秦冉、鄡單三人當其數。文翁《石室圖》七十二人，比《家語》少公西輿縣、亶原亢、公肩、公夏、首句、井疆、邦巽、顏何八人,而別有蘧瑗、秦冉、林放三人。子由《古史》又録七十九人,又因《索隱》云文翁圖有蘧伯玉、林放、申棖、申堂四人。今《石室圖》七十二人,亦無所謂棖與堂也。"王氏謨曰:"案朱竹垞《孔子弟子考》云自《孔子徒人圖法》既亡,見《漢書·藝文志》。而文翁石室像在顯晦之間,世儒據以考定弟子之籍,惟《史記》之傳、《家語》之解而已,而不言及鄭氏《目録》,蓋是書之亡亦已久矣,故其名次無得而考。獨賴裴駰《史記集解》於列傳下時引《目録》證諸弟子籍里,如魯人、衛人可考見者三十有八人。竊意裴氏當日必猶見《目録》原書,與《史記》大略相同,故采其異者注本傳下,其同者不復注也。今故仍依《史記·弟子列傳》名次采録,而以《家語》別出三人附載於後,凡七十九人。"

麻達　論語注

《廣韻》注"漢有麻達《論語注》"。

周氏失名。　**論語章句**

陸德明曰:"不詳何人。"邢昺曰:"包氏、周氏就《張侯論》爲之章句訓解,以出其義理焉。皇侃疏亦云不知何人。"《周官》"五命賜則"注:"則,地未成國之名。王莽時,以二十五成爲則,方五十里,合今俗説子男之地。獨劉子駿等識古有此制焉。"疏:"時有孟子、張、包、周及何休等,並不信《周禮》有五百里已下之國,以《王制》百里、七十里、五十里等爲周法,故鄭指此等人爲俗説。"

盍氏　論語注

毛氏　論語注

案:石經《論語》"'而在於蕭牆之内',盍、毛、包、周無'於'",盍、毛與包、周並列,是盍氏、毛氏並有《論語注》也。

譙周　論語注《七録》十卷。

“不亦樂乎”注：“悦深而樂淺。”《釋文》“鄉人儺”注：“儺，卻之也。以葦矢射之。”劉昭注《續漢書·禮儀志》引。

附　周生烈　論語注

《中經簿》：周生，姓。烈，名。阮孝緒曰：“烈，字文逸，本姓唐。”裴松之《三國志》注：何晏《論語集解》有烈義例，餘所著述見《晉武帝中經簿》。《抱朴子》：周烈生講學精而不仕。馬總《意林》引周生烈自序略曰：“六蔽鄙夫敦煌周生烈，字文逸。張角敗後，天下潰亂，哀苦之間，故著此書，以堯舜作植幹，仲尼作師誡”云。案據此序，則烈後雖爲魏博士侍中，然此書之成實當靈帝末、獻帝初，故附於譙氏之後中。“三月不知肉味”注：“孔子在齊，聞韶樂，樂盛，故忽忘肉味。”“冉子退朝”注：“君之朝。”“駟不及舌”注：“口者，言之門。脣者，舌之藩。齒者，脣之舍也。故子貢曰‘駟不及舌’。”《寓簡》：昔有人習大科十餘年，業成，見田元鈞。論及《論語正義》中題目，元鈞曰：“曾見博士周生烈傳中亦有一二好題，合入編次。”其人駭，未嘗見此書也。元均因取示之，其人慚未始學也。《潛研齋文集》問論語：何氏《集解》采孔安國、包咸、周氏、馬融、鄭康成、陳羣、王肅、周生烈八家之説。周氏，不詳其名。周生烈，字文逸，敦煌人，本姓唐，魏博士、侍中。晉《中經簿》“周生，姓。烈，名”，今本《集解》有周無周生，何也？曰：“平叔自序稱‘集諸家之善，記其姓名’，疑平叔本名姓兼舉，後人厭其繁複，因删去其名。又不知周生之爲複姓，并‘生’字亦去之，由是周氏、周生氏兩家之説不可復辨矣。後得皇侃《義疏》讀之，凡孔、馬、鄭、陳、王、周生諸人皆稱名，惟包咸稱苞氏而不名，蓋何氏家諱‘咸’也。然細讀全部，但有周生氏，而無周氏，殊不可解。”

程秉　論語弼

陳羣　論語義説

羣,字長文,潁川人。魏司空。

王肅　論語注《隋志》十卷。

案:《集解》注序作《論語義説》。

王弼　論語釋疑《隋志》三卷。

王弼　論語音《釋文》引。

何晏　論語集解十卷

《經典·序録》:魏吏部尚書何晏集孔安國、包咸、周氏、馬融、鄭玄、陳羣、王肅、周生烈之説,并下己意爲《集解》。正始中,上之,盛行於世。

何晏　論語音《釋文》引.

虞翻　論語注十卷

張昭　論語注

右論語類案:《孟子》入諸子,《爾雅》入小學類,故斷自《論語》。

鄭衆　孝經注《七録》一卷。

衛宏　古文孝經一卷

《説文》叙:《古文孝經》,經事中議郎衛宏所校。

何休　孝經訓注

馬融　孝經注《七録》一卷。

黄震曰:"《孝經》,鄭康成諸儒主今文,孔安國、馬融主古文。"《經典·序録》:古文出孔氏壁中,别有《閨門》一章,自餘分析十八章,總爲二十二章。孔安國作傳,劉向校書定爲十八章。後漢馬融亦作《古文孝經傳》,而世不傳。

許慎　古文孝經注一卷

慎,字叔重,汝南召陵人。官至太尉、南閣祭酒。召陵公乘許沖上父慎《説文》曰:"《古文孝經》者,孝昭時魯國三老所獻,建武時議郎衛宏所校，皆口傳，官無其説。臣父學孔氏古文，撰具一篇，並上。"

高誘　孝經解

鄭玄　孝經注《唐志》一卷。

自序：《孝經》者，三才之經緯，五行之綱紀。孝爲百行之首，經者至易之稱。僕避兵於城南之山，棲遲於巖石之下，念昔先人餘暇，述夫子之志而注《孝經》焉。《後漢書》：鄭玄漢末遭黄巾之難，客於徐州。今《孝經序》，鄭氏所作。南城山西上可二里所，有石室焉，周迴五丈，俗云是康成注《孝經》處。右見《太平御覽》所引，考范史無此文，則未知爲袁山松、華嶠之書與，抑薛瑩、謝沈之書與？《唐會要》：開元七年三月一日敕，《孝經》、《尚書》有古文本，孔、鄭注旨趣頗多踳駁，令諸儒質定。六日，詔曰："《孝經》德教所先，頃來獨宗鄭氏，孔氏遺旨，今則無聞。其令儒官詳定所長，令明經者習讀。"四月七日，左庶子劉知幾議曰："謹案今俗所傳《孝經》題曰鄭注，爰在近古，皆云鄭注即康成，而魏晉之朝無有此説。晉穆武帝十一年及孝武帝太元元年，再聚羣臣，共論經義，有荀茂祖者，撰集《孝經》諸説，始以鄭氏爲宗。自齊梁以來，多有異論。陸澄以爲非玄所注，請不藏於祕府。王儉不依其請，遂得見傳於時。魏齊則立於學官，著於律令。蓋由虜俗無識致斯謁舛，然則《孝經》非玄所著，其驗十有二。案鄭君《自序》云'遭黨錮事起，逃難。黨錮事解，注《古文尚書》、《毛詩》、《論語》。爲袁譚所逼，來至元城，乃注《周易》'，都無注《孝經》之文，其驗一也。鄭君卒後，其弟子追論師所著述及應對時人，謂之《鄭志》，其言鄭所注，惟有《毛詩》、三《禮》、《尚書》、《周易》，都不言鄭著《孝經》，其驗二也。又《鄭志目録》記鄭之所注，五經之外，有《中候》、《書傳》、《七政論》、《乾象曆》、《六藝論》、《毛詩譜》、《答臨碩難周禮》、《駁許慎異義》、《發墨守》、《鍼膏肓》、《起廢疾》及《答甄子然書》,寸紙片言,莫不悉載。若有《孝經》之注,無容匿而不言,其驗三也。鄭之弟子分授門徒,各述師言,更相問答,編録其語,謂之《鄭記》,惟載《詩》、《書》、《禮》、《易》、《論語》,其言不及《孝經》,其驗四也。趙商作《鄭先生碑文》,具稱諸所注箋駁論,亦不言注《孝經》。《晉中經簿》《周易》、《尚書》、《尚書中候》、《尚書大傳》、《毛詩》、《周禮》、《儀禮》、《禮記》、《論語》凡九書,皆云'鄭氏注,名玄',至於《孝經》,則稱'鄭氏解',無'名玄'二字,其驗五也。《春秋緯·演孔圖》云:'康成注《禮》、《詩》、《易》、《尚書》、《論語》,其《春秋》、《孝經》則有評論。'宋均於《詩譜序》云'我先師北海鄭司農',則均是玄之傳業弟子也。師所著述,無容不知,而云'《春秋》、《孝經》惟有評論',非玄之所注,於此特明,其驗六也。又宋均《孝經注》引鄭《六藝論》敘《孝經》云'玄又爲之注,司農論如是,而均無聞焉,有義無辭,令予昏惑',舉鄭之語而云'無聞',其驗七也。宋均《春秋緯》、《孝經略説》非注之謂,所言玄又爲之注者,汎辭也,非事實。其序《春秋》亦云'玄又爲之注',寧可復責以實注《春秋》乎?其驗八也。後漢史書存於代者,有謝承、薛瑩、司馬彪、袁山松等,其爲鄭玄傳者,載其所注皆無《孝經》,其驗九也。王肅《孝經傳》首有司馬宣王之奏,云'奉詔令諸儒述《孝經》,以肅説爲長',若先有鄭注,亦應言及,而都不言鄭,其驗十也。王肅著書,發揚鄭短,凡有小失,皆在《聖證》。若《孝經》此注亦出鄭氏,被肅攻擊最應繁多,而肅無言,其驗十一也。魏晉朝賢論時事,諸注無不撮引,未有一言引《孝經》之注,其驗十二也。凡此證驗,易爲討覈。而代之學者不覺其非,乘彼謬説,競相推舉。諸解不立學宫,此注獨行於代。觀夫語言鄙陋,義理乖疏,固不可以示彼後來，傳諸不朽。至《古文孝經》孔傳，本出孔氏壁中，語其詳正，無俟旁推商榷，而曠代亡逸，不復流行。至隋開皇十四年，祕書學士王孝逸於京師市陳人處買得一本，送與著作郎王劭，劭以示河間劉炫，仍令校定，而此書更無兼本，難可依憑。炫輒以所見，率意刊改，因著《古文孝經稽疑》一篇。炫以爲此書經文盡正，傳義甚美，而歷代未嘗置於學宮，良可惜也。然則孔鄭二家雲泥致隔，今綸音發問，校其所長。愚以爲行孔廢鄭，於義爲允。"國子祭酒司馬貞議曰："《今文孝經》是漢河間王所得顔芝本，至劉向以此本校古文，省除繁惑，定爲此一十八章。其注相承云是鄭玄所注，而《鄭志》及《目録》等不載，故往賢共疑焉。惟荀昶、范曄以爲鄭注，故昶《集解》具載此注，而其序以鄭爲主，是先達博選，以此注爲優。且其注縱非鄭氏所作，而義旨敷暢，將爲得所，其數處小有未穩，實亦未離經傳。其古文二十二章元出孔壁，先是安國作傳，遭巫蠱，代未之行。荀昶集注之時，尚有孔傳，中朝遂亡其本。近儒欲崇古學，僞作此傳，假稱孔氏，輒穿鑿改更，又僞作《閨門》一章。劉炫詭隨，妄稱其善。且閨門之義，近俗之語，非宣尼之正説。案其文云'閨門之内，具禮矣乎。嚴親嚴兄，妻子臣妾，繇百姓徒役也'。是比妻子於徒役，文句凡鄙，不合經典。又分《庶人》章，從'故自天子'以下別爲一章，仍加'子曰'二字。然'故'者連上之詞，即爲章首，不合言'故'。是故古文既亡，後人妄開此等數章，以應二十二章之數，非但經文不真，抑且傳習淺僞。至注'用天之時，因地之利'，其略曰'脱衣就功，暴其肌體，朝暮從事，露髮塗足，少而習之，其心安焉'。此語雖旁出諸子，而引之爲注，何言之鄙俚乎？與鄭氏之所云'分別五土，視其高下，高田宜黍稷，下田宜稻麥'，優劣縣殊，曾何等級？今議者欲取近儒詭説，殘經缺傳，而廢鄭注,理實未可。望請準式《孝經》鄭注與孔傳並行。”五月五日詔:鄭仍舊行用。孔注傳習者稀,亦存繼絶之典,頗加獎飾。陸德明曰:“鄭注相承以爲鄭玄。案《鄭志》及《中經簿》無,惟中朝穆帝講習《孝經》,以鄭玄爲主。檢《孝經注》與康成注五經不同,未詳是非。”劉肅曰:“梁載言《十道志》解南城山引《後漢書》云‘鄭玄遭黄巾之亂,客於徐州’。今者有《孝經序》,相承鄭氏所作,蓋康成胤孫所爲也。陸德明亦曰鄭注《孝經》與五經體不同,則劉子玄所證信有徵矣。”《崇文總目》:先儒多疑其書,惟晉孫昶集解以此注爲優,請與孔注並行,詔可。今太學所立陸德明《釋文》與此相應。五代兵興,中原久逸其書。咸平中,日本僧以此書來獻,議藏祕府。案:《五代史》新羅國進《别序孝經》,未知是鄭注與否。周顯德中,日本僧奝然又嘗進《孝經雄圖》、《孝經雌圖》,乃《孝經緯》。《開元占經》多引其書,非鄭注《孝經》也。《書録解題》:世傳秦火之後,河間人顔芝得《孝經》,藏之,以獻河間王,今十八章是也。相承云康成作注,而《鄭志》、《目録》不載,故先儒並疑之。古文有孔安國傳,不行於世。劉炫僞作《稽疑》一篇,序所謂“劉炫明安國之本,陸澄譏康成之注”者也。及唐開元中,詔議孔、鄭二家,劉知幾以爲宜行孔廢鄭,諸儒非之,卒行鄭學。案《三朝志》,五代以來,孔、鄭注皆亡。周顯德中,新羅獻《别序孝經》,即鄭注者,而《崇文總目》以爲咸平中日本僧奝然所獻,未詳孰是。世少有其本。乾道中,熊克子復、袁樞機仲得之,刻於京口學宫,而《孔傳》不可復見矣。王應麟曰:“鄭氏注相承言康成作,《鄭志》、《目録》不載,通儒皆驗其非。開元中,孝明纂諸説自注,以奪二家。然尚不知鄭氏之爲小同。”案:以《孝經》爲小同注,亦後儒儗度之辭。小同所著有《鄭志》十二卷,與玄弟子同撰集。又有《禮記》四卷,不言注《孝經》。據華歆《表》曰“玄適孫小同,年逾三十,少有令名,學綜六經”,後爲司馬昭所鴆而死,距黄巾之亂相去甚遠，不得云“遭黄巾亂，避難徐州，注《孝經》”也。序：《孝經》有古文，有今文。孔安國爲古文作傳，而鄭康成注今文。孔注世多有刻本，鄭注則否。南齊時，國學置鄭玄《孝經》，陸澄乃與王儉書論之曰：“世有一《孝經》，題爲鄭玄注，觀其用辭不與注書相類。案玄自序所注衆書，亦無《孝經》。”儉答曰：“鄭注虚實，前代不嫌，意謂可安，仍舊立學。”據此，則鄭注之行，其來尚矣。是本與陸德明《經典釋文》脗合無差，其爲鄭注審矣。頃者讀《知不足齋叢書》鮑、盧諸家序跋，乃知惟得孔傳，未得鄭注。瀛海之西，其帙已久。嗚呼！書之菑厄，不獨水火，靳祕之甚，其極有至沈滅者，豈不悲乎！今刻是本，予之志在傳諸瀛海之西，與天下之人共之，家置一通，人挾一本，讀之誦之，則聖人之道，由是而宏，悠久無窮。海舶之載而西者保其無恙，冀賴神明護持之力。鮑、盧諸家得是本，再付剞劂，流傳遍於寰海，當我世見其收入叢書中，所翹跂以俟之也。癸丑之秋日本國尾張岡田挺之序。《重刊孝經鄭注序》：往歲，平湖賈舶自日本國購得《孝經鄭注》，歸時寓居杭州萬松者館。客有攜以相示者，前有岡田挺之序，後稱寬政六年寅正月梓。其題首云“新川先生校驗”，序末小印知新川即挺之之字。寬政六年，歲在癸丑，以甲子計之，實後皇朝乾隆五十八年也。予向見日本亨保十六年，太宰純重刻《古文孝經》，云“宋歐陽子嘗作詩云‘逸書百篇今尚存’，昔僧奝然適宋，獻鄭注《孝經》一本於太宗，今去其世七百有餘年，古書之桭佚者亦不少，而孔傳《古文孝經》全然尚存”。又亨保十五年所刊山井鼎《七經孟子考文》，《孝經》但載古文孔傳，並不言鄭注之有無。此本與《經典釋文》、《孝經正義》所述鄭注大半相合。初疑彼國稍知經學者抄撮而成，繼細讀之，如《孝治》章以“昔”訓“古”，見《公羊傳疏》；“《聘問》天子無恙”諸語,見《太平御覽》;《聖治章》"上帝者,天之別名也",見《南齊書·禮志》暨《困學紀聞》,俱《釋文》、《正義》之所未引,而此本秩然俱載,不謀而合,斷非作僞者所能出也。惟挺之序謂與《釋文》脗合則不盡然,即以首章而言:"仲尼居",《釋文》述鄭作"凥","凥,講堂也";"曾子侍",注"卑者在尊者之側曰侍",此類甚多,率今本所無,其與陸氏所見本不同明矣。案鄭注《孝經》不見於《鄭志》、《目録》及趙商《碑銘》,故魏晉諸儒論議紛起,唐人至設十驗以疑之。然宋均《孝經緯注》引鄭《六藝論》序《孝經》云"玄以爲之注",《大唐新語》引鄭《孝經序》云"僕避亂徐州南城山,棲遲巖石之下,念昔先人,餘暇述夫子之志而注《孝經》",又均《春秋緯注》云"爲《春秋》、《孝經》略說",皆當日作注之證。唐儒駁之者曰"所言爲之注者,汎辭,非實事。其序《春秋》亦云'玄又爲之注',寧可復責以實注《春秋》"? 予謂鄭注《春秋》未成,遇服虔,盡以所注與之,《世説新語》實載其事,而云鄭作《春秋注》非也。《鄭志》書多爲後人羼雜,隋唐所行,已非原本,所記庸有脱漏。趙商撰《鄭碑銘》,其載諸所注牋亦不言注《孝經》者,猶《後漢書》本傳叙所注《周易》、《尚書》、《毛詩》、《儀禮》、《禮記》、《論語》、《孝經》諸書,而史承節《碑》乃多《周官》而無《論語》,俱載筆者偶然之失,豈得據墓碑史傳並謂鄭無《周官》、《論語》注乎?《唐會要》載開元七年,劉子玄等議欲行孔廢鄭,博士司馬貞以爲其注縱非鄭玄,而義旨敷暢,將爲得所,請準令式,鄭注與孔傳並行,詔從貞議。蓋前此學者篤信是書非出北海,同聲附和,即有爲之剖辨者,亦多執首鼠之説,不復深究是否。荀勗《中經簿》但題"鄭氏解",不云名玄,於《毛詩》、三《禮》直稱鄭玄注,而於《孝經》標"鄭氏"二字,注云"相承解爲鄭玄",則亦疑而未決之辭。此本挺之跋稱鄭注《孝經》一卷,《羣書治要》所載。考《羣書治要》凡五十卷,唐魏鄭公撰。其書久佚,僅見日本天明七年刻本,前列表文亦有岡田挺之題銜,則此書即其校勘《治要》時所録而單行者。《治要》采集經子各注,不著撰人名氏,而今本竟稱鄭注,亦或彼國相承云爾,而挺之始據《釋文》定之,故太宰純、山井鼎諸人俱未言及耳。鄭注各經自漢至唐多立學官,惟《孝經》顯晦不一,故唐初傳寫率多踳錯。《釋文》摘注爲音,每注云"自某至某本今無",以明所見之異,則其時已無足本。可知《治要》所載,恐亦有删削,而陸本云無者,今本無之,亦有陸以爲無而今仍存者,知别一古本流傳外國者如此。其經文與注疏本異者數處:如《廣要道》"敬一人則千萬人悦","則"作"而";《諫争章》"雖無道不失天下","失"下多"其"字;"並"同石臺《孝經》、開成石經"並",足定爲宋以前古本也。日本傳載奝然於雍熙六年,浮海而至,獻鄭注《孝經》,據陳振孫《書録解題》云'乾道中,熊克子復、袁樞機仲嘗得之刻於京口學宫',是南宋猶有板本。自是以後,著録家無道及者,蓋當時漢學已廢不講,雖得鄭注而不加寳貴,尋復楙失。乾道至今又七百年,距雍熙又八百六十年,而是書復出於右文稽古之世,治經者得知孔、鄭之異同,闡注疏之精藴,身體力行,於以仰副聖天子孝治天下之至意,不可非謂厚幸也。欽惟我朝統一,區夏重熙,累洽文教,覃敷溢於薄海,雖至重譯絶島,皆知尊聖學而窮經義。如皇侃《論語義疏》,唐宋以後久無傳本,而《七經孟子考文》具云彼國尚有其書。迨乾隆中四庫館開,詔求天下遺書,而《論語義疏》與《孝經》孔傳同時得自日本。數千百年沈淪祕籍,一旦發其光於鯨波鮫室之中,藉海舶以光祕閣,夫孰非神物呵護有靈,俾之應運而興者乎?然彼國好古之士於漢唐經解知所服膺,不惜校録而考訂之,若太宰純、山井鼎、罔田挺之者,其亦足嘉尚也已。是書原刻繭紙印本,其製與中華校板不異。余曾印鈔一册置篋中,友人見之,傳録者頗眾。因授剞劂,用公同好,并記所見於簡端,以俟博雅君子。至原刻經注字句之下,多有點乙,譯其意義,殆爲便於童誦而設,無裨經學。今亦仿而摹之,使存其舊焉。嘉慶七年歲星在壬戌月躔鶉首之次,嘉定錢侗書於青浦舟次。

附　王朗　孝經傳

見蕭常《續後漢書·朗傳》。

王肅　孝經注《隋志》一卷。

蘇林　孝經注

林,字孝友,陳留人。魏椒騎常侍。凡諸書疑滯,林皆解釋之,甚有柢要。

何晏　孝經注

劉卲　孝經注

卲字孔才,廣平人,魏光禄勳。

徐整　孝經注整爵里見《詩譜注》。

韋昭　孝經解讚《隋志》一卷。

謝萬　孝經注吳人,非晉謝萬也。

嚴畯　孝經傳一卷

畯,字曼才,彭城人。少篤學,好《詩》、《書》、三禮,又好《説文》。仕吳,官至尚書。著《孝經傳》、《潮水論》。

右孝經類

白虎通義一作議奏,一作通議。《隋志》六卷。《宋志》十卷。

蔡邕曰:“孝宣會諸儒於石渠,章帝集學士於白虎觀,通經釋義,其事優大。”劉知幾曰:“漢世,諸儒集論經傳,定之於白虎閣,因名曰《白虎通》。”《中興書目》:《白虎通》十卷,凡四十篇。今本自《爵號》至《嫁娶》,凡四十四篇。吕祖謙曰:"講白虎觀議論發於楊終,以人才好惡定諸儒是非,亦未爲得。"陳振孫曰:"章帝詔諸儒講論五經同異,五官中郎將魏應承制問,侍中淳于恭奏,帝親制臨決,作《白虎議奏》。蓋用宣帝石渠故事,《石渠議》今不傳矣,《班固傳》稱撰集凡四十四門。"《四庫全書提要》:《白虎通義》四卷,漢班固撰。《隋書·經籍志》載《白虎通》六卷,不著撰人。《唐書·藝文志》載《白虎通義》六卷,始題班固之名。《崇文總目》載《白虎通德論》十卷,凡十四篇。陳振孫《書録解題》亦作十卷,云凡四十四門。今本爲元大德中劉世常所藏,凡四十四篇,與陳氏所言相符,知《崇文總目》所云十四篇者,乃傳寫脱一"四"字耳。然僅分四卷,視諸志所載又不同。朱翌《猗覺寮雜記》稱,《荀子注》引《白虎通》"天子之馬"六句,今本無之。然則輾轉傳寫,亦或有所脱誤,翌因是而指其僞撰,則非篤論也。據《後漢書》固本傳,稱"天子會諸儒講論五經,作《白虎通德論》,令固撰集其事"。而《楊終傳》"終言'宣帝博徵羣儒,論定五經於石渠閣。方今天下少事,學者得成其業,而章句之徒破碎大體,宜如石渠故事,永爲世則'。於是詔諸儒於白虎觀,論考同異焉。會終坐事繫獄,博士趙博、校書郎班固、賈逵等,以終深曉《春秋》,學多異聞,表請之,即日貰出"。《丁鴻傳》稱"肅宗詔鴻與廣平王羨及諸儒樓望、成封、桓郁、賈逵等,論定五經同異於白虎觀,使五官中郎將魏應主承制問難,侍中淳于恭奏上,帝親稱制臨決"。時張酺、召馴、李育皆得與於白虎觀。蓋諸儒可考者十有餘人,其議奏統名曰《白虎通德論》,猶不名"通義"。《後漢書·儒林傳》序言"建初中,在會諸儒於白虎觀,考詳同異,連月乃罷。肅宗親臨稱制,如石渠故事,顧命史官,著爲《通義》"。唐章懷太子賢注云即《白虎通義》。

是足證固撰集乃名其書曰《通義》,《唐志》所載蓋其本名。《崇文總目》稱《白虎通德論》,失其實矣。《隋志》删去"義"字,蓋流俗略有此一名。故唐劉知幾《史通》引《白虎通》、《風俗通》爲説,則遞相祖述,忘其本始者也。書中徵引,六經傳説而外,涉及讖緯,乃東漢習尚使然。又有《王度記》、《三正記》、《别名記》、《親屬記》,則《禮》之逸篇。方漢時崇尚經學,咸競競守其師承,古人舊聞多在乎是,洵治經者所宜從事也。

案:《抱經堂叢書》有《校刊白虎通》四卷。

沛獻王劉輔　五經通論

本傳作《五經論》,時號"沛王通論"。《金樓子》:輔性矜嚴,有盛名。沈深好經書,善説《京氏易》。論集經傳及圖讖文,作《五經論》,世號之曰"沛王通論"。明帝甚重之,賞賜恩寵加異。

曹褒　五經通義十二篇

朱錫鬯曰:"劉向、曹褒俱撰《五經通義》,羣書所引大都皆向之説,惟《太平御覽》一條竊有可疑。文云:'歌者象德,舞者象功,君子尚德下功,故歌在堂舞在庭。何言歌在堂也?《燕禮》曰"升歌《鹿鳴》",是以知之。何言舞在庭也?《援神契》曰"合忻之樂舞於堂,四夷之樂陳於庭",以此知之。'度劉向時《援神契》未行於世,至褒撰《漢禮》多雜以五經讖緯之文,然則此蓋褒十二篇中語也。"

曹褒　演經雜論百餘篇

程曾　五經通難百餘篇

曾,字秀升,豫章人。

張遐　五經通義

許慎　五經異議《隋志》十卷。

初,慎以五經傳説臧否不同,於是撰爲《五經異義》。案:其書所載有《易》孟、京説、施讎説、下邳傅甘容説,《古尚書》賈逵説,《今尚書》歐陽、夏侯説,古《毛詩》説,今《詩》齊、魯、韓説,治《魯詩》丞相韋玄成説、匡衡説,古《春秋》左氏説、奉德侯陳欽説、侍中騎都尉賈逵説,今《春秋公羊》、《穀梁》説,《公羊》董仲舒説、大鴻臚洼生説,古《周禮》説,今《戴禮》説、今《大戴禮》説,《禮・王度記》盛德明,《明堂月令》講學大夫淳于登説,古《孝經》説,今《論語》説,魯郊禮、叔孫通禮,古《山海經》鄒書公,議郎尹更始、待詔劉更生議石渠,博存眾説,蔽以己意,或從古,或從今。

鄭玄　駁五經異義

《四庫全書提要》:《駁五經異義》一卷,《補遺》一卷,漢鄭玄所駁許慎《五經異義》之文也。考《後漢書・許慎傳》,慎以五經傳説臧否不同,於是撰爲《五經異義》,傳於世。《鄭玄傳》載玄所著百餘萬言,亦有《駁許慎五經異義》之名。《隋書・經籍志》有《五經異義》十卷,後漢太尉祭酒許慎撰,而不及鄭玄之《駁議》。《舊唐書・經籍志》"《五經異義》十卷,許慎撰,鄭玄駁",《新唐書・藝文志》並同。蓋鄭氏所駁之文,即附見於許氏原本之内,非别爲一書,故史志所載亦互有詳略。至《宋史・蓺文志》遂無此書之名,則自唐以來失傳久矣。學者所見《異義》,僅出於《初學記》、《通典》、《太平御覽》諸書,而鄭氏《駁義》則自《三禮正義》而外,所存亦復寥寥。此本從諸書采綴而成,或題宋王應麟編,然無確據。其間有單詞隻句,《駁》存而《義》闕,原本錯雜相參,頗失條理。今詳加釐正,以《義》、《駁》兩全者彙列於前,其僅存《駁》、《義》者則附録以備參考。又近時朱彝尊《經義考》内亦嘗引鄭《駁》數條,而長洲惠氏所輯則蒐羅益爲廣備,往往多此本所未及。今以二家所采,參互考證,除其重複,定爲五十七條,别爲《補遺》一卷,附之於後。其間有《異義》而鄭無駁者,則鄭與許同者也。兩漢經學號爲極盛,若許若鄭,尤皆一代通儒,大敵相當,輸攻墨守,非後來一知半解者所可望其津涯。此編雖散佚之餘,十不存一,而引經據古,獨見典型,殘編斷簡,固遠勝於後儒之累牘連篇矣。案:《問經堂叢書》有《五經異義》并《駁義》一卷《補遺》一卷刊行。

鄭玄　六藝論《隋志》一卷。《舊唐書·志》同。

孔穎達曰:"方叔機注。"《疏》引叔機注云:"六紀者,九頭紀、五龍紀、攝題紀、合洛紀、序命紀、九六紀也。九十一代者,九頭一、五龍五、攝提七十二、合洛三、連通六、序命四,凡九十一代也。"叔機,未詳何人。徐彦曰:"鄭君先作《六藝論》,然後注書。"朱錫鬯曰:"西漢學士大都專治一經,兼經者自韓嬰、申培、后倉、孟卿、膠東庸生、瑕丘江翁而外,蓋寥寥也。至東漢而後,兼者漸多。鄭康成出,凡《易》、《書》、《詩》、《周官》、《儀禮》、《禮記》、《論語》、《孝經》,無不爲之注釋。而又《六藝》、《七政》有論,《毛詩》有譜,禘祫有議,許慎《五經異義》有駁,臨孝存《周禮》有駁難,何休之《墨守》、《膏肓》、《廢疾》,或發,或鍼,或起,可謂集諸儒之大成,而大有功於經學者。萬歲通天初,州刺史史承節撰銘曰:'公之挺生,大雅之懿。囊括墳典,精通奥祕。六藝殊科,五經通義。小無不盡,大無不備。'此天下之公言也。惟其意主博通,故於《三統》、《九章》、《大傳》、《中候》,以及《易》、《書》、《禮》緯,靡不有述。然其箋傳,經自爲經,緯自爲緯,初不相雜。第如七曜四游之晷度,八能九錫之彌文,三雍九室之遺制,經師所未詳者,則取諸緯候以明之。蓋緯候亦有純駁之不同,康成所取特其醇者耳,災祥神異之説,未嘗濫及也。或疑五帝之名近於怪,然此在漢時著之祀典者,君子居是邦,不非其大夫,況朝廷之典禮乎?乃宋儒極口詆之,沿及元明,隨聲附和,至有以此罪之，竟黜其從祀者，其亦不仁甚矣！不觀九峯蔡氏之《書傳》乎？‘周天三百六十五度四分度之一’，此《洛書甄曜度》、《尚書考靈曜》之文也。‘黑道二去黄道北，赤道二去黄道南，白道二去黄道西，青道二去黄道東’，此《河圖帝覽嬉》之文也。而蔡氏引之，於蔡氏乎何傷？不觀新安文公之注《楚辭》乎？‘崑崙者，地之中也，地下有八柱互相牽制，名山大川孔穴相通’，此《河圖括地象》之文也。‘三足烏者，陽精也’，此《春秋元命包》之文也。文公引之，於文公乎何損？乃一偏之論，在漢儒則有罪，在宋儒則無誅，斯後學之心，竊有未平矣。”案：《漢魏遺書》近有采輯鄭君《六藝論》十九條刊行，尚漏二條，今附録於後。文王創業，至魯僖時，《商頌》不在數矣。孔子删《詩》時，録此五章，豈無意哉？“商邑翼翼，四方之極”，“我有嘉客，亦不夷懌”，豈能忘哉？景山，商墳墓之所在也。商邑之大，豈無賢才？松柏丸丸，在於斵而遷之，方斵而敬承之，以用之爾。松柏小材，有挺而整布；眾楹大材，有閑而静别。既各得施，則寢成而孔安矣。拱成君子之材，而任以成國，則人君高拱仰成矣，是《綢繆》牖户之義也。漢法：死事之子，皆拜郎中。

鄭記 《隋志》六卷。

鄭玄弟子撰。劉知幾曰：“鄭之弟子，分授門徒，各述師言，更相問答，編録其語，謂之《鄭記》。”

鄭志 《隋志》十一卷。《唐志》九卷。

《後漢書》：玄所著羣書，不得於禮堂寫定，傳與其人。門人相與撰玄答諸弟子問五經，依《論語》作《鄭志》八篇。劉知幾曰：“鄭弟子追論師注及應答，謂之《鄭志》。”朱錫鬯曰：“案《鄭志》載於《正義》及《通典》者，大抵張逸、趙商、冷剛、田瓊、炅模問，而康成答之，又有焦喬、王權、鮑遺、陳鏗、崇精、孫皓弟子互相問答之辭。"《四庫全書提要》:《鄭志》三卷,《補遺》一卷。案《隋書·經籍志》"《鄭志》十一卷,魏侍中鄭小同撰。《鄭記》六卷,鄭玄弟子撰"。《後漢書》鄭玄本傳則稱"門生相與撰玄答弟子,依《論語》作《鄭志》八篇"。劉知幾《史通》亦稱"鄭弟子追論師説及應答,謂之《鄭志》。分授門徒,各述師言,更不問答,謂之《鄭記》"。其説不同,然范蔚宗去漢未遠,其説當必有徵。《隋志》根據《七録》,亦阮孝緒所考定,非如唐宋諸志動輒疏舛者比,斷無移甲入乙之事。疑追録之者諸弟子,編次成帙者則小同。《後漢書》原其始,《隋書》要其終。觀八篇分爲十一卷,知非諸弟子之舊本也。《新》、《舊唐書》載《鄭記》六卷,尚與《隋志》相同。而此書則作九卷,已佚三卷。至《崇文總目》始不著録,則全佚於北宋初矣。此本三卷,莫考其出自誰氏。觀書中《禮運注》"澄酒"一條答趙商之問者兩見,而詳略大異;又陳鏗之名前後兩見,而後一條注"一作鑠",知爲好鄭氏之學者惜其散佚,於諸經《正義》中裒輯而成。然如初載"弼成五服"答趙商問一條,不稱《益稷》而稱《皋陶謨》,則正合孔疏所云鄭氏之本。又卷首泠剛問《大畜》"童牛之牿"一條,今《周易正義》中不見,而《周禮正義》引之,較此少"泠剛云"以下六十餘字。《周禮正義》引答孫皓問一條,較此少"夏二月仲春,太簇用事,陽氣出,地始温,故禮應問從,先薦寢廟"五句。其《皋陶謨》注與《經典釋文》及《正義》所引,亦互有詳略。而《堯典注》一條乃不載《正義》中,則亦博采諸書,有今日所不盡見者,非僅剽剟《正義》。又《玉海》十八卷引《定之方中》詩,張逸問:"仲梁子何人?"答曰:"先師魯人。"此本"先師"之下多一"云"字,方知先師非指仲梁子。如此之類,亦較它書所載爲長,足證爲舊人所輯,非近時新編也。間有蒐采未盡者,經《正義》及《魏書·禮志》、《南齊書·禮志》、《續漢書·郡國志》注、《藝文類聚》諸書所引，尚有三十六條。又《鄭記》一書，亦久散佚。今可以考見者，有《初學記》、《通典》、《太平御覽》所引三條，併附録之，亦存鄭學之梗概。并以見漢代經師專門授受，師弟子反覆研求，而後筆之爲傳注，其既詳且慎至於如此。昔朱子與胡紘爭寧宗持禫服之禮，反覆解難，終無據以折之。後讀《喪服小記》疏所引《鄭志》一條，方得明白證驗。因自書於本議之後，記其始末，"向使無鄭康成，則此書終難斷決"語。是朱子議禮未嘗不折服於玄矣。後之臆斷談經而動輒排斥鄭學者，亦多見其不知量也。案：《問經堂叢書》有《鄭志》一卷補遺一卷刊行，嘉定錢氏亦有《校刻鄭志》一卷附録一卷。

劉表　後定五經章句

表爲荆州牧，使綦毋闓、宋忠等撰《定五經章句》。《鎮南碑》：君深愍末學遠本離質，乃令諸儒改定五經章句，删剗浮辭，芟除煩重。贊之者，用力少而探微知機者多。又求遺書，寫還新者，留其故本，於是古典畢集，充於州閭。

譙周　五經然否論《隋志》五卷。

《蜀志》：周撰定《法訓》、《五經論》、《古史考》之屬百餘篇，辨理明通，爲世碩儒，有董、揚之規。《秦宓傳》：初，宓見帝系之文，五帝皆同一族，宓辨其不然。又論皇帝王霸養龍之説，甚有通理。譙允南少時數往咨之，記録其言於《春秋然否論》。文多，故不載。案：《漢魏遺書》輯有譙氏《五經然否論》數條刊行。

附　王肅　聖證論《隋志》十二卷。

《魏志》肅本傳：肅集《聖證論》以譏短鄭玄，時樂安孫叔然受學鄭玄之門人，稱"東州大儒"，駁而釋之。《禮記正義》曰："案《聖證論》王肅難鄭，馬昭申鄭云，張融謹案郊與圜丘是一，爲鄭學者馬昭等通之。"《唐書·元行沖傳》曰："王肅規鄭玄數千百條,鄭學馬昭詆劾肅短,博士張融案經問詰,融推處是非,而肅酬對疲於歲時。"《困學紀聞》曰:"王肅《聖證》譏短鄭康成,謂天體無二,郊、丘爲一,褅是五年大祭先祖,非圜丘及郊,祖功宗德是不毁之名,非配食明堂,皆有功於禮學,先儒韙之。《聖證論》今不傳,《正義》僅見一二。"王氏《漢魏遺書》序録曰:"案《聖證論》書雖不傳,然諸經正義所引王肅難語及馬昭、張融之説,皆當屬《聖證論》無疑,《紀聞》以爲僅見一二,亦爲未審。今並録,出孔氏《尚書疏》三條,《左傳疏》一條,《禮記疏》十二條,賈氏《周禮疏》十三條,《前漢書》一條,《後漢書注》一條,《類聚》一條,《書鈔》一條。"

孫炎　駁聖證論

闞澤　刊定五經傳注

澤,字德潤,會稽山陰人。少貧好學,無書,嘗爲傭書,以供紙札,博覽羣籍。延熙五年,拜太子太傅。澤以經傳文多,乃斟酌諸家,刊約禮文及諸注説以授二宫。

右五經類

卷　三

皇羲五十章

靈帝自作《典略》，熹平四年五月造。《續漢書》：靈帝置鴻都，諸生能爲尺璧賦及工書鳥篆課，至千人焉。衛恒《四體書勢》：靈帝好書，時多能者，而師宜官爲最，大則一字徑丈，小則方寸千言，獨矜其能。每書則削而焚其柎，梁鵠乃益其版，而飲之酒，候其醉而竊其柎。鵠卒以書至選部尚書。宜官後爲袁術將，今鉅鹿有《耿球碑》，其書甚工，是宜官書也。梁鵠在祕書自效，是以今者多有鵠手跡。魏武以爲勝宜官。今宫殿題署多是鵠字。鵠宜大字，邯鄲淳宜爲小字。鵠謂淳得次仲法，然鵠之用筆，盡其勢矣。鵠弟子毛宏教於祕書，今八分皆宏法也。案《世語》，梁鵠字孟皇，安定人，工八分。

漢末有左子邑，亦作"子邕"。小與淳、鵠不同，然亦有名。案《書斷》：左伯字子邑，東萊人。特工八分，名與毛宏等列，小異于邯鄲淳，亦擅名漢末。又甚能作紙，故蕭子良《答王僧虔書》"子邑之紙，研妙輝光。仲將之墨，一點如漆。伯英之筆，窮神盡思。妙物遠矣，邈不可追。"《書斷》：師宜官，南陽人。靈帝好書，徵天下工書者于鴻都門，至數百人。八分宜官爲最。性嗜酒，或時空至酒家，因書壁以售之，觀者雲集，酤酒多售。

班固　在昔篇一卷

續揚雄作十三章。

班固　太甲篇一卷

崔瑗　飛龍篇　皇初篇

崔瑗　篆書勢

崔瑗　隸書勢

書體之興,始自頡皇。寫彼鳥跡,以定文章。爰暨末葉,典籍彌繁。人之多僻,政之多權。官事荒蕪,勦其墨翰。惟作佐隸,舊字是删。案:《初學記》引《草書體》,併爲一條,觀末二句係論隸勢,今改附《隸勢》。秦壞古法,書有八體,八曰隸書。蓋既用篆,奏事煩多,篆字難成,即令隸人佐書,曰隸字。漢因之。隸書者,篆之捷也。隸書始于程邈,八分作于王次仲。東漢以來,碑刻用八分書。近世乃誤以八分爲隸,如邈書《見古帖》者,自是小楷也。《書苑》:蔡文姬言:割程邈隸字八分取二分,割李斯篆字二分取八分,于是爲八分書。庾肩吾曰:"隸書,今之正書也。"張懷瓘《六體言論》云:"隸書爲隸,至歐陽修《集古録》誤以八分爲隸,自是後漢石刻皆目爲隸,東魏《大覺寺碑》題曰隸書,蓋今楷字也。"《古今印史》:古人紀事皆是篆書,更無别字。始皇時,獄訟繁劇,衡石程書,程邈始變篆爲隸,以便隸佐,故隸書亦曰佐書。後以其形勢言之,曰蠶頭燕尾,斬釘截鐵;又云摧鋒劍折,落點星垂是也。王次仲又小變其法,曰八分書,比隸大同小異,但無點畫俛仰之勢耳。書至此二人,古法大壞。後得蔡邕刊正六經文字,書丹刻石于太學,古法稍得顯明。下此,日趨簡易,流蕩而無法,殊不足觀矣。隸書不可施于印章,惟崔子玉作篆尚扁,有似隸耳,實非隸也。秋碧案:《玉篇》序有開春申君墓,得其銘文,皆是隸字。又《水經注》,齊胡公冢銘作隸書,則遠在春申君之前,是隸亦不始于程邈矣。

崔瑗　艸書勢

書契之興,始自頡皇。寫彼鳥跡,以定文章。爰暨末葉,典籍彌繁。時之多辟,政之多權。官事荒蕪,勦其墨翰。惟作佐隸,舊字是删。草書之法,蓋又簡略。應時諭旨,用于卒迫。兼功並用,愛日省力。純儉之變,豈必古式。觀其法象,俯仰有儀。方不中矩,員不副規。抑左揚右,望之若崎。竦企鳥跱,志在飛移。狡獸暴駭,將奔未馳。或黝黭點黵,狀似連珠,絶而不離。畜怒怫鬱,放逸生奇。或凌遽惴慄,若據高臨危。旁點邪附,似蜩螗挶枝。絶筆收勢,餘綖糾結。若杜伯揵毒緣巇,一作"若山蠭施毒,看隙緣巇"。騰蛇赴穴,頭没尾垂。是故遠而望之,漼焉若沮岑崩崖;就而察之,一畫不可移。機微要妙,臨時從宜。略舉大較,髣髴若斯。《四體書勢》:漢興而有艸書,不知作者姓名。至章帝時,齊相杜度,號善作篇,崔瑗、崔寔,亦皆稱工。杜氏殺字甚安,而書體微瘦。崔氏甚得筆勢,而結字小疏。

北海王睦　艸書尺牘

本傳:睦善史書,世以爲楷則。永平中,帝驛馬令作《艸書尺牘》十首。

徐幹　章艸書

幹,字伯章,善章艸。班固《與弟超書》稱之曰:"得伯章稿,與知識讀之,莫不歎息,實亦藝由己立,名自人成。"後有蘇班者,平陵人也。五歲能書,甚爲伯章之所稱歎。案:徐幹有《願助班超疏》,官至司馬。

張芝　艸書急就章

《張奂傳》:長子芝,字伯英,案孫過庭《書譜》,"伯英"亦作"百英"。最知名。及弟昶,善艸書,至今稱之。《書斷》:伯英善章草,成《急就章》,字皆一筆而成,合于自然,可謂變化之極。崔瑗云"龍驤豹變,青出于藍"。又創爲今艸,天縱尤異,率意超曠,無惜是非。若清澗長源,流而無限,縈回岸谷,任于造化。至于蛟龍駭獸,奔騰拏攫之勢,手隨心變,窈冥不知其所如也。韋仲將謂之"草聖",豈徒言哉!弘農張伯英,凡家之衣帛,必書而後練之。臨池學書,池水盡墨。下筆必爲楷則,號匆匆不暇草書。韋仲將謂之"艸聖"。伯英弟字文舒,次伯英。羅叔景、趙元嗣者,與伯英並時,見稱於西州,故英自稱"上比崔、杜不足,下方羅、趙有餘"。又削去"伯"字,呼爲"杜度",明知度非名也。《書斷》:崔瑗,字子玉,安平人,官濟北相。文章蓋世,善章草。書師于杜度,媚趣過之。點畫精微,神變無礙,利金百鍊。美玉天姿,可謂冰寒于水也。袁昂《古今書評》:崔子玉如危峯阻日,孤松一枝,有絶望之意。庾肩吾《書品》:崔子玉擅名北地,跡罕南度。世有得其摹者,王子敬見之稱美,以爲雅類伯英。

杜操　章艸書

《書斷》:《章艸書》,漢黄門令史游所作也。蕭子良云漢齊相杜操始變藁法,非也。王愔云:"元帝時,史游作《急就章》,解散隸體,粗書之。漢俗隨簡,漸以行之是也。"杜操,原本作"度",今改。字伯度,京兆杜陵人也。御史大夫延年孫。章帝時,爲齊相,善艸書。章帝云:"史游始作艸書,傳之不絶其能,又絶其跡,創其神妙,其爲杜公乎!"《法書苑》:杜操,字伯度,善艸書。杜恕《篤論》:杜伯度,名操,字伯度,善艸書。曹魏時,以其名同武帝,故隱而舉字。後人見其姓杜字伯度,遂謂杜度。河間張超亦有名,然雖與崔氏同州,不如伯英得其法也。《翰墨志》:昔人論艸書,張伯英以一筆書之,斷則再連續,蟠屈拏攫,飛動自然,筋骨心手相應,所以率情運用,略無留礙。韋續《書論》:一筆書,張芝所製。其狀崎嶇,有循環之壯。袁昂《古今書評》:張伯英如漢武帝愛道,憑虚欲仙。庾翼《與王羲之書》:吾昔有伯英章艸十紙,過江顛沛,遂乃亡失,嘗歎妙跡永絶。昶,伯英季弟,爲黄門侍郎。尤善章艸,家風不墜。奕葉清華,書類伯英,時人謂之亞聖。張超,字子並,善章艸書。崔家州里頗相傚,妙絶時人,可謂醬鹹于鹽,冰寒于水。《三輔決録》：趙襲，字元嗣，爲敦煌太守。先是杜伯度、崔子玉以工艸書稱于前世，襲與羅暉亦以能艸頗自矜誇。故張伯英與襲同郡太僕朱賜書曰："上比崔、杜不足，下方羅、趙有餘。"案：趙襲亦作趙恭，又姜詡字孟穎，梁宣字孔達，及田彦和、韋仲將之徒，皆伯英弟子。附趙壹《非草書》：予郡士有梁孔達、姜孟穎，皆當世之彦哲也，然慕張生之艸書過於希顔焉。孔達寫書以示孟穎，皆口誦其文，楷其篇，無怠倦焉。于是後生之俊競慕二賢，守命作篇，人撰一卷，以爲祕玩。予懼其背彼趨此，非所以宏興世道也。又想羅、趙之所見嗤沮，故爲説艸書之本，以慰羅趙、息梁姜焉。竊覽有道張君所與朱使君書，稱"正氣可以消邪，人無其釁，妖不自作"，誠可謂信道抱真、知命樂天者也。若夫褒崔杜、罷羅趙，欣欣有自負之意，無乃近于矜伎，賤彼貴我哉！夫艸書之興也，其於近古乎？上非天象所垂，下非河洛所吐，中非聖人所造。蓋秦之末，刑峻網密，官書煩冗，軍書交馳，羽檄分飛，故爲隸艸，趣急速耳。蓋簡易之旨，非聖人之業也。但貴删難省煩，損複爲單，務取易爲易知，非常儀也，故其贊曰："臨事從宜。"而今之學艸書者，不思其簡易之旨，以爲崔杜之法，龜龍所見也，其欃扶拮屈，不可失也。齔齒以上，苟任涉學，皆廢《蒼頡》、《史籀》，競以杜、崔爲楷。私書相與，猶謂：就書，適迫遽，故不及艸。艸本易而速，今反難而遲，失指多矣。凡人各殊氣血，異筋骨。心有疏密，手有巧拙。書之好醜，在心與手，可強爲哉？若人顔有美惡，豈可學以相若耶？昔西施病心，捧胸而顰，衆愚效之，轉復可厭。夫杜、崔、張子，皆有超俗絶世之才，博學餘暇，游手于此。後世慕焉，專用爲務，鑽仰高堅，忘其罷勞，夕惕不息，仄不暇食，十日一筆，月數丸墨，領袖如皂，脣齒常黑。雖處衆坐，不遑戲談，展指畫地，以艸劇壁，臂穿皮刮，指爪摧折，見鰓出血，猶不能輟。然其爲字，無益於工拙，亦如效顰者之增醜，學步者之失節也。且草書之人，蓋伎藝耳。鄉邑不以此較能，朝廷不以此科吏，博士不以此課試，四科不以此求備，徵聘不問此意，考績不課此字。徒善字既不達于政，而拙草亦無損于治，推斯之所言，豈不細哉！夫務内者必闕外，志小者必忽大，俯而捫蝨，不暇見天地。天地至大而不見者，方精鋭于蟣蝨，乃不暇焉。第以此篇，研思鋭精，豈若用此于彼聖經，稽曆協律，推步期程，探賾鉤深，幽贊神明。覽天地之心，推聖人之情。折議論之中，理俗儒之諍。依王道于雜説，濟雅樂于鄭聲。興至德之和睦，宏大倫之玄清。窮可以守身遺名，達可以尊王致平。以兹命世，永監後生，不亦淵乎！

曹喜　垂露縣箴篆書勢

《白帖》：《古今篆隸》：垂露書，漢中行曹喜作，以書章奏，謂點綴輕露於垂條也。王愔《文字志》：縣箴，小篆體也。字必垂畫細末,纖直縣箴,故謂之縣箴。垂露書,如縣箴,而勢不遒勁,阿那若濃露之下垂,故謂之垂露。韋續《書法》:縣箴篆,亦曹喜作,有似箴鋒,用題五經篇目。袁昂《古今書評》:曹喜書如經論道,人言不可絶。衛恒《四體書勢》:漢建初中,扶風曹喜少異于斯,而亦稱善。邯鄲淳師焉,略究其妙。蔡邕采斯、喜之法,爲古今雜形,然精密閑理不如淳也。《魏志》:鍾繇尤善書,師曹喜、蔡邕、劉德昇。

十二時書

後漢東陽公徐安子,搜諸史籀得《十二時書》,蓋象神形云。

蘇竟　記誨篇

竟,字伯況,扶風平陵人。《記誨篇》見本傳。

蔡邕　勸學篇二卷

鼫鼠五能,不能成一技。《易·晉卦》疏引。蚓無爪牙,軟弱不便,穿穴洞地,食塵飲泉。《藝文類聚》引。人無貴賤,道在則尊。《文選·歸田賦》注。木以繩直,金以淬剛。必須砥礪,就其鋒鋩。《御覽》引。明珠不瑩,焉發其芒;寶玉不琢,不成珪璋。瞻彼淺薄,執性不固。心遊目蕩,意與手互。同上。周之師氏居虎門,今之祭酒也。《周禮》疏引。儲,副君也。傭,賣力也。《一切衆經音義》引。

蔡邕　聖皇章一卷

蔡邕　皇初篇

蔡邕　女師篇

《隋志》、《唐志》無《女史篇》。

蔡邕　篆勢

鳥遺跡皇,頡循聖則,作制斯文。體有六篆,爲真形要,妙巧入神,或龜文鍼列,櫛比龍鱗。紓體放尾,長短複身。或作"副身",或作"長翅短身"。頹若黍稷之垂穎,蘊若蟲蛇之棼緼。揚波振擎,鷹跱鳥震,延頸脅翼,勢似凌雲。或輕筆内投,微本穠末,若絶若連,似水露緣絲,凝垂下端。從者如縣,衡者如編。杳杪邪趨,不方不員。若行若飛,跂跂翾翾。遠而望之,象鴻鵠羣游,駱驛遷延。迫而視之,端際不可得見,指撝不可勝原。研桑不能數其詰屈,離婁不能覩其隙閒。般倕揖讓而辭巧,籀誦拱手而韜翰。處篇籍之首,目粲玢玢其可觀。摛華豔于紈素,爲學蓺之範先。喜文德之弘懿,藴作者之莫刊。思字體之頫仰,舉大略而論旃。

蔡邕　隸勢

鳥跡之變,乃爲佐隸。蠲彼繁文,崇此簡易。厥用既弘,體象有度。焕若星陳,鬱若雲布。其大徑尋,細不容髮。隨事從宜,靡有常制。或穹隆恢廓,或櫛比箴列。或砥平繩直,或蜿蜒繆戾。或長斜角趣,或規旋矩折。修短相副,異體同勢。奮筆輕舉,離而不絶。纖波濃點,錯落其間。若鍾簴設張,庭燎飛烟。嶄巖嵯峨,高下屬連。似崇臺重宇,曾雲冠山。遠而望之,若飛龍在天。近而察之,心亂目眩。奇姿譎詭,不可勝原。研、桑所不能計,宰、賜所不能言。何艸篆之足算,而斯文之未宣?豈體大之難睹,將祕奥之不傳?聊俯仰而詳觀,舉大較而論旃。

蔡邕　飛白書勢

《書斷》:飛白者,後漢左中郎將蔡邕所作也。靈帝熹平四年,詔蔡邕作《聖皇篇》,成,詣鴻都門。上時方修飾鴻都門,伯喈待詔門下,見役人以堊埽成字,心有悦焉,歸而爲飛白之書。漢末魏初,並以題署宫閣。其體有二創,法於八分,窮微于小篆,自非蔡公設妙,豈能詣此?可謂勝寄冥通,縹緲神仙之事也。孫過庭《書譜》釋文:飛白有飛而不白者,有白而不飛者,蔡中郎所製。其體不傳,今惟晉祠唐太宗碑額存。

蔡邕　筆法

羊欣《筆法》: 蔡邕工書,篆隸絶世,尤得八分之精微。體法百變,窮靈盡妙。又創飛白,妙有絶倫。女琰亦工書。邕入嵩山學書,於石室内得一素書,八角垂芒,傳寫李斯並史籀用筆勢。伯喈得之,不食三日,乃大叫喜歡,若對數十人。邕因誦讀三年,便妙達其旨。嘗居一室,不寐,恍然一客,厥狀甚異,授以九勢,言訖而没。伯喈自書五經于太學,觀者如市。蔡邕學書嵩山,得石室素書,八角垂芒,鬼物授以筆法。鍾繇問蔡邕《筆法》于韋誕,誕惜不與,乃自搥胸歐血。曹操以五靈丹救活之。及誕死,令人盜發其墓,得《筆法》。《書評》: 蔡邕書氣骨洞達,弈弈有神。

劉德升　行書

《書斷》: 後漢潁川劉德升,字君嗣,造行書,即正書之小譌。務從簡易,相間流行,故謂之行書。劉德升,桓靈之時,以造行書擅名。既以艸創,亦甚妍美,風流宛轉,獨步當時。胡昭、鍾繇並師其法,而胡書肥,鍾體絶瘦,亦各有德升之美也。《書史會要》: 行書,正之小譌也。鍾繇謂之行押書。後漢劉德升造,見《墨藪》分十六種書。《能書録》: 書有三體: 一曰銘石之書,最妙者也; 二曰章程; 三曰行押書,相聞者也,奇雨雜述。鍾元常與關枇杷學書抱犢山,師曹喜、劉德升。後得韋誕所藏書法,遂過于師。

衛宏　古文官書一卷《隋志》: 漢議郎衛敬仲《古文官書》一卷。

伏生老,不能正言,言不可曉也,使其女傳言教錯。齊人語率多與潁川異,錯所不知者凡十二三,略以意屬讀而已。《後漢書・儒林傳》序注引《詔定古文官書序》。大常主導贊助祭,皆平冕七旒,玄上纁下,畫華蟲七章。漢陵屬三輔,太常月一行。《藝文類聚》太常引。㝵、得二字同體。枹、桴二字同體。圖、啚二字形同。

拔，推也。《一切衆經音義》引。

衛宏　古文奇字一卷《唐志》作衛宏《詔定古文志書》一卷。

韓愈《科斗書後記》：李陽冰子服之授予以其家科斗書、漢衛宏《官書》兩部。予寶蓄之，而不暇學。歸公好古書，能通之。凡爲文辭，宜略識字，秦既焚書，改古文爲大篆及隸字，周人多誹謗怨恨。秦苦天下不從所改更法。以上數句據《漢書》注及《御覽》引增補。始皇三十五年，諸生到者拜爲郎，前後七百人。《北堂書鈔》引作"拜諸生七百爲郎"。密令人冬種瓜于驪山硎谷中温處。瓜實成，使人上書曰："驪山硎谷中，瓜冬有實。"有詔下博士諸生説之，人人異説，則皆使往視之。而爲伏機，諸儒皆至，方相難不決，因發機，從上填之以土，爲壓死，谷中終乃無聲。《北堂書鈔》引。今新豐縣温湯之處號愍儒鄉。《漢書》注。儿，人也，象形。《説文》引《古文奇字》。涿從日乙。無通于元。用，可施行也。從卜從中。引衛宏説。黺，畫粉也，從粉省。同上。炒，《古文奇字》作"槱"。《一切衆經音義》引。老陽作棺，有虞氏用瓦棺。棺，完也，關之也。鏵，《古文奇字》作"鋘"。㭒，刃也，亦横斧也。燭，《古文奇字》作"䰞"。並同上。勉，當作"勔"，見《奇字》。

杜林　倉頡訓詁一卷

杜林　倉頡故一篇

《漢書·藝文志》：《倉頡》多古字，俗師失其讀。宣帝時徵齊人能正讀者，張敞從受之，傳外孫之子杜林，爲作訓傳云。初，杜鄴從張吉學。吉子竦從鄴學問，尤長小學。鄴子林，清靜好古，亦有雅材，其是正文字過于鄴，世言小學者由杜公。《隋志》"《倉頡》二卷，漢司空杜林注，亡"。董，薡根。《説文》引杜林説。芰，從多。䔁，艸䔁䔁貌。畁，杜林以爲騏驎字。構，杜林以爲椽桷字。市，亦朱市字。导，杜林以爲貶損之"貶"。

㹤,從心作"怯"。耿,光也。娸,醜也。㚈,阿教于女也,讀若加。胥,䶂屬。鉼,杜林以爲竹筥。鼂,杜林以爲朝旦。輨,杜林以爲軺車輪斡。軎,車軸端也。同上。卜者黨相詐驗爲棼。《文選·潘安仁馬汧督誄》注引《説文》杜林説。渭水出隴西首陽山渭首亭,東南入河。敦煌郡即古瓜州地。《地理志》注引杜林説。款,恚聲也。《一切衆經音義》引。蛕,腹中蟲也。豻,似狗,色白,爪牙迅捷,善搏噬也。袳,本從多,杜林改從寸。窯,燒瓦竈。㲉,下擊也。飫,飽也。垸,以桼和之。痺,手足不仁也。欬,息聲也。同上。自𣪠者謂之輔,背私者謂之公。《漢官儀》引《蒼頡書》。

王育　史書解説

班固《藝文志》:建武時亡六篇。唐玄度云:"建武中獲九篇,章帝時王育爲之解説,所不通者十有二三。""安帝年十歲,好學《史書》,和帝稱之,數見禁中"注:《史書》,周宣王太史籀所作之書,凡十五篇,可以教童幼。《漢官儀》:能通《蒼頡》、《史籀篇》補蘭臺令史,歲滿爲尚書郎。《拾遺記》:育,字少君。家貧,美姿容,爲人繕書,人愛説之,多與金錢衣服。後游太學,遂博通傳説,尤精《蒼》、《籀》。章帝時,官至侍中。蒼頡出,見禿人伏禾中,因以制字。《説文》引王育説。女,婦人也,象形。天屈西北爲无。醫,治病工也。殹,惡姿也,醫之性然。得酒而使,從酉。同上。

三蒼三卷

賈魴撰。魴,字升郎。和帝時,官郎中。李斯作《蒼頡篇》,揚雄作《訓纂篇》,魴作《滂喜篇》,故曰《三蒼》。案:《藝文志》載揚雄所作《訓纂篇》順續八十九章,是中有《蒼頡》五十五章以建首,乃以《訓纂》順續之,《訓纂》止三十四耳。班固又續揚雄作十三章,凡一百二章。元魏江式曰:"李斯破大篆爲小篆,造《蒼頡解詁》。趙高作《爰歷》六章,胡母敬造《博學》七章。後人分爲五十五章,爲三卷之上卷。至哀帝元壽中，揚子雲作《訓纂》爲中卷。和帝永元中，賈升郎接記《滂喜篇》爲下卷，故稱爲《三蒼》。"徐鉉曰："賈魴以《三蒼》之書皆爲隸字，隸字始廣而篆籀轉微。"《書斷》云："《倉頡訓纂》八十九章，合賈廣班三十四章，凡一百二十三章，文字備矣。"自"蒼頡"至"彦均"皆六十字，凡十五句，句皆四言，《説文》引"幼子承詔"、郭璞《爾雅注》引"考妣延年"是也。揚雄《訓纂》終于"滂喜"二字，賈魴用此二字爲篇目，而終于"彦均"二字，故庾元威云"揚記滂喜，賈記彦均"。《隋志》則云揚作《訓纂》、賈作《彦均》，其實一也。

字屬一卷

賈魴撰。《唐志》作《字屬篇》。

字指一卷《隋志》"太子中庶子郭顯卿《字指》一卷"。《唐志》作《字指》一篇一卷。

郭調撰。調，字顯卿。《廣韻》注。倏忽，雷光也。《文選·西都賦》注引。磕，大聲也。《鵩鳥賦》注引。岪，秃山也。《吴都賦》注引。䲔，魦屬。《歸田賦》注引。䖄，調色畫繒。《集韻》引。教字字指作𡥈。《一切衆經音義》引。䓣，郭調《古文奇字》以爲古文"逝"字。卷三引。鼇，字從鼃。鷓鴣，鳥。其鳴自呼，飛但南不北，形如雌雉。翡翠，南方取之，因其生子漸下其巢，迫乃取之，皆取其羽也。同上。秋碧案：《文選·洞簫賦》注引《雜字指》"潺湲，水流"，又《太平御覽》引周氏《字指》"鸇鴟，鳥，似梟"。《雜字指》，周成撰，非顯卿《字指》也。

急就章續篇

王應麟曰："《急就篇》分三十二章，前代能書者多以艸書寫之。今惟有一本，傳是吴皇象書，比顔本無'焦滅胡'以下六十三字，才三十一章而已。國朝太宗嘗親書此篇，又於顔本外多《齊國》、《山陽》兩章，凡爲章三十四。蓋起于東漢。案《急就篇》言長安涇渭街術，此篇亦言洛陽人物之盛以相當，而鄗縣以世祖即位之地，升其名爲高邑，與前漢所述真定、常山并列,此爲後漢人所續無疑。”

服虔　通俗文一卷

《隋志》“《通俗文》一卷,服虔撰”。

許慎　説文解字十四篇

《四庫全書提要》:《説文解字》三十卷,漢許慎撰。字叔重,汝南人。官至太尉南閣祭酒。是書成於和帝永元十二年。凡十四篇,合《目録》一篇,爲十五篇。分五百四十部,爲文九千三百五十三,重文一千一百六十三,注十三萬三千四百四十字。推究六書之義,分部類從,至爲精密。而訓詁簡質,猝不易通。又音韻改移,古今異讀,諧聲諸字,亦每難明,故傳本往往譌異。宋雍熙三年,詔徐鉉、葛湍、王惟恭、勾中正重加刊定。凡字爲《説文》注義、序例所載,而諸部不見者,悉爲補録。又有經典相承,時俗要用,而《説文》不載者,亦皆增加,别題之曰“新附字”。其本有正體,而俗書譌變者,則辨於注中。其違戾文書者,則别列卷末。或注義未備,更爲補釋,亦題“臣鉉等”以别之。音切一以孫愐《唐韻》爲定。以篇帙繁重,每卷各分上下,即今所行毛晉刊本是也。明萬曆中,宫氏刻李燾《説文五音韻譜》,陳大科序之,誤以爲即鉉校本。陳啓源作《毛詩稽古篇》、顧炎武《日知録》沿其謬。豈毛氏所刊,國初猶未盛行歟?書中古文、籀文,李燾據唐林罕之説,以爲晉帹令吕忱所增。考慎自序云“今序篆文,合以古、籀”,其語甚明。所記重文之數,亦復相應。又《法書要録》載後魏江式《論書表》曰:“晉義陽王典祠令任城吕忱表上《字林》六卷,尋其旨趣,托附許慎,而案偶章句,隱别古籀奇惑之字。文得正隸,不差篆意。”則忱並不用古籀,亦有顯證,如罕之所云“忱《字林》多補許慎遺闕者,特廣《説文》未收字耳”。其書今雖不傳,然如《廣韻》一東部“烔”字、“谾”字,四江部“噥”字之類，云出《字林》，皆《説文》所無，亦大略可見。燾以《説文》古籀爲忱所增，誤之甚。自魏晉以來言小學者，皆祖慎。至李陽冰始曲相排，未協至公。然慎書以小篆爲宗，至于隸、行、艸書，則各爲一體，孳生轉變，時有異同，不得悉以小篆相律。故顔元孫《干禄字書》曰："自改篆行隸，漸失其真。若總據《説文》，便下筆多礙。當去泰去甚，使輕重合宜。"徐鉉《進説文表》亦曰："高文大册，則宜以篆籀書之金石，至於常行簡牘，則艸隸足矣。"二人皆精通小學，而持論如是。明黄諫作《從古正文》，一切以篆改隸，豈識六書之旨哉？至其所引五經文字，與今本多不相同，或往往自相違戾。顧炎武《日知録》嘗摭其"汜"下作"江有汜"，"洍"下又作"江有洍"，"巹"下作"赤舃己己"，"掔"下又作"赤舃掔掔"。是所云經用毛氏，亦與今本不同。蓋雖一家之學，而支派既别，亦各不相合。好奇者或據之改經，則謬戾殊甚。能通其意，而又能不泥其迹，庶乎爲善讀《説文》者矣。案：慎序自稱："《易》孟氏、《書》孔氏、《詩》毛氏、《禮》、《周官》、《春秋》左氏、《論語》、《孝經》，皆古文。"考劉知幾《史通》稱："《古文尚書》得之壁中，博士孔安國以校伏生所誦，增多二十五篇，更以隸古字寫之，編爲四十六卷。司馬遷采其事，故遷多有古説。至於漢後，孔氏之本遂絶。其有見於經典者，諸儒謂之逸書。"是孔氏壁中之書，慎不得一見。《説文》末載慎子沖上書，稱慎古學受之賈逵，而《後漢書·儒林傳》稱"扶風杜林傳《古文尚書》，林同郡賈逵爲之作訓，馬融作傳，鄭玄注解，由是《古文尚書》遂顯於世"，是慎所謂孔氏書，即杜林之本。顧《隋書·志》稱林《古文尚書》所傳僅二十九篇，又雜以今文，非孔舊本，自餘絶無師説。陸德明《經典釋文》採馬融甚多，皆《今文尚書》，無《古文》一語，即《説文》注中所引，皆在《今文》二十八篇之中。

朱彝尊《經義攷》辨之甚明,則慎所謂孔氏本者,非今五十八篇本矣。以意推求,《漢書·藝文志》稱"劉向以中古文校歐陽、大、小夏侯三家經文,《酒誥》脱簡一,《召誥》脱簡二,文字異同七百餘,脱文數十"云云,謂"中古文",即孔氏所上之古文存於中祕者。是三家之本立在博士者,皆經劉向以古文勘定,改其訛誤,其書已皆與古文同。儒者據其訓詁言之,則曰大、小夏侯、歐陽《尚書》;據其經文言之,則亦可曰孔氏《古文尚書》。第三家解説,祇有伏生二十八篇遞相傳受,餘所增十六篇不能詮釋,遂置不言,故馬融書稱"逸書十六篇,絶無師説"。使賈逵所傳杜林之本即今五十八篇之本,則融當因之作傳矣,安有是説哉?又案《後漢書·杜林傳》稱"林于西州得漆書《古文尚書》,嘗寶愛之,雖遭艱困,握持不離身"云云,是林所傳者乃古文字體,故謂之"漆書"。是必劉向校正三家之時二十八篇,非真見安國舊本也。論《尚書》者,惟《説文》此句最爲疑竇。閻若璩《尚書古文疏證》牽於此句,遂誤以馬、鄭所注爲孔氏原本,亦千慮之一失也,故附考其源流於此。案:《説文》載孔子説、楚莊王説、韓非説、司馬相如説、淮南王説、董仲舒説、劉歆説、楊雄説、爰禮説、尹彤説、逯安説、王育説、莊都説、歐陽喬説、黄顥説、譚長説、周成説、官溥説、張徹説、徹,當作"敞"。寧嚴説、桑欽説、杜林説、衛宏説、徐巡説、班固説、傅毅説、宋宏説、鄭司農説、博士説,而賈侍中逵則許君所從受古學者,故不書其名,必曰賈侍中説。賈侍中説:犧,宗廟之牲也,從牛羲。尟,俱存少也,從是少聲。䢃,前榹也,從辵市聲。蹢,足垢也。謓,笑也。榹即椅木,可作琴。稽、稕、穡,三字皆木名。囧讀與明同。此斷首到縣県字。戹,裹蓋也。豫,象之大者,不害于物。楚人謂姊曰嬃。秦始皇母與嫪毐淫,坐誅,故世罵淫曰嫪毐。陧,法度也。亞,次第也。㠯,意㠯,實也,象形。酏爲鬻清。《養新録》:《儒林·許慎傳》大疏略。叙其歷官,但云"爲郡功曹,舉孝廉,再遷除洨長,卒于家",不言仕于何朝。今案《説文》序"粤在永元困敦之年孟陬之月朔日甲申",是其著《説文》在和帝永元十二年庚子歲也。其子沖于安帝建光元年辛酉上書,稱"臣父故太尉南閣祭酒",又云"慎今已病",則太尉南閣祭酒乃其所終之官也。《説文》引漢人説皆直稱其名,惟賈逵稱"賈侍中説"而不名。沖上書云"慎本從逵受古學,博問通人,攷之于逵,作《説文解字》",是慎爲逵弟子無疑。漢儒最重師承,而史略不及之,此其疏也。攷《賈逵傳》"永元二年爲左中郎將,八年復爲侍中騎都尉,十三年卒",是慎撰《説文》時逵尚恙。其爲太尉尹睦免而張酺代之,十二年酺免而張禹代之,延平元年禹遷太傅而徐防代之,是慎爲南閣祭酒時,府主非張酺即張禹也。沖又言慎前以詔書校書東觀,教小黄門孟生、李喜等,此事亦當見于傳。案:所引《易》孟氏如"夕惕若夤"、"忼龍有悔"、"乘馬驙如"、"泣涕慐如"、"以往遴"、"用包巟"、"噬乾㱏"、"百穀艸木麗乎地"、"日厢之離"、"楮恒凶"、"明出地上,晉"、"㪷升大吉"、"井洌寒泉食"、"抍馬壯吉"、"豐其屋"、"需有衣絮"、"夫乾隺然"、"雜而不越"、"天地壹壺"、"犕牛乘馬"、"重門擊㭘",一作"欜"。又如丮部"䟝"下引《易》曰"孰飪",出部"䳟"下引《易》曰"槷䳟",目部"相"下引《易》曰"地可觀者,莫可觀於木",今本無之,皆《易傳》及易緯文也。所引《書》孔氏,如《虞書》"平䵎東作"、"鳥獸䶱髦"、"稘三百又六旬"、"𠷎咨"、"旁逑孱功"、"洪水浩浩"、"有能俾㚗"、"雉𡙈眊期"、"五品不愻"、"伯羿竄三苗"、"教育子"、"八音克龤"、"予乘四載"、"水行乘山、陸行乘車,舟行乘欙,澤行乘䡉"、"容畎巜距川"、"衣裳䪥䪥"、"黺袞衣、山、龍、華蟲"、"丹絑堋淫于家”、“予娶嵞山”、“邺成五服”、“遳以記之”、“檮戭”,《夏書》如“厥屮惟蘨”、“屮木蔪苞”、“瑤琨筱蕩”、“惟箘輅楛”、“天用剿絶其命”,《商書》“若顛木之有甹櫱”、“王譒告之”、“今汝懖懖”、“相時憸民”、“予亦炪謀”、“高宗夢得説,使百工敻求之,得之傅巖之穴”、“祖甲返”、“以相陵懱”、“西伯戡𩑶”、“戡”亦作“𢦏”,“大命不墊”、“我興受其退”,《周書》“其在受德忞”、“尚狟狟”、“哉生霸”、“鯀陻洪水”、“彝倫攸殬”、“卟疑曰”、“貞曰𠂤”、“無有作妞”、“王有疾不悆”、“我之不辟”、“我有𣝍于西”、“𢦏不畏死”、“盡執抲”、“惟其敿丹雘”、“至于嫋婦”、“有夏后之民叨𡎺”、“焯見三有俊心”、“常𢼊常任”、“勿以險人”、“有勱相我邦家”、“𣪠我於艱”、“不𣔻于凶德”、“武工惟腒”、“王出涘”、“布重莧席”、“陳宎赤刀”、“一人冕執鈗”、“三齊三祭三詫”、“敚攘矯虔”、“劓刖𣪠黥”、“報以庶訧”、“峙乃餱餦”、“䛧誓戔戔”、“猗無它技”、“師乃搯”、“來就惎惎”。所引《毛詩》如“槮差荇菜”、“葛纍藥之”、“我劢酌彼金罍”、“桃之枖枖”、“召伯所茇”、“江之羕矣”、“魴魚䞓尾”、“王室如焜”、“江有洍”一作“媄”、“終風且瀑”、“壇壇其陰”、“擊鼓其鏜”、“深則砅,淺則濿”、“紞彼兩髮”、“騋牝驪牡”、“䯞弁如星”、“新臺有玼”、“㬈婉之求”、“得此䴇鼊”、“室人交徧催我”、“靜女其袾”一作“姝”、“僾而不見”、“㐱髮如雲”、“是褻袢也”一作“紲”、“施罟濊濊”、“鱣鮪鮁鮁”、“信誓悬悬”、“安得藼艸”、“曷其有佸”、“灘其乾矣”、“雉離于罦”、“毳衣如䓨”、“膻裼暴虎”、“左旋右抽”、“衣錦絅衣”、“縞衣綼巾”、“風雨湝湝”、“屵兮達兮”、“溍與洧”、“並驅從兩豣兮”、“宛如左僻”、“市也婆娑”、“碩大且㜗”、“匪風嘌兮”、“概之釜鬵”、“嬒兮蔚兮”、“婉兮嫿兮”、“棘人欒欒兮”、“卬有旨”、“鷊納于朕陰”、“熠熠宵行”、“惟予音之嘵嘵”、“霝雨其濛”、

“赤舄掔掔”、“一之日熚浂”、“伐木所所“、“鼛鼛鼓我”、“瘃瘃駱馬”、“懕懕夜飲”、“烝然䱇䱇”、“鞗革有瑲”、“振旅嗔嗔”、“鑾聲鉞鉞”、“載衣之禘”、“伾伾俟俟“、“它山之石，可以爲厝”、“可以饙饎”、“民之譌言”、“螟蠕有子，蜾蠃負之”、“憂心天天”、“佌佌彼有屋”、“宜犴宜獄”、“天方薦嗟”、“緀兮斐兮”、“謂地蓋厚，不敢不趚”、“國步斯矉”、“既微且尰”、“民之方唸吚”、“僔沓背憎”、“歧彼織女”、“蓺蓺大猷”、“豔妻傓方處”、“四牡騯騯”一作“傍傍”、“匪鷻匪鳶”、“瓶之罄矣”、“既瀀既渥“、“取其血膫”、“祝祭于鬃”、“仄牟之俄”、“屢舞柴柴”、“觲觲角弓”、“受福不儺”、“滮沱北流”、“視我怖怖”、“陶復陶穴”、“犬夷呬矣”、“不㨗不翩”、“克岐克嶷”、“禾穎穟穟”、“或簸或舀”、“烝之烰烰”、“其灌其栵”、“實始戩商”、“白鳥翯翯”、“聿求厥甯”、“崇墉屹屹”、“鉤膺鏤鍚”、“無然呭呭”一引作“詍”、“犓人伎忒”、“滭沸檻泉”、“誐以溢我”、“以茠荼蓼”、“素衣其紑”、“牟服俅俅”、“稽之秩秩”、“不㦰不來”、“惸惸在宂”、“既有和鬻”、“有譤其聲”、“鼖鼓鼘鼘”、“布政憂憂”、“百禄是揫“、“武王載坺”、“罙入其阻”。引《魯詩》說“鼐，小鼎”。引《韓詩傳》“鄭交甫逢二女魃、服”。引《禮記》“掩骼薶骴”、“歲將僟終，晰明行事”、“尊壺者偭其鼻”、“黄帝之後于郲”。引《春秋傳》“不義不䵒”、“齊人來氣諸侯”、“六鶂退飛”、“磒石于宋五”、“舆犬”，“犬獘”、“無以莤酒”、“誒誒出出”、“晉人或目廣隊，楚人卑之”、“取其鱷鯢”、“女贄不過亲栗”、“謂之饕飻”、“諸侯敵王所鎎”、“長儠者鎮之”、“而已猬瀆鬼神”、“公孫碬字子石”、“闕砻之甲”、“㠯備三寚”、“狾，犬”、“入華臣之門”、“附婁無松柏”、“忨歲而㵣日”、“執玉㯐”、“欻然公子陽生也”。引《孝經》“仲尼凥”。引《論語》“陳伉，瑚槤也”，“文質份份”，“讄曰：禱爾于上下神示”、“‘踆讀’

如《論語》'誃予之足'"、"色孛如也"—引作"艴"、"趨進,躩如也"、"紾袲長,短右袂,狐貈之厚以居"、"不使勝食既"、"朝服,拕紳"、"小人窮斯爁矣"、"弙善射"、"訴子路于季孫"、"有荷臾而過孔氏之門者,擾而不輟,目杖荷莜"。引《孟子》"曾西芨然"、"成覵"、"孝子之心,不若是忿謜謜而來"、"去齊,滰淅而行"。

樊光　爾雅注六卷

《經典釋文》: 光,京兆人,後漢中散大夫。

李巡　爾雅注三卷

《隋·經籍志》: 中黄門李巡注。《經典釋文》: 巡,汝南人,後漢中黄門。王愔《文字志》: 巡善書。案: 巡,汝陽人,靈帝時官中常侍,見《吕強傳》。

劉珍　釋名五十篇

珍,字秋孫,南陽蔡陽人。撰《釋名》五十篇,以辨萬物之稱號。

劉熙　釋名三十篇

《顔氏家訓》曰:"九州之人,言語不同,自揚雄著《方言》,其書漸備。然皆考名物之異同,不顯聲讀之是非也。至劉熙製《釋名》,始有譬況、假借以證音字。而古語與今殊别,其間輕重清濁,猶未盡曉。然亦有益于六經,功不薄也。"《書録解題》:"漢徵士北海劉熙成國撰"。序云:"名之於實,各有類義。百姓日稱,而不知其所以然之意,故撰天地、陰陽、四時、邦國、都鄙、車服、喪紀,下及民庶應用之器。"《四庫全書提要》:《釋名》八卷,漢劉熙撰。熙字成國,北海人。其書三十篇,以同聲相諧,推論稱名辨物之意。中間頗傷于穿鑿,然可因以考見古音。又去古未遠,所釋器物亦可因以推求古人制度之遺。如《楚辭·九歌》"薜荔拍兮蕙綢",王逸注"拍,搏壁也"。"搏壁"二字,今不知爲何物。觀是書《釋牀帳》篇,乃知以席搏著壁上謂之"搏壁"。孔穎達《禮記正義》以深衣十二幅皆交裁謂之衽,是書《釋衣服》云"衽,襜也,在旁襜襜然",則與《玉藻》言"衽當旁者"可以互證。《釋兵篇》云"刀室曰削,室口之飾曰琫,下末之飾曰琕",又足證《毛詩訓詁傳》之譌。其有資考證者不一而足。吴韋昭嘗作《辨釋名》一卷,糾熙之誤,其書不傳。然如《經典釋文》引其一條曰"《釋名》云:'古者,車音如居,所以居人也。今曰車,尺遮反,舍也。'"韋昭云:"車古皆音尺遮反,後漢以來始有居音。"案《何彼穠矣》之詩,以"車"韻"華",《桃夭》之詩以"華"韻"家",家古音姑,華古音敷,則車古音居,更無疑義。熙所説者不譌,昭之所辨亦未必盡中其失也。别本或題曰《逸雅》。蓋明郎奎金取是書與《爾雅》、《小爾雅》、《廣雅》、《埤雅》合刻,名曰《五雅》。以四書皆有"雅"名,遂改題《逸雅》以從類。非其本目,今不從之。又《後漢書·劉珍傳》"珍撰《釋名》五十篇,以辨萬物之稱號",其書名相同,姓又相同。鄭明選作《秕言》,頗以爲疑。然歷代相傳,無引劉珍《釋名》者,則珍書久佚,不得以此書當之。明選又稱此書二十七篇,與今本不合。明選,萬曆中人,不應别見古本,殆一時失記,誤以"三十"爲"二十七"歟?《養新録》:劉熙《釋名》八卷見于《隋志》,不言何代人。《直齋書録解題》云"漢徵士北海劉熙成國撰",當有所據。《册府元龜》則云"後漢安南太守",然漢無安南郡,或是南安之名。近時校書家以司之名州曹魏始有之,而《釋州國》篇有司州,疑其爲魏初人,以予攷之,殆非也。《吴志·程秉傳》"避亂交州,與劉熙講論大義,遂博通五經"。《薛綜傳》"少依族人,避地交州,從劉熙學”。《韋曜傳》“曜因獄吏上書,[①]言見劉熙所作《釋名》,篇多佳者”。據此三者推之,則劉君漢末名士,避地交州,故其書行于吴,而韋弘嗣因有《辨釋名》之作也。交州與魏隔遠,不當有入魏之事。史又不言其曾仕吴,殆遁迹以終者,清風亮節亦管寧之流亞矣。漢雖無司州之名,而有官稱司隸校尉,“建武中復置,并領一州”,又稱“刺史十二人各主一州,一則屬司隸校尉”,則司隸部亦可云州。《左雄傳》稱司冀,復有大、小司冀對舉,蓋當時案牘之文,稱其官則曰司隸,稱其地則曰司部,亦曰司州。雖不著于令甲,不得謂漢無此名也。此書《釋天》篇一云“豫司兖冀”,一云“兖豫司冀”,與《左雄傳》文正同。《釋州國》篇言“司州,司隸校尉所主”,不言何義,明司州之名出于流俗相沿,未可執此單辭即以爲魏初人也。范蔚宗以《釋名》爲劉珍所撰,今據《吴志》則爲熙撰無疑。承祚去成國未遠,較之蔚宗爲可信矣。《經訓堂叢書・釋名疏證序》:劉熙《釋名》其自序云二十七篇,案《後漢書・文苑傳》,劉珍字秋孫,一名寶,撰《釋名》三十篇,以辯萬物之稱號。而韋曜、顔之推等,皆云劉熙製《釋名》。熙,或作熹,《三國・吴志・曜傳》“曜在獄中上辭,有云見劉熙所作《釋名》,信多佳者。然物類衆多,難得詳究,故時有得失。而爵位之事,又有非是”云云。玩曜之語,則熙之書吴末乃始流布,是熙之去曜年代必當不遠,一也。舊本題安南太守劉熙撰,近時校者以二漢無安南郡,或云當作南安。今攷劉昭注《續漢書》,稱《三秦記》曰“中平五年,分漢陽,置南安郡”,《元和郡縣志》亦云“漢靈帝立”,是郡置已在漢末,二也。此書《釋州國》篇有司州,案《魏志》及《晉書・地

① 韋曜即韋昭,或以爲《三國志》爲避晉文帝司馬昭諱而改字。

理志》,魏以漢司隸所部河南、河東、河内、弘農,并冀州之平陽,合五郡置司州,是建安以前無司州之名,三也。又云西海郡海在其西,據劉昭注則西海郡亦獻帝建安末立,其時去魏受禪不遠,四也。《釋天》等篇於光武列宗之諱均不避,五也。以此而推,則熙爲漢末或魏受禪以後之人無疑。又自序云二十七篇,而《文苑·劉珍傳》云三十篇,篇目亦不甚相縣遠,疑此書兆於劉珍,踵成於熙,至韋曜又補官職之缺也。其書參校方俗,攷合古今,晰名物之殊,辨典禮之異,洵爲《爾雅》、《説文》以後不可少之書。今分觀其所釋,亦時有與《爾雅》、《説文》諸書異者。《爾雅》曰"齊曰營州",而此云"營州,齊衛之地"。《爾雅》云"石戴土,謂之崔嵬。土戴石爲岨",而此依《毛傳》立文,曰"石戴土曰岨。土戴石曰崔嵬",正與相反是也。《説文》"錦從帛,金聲",凡爲聲者皆無義,而此云"錦,金也。作之用功,其價如金,故其制字從帛從金",是以諧聲之字爲會意。又《説文》"平土有叢木曰林",而此云"山中叢木爲林",亦皆異義。且其字體出《説文》外十之三,益信熙之時去叔重已遠,其聲讀輕重,名物異同,與安、順前又迥别也。暇日取羣經及《史》、《漢書》注、唐宋類書、《道》、《釋》二藏校之,表其異同,是正缺失,又益以補遺及《續釋名》二卷,凡三閲,歲而成。復屬吴縣江君聲審正之,江君欲以篆書付刻,余以此二十七篇内俗字較多,故依隸寫云,所以仍昔賢之舊解示來學以易曉也。

孫炎　爾雅注

炎,爵里見前。

右小學類

世廟登歌詩

東平王蒼撰。《東漢觀記》:永平三年八月,公卿奏議世祖廟登歌八佾舞名。東平王蒼議,以爲漢制舊典,宗廟各奏其樂,不皆相襲,以明功德。光武受命中興,撥亂反正,登封告成,修建三雍,肅穆典祀,功德巍巍。歌所以詠德,舞所以象功,世祖廟樂宜曰《大武》之舞。《詩傳》曰:“頌言成也,一章成篇,宜列功德,故登歌《清廟》一章也。”《漢書》曰:“百官頌所登御,一章十四句。”損益前後之宜,六十四節爲舞,曲副八佾之數。十月烝祭始御,用其《文始》、《五行》之舞如故。進《武德舞歌詩》曰:“于穆世祖,肅雍顯清。俊乂翼翼,秉文之成。越序上帝,駿奔永寧。建立三雍,封禪太山。章明圖讖,放唐之文。休矣惟德,罔射協同。本支百世,永保厥功。”詔曰:“驃騎將軍議可。”《隋・樂志》:漢明帝時,樂有四品。又選百官詩頌以爲樂歌。十月吉辰,始用烝祭。章帝即位,十二月癸巳,有司奏明帝廟曰:“顯宗禘祫於光武之堂,進《武德》之舞。”《東觀漢記》:章帝賜東平王蒼書曰:“太尉趙熹奏,顯宗四時祫食於世祖廟,如孝文在高廟之禮,奏《武德》、《文始》、《五行》之舞。”蒼上言:“昔者孝文廟曰《昭德》,孝武曰《盛德》,今皆祫食於高廟,時《盛德》之舞不進,與高廟同樂。今孝明主在世廟,當同樂,《盛德》之舞無所施,當進《武德》之舞。”詔:“祫食世祖廟,皆如王議。以正月十八日始祠。”和帝即位,有司奏肅宗共進《武德》之舞。

日重光樂歌四章

《古今注》:明帝爲太子,樂人作歌四章,以贊其德:一曰《日重光》,二曰《月重輪》,三曰《星重輝》,四曰《海重潤》。

長樂聲

琴曲,明帝製。

大予樂

蔡邕《禮儀志》:漢樂四品:一曰《大予樂》,典郊廟、上陵殿諸食舉。明帝詔改舊樂爲《大予樂》。永平三年秋八月，改大樂爲《大予樂》。時曹充上言："漢再受命，仍有封禪之事，而禮樂崩闕，不可爲後世法。五帝不相沿樂，三王不相襲禮。大漢宜制樂以示百官。"帝問："制禮樂云何？"對曰："《河圖括地象》曰：'漢世禮樂文雅出。'《尚書璇璣鈐》曰：'有漢帝出，德洽作樂，名予。'"帝善之，詔曰："今且改樂官曰大予，詩曲雅歌，以俟君子。"大予樂令一人，秩六百石。本注曰："掌伎樂。凡國祭祀，掌請奏樂，及大饗用樂，掌其陳序。丞一人。"《百官志》。大予樂員吏二十五人，樂八人，佾舞三百八十人。《漢官》。

冬夏氣至，列大予樂，樂器列前殿。《禮儀志》。大予樂令如大胥、小胥。漢大樂律：卑者之子不得舞宗廟之酎。取六百石五大夫以上適子三十一以下顔色和順身體修治者爲舞人。盧植《禮記注》。管，如篴而小。今大予樂有焉。《禮·小胥》注。柷敔，形狀蓋依漢之大予樂。《詩》疏。錞於之名出於漢之大予樂官，其形圜如碓頭，大上小下，樂作鳴之，與鼓相和。《周官》疏。簫，編小竹管，如今賣飴所吹者。管，如篴而小，併兩而吹之，今大予樂官有焉。《小師·簫管》注。均者，均鍾木，長七尺，有弦繫之以均鍾者，度鍾大小清濁也。漢大予樂官有之。《國語》注。

五郊迎氣樂

光武帝初平隴蜀，增廣郊祀，高帝配食，樂奏《青陽》、《朱明》、《西皓》、《玄冥》、《雲翹》、《育命》之舞，北郊及明堂並奏樂如南郊。永平二年，始迎氣於五郊。建初二年七月，太常樂丞鮑鄴上言："王者有食舉之樂，官樂但有太簇，皆不應月律。可作十二月均，各應其月氣，乃能感天地，和氣宜應。明帝始令靈臺以六律候，而未設其樂。經曰：'十二月行之，所以宣氣豐物也。'月開斗建之月，而奏歌其律，誠宜施行，願與待詔嚴崇及能作樂器者,共作治,考工給所當。”薛瑩《後漢書》。鄴上言:“天子飲食,必順四時五味,而有食舉之樂。今官樂獨有黄鍾,而食舉樂但有太簇,皆不應月律。可作十二月均,各應其氣。公卿朝會,得聞月律,乃能感天,和氣宜應。”詔下太常令。太常上言,作樂器直百四十六萬,奏寢。今明詔復下,臣防可用歲首之嘉月,發太簇之律,奏雅頌之音,以迎和氣。其條貫甚具,遂獨施行,起於十月,爲迎氣之樂。《東觀漢記》。待詔候鍾律殷彤上言:“請嚴宣補學官。”彤言:“官無曉六十律以準調音者,嚴崇具以準法教子宣,願詔宣補樂官。”上以太常樂丞鮑鄴上言樂事,下車騎將軍馬防議。防上奏曰:“聖人作樂,所以和氣致和。可因歲首,發太簇之律,奏雅頌之音,以迎和氣。”時以作樂費多,獨行十月迎氣樂。建初五年冬,始行月令,迎氣樂。順帝陽嘉二年十月庚午,行禮辟雍,奏應鍾。始復黄鍾,作樂器,隨月律。《東觀漢記》:陽嘉二年冬十月,以春秋爲辟雍,隸太學,隨月律。十月作應鍾,三月作姑簇。元和以來,音戾不調,至是始修復黄鍾,作樂,如舊典。迎時氣五郊之樂,兆自永平。立春,於東郊祭青帝句芒。車旗服飾皆青,歌《青陽》,八佾舞《雲翹》之舞。立夏之日,迎夏於南郊,祭赤帝祝融。車旗服飾皆赤,歌《朱明》,舞《雲翹》之舞。先立秋八日,迎黄靈於中兆,祭黄帝后土。車旗服飾皆黄,歌《朱明》,八佾舞《雲翹》、《育命》之舞。立秋,迎於西郊,祭白帝蓐收。車旗服飾皆白,歌《西顥》,八佾舞《育命》之舞。使謁者以一特牲祭先虞於壇,有事,天子入囿射牲,以祭宗廟,名曰貙劉。立冬,迎氣於北郊,祭黑氣玄冥。車旗服飾皆黑,歌《玄冥》,八佾舞《育命》之舞。《祭祀志》。迎氣四時樂,唱以角、徵、商、羽。春唱角,舞羽翟。夏唱徵,舞鼓鞉。秋唱商,舞干戚。冬唱羽,舞干戚。《皇覽》。郊黄帝,迎氣於黄郊,樂奏黄鍾之宫,歌《帝臨》,冕而執干戚,舞

《雲翹》、《育命》，所以養時訓也。《禮儀志》。爵弁，《雲翹》舞人服之。建華冠，《育命》舞人服之。《輿服志》。章帝時，零陵文學史奚景於泠道舜祠下得玉律，以爲尺，相傳謂之漢官尺。

食舉樂

章帝親著歌詩四章，列在食舉。蔡邕云："王者食舉以樂。"《宋志》：章帝元和二年，宗廟樂故事，食舉有《鹿鳴》、《承元氣》，二曲三章，自作詩四篇：一曰《思齊皇姚》，二曰《六麒麟》，三曰《竭肅雍》，四曰《陟叱根》，一本云《涉顯相》。合前六曲，爲宗廟食舉。加祭廟《重來》，上陵食舉。減宗廟《承元氣》一曲，加《惟天之命》、《天之曆數》，爲殿中御飰食舉。漢大樂，食舉十三曲：一曰《鹿鳴》，二曰《重來》，三曰《初造》，四曰《俠安》，五曰《歸來》，六曰《遠期》，七曰《有所思》，八曰《明星》，九曰《清涼》，十曰《涉大海》，十一曰《大置酒》，十二曰《承元氣》，十三曰《海淡淡》。

靈臺十二門詩

詩，宣天地之氣也。漢孝章皇帝祗肅上下，朝夕不怠，若稽前代之制，守其所已成，增其所未備，深惟靈臺之作，實用以推測洪化，歌詩未作，月律猶闕，將何以贊元氣之運而導揚其和暖？以元和二年夏四月，摛宸藻，定樂章，下《大予樂》，官各隨其月吹竹律而奏之，以承嘉祀，是蓋東都之鉅典也。謹序其首曰：十二氣之運，推遷回復，不見其迹，必調之以律，然後可得而宣。十二律之次，清濁高下，各隨其方，必歌之以詩，然後可得而諧也。傳曰："律以統氣類物，吕以旅陽宣氣。"是氣固待律而宣。《書》曰："詩言志，歌永言，聲依永，律和聲。"是律固待詩而諧。天地造化之妙，成於帝王輔贊之功，歌詩之作亦帝王所以輔贊者與？惟漢受命於天，益昭事而奉順之，立政布教，行賞用刑，罔不惟天時之若；故觀象眂祲，命官作樂,罔不惟天時之謹。命趙堯之徒分舉四時,則高皇之爲也。作郊祀之歌,而間歌四時,則武帝之爲也。經始靈臺,鬱其特起,則創制於光武。命駕時登,考正儀度,則禮盛於顯宗一代制度。聖斯作,明斯述,可謂詳矣,未可以爲盡也。當此之時,竹律之作,獨太簇之音惟諧,餘律雖設而聲未正也。至章帝躬身聖德,稽考經文,折衷羣言,而制定其當。既作食舉,四時列在備樂,於是大常丞鮑鄴言聖人之樂必順陰陽,願敕攸司損捐月律,上應月氣。帝從,中下其議。三公九卿旅進在列,咸以謂宜如鄴言。帝猶謙抑未遑也。號登元和,宇内大寧,休祥紹至,聲音之道,固宜與詩俱,乃發睿思,窺見二儀之祖而寫之聲音。十二門之詩,名殊章列,匪豐匪簡,音官相與肄習,率以令月吉辰,祇薦祠事,闕斗建之門,考協時律,以聲其詩,位以方辨,氣以聲達,中和之化,宣暢流衍,無有愆伏。時令既正,措之事業者,動有據依,恩流而陽熙,威振而陰肅,萬物該成,各由其道。天地之功,至是而全矣。帝王之制,至是而備矣。《山堂考索》。

雅頌樂

蔡邕《禮儀志》:二則《周雅頌樂》,典辟雍、饗射、六宗、社稷。永平二年正月,宗祀明堂,樂和八音。十年閏四月甲午,南巡狩,幸南陽。日北,至祠舊宅。禮畢,召校官弟子作雅樂,奏《鹿鳴》。帝親自御壎篪和之,以娱嘉賓。雅樂四曲,西京大亂,絶無金石之樂。自魏武平荆州,獲雅樂,即杜夔能識舊法。雅樂四曲:《鹿鳴》、《騶虞》、《伐檀》、《文王》,皆古篇辭。《通典》:議者皆言漢代不知用宫縣。案:章和代,實用旋宫。漢樂歌云"高張四縣,神來燕饗,謂宫縣也"。

黄門鼓吹樂

孝章皇帝自制。蔡邕《禮儀志》:三曰《黄門鼓吹》,天子所以燕樂羣臣。建武八年,幸祭遵營,勞士卒,作《黄門鼓吹樂》。順帝永和元年,夫餘王來朝,帝作《黄門鼓吹》以遣之。《漢官儀》:鼓吹四百十五人。《宋書·志》:漢樂四品,其三曰《黄門鼓吹》。《建初録》:《務成》、《黄爵》①、《玄雲》、《遠期》,皆騎吹曲。列殿庭爲鼓吹,從行爲騎吹。《通典》:後漢有承華令,典《黄門鼓吹》。

短簫鐃歌

蔡邕《禮儀》:《短簫鐃歌》,軍樂也。黄帝、岐伯所作,以揚德建武、勸士諷敵也。《通典》:漢《短簫鐃歌》,其曲有《思悲翁》、《朱鷺》、《艾如張》、《上之回》、《擁離》、《戰城南》、《巫山高》、《上陵》、《將進酒》、《君馬黄》、《芳樹》、《有所思》、《雉子斑》、《聖人出》、《上邪》、《臨高臺》、《遠如期》、《石留》、《務成》、《玄雲》、《黄雀》、《釣竿》等曲,列於鼓吹,多叙戰陳之事。

闕里六代樂

元和三年春,肅宗東巡狩。還至魯,幸闕里,以太牢祀孔子及七十二弟子,作六代之樂。

九賓徹樂

《禮儀志》:上陵,漏上,大鴻臚設九賓,隨立殿前。蔡質《漢儀》:正月旦,天子幸德陽殿,臨軒,作《九賓徹樂》。舍利從南方來,戲於庭乃畢,入殿前激水,化作比目魚,跳躍漱水作霧,化成黄龍,長八丈,遊戲於庭,炫耀日光。以兩大繩繫兩柱頭中間,相去數丈,兩倡女對舞,行於繩上,對面道逢,切肩不傾。又蹋局出身,藏形於斗中。鍾磬並作,樂畢,作魚龍曼衍。小黄門鼓吹三通。散樂野人,爲樂之善者,若今黄門倡矣。《周官·旄人·教舞散樂》注。

---

① "黄爵",原誤作"黄冠",今據《宋書·樂志》改。

八能樂

《後漢書・律曆志》:天子以日冬夏至御前殿,合八能之士,陳八音,聽鍾均。《禮儀志》:《樂叶圖徵》曰:"八能之士常以日冬至作陰樂以成天文,日夏至作陽樂以成地理。"《易通卦驗》:日冬至,人主致八能之士,或調黄鍾,或調六律,或調五聲,或調律曆,或調陰陽,德政所行,八能以備。人主乃縱八能之士,擊黄鍾之鐘,人敬稱善言以相之。乃權水輕重,稱黄鍾之重,擊黄鍾之磬。八卿大夫列士乃使八能之士,擊黄鍾之鼓。鼓用革,員徑八尺一寸。鼓黄鍾之琴,瑟用槐木,瑟長八尺。吹黄鍾之律,間用竽,長四尺二寸。黄鍾之音同蕤賓之律。夏日至,舞八能樂,黄鍾之音調則蕤賓之律應,聲磬則林鍾之律應,此謂日冬至成天文,日夏至成地理。鼓角黄牛皮,員徑五尺七寸,瑟用桑木,長五尺七寸,間音以簫,長尺四寸。

横吹樂曲

《古今樂録》:横吹,胡樂也。張騫入西域傳其法,惟得《摩訶兜勒》一曲。李延年因之,更造新聲二十八解,乘輿以爲武樂。後漢邊軍將萬人將軍得之。《晉志》:横吹有雙角,胡樂也。和帝時,萬人將軍得之。《中華古今注》:魏晉已來,二十八解不復存世。用者《黄鵠》、《隴頭》、《出關》、《入關》、《出塞》、《入塞》、《折楊柳》、《黄覃子》、《赤之楊》、《望行人》一十四曲。[①]

鞞舞辭

《晉志》:《鼙舞》,未詳所起,漢氏已施於燕享,傅毅、張衡所賦皆其事也。《隋志》:《鞞舞》,漢巴渝舞也。章帝造《鞞舞辭》,舊曲有五:一《關東有賢女》,二《章和二年中》,三《樂久長》,

① 整理者按,計上所列,僅十曲,疑"四"爲衍文。

四《四方皇》,五《殿前生桂木》,《碧雞漫志》"木"作"樹"。其辭並亡。曹植《鞞舞鼓序》:漢靈帝西園鼓吹李堅者,能鞞舞,遭亂,西隨段煨。《明之君》,漢代鞞舞曲也。《鐸舞》,漢曲也。

藉田歌辭

《齊書·樂志》:《藉田歌辭》,章帝元和元年,玄武司馬班固奏用《商頌·載芟》祠先農,自東京散亂,絶無金石之樂,樂章亡缺,不可復知。

大儺倀子歌

見《後漢書·禮儀志》。

靈臺十二門新詩

熹平四年正月中,出《靈臺十二門新詩》,下大予樂官,與舊詩並行。

弄參軍曲

《樂府雜録》:弄參軍,始因後漢館陶令石躭有贓罪,和帝惜其才,免罪。每宴樂,即令衣白夾衫,命優伶戲辱之。經年,復爲參軍。

魁𥕢子

《通典》:《窟𥕢子》,亦曰《魁𥕢子》,作偶人以戲,善歌舞。本喪樂也,漢末始用之於嘉會。

樂經

陽城衡撰。桓譚《新論》:陽城子張,名衡,蜀人,與吾俱爲講樂祭酒。秋碧案:《論衡》作"陽城子長作《樂經》",即陽城衡也。《華陽國志》作"陽城子元"。

撣國樂

《西南夷傳》:安帝永寧元年,撣國王雍由調遣使朝賀,獻樂及幻人,能變化,吐火,自支解,易牛馬頭。又善跳丸數十。自言我海西人。海西,大秦也。明年元會,帝作樂於庭,與羣臣共觀,大奇之。陳禪言:"帝王之庭,不宜設夷狄之技。"尚書陳忠曰:"古者合歡之樂舞於堂,四夷之樂歌於門,故《詩》曰'以《雅》以《南》,《韎》、《任》、《朱離》'。秋碧案:《詩》,《韓詩》也。今撣國越流沙,踰縣度,萬里貢獻,非鄭衛之音,遠人之比。"《後漢書·陳禪傳》。

莋都夷慕德歌　樂德歌　懷德歌

《西南夷傳》:莋都夷者,武帝所開。永平中,益州刺史朱輔宣示漢德,威懷遠人。白狼、槃木、唐菆等百餘國,舉種朝貢。輔上疏曰:"白狼王唐菆等,慕化歸義,作詩三章。有犍爲郡掾田恭與之習狎,頗曉其言。臣令訊其風俗,譯其辭語。今遣從事史李陵與恭護送詣闕,並上其樂詩。在昔聖帝,舞四夷之樂。今之所上,庶備其 。"帝嘉之,下史官録其歌焉。《蜀都賦》:陪臣白狼,夷歌成章。

樂元起一卷　琴道一卷

桓譚撰。《隋志》:《琴道》一篇未成,班固續成之。《琴道》末有《發首》一篇。

大常典律

宋登奏定。

箏笛録

《通典》:案摯虞有《笳賦》,云"李伯陽入西戎所造"。又有胡笳《漢箏笛録》,舊有其曲,不記所出本末。

武溪深

馬援南征所作也。援門生爰寄生善吹笛,援作歌以和之,名曰《武溪深》,其曲曰:"滔滔武溪一何深,鳥飛不度獸不能臨,悲哉武溪多毒淫。"

蔡邕　叙樂一篇

《北堂書鈔·讖》引蔡邕《叙樂》曰:"世祖追修前業,采讖之文曰《大予樂》。"

蔡邕　琴操二卷近王氏《漢魏佚書》有輯本。**蔡邕五弄**

《琴書》：蔡邕熹平中初入青谿，訪鬼谷先生所居。山有五曲，山之東曲常有仙人遊，故作《遊仙弄》。南曲有澗，冬夏常渌，故作《渌水弄》。中曲即鬼谷子所居，深邃岑寂，故作《幽居弄》。北曲高巖，猿鳥所集，故作《坐愁弄》。西曲灌木唫秋，故作《秋思弄》。馬融、王子師輩甚異之。傅玄《琴賦序》：蔡邕有緑綺琴，天下名器也。《琴譜》有邕《石上流泉》曲，《琴曲》有《蔡邕五弄》。華嶠《後漢書》：初，邕在陳留，鄰人有以酒食召邕者，比往而酒已酣。客有彈琴於屏者，潛聽之，曰："以樂召我而有殺心，何也?"遂反。將命者告主人以蔡君至門而去。邕素爲鄉邦所宗，主人遂自追問其故，邕具以告，莫不憮然。彈琴者曰："我向見螳螂方向鳴蟬，蟬將去而未飛，螳螂爲之一前一卻，吾心聳然，惟恐螳螂之失蟬也。此豈爲殺心而形於聲者乎?"邕笑曰："此足以當之矣。"《搜神記》：蔡邕在吴，吴人有燒桐以爨者，邕聞火烈之聲，知其良材，因請而裁爲琴，果有美音。其尾焦，時人名曰焦尾琴。《賈子語林》：蠶最巧作繭，往往遇物成形。有寡女獨宿，倚枕不寐，私傍壁孔中視鄰家蠶離箔。明日，繭都類之。雖眉目不甚悉，而望去隱然似愁女。蔡邕見之，厚價市歸，繅絲製弦，彈之有憂愁哀怨之聲。問琰，琰曰："此寡女絲也。"聞者莫不墮淚。《古今注》：漢蔡邕琴爲九弦，後世用七弦。《三禮圖》：《舊圖》云："周文王加二弦，曰少宫、少商。蔡伯喈復增二弦，故有九弦。二弦大，次三弦小，次四弦尤小。"《琴書》：琴本五弦：宫、商、角、徵、羽也。加二弦，文武也。後漢蔡邕加二弦，象九星。

三臺曲

《古今樂録》：蔡邕自治書侍御史累遷尚書。三日之間，周歷三臺。樂府以邕曉音律，製此曲動邕心，希其厚遺。

胡笳調一卷

蔡琰撰。琰，字文姬，邕之女也。博學有才辨，適河南衛仲道。夫亡無子，歸寧於家。興平中，天下喪亂，爲胡騎所獲，没於南匈奴左賢王，在胡中生一子。曹操痛邕無嗣，乃遣使者以金璧贖之，重嫁陳留董祀。《琴曲譜録》：《大胡笳十八拍》、《小胡笳十九拍》、《別胡兒》、《憶胡兒》並蔡琰製。案：《胡茄十八拍》，調句凡猥，後人僞託，非文姬作。《琴歷》：蔡琰能爲《離鸞别鶴之操》。

胡笳録一卷

琴詩十二章

蓋勳撰。勳，字元固，敦煌廣至人。舉孝廉，爲漢陽長史，拜漢陽太守，遷京兆尹越騎校尉。出爲潁川太守，徵還京師。初平二年，卒。中平五年，著《琴詩》十二章，奏之，帝善之，數加賜賞。

董逃歌

後漢遊童所作也。後董卓作亂，卒以逃亡。後人習之爲歌章，樂府奏之，①以爲規戒。

蜀明君

昭烈帝作。

野鷹來曲

劉表作。《水經注》：表性好鷹，登此臺，歌《野鷹來曲》，其聲

① “府”，原闕，據《金陵叢書》本補。

韻似孟達《上堵唫》矣。

琴弦一曲

《中興書目》:《琴弦》一卷,諸葛亮撰。述制琴之始及七弦之音、十三徽所象之意。

於忽操

龐德公操。

杜夔　漢雅樂

夔,字公良。河南人。以注音爲雅樂郎。中平五年,避亂荆州。劉表令與孟曜爲漢帝合雅樂。樂備,表欲庭觀之。夔曰:“今將軍號不爲天子,合樂而庭作之,無乃不可乎!”表内其而止。

杜夔　廣陵散琴曲

劉潛《琴議》:杜夔妙於《廣陵散》,從其子猛求得此聲。《通典》:魏武平荆州,獲杜夔,善八音,常爲漢雅樂郎,猶善樂事,於是使創定雅樂。又有散騎郎鄧靜、尹商善調雅樂,歌師尹胡能歌宗廟郊祀之樂,舞師馮肅能曉知先代諸舞,夔悉領之,而柴玉、左延年之徒妙善鄭聲,惟夔好古存正。鑄鐘工柴玉有巧思,形器之中,多所造作。夔令玉鑄鍾,其聲均清濁多不如法,數毁改作。玉甚厭之,謂夔清濁任意。更相訴白魏武,取所鑄鐘,錯雜更試,然後知夔爲精而玉之謬也。

右樂類

卷 四

光武本紀

永平十五年,明帝以所作《光武本紀》示東平王蒼。蒼因上《光武受命中興頌》。明德馬皇后讀《光武紀》,至“有獻千里馬、寶劍者,上以馬駕鼓車,劍賜騎士,手不持珠玉”,后未嘗不歎息。

金丹 續史記

見劉知幾《史通》。案:丹,字昭卿,杜陵人。爲隗囂賓客,《班彪集》有《與金昭卿書》。

晉馮 漢史

《史通》:馮嘗撰次《漢史》,以續《史記》。案:班固奏記東平王蒼曰:“京兆祭酒晉馮,結髪修身,白首無違,好古樂道,玄默自守,古人之美行,時俗莫及。”

楊終 史記删

本傳:終受詔删《太史公書》爲十餘萬言。

段肅 續史記

《史通》:肅與京兆祭酒馮嘗撰史記,以續史遷之書。案:班固奏記東平王蒼曰:“弘農功曹段肅,達學洽聞,才能絶倫,誦《詩》三百,奉使專對。”又范書作“殷肅”,《固集》作“段肅”。案:劉向《新序》不道王尊,馮商《續史記》爲尊作傳。班固《漢書目録》:馮商,長安人,成帝時以能屬書待詔金馬,受詔續《太史公書》十餘篇。劉歆《七略》:商,陽陵人,治《易》,事五鹿充宗。能屬文,博通強記,與孟柳俱待詔,頗叙列傳。會病死。班彪《别録》:商,字子高。

班彪　史記後傳

《史通》：彪《史記後傳》六十五篇。事具本傳。《論衡》：叔皮續《太史公書》百篇以上，記事詳悉，義淺理備，讀觀之者以爲甲，而太史公乙。又曰："叔皮載鄉里人以爲惡戒，邪人枉道，繩墨所彈，安得避諱？"應劭曰："《元》、《成帝紀》皆班固父彪所作。"

服虔　史記音義一卷

見司馬貞《史記索隱》序。

鄭氏　史記注名字爵里未詳。

《史記》、《前漢書》注所載鄭氏《音義》即此書，或以爲康成注，未敢信也。

龍山史記注

《龍城録》：沈休文有《龍山史記注》，即張昶著。昶，後漢末大儒，而世亦不稱譽。予少時，江南李育之來訪，余求進此書，後爲火所焚，更不復得。豈斯文天欲祕此耶？案：昶，字文舒，張芝弟，官至黄門侍郎。

班固　前漢書一百卷

謝承《後漢書》：固年十二，王充見之，拊其背，謂彪曰："此兒必能記漢事。"《東齋記事》：葛洪云："洪家世有劉子駿《漢書》百餘卷，歆欲撰《漢書》，編録漢事，未得締搆而亡，故書無宗本，袛雜記而已。試以此書考校班固所作，殆是全取劉書，小有異同耳，固所不取不過二萬許言。"

班昭　續漢書八表天文志

固著《漢書》，八《表》、《天文志》未及成而卒。和帝詔昭就東觀藏書閣，踵而成之。後王紹、馬續繼昭撰成。

胡廣　漢書解詁

見本傳。

服虔　漢書音訓一卷

《漢書序例》:《漢書》舊無注解,惟服虔、應劭各爲音義,自别施行。

應劭　漢書集解一百十五卷　漢書音義二十四卷《隋志》二十四卷。

蔡邕　漢書音義

見《太平御覽》。

文穎　漢書注一百三十卷

穎,字叔良,南陽人。劉表時,官荆州從事。

延篤　漢書音義

《天文志》"流星下燕萬載宫極,東去"注:"延篤謂之堂前闌楯也。"

諸葛亮　漢書音義二卷

奇,南阳人。

孟康　漢書音義

康,字公休,孟子十八代孫。歷官至廣陵亭侯,著《漢書音義》。

韋昭　後漢書音義二十七卷

漢帝年紀

未詳撰人姓氏。高帝時,有信平侯臣陵、都武侯臣起。《高帝紀注》。以棘蒲侯陳武爲大將軍。《漢書》作"柴武",臣瓚注引《漢帝年紀》作"陳武"。太初元年六月,禁踰侈。七月,閉城門大搜。征和元年,發三輔騎士大搜長安上林中,閉城門十五日,待詔北軍征官多餓死。《武帝紀》注。

漢注

未詳撰人姓氏。項羽使衡山、臨江王殺之江中。《前漢書·高祖紀》師古注引。立孝惠後宫子強爲淮陽王。晉灼注引:"《漢注》名長。"神並見,且白且黑,且大且小,鄉坐三拜。《武帝紀》注。報山脅石一枚，轉側起立，高九尺六寸，旁行一丈，廣四尺。《東平思王傳》晉灼注引。黄龍元年，此年二月黄龍見廣漢郡，故改年。《宣帝紀》師古注引。神爵大如鷃爵，黄喉，白頸，黑背，腹斑文。九真獻奇獸，駒形，麟色，牛角，仁而愛人。並同上。貲五百萬得爲常侍。《張釋之傳》注引。卒史秩百石。《兒寬傳》注引。惠文冠，法冠也，一號柱後惠文，以纚裹鐵柱卷。秦執法服，今御史服之，謂之解廌，一角。今冠兩角，以解廌爲名。《張敞傳》注引。有衛屯司馬。《蓋寬饒傳》注引。邊郡置都尉及千人司馬，皆不治民也。同上。陵方中用地一頃，深十二丈。《張湯傳》注引。緑車衣皇孫車，太子有子乘以從。《金敞傳》注引。帝春秋益壯，以母衛太后故怨不悦。莽自知益疏，篡殺之謀由是生。因到獵日，上椒散酒，置藥酒中。翟義移書云："莽鴆殺孝平皇帝。"《平帝紀》注引。冠山，石名。《劉向傳》注引。

應奉　漢書後序十二卷

華嶠《後漢書》：應奉著《後序》十餘篇。奉，字世叔，汝南人。《隋書・經籍志》：梁有《後序》十三卷，漢司隸校尉應奉撰。

應奉　漢事十七卷

袁山松《後漢書》：奉删《史記》、《漢記》及《漢書》三百六十事，自漢興至其時凡十七卷，名曰《漢事》。

應奉　漢語

《隋書・經籍志》：奉撰漢事成敗可爲鑒戒者謂之《漢語》。臨服者無跣。《史記・文帝紀》"臨服者無踐"晉灼注引"《漢語》作'無跣'，跣，徒跣也。"丁外人，字少君。《昭帝紀》注引。光嫡妻東閭氏生安夫人，昭后之母也。《霍光傳》注引。東閭氏亡，顯以婢代立，素與馮殷通姦。同上。殷，字子都。《宣帝紀》注引。

應劭　中漢輯序

司馬彪《續漢書》：應劭著《中漢輯序》，叙《漢官儀》及《禮儀故事》,凡十一種百三十六卷。朝廷制度,百家典式,所有不亡者,劭紀之也。

荀爽　漢語

見前國史總叙。

何英　漢春秋十五卷

《華陽國志》:英,字叔俊,郪人。邯鄲之民不能捐父母,背城主。《通鑒攷異》引《漢春秋》。帝時升廟立,羣臣中庭北面,皆再拜。帝進爵而後坐。《明帝紀》"永平十五年二月庚子,東巡,還幸孔子宅"注引《漢春秋》。

世祖本紀

明帝詔班固與睢陽令陳宗、案:《論衡》"陳平仲紀光武",是宗字平仲。長陵令尹敏、司隸從事孟異,案:"異"當作"冀",茂陵人,見馬陵、杜林傳。共成《世祖本紀》。傅玄曰:"孟堅《漢書》,實命世奇作。及與陳宗、尹敏、杜撫、馬嚴撰《中興紀傳》,其文曾不足觀。豈拘於時乎?不然,何不類之甚也!"

明帝本紀

肅宗撰。《北史》:蕭大圜曰:"漢明帝爲《世祖本紀》,章帝爲《顯宗本紀》。"

靈帝本紀

蔡邕撰。

獻帝本紀

楊彪續撰。

馬防頌

章帝命史官撰。

平原懷王勝傳

鄧太后命史官作。

功臣平林新市公孫述列傳載記二十八篇

班固撰。

建武以來名臣傳

劉珍撰。

中興以下名臣列傳

劉毅、劉騊駼、劉珍等共撰。

諸王王子功臣恩澤侯表　單于西羌傳　地里志

元嘉中，桓帝使伏無忌、諫議大夫黄景、崔寔等共撰。

孝穆崇二皇　順烈皇后傳　百官表　順帝功臣等傳

元嘉元年，令太中大夫邊韶、大將軍營司馬崔寔、議郎朱穆、曹壽作孝穆、崇二皇及《順烈皇后傳》，又增《外戚傳》入安思等后，《儒林傳》入崔篆諸人。寔、壽又與議郎延篤雜作《百官表》，順帝功臣孫程、郭順、鄭眾、蔡倫等傳，凡百有四篇。

蔡孫　補列傳四十二篇

蔡邕　漢書十意

猶《前書》十志也。案：避桓帝諱，故作“意”。趙戒本字志伯，後改字意伯，見《孔廟置守廟百石卒史碑》，爲諱“志”爲“意”之證。袁山松《後漢書》：劉洪與蔡邕共述《律曆紀》。謝承《後漢書》：太傅胡廣博綜舊儀，立漢制度。蔡邕因以爲志，譙周後改定爲《禮儀志》。《律曆意》第一，《禮意》第二，《樂意》第三，《郊祀意》第四，《天文意》第五，《車服意》第六。權土炭，候鍾律。冬至陽氣應，黄鍾通，土炭輕而衡仰。夏至陰氣應，蕤賓通，土炭重而衡低。進退先後五日之中。《漢書》晉灼注引蔡邕《律曆紀》。凡曆所革，以變律吕，相生至六十也。《文選・陸佐公〈刻漏〉》注引蔡邕《律曆》。凡陽生曰下，陰生曰上。《漢書・律曆志》注引蔡邕《律曆志》。玉衡長八尺，孔徑一寸，下端望之，以視星宿。並縣璣以象天，而以衡望之，轉璣窺衡，以知星宿。璣徑八尺，圓二尺五寸而強。《山堂攷索》引蔡邕《律曆志》。漢承秦滅學，庶事草創，明堂辟雍闕而未舉。武帝封禪，始立明堂岱宗汶上，猶不於京師。元始中，王莽輔政，庶績復古,乃起明堂辟雍。《太平御覽·明堂》引蔡邕《禮樂志》。《藝文類聚》引作"武帝封岱宗,立明堂於太山上"。漢樂四品:一曰《大予樂》,典郊廟、上陵、殿諸食舉之樂。《文選·東都賦》注引蔡邕《禮樂志》。郊樂,《易》所謂"先王以作樂崇德,殷薦上帝",《周官》"若樂六變,則天神皆降,可得而禮也"。宗廟樂,《虞書》所謂"琴瑟以詠,祖考來格",《詩》云"肅雍和鳴,先祖是聽"。食舉樂,《王制》所謂"天子食舉以樂",《周禮》"王大食則命奏鐘鼓。"《文選·長笛賦》注引蔡邕《禮樂志》作"《天子中樂》,殿中食舉樂也"。二曰《周雅頌樂》,典辟雍、射饗、六宗、社稷之樂。辟雍,饗射,《孝經》所謂"移風易俗,莫善於樂",《禮記》曰"揖讓而治天下,禮樂之謂也"。社稷,所謂"琴瑟擊鼓以御田祖"者也,《禮記》曰"夫樂施於金石,越於聲音,用於宗廟、社稷,繫乎山川、鬼神",此之謂也。三曰《黄門鼓吹》,天子所以燕樂羣臣,《詩》所謂"坎坎鼓我,蹲蹲舞我"者也。四曰《短簫鐃歌》,軍樂也。其傳曰"黄帝、岐伯所作,以建威揚德,風勸士"也,蓋《周官》所謂"王大獻則令凱樂,軍大獻則令凱歌"也。孝章皇帝親著歌詩四章,列在食舉。又制雲臺十二門詩,各以其月祀而奏之。熹平四年正月中,出雲臺十二門新詩,下大予樂官習誦,彼聲與舊時並行者,皆當撰録,以成《樂志》。此條據《太平御覽》及輯本《東觀漢記·樂志》補入。《御覽》云"岐伯始作鼓吹",疑此屬黄門鼓吹下,然鐃鼓亦謂之鐃吹,姑仍其舊云。建寧五年正月,車駕上原陵,蔡邕爲司徒掾,從公行。到陵,見其儀,愾然謂同坐者曰:"聞古不墓祭。朝廷有上陵之禮,始爲可省。今見其儀,察其本意,乃知孝明皇帝至孝惻隱,不可易舊。"或曰:"本意云何?""昔京師在長安時,其禮不可盡得聞也。光武即世,始葬於此。明帝嗣位踰年,羣臣朝正,感先帝不復聞見此禮,乃帥公卿百寮,就園陵而朝焉。尚書陛西陛爲神坐,天子事亡如事存之意。先帝有瓜葛之屬，男女畢會，王、侯、大夫、郡國計吏，向神坐而言，庶幾先帝神魂聞之。今者日月久遠，後生非時，人但見其禮，不知其哀。以明帝聖孝之心，親服三年，久在園陵，初興此儀，仰察几筵，下顧羣臣，悲切之心，必不可堪。”邕見太傅胡廣曰：“國家禮有煩而不可省者，不知先帝用心之至於此也。”廣曰：“然。子宜載之，以示學者。”邕退而記焉。司馬彪《續漢書·志》劉昭補注引。孝明立世廟，以明再受命祖有功之義。後嗣遵儉，不復改立，皆藏主其中。聖明所立，一王之法。自執事之吏，下至學士，莫能知其所以兩廟之意，宜具録本事。建武乙未、元和丙寅詔書，下宗廟儀及齋令，宜入《郊祀志》，永爲典式。劉昭《祭祀志》注引蔡邕《表志》。宗廟迭毀議奏，國家大體，班固《漢書》乃置《韋賢傳》末。臣以問胡廣，廣以爲實宜在《郊祀志》中，去鬼神僊道之事，取賢傳宗廟是寘其中，既合孝明旨，又使祀事以類相從。同上。蔡邕云：“見孝殤、孝沖、孝質皇帝以幼弱在位，未踰年，不列於廟。太尉、司徒分視二陵，皆宗廟典制也。”《通典》引。言天體者有三家：一曰周髀，二曰宣夜，三曰渾天。宣夜之學絶無師法。周髀數術具存，考驗天狀，多所違失，故史官不用。惟渾天者近得其情，今史官所用候臺銅儀，則其法也。立八尺圓體之度，而具天地之象，以正廣道，以察發斂，以行日月，以步五緯。精微深妙，萬世不易之道也。官有其器而無本書①，前志亦闕而不論。臣求其舊文，連年不得。在東觀，以治律未竟，未及成，案略求索。竊不自量，欲寢伏儀下，思維精意，案度成數，扶以文義，潤以道術，著成篇章。罪惡無狀，投畀有北，灰滅雨絶，世路無由。宜博撰建武以來星變彗孛已驗著明者續其後。劉昭《天文志》注引蔡邕《表志》。

---

① “無”，原缺，據文淵閣《四庫全書》本《後漢書》補。

時妖異數見,人相驚擾。其年七月,詔邕與光禄大夫楊賜、諫議大夫馬日磾、議郎張華、太史令單颺等,詣金商門,引入崇德殿,使中常侍曹節、王甫等就問災異及消災改變故所宜施行,邕悉心以對,事在《天文志》。《邕傳》注"其辭今亡"。永平中,詔書下車服制,中宮皇太子親服重繒原練,浣已復御,率下以儉化起畿内。諸侯王以下至於士庶,嫁娶被服,各有秩品。可傳萬世,揚光聖德。臣以爲宜集舊事儀注本奏,以成志也。《輿服志》注引蔡邕《表志》。華蓋,黄帝所作也。與蚩尤大戰於涿鹿之野,常有五色雲,金枝玉葉,因而作華蓋。《蔡邕傳》注引《輿服志》。五時副車曰五帝,鸞貔曰雞翹,金根曰三芝,其制非一。《太平御覽·車》引蔡邕《輿服志》。國家舊章,而幽僻藏蔽,莫之得見。司馬彪《續漢書·輿服志》"甘泉鹵簿"注引。俗人多失其名,故名冕曰平天冠,以文義不著之故。《御覽·冠》引蔡邕《輿服志》。孝明帝作蠙珠三佩以郊祀天地。《御覽·佩》引蔡邕《輿服志》。案:自《世祖本紀》以下至蔡邕稱《漢書十意》,皆《東觀漢記》所著録。

東觀漢記《隋書》"《東觀漢記》一百四十三卷"。《新》、《舊唐書·志》一百二十六卷。《玉海》:梁《中興書目》作八卷,今所存者止鄧禹、吴漢、賈復、景丹、耿弇、寇恂、馮異、祭遵、蓋延九傳。今有刊本行世。

荀悦　漢紀三十卷

《唐志》:荀悦《漢紀》三十卷,應劭等注,崔浩音義。凡《漢紀》其稱本紀、表、志、傳者,史家本語也;其稱論者,悦所論粗表其事以得失也。唐太宗賜李君亮《漢紀》詔曰:"悦此書叙致簡要,議論深博,極爲政之體,盡君臣之義。"《書苑》:唐太子率更令歐陽詢書荀氏《漢書》小楷,在潭州南楚門外胡世經處。

劉艾　靈帝紀

艾靈帝時辟司徒掾,獻帝初平時官侍中,轉宗正。時巴郡巫人張修療病,愈者雇以米五斗,號爲五斗米師。中牟令落皓及主簿潘業臨陣不顧,皆被害。上西門外劉倉妻生男,兩頭共身。邊章,一名元。會稽妖賊許昌自稱陽明皇,以其父爲越王。以虎賁中郎將袁紹爲中軍校尉,屯騎校尉鮑鴻爲下軍校尉,議郎曹操爲典軍校尉,趙融、馮芳爲助軍校尉,夏牟、淳于瓊爲左右校尉。以上《靈帝本紀》注引。中平五年,徵董卓爲少府,敕以營吏士屬左將軍皇甫嵩,詣行在所。卓上言:“涼州擾亂,鯨鯢未滅,此臣奮發效命之秋也。吏士踴躍,戀恩報效,各遮臣車,辭聲懇惻,未得即發也。輒且行前將軍事,盡心慰恤,效力行陣。”六年,以卓爲并州牧,又敕以兵屬皇甫嵩。卓復上言:“臣掌戎十年,士卒大小,相狎彌久,戀臣畜養之恩,樂爲國家奮一旦之命,乞將之州,以效力邊陲。”卓再違詔敕,後爲何進所召。《董卓傳》注引。

劉艾　獻帝紀

《舊唐書·經籍志》:劉艾《靈帝》、《獻帝紀》六卷。初平二年,無雲霹靂殺人。《開元占經》引。卓既爲太師,復欲稱尚父,以問蔡邕。邕曰:“武王受命,太公爲師,輔佐周室,以伐無道,是以天下尊之,稱爲尚父。今公之功德誠爲巍巍,宜須關東悉定,車駕東還,然後議之。”迺止。京師地震,卓又入問邕。邕對曰:“地動陰盛,大臣踰制之所致也。公乘青蓋車,遠近以爲非宜。”卓從之,更乘金華皁蓋車。《董卓傳》注引。李肅、吕布同郡人也。牛輔帳下胡赤兒等,素待之過急,盡以家寶與之,自帶二十餘餅金、大白珠瓔。胡謂輔曰:“城北已有馬,可去也。”以繩繫輔腰踰城縣下之,未及地丈許放之,輔傷腰不能行。諸胡共取其金,并斬輔首,詣長安。杜稟與賈詡有隙,脅扶風吏人爲騰守槐里,欲共攻傕。傕令樊稠及兄子利數萬人攻圍槐里。夜梯城,城陷,斬稟梟首。時傕見稠果勇而得衆心,疾害之,醉以酒,潛使外生騎都尉胡封於坐中拉殺稠。汜與傕將張苞、張龍謀誅傕,汜將兵夜攻傕門。候開門納汜兵,苞等燒屋,火不然。汜兵弓弩並發,矢及天子樓帷簾中。傕令門設反關,校尉守察。盛夏炎暑,不能得冷水,飢渴流離。上以前移宫人及侍臣,不得以穀米自隨,入門有禁防,不得出市。困乏,使就傕索粳米五斛、牛骨五具,欲爲食,賜宫人左右。傕不與米,取久牛骨給,皆已臭蟲,不可啖食。郭汜、樊稠與傕互相違戾,欲鬬者數矣。詡輒以道理責之,汜頗受詡言。傕等與詡議,迎天子置其營中。詡曰:"脇天子,非義也。"傕不聽。張繡謂詡曰:"此中不可久處,君胡不去?"詡曰:"吾受國恩,義不可背。卿自行,我不能也。"傕時召羌、胡數千人,先以御物繒采與之,又許以宫人婦女,欲令攻郭汜。闚胡數來窺門省,曰:"天子在中耶! 李將軍許我宫人美女,今安在?"帝患之,使賈詡爲之方計。詡乃密呼羌、胡大帥,許以封爵重賞,於是皆引去。傕由此衰弱。初,議者欲令天子浮河東下,太尉楊彪曰:"臣弘農人,從此以東,有三十六灘,非萬乘所當從也。"劉艾曰:"臣前爲陜令,知其危險,有師猶有傾覆,況今無師,太尉謀是也。"乃止。及當北渡,使李樂具船。天子步行趨河岸,岸高不得下,董承謀欲以馬覊相續以繫帝腰。時中宫僕伏德扶中宫,一手持十匹絹,乃取德絹連續爲輦。行軍司馬尚弘多力,令弘居前負帝,乃得下登船。其餘不得下甚衆。復遣船收諸不得渡者,皆争攀船,船上人以刀斷其指,舟中之指可掬也。時尚書令士孫瑞亂兵所害。天子既東,而李傕來追,王師敗績。司徒趙温、太常王偉、衛尉閻忠、司隸誉部皆爲傕所嫉,欲殺之。詡謂傕曰:"此皆天子大臣,卿奈何害之?"傕乃止。是時新遷都,宫人多亡衣服,帝欲發御府繒以與之。李傕弗欲,曰:"宫中有衣,胡爲復作耶?"詔賣廏馬百餘匹,御府大司農出雜繒二萬匹,與所賣廏馬直,賜公卿以下及貧民不能自存者。李傕曰:"我邸閣儲峙少。"乃悉載置其營。賈詡曰:"此上意,不可拒。"傕不從。後以煨爲大鴻臚、光禄大夫。建安十四年以壽終。 不領司隸校尉。 時長安爲之謡曰:"頭白皓然,食不充糧。裹衣褰裳,當還故鄉。"聖主愍念,悉用補郎舍,是布衣被服玄黄。以上並《後漢書・獻帝紀》、《董卓傳》、《魏志・太祖紀》注引。

侯瑾　皇德傳三十篇《隋志》三十卷。《唐志》同。

瑾,字子瑜,敦煌人。案《漢記》撰中興以後行事爲《皇德傳》三十篇,起光武,至沖帝。《宋書》:太祖時,沮渠茂虔獻《皇德傳》三十五卷。世祖遣鄧禹西征,逆之道左,因獵於野。王見二老公即禽。世祖問曰:"禽何向?"舉手西指,言:"此山中多虎,臣即禽,虎亦即臣,願大王勿往也。"《太平御覽・虎》引。章帝詔使者奉太牢,致祠唐堯於咸陽靈臺。《山堂考索》引。北鄉侯未即帝位,不成君,以王禮葬。《通典》引。史曰:"白虹貫,下破軍,晉分也。"《五行志》注引。蓋留,敦煌人。天性皎潔,自小未嘗過人飯,貧爲官書,得錢足供而已,不求其餘。《太平御覽・廉》引。

諸葛亮　論前漢事一卷

附　薛瑩　後漢紀六十五卷

瑩,字道言,薛綜子。見《舊唐書・經籍志》。

謝承　後漢書一百三十三卷。

承,字偉平。仕吴,官至長沙太守。案:謝承《書》明内閣猶有全本,後爲高拱攜至家,遂匿不復見。然攷朱彝尊《曝書亭集・跋》,語是國初間有刊本流傳,今遂成絶響矣。姚之駰《後漢書補逸》掇拾叢殘,輯爲六卷。然遺漏尚多,誠得宏達之士以姚本參校,葺而存之,其足資考證者甚多,誠紹統之先聲,亦蔚宗之羽翼也。

獻帝春秋

袁曄撰。曄,廣陵人。

右正史類

建武注記

馬嚴奉詔與班固、杜撫雜定。嚴,字威卿,援兄子。永平十五年,顯宗召見,詔留仁壽閣,與校書郎杜扶、班固《建武注記》。荀悦《申鑒》曰:"先帝故事有《起居注》,動静之節必書焉。"

明帝起居注

馬皇后撰。削去馬防侍醫藥事。《隋志》:漢武帝有《禁中起居注》,後漢明德撰《明帝起居注》。漢時起居,似在宫中,爲女史之職。然皆零落,不可復知。今之存者,漢獻帝及晉代《起居注》,皆近侍臣之所録。

長樂宫注記

元初五年,平望侯劉毅以太后多德政,欲令早有注記。上言:"宜令史官著《長樂注》、《聖德頌》,以敷宣景耀,勒勳金石,垂之無窮,攄之罔極。"帝從之。

靈帝起居注

靈、獻《起居注》並見袁宏《後漢紀·序》。

獻帝起居注《隋志》五卷。

策曰:"孝靈皇帝不究高宗眉壽之祚,早棄臣子。皇帝承紹,海内側望,而帝天性輕佻,威儀不慎,在喪慢惰,衰如故焉;凶德既彰,邪穢發聞,損辱神器,忝污宗廟。皇太后教無母儀,統政荒亂。永樂太后暴崩,衆論惑焉。三綱之道,天地之紀,而乃有闕,罪之大者。陳留王協,聖德偉茂,規矩邈然,豐下兑上,有堯圖之表;居喪哀戚,言不及邪,岐嶷之性,有周成之懿。休聲美稱,天下所聞,宜承洪業,爲萬世統,可以承宗廟。廢皇常爲弘農王,皇太后還政。"讀册畢,羣臣莫有言。尚書丁宫曰:"天禍漢室,喪亂弘多。昔祭仲廢忽立突,《春秋》大其權。今大臣量移爲社稷計,誠合天人,請稱萬歲。”卓以太后見廢,故公卿以下不布服,會葬素衣而已。帝初即位,置侍中、給事黄門侍郎員各六人,出入禁中,近侍帷幄,省尚書事。改給事黄門侍郎爲侍中侍郎,去給事黄門之號,旋復故。故曰:侍中、黄門侍郎以在中宫者,不與近密交著。自誅黄門後,侍中、侍郎出入禁闥,機事頗露,由是王允乃奏比尚書,不得出入,不通賓客,自此始也。諸奄人悉以議郎、郎中爵秩如故,諸署令著兩梁冠,陛殿上,得召都官從事以下。卓冢户開,大風暴雨,水土流入,浮出之。棺向入,輒復風雨,水溢郭户。如此者三四。冢中水半所,稠等共下棺,天風雨益瀑,遂閉之。户閉,大風復破其冢。傕等各欲用其所舉,若一違之,便憤恚怒。主者患之,乃以次第用其所舉,先從傕起,汜次之,稠次之,三公所舉,終不見用。初,天子出到宣平門,當渡橋,汜兵數百人遮橋,曰:“是天子非耶?”車不得前。傕兵數百人皆持大戟在乘輿前,侍中劉艾大呼曰:“是天子也。”使侍中楊琦舉車帷。帝言諸兵:“汝卻! 何敢迫近至尊耶!”汜等兵乃卻。既渡橋,士衆咸稱萬歲。宋貴人名都,常山太守泓之女也。舊時宫殿悉壞,倉卒之際,拾摭故瓦材木,工匠無法度之制,所作並無足觀也。初,汜謀迎天子幸其營,夜有亡告傕者,傕使其子暹將兵數千圍宫,以車三乘迎天子。楊彪曰:“自古帝王無在人臣家者。舉事當合天下心。諸君作此,非是也。”暹曰:“將軍計定矣。”於是天子一乘,貴人伏氏一乘,賈詡、左靈一乘,其餘皆步從。是日,傕復移乘輿幸北塢,使校尉監門,内外隔絶。諸侍臣皆有飢色。時盛暑熱,人盡寒心。帝求米五斛、牛骨五具,以賜左右。傕曰:“朝餔上食,何用米爲?”乃與腐牛骨,皆臭不可食。帝大怒,欲詰責之。侍中楊琦諫曰:“傕,邊鄙之人,習於夷風。今又自知所犯背逆,常有怏怏之色,欲輔車駕幸黄白城,以紓其憤。臣願陛下忍之,未可顯其罪也。"帝納之。初,傕屯黄白城,故謀欲徙之。傕以司徒趙温不與己同,乃内温塢中。温聞傕欲移乘輿,與傕書曰:"公前爲董卓報仇,然實屠陷王城,殺戮大臣,天下不可家見而户釋也。今争睚眦之隙,以成千鈞之仇,民在塗炭,各不聊生,曾不改悟,遂成禍亂。朝廷仍下明詔,欲令和解。詔命不行,恩澤日損,而復欲輔乘輿於黄白城,此誠老夫所不解也! 於《易》,一過爲過,再過爲涉,三而弗改,滅其頂,凶。不如早共和解,引兵還屯,上安乘輿,下全民生,豈不幸甚!"傕大怒,欲遣人害温。其從弟應,故温掾也,諫之數日,乃止。帝聞温與傕書,問侍中常洽曰:"傕弗知臧否,温言太切,可爲寒心。"對曰:"李應已解之矣。"帝乃悦。傕性喜鬼怪左道之術,常有道人及女巫歌謳擊鼓下神,祠祭六丁,符效厭勝之具,無所不備。又於朝廷省門外爲董卓作神座,以牛羊祠之。迄,過省閣問起居,求入見。傕帶三刀,手復與鞭合持一刀。侍中、侍郎見傕帶杖,皆惶恐,亦帶劍持刀,先入在帝側。傕對帝,或言"明陛下",或言"明帝",爲帝説郭汜無狀,帝亦隨其意答應之。傕喜,出言"明陛下誠賢聖主",意遂自信,自謂良得天子歡心也。然猶不欲令近臣帶劍在帝邊,謂人言:"此曹子將欲圖我耶? 而皆持刀也。"侍中李貞,傕州里人,素與傕通,語傕"所以持刀者,軍中不得不爾,國家故事"。傕意乃解。天子以謁者僕射皇甫酈,涼州舊姓,有專對之才,遣令和傕、汜。酈先語汜,汜受詔命。詣傕,傕不肯,曰:"我有吕布之功,輔政四年,三輔清淨,天下所知也。郭多盜馬虜耳,何敢乃欲與吾等? 必欲誅之。君爲涼州人,觀吾方略士衆,足辦多否? 多又劫質公卿,所爲如是,而君欲苟利郭多,李傕有膽自知之。"酈答曰:"昔有窮后羿恃其善射,不思患難,以至於斃。董公之強，明將軍目所見。内有王公以爲内主，外有董旻、承、璜以爲鯁毒，吕布受恩而反圖之，斯須之間，頭縣竿端，此有勇而無謀也。今將軍身爲大將，把鉞仗節，子孫握權，宗族荷寵，國家好爵而皆據之。今郭多劫質公卿，將軍脅至尊，誰爲輕重耶？張濟與郭多、楊定有謀，又爲冠軍所附。楊奉，白波帥耳，猶知將軍所爲非是，將軍雖拜寵之，猶不肯力也。"傕不納鄺言，而呵之令出。鄺出，詣省門，白傕不肯從詔，辭語不順。侍中胡邈爲傕所幸，呼傳詔旨令飾其辭。又謂鄺曰："李將軍於卿不薄，又皇甫公爲太尉，李將軍力也。"鄺曰："胡敬才，卿爲國家常伯，輔弼之臣也，語言如此，寧可用耶？"邈曰："念卿失李將軍意，恐不易耳！我與卿何事者？"鄺言："我累世受恩，身又常在帷幄，君辱臣死，當從國家，爲李將軍所殺，則天命也。"天子聞鄺答語，恐傕聞之，使敕遣鄺。鄺裁出營門，傕遣虎賁王昌呼之。昌知鄺忠直，縱之去，還答傕言追之不及。天子使左中郎李固持節拜傕爲大司馬，在三公之右。傕自以爲鬼神之助，乃厚賜諸巫。傳傕首到許，有詔高懸之也。帝在長安詔書，以三輔地不滿千里，而軍師用度非一，公卿以下不得奏除。其若公田以秩爲率賦，於令各自收其租税。時六璽不自隨，即還於閣下得之。中平四年，省扶風都尉，置漢安郡，鎮雍州、榆麋、杜陽、陳倉、汧五縣傳置。中平六年，令三府長安兩梁冠，五時衣袍，事位從千石、六百石。初平四年十二月，分漢陽上郡爲永陽，以鄉亭爲屬縣。建安五年，公上言"大將軍袁紹與韓馥立故大司馬劉虞，刻作金璽，遣故仕長畢瑜詣虞，爲説録命之數。又紹與臣書云：'可都鄄城，當有所立。'擅鑄金銀印，孝廉計吏，皆往詣紹。從弟濟陰太守敍與紹書云：'今海内喪敗，天意實在我家。神應有徵，當在尊兄。南兄臣下欲使即位，南兄言，以年則北兄長,以位則北兄重,便欲送璽書,會曹操斷道。’紹宗族世受國恩,而凶逆無道,乃至於此。輒勒兵馬,與戰官渡,乘聖朝之威,得斬紹大將淳于瓊八人首,遂大破潰。紹與子譚輕身迸走。凡斬首七萬餘級,輜重財物巨億。”舊,市長執雁,建安八年始令執雉。建安八年,公卿迎氣北郊,始復用八佾。建安八年十二月,復置司直,不屬司徒,掌督中都官,不領諸州。建安八年,議郎徐林爲公車司馬令,位隨將、大夫。舊公車令與都官、長史位從將、大夫,自林始也。建安九年十二月,詔司直比司隸校尉,坐同席在上,假傳置,從事三人,書佐二人。十三年夏六月,以公爲丞相,使太常徐璆即授印綬。御史大夫不領中丞,置長史一人。建安十五年,丕爲司徒趙温所辟。太祖表:“温辟臣子弟,選舉故不以實。”使侍中守光禄勳郄慮,持節奉策免温官。董承與備謀未發,而備出。承謂服曰:“郭多有數百兵,壞李傕數萬人,但足下與吾同不耳!昔吕不韋之門,須子楚而後大,今吾與子猶是也。”服惶懼不敢當,且兵又少。承曰:“事訖,何慮無兵?成兵顧不足耶!”服曰:“今京師豈有所任乎?”承曰:“長水校尉种輯、議郎吴碩是吾腹心親事者。”遂定計。建安十八年正月壬子,濟北王加冠户外,以見父母。給事黄門侍郎劉瞻兼侍中,假貂蟬濟北王,給之。建安十八年,使使持節行太常大司農安陽亭侯王邑,齎璧、帛、玄纁、絹五萬匹之鄴納娉。介者五人,皆以議郎行大夫事。大司農安陽侯王邑與宗正劉艾,皆持節,介者五人,齎束帛駟馬,及給事黄門侍郎、掖庭丞、中常侍十人,迎二貴人於魏公國。二月癸亥,又於魏公宗廟授二貴人印綬。甲子,詣魏公延秋門,迎二貴人升車。魏遣郎中令、少府、博士、御府乘黄廐令、丞相掾屬侍送貴人。癸酉,二貴人至洧倉中,遣侍中丹將冗從虎賁前後,駱繹迎之。乙亥,二貴人入宫。御史大夫、中二千石將大夫、議郎會殿中,魏國二卿及侍中、侍郎二人,與漢公卿並升殿宴。建安十八年,省州郡,復《禹貢》之舊九州。冀州得魏郡、安平、鉅鹿、河間、清河、博陵、常山、趙國、渤海、甘陵、平原、太原、上黨、西河、定襄、雁門、雲中、五原、朔方、河東、河内、涿郡、漁陽、廣陽、右北平、上谷、代郡、遼東屬國、遼西、玄菟、樂浪,凡三十三郡[①]。省司隸校尉,以司隸分屬豫州、冀州、雍州。省涼州刺史,以其郡屬并州雍州部,得弘農、京兆、左馮翊、右扶風、上郡、安定、隴西、漢陽、北地、武都、武威、金城、西平、西郡、張掖屬國、酒泉、敦煌、西海、漢興、永陽、東安、南安,凡二十二郡。省交州,以其地屬荆州。荆州得交州之蒼梧、南海、九真、交阯、日南,與其舊所部南陽、章陵、南郡、江夏、武陵、長沙、零陵、桂陽,凡十三郡。益州本部郡有廣漢、漢中、巴郡、犍爲、蜀郡、牂柯、越嶲、益州、永昌、犍爲屬國、蜀郡屬國、廣漢屬國,今并交州之鬱林、合浦,凡十四郡。豫州部有潁川、陳國、汝南、沛國、梁國、魯國,今并得河南、葉陽、凡八郡。徐州部得下邳、廣陵、彭城、東海、琅邪、利城、城陽、東莞,凡八郡。青州得齊國、北海、東萊、濟南、樂安,凡五郡。建安十八年七月,大水。上親避正殿。八月,以雨不止,且還殿。建安十九年夏四月,旱。建安二十二年二月壬申,詔書絶。立春寬緩,詔書不復行。以上並《後漢書》紀志注、裴松之《三國志》注引。

右記注類

漢明帝畫讚五卷

《舊唐書·經籍志》。

---

① 整理者按,計上所列,实三十一郡。

梁鴻　逸人記

見唐許南容策。案此書他無所見,疑即本傳所傳《逸人頌》二十四篇也。

周長生　洞歷十卷《舊唐書》九卷。

謝承《後漢書》: 周長生,名樹,會稽人。王充《論衡》: 周長生,文士之雄也。作《洞歷》十卷,上自黄帝,下至漢朝。鋒芒毛髮之事,莫不紀載,與太史公《表》、《記》相似類也。上通下達,故曰《洞歷》,非徒文人所謂鴻儒也。世有嚴夫子,後有吴君商,案:"商"當作"高"。末有周長生。會稽文才,豈獨長生哉!所以未論列者,長生尤踰出也。觀伯奇之《玄思》,長生之《洞歷》,雖劉子政、揚子雲不能過也。紂無道,比干極諫,知必死,乃作《秣馬之歌》。甪里先生,姓周,名術,字元道,太伯之後。漢高帝時與東園公、綺里季、夏黄公俱出定太子,稱四皓。以上《北堂書鈔》及《史記》正義引。

衛颯　史要十卷

《隋志》: 漢桂陽太守衛颯撰《約史記要言》,以類相從。颯,字子産,河内脩武人。

張遐　吴越春秋

《餘干縣志》: 遐,餘干人,試五經,補博士,撰《吴越春秋》。

趙曄　吴越春秋

《隋志》雜史類:《吴越春秋》十二卷,趙曄撰。其後有楊方者,以曄書爲繁,又刊削爲五卷。唐皇甫遵始合二家之書而傳之。《中興書目》:《吴越春秋》十卷,内吴外越,以紀其事。吴起闔廬止夫差,越起無余至句踐。

越絶書十五卷

《崇文總目》:《越絶書》有内紀八、外傳十七,文題舛誤,才二十篇。

伏侯注八卷

《隋志》：伏無忌撰。集古今，删著事要，號曰《伏侯注》。其書上自黄帝，下盡質帝，爲八卷。案：稱伏侯者，伏湛，建武中封陽都侯，子盛以下襲爵，傳至無忌也。秀之字曰茂。莊之字曰嚴。炟之字曰著。肇之字曰始。隆之字曰盛。祐之字曰福。保之字曰守。炳之字曰明。纘之字曰繼。《本紀》注。赤眉立盆子於鄭北，在枯樅山下。《地理志》注。建武三年正月，於雒陽校宫立高廟。《本紀》注。建武八年立春，賜公束帛十五匹、卿十匹。《禮儀志》注。建武十四年九月，開平城門。《地理志》注。建武十八年，使中郎將耿遵治皇祖廟舊廬稻田。《祭祀志》注，《地理志》作"中郎將耿遵治章陵城"。建武二十一年乙酉，徙立社稷上東門内。元和三年初，爲郡國立稷及祠社靈星禮器也。同上。永平二年十一月，初作北宫朱爵南司馬門。《本紀》注。永平十年，作常山滹沱河蒲吾渠，以通漕船也。《郡國志》注。永平十五年，更作太尉、司徒、司空府開陽城門内。《百官志》注。建武十一年十月，以上郡屬魏。《郡國志》注。建武二十年七月，以代郡屬幽州。同上。永平十年，置益州西部都尉，治嶲唐，鎮尉哀牢人楪榆蠻。《西南夷傳》注。建光元年冬十一月甲子，初置漁陽營，兵千人。《本紀》注。成帝鴻嘉二年，令吏民得賣爵，級千錢。《百官志》注。建武六年三月，令郡太守、諸侯相病，丞、長史行事。八月，省都尉官。初，令關内侯食邑者俸月二十五斛。建武十四年，罷邊郡太守，丞長史領丞職。建武二十年正月庚辰，大司徒戴涉下獄死，坐入故大倉令爰涉罪。二十六年四月戊戌，增吏奉。建初七年七月，爲大司空置丞一人，秩千石，别立帑藏。永元三年七月，增尚書令史員。功滿未嘗犯禁者，以補小縣，墨綬。刺史常以春分行部，郡國各遣一吏迎界上。永和三年初，與河南尹及雒陽員吏四百二十七人，月奉四十五斛。漢安二年七月,置承華廐令,秩六百石。並同上。武帝天漢四年,令諸侯王大國朱輪,特虎居前,左兕右麋;小國朱輪,畫特熊居前,寢麋居左右,卿車者也。建武十三年初,令令長皆小冠。《輿服志》注。永平三年六月乙卯,初令百官貙膢,白幕皆霜。《禮儀志》注。永初六年正月甲寅,皇太后謁宗廟。《祭祀志》注。范書《本紀》作"元年六月甲戌",疑誤。永元十二年,封鈞弟番爲陽都鄉侯,千秋爲新平侯,參爲周亭侯,壽爲樂陽亭侯,駟爲博平侯,旦爲高亭侯。《陳敬王羨傳》注。光武中元二年,户四百一十七萬九千六百三十四,口二千一百萬七千八百二十。明帝永平十八年,户五百八十六萬五百七十二,口二千四百一十二萬五千二十一。章帝章和二年,户七百四十五萬六千七百八十四,口四千三百三十五萬六千三百六十七。和帝永興元年,户九百二十三萬七千一百一十二,口五千三百二十五萬六千二百二十九,墾田七百三十萬二百七十頃八十畝百四十步。安帝延光四年,户九百六十四萬七千八百三十八,口四千八百六十九萬七百八十九,墾田六百九十四萬二千八百九十二頃一十三畝八十五步。順帝建康元年,户九百九十四萬六千九百二十九,口四千九百七十三萬五百五十,墾田六百八十九萬六千二百七十二頃五十六畝一百九十四步。沖帝永嘉元年,户九百九十三萬七千六百八十,口四千九百五十二萬四千一百八十三,墾田六百九十五萬七千六百七十六頃二十畝百八步。質帝本初元年,户九百三十四萬八千七百二十七,口四千七百五十六萬六千七十二,墾田六百九十三萬一百三十頃三十八畝。《郡國志》注。中元二年二月戊戌,帝崩於南宫殿,年六十一,是歲在丁巳。《本紀》注引。光武原陵,山方三百二十三步,高六丈六尺,垣四出司馬門。寢殿、鐘簴皆在周垣内。提封田十二頃五十七畝八十五步。明帝顯節陵,山方三百步,高八丈。

無周垣，爲行馬，四出司馬門。石殿行馬内。寢殿、園省在東，園寺吏舍在殿北。提封田七十四頃五畝。章帝敬陵，山方三百步，高六丈二尺。無周垣，爲行馬，四出司馬門。石殿、鐘簴在行馬内。寢、園省在東。園寺吏舍在殿北。提封田三十一頃二十畝二百步。殤帝康陵，山周三百八步，高五丈五尺。行馬四出司馬門。寢殿、鐘簴在行馬内。因寢殿爲廟。園吏寺在殿北。提封田十三頃十九畝二百五十步。安帝恭陵，山方二百六十步，高十丈五尺。無周垣，爲行馬，四出司馬門。石殿、鐘簴在行馬内。寢殿、園吏舍在殿北。提封田一十四頃五十六畝。順帝憲陵，山方三百步，高八丈四尺。無周垣，爲行馬，四出司馬門。石殿、鐘簴在司馬門内。寢殿、園省寺吏舍在殿北。提封田十八頃十九畝二十步。沖帝懷陵，山方八十三步，高四丈六尺。爲寢殿行馬，四出司馬門。園寺吏舍在殿北。提封田五頃八十畝。質帝靜陵，山方三十六步，高五丈五尺。爲行馬，四出司馬門。寢殿、鐘簴在行馬中，園寺吏舍在殿北。提封田五十四步。因寢爲廟。《禮儀志》注。建武六年丙戌，月犯太微西藩。十一月己亥，月犯軒轅。七年九月庚子，土入鬼中。是歲太白經天。八年四月辛未，月犯房第二星，芒光不見。九年四月乙卯，金犯婁南星。甲子，月犯軒轅第三星。壬寅，犯心大星。七月戊辰，月並犯昴。十年正月壬戌，月犯心後星。閏月庚辰，火入輿鬼，過軫北。庚申，月在斗，赤如丹赭也。十二年正月，月乘軒轅大星。二月辛亥，月入氐，暈珥園角、亢、房。其年七月丁丑，月犯昴頭大星。八月辛酉，水見東方翼分。九月甲午，火犯輿鬼。十月丁卯，大星流，有光，發東井西行，聲隆隆。十三年乙卯，火犯輿鬼西北。十六年四月，土星逆行。十七年三月乙未，火逆行，從東門入太微，到執法星東，己酉，南出端門。

十八年十二月壬戌,月犯木星。十九年閏月戊申,火逆行,從氐到亢。二十一年七月辛酉,月入畢。二十三年三月癸未,月食火星。三十一年七月戊申,月犯心後星。中元二年,是歲在丁巳。三月甲寅,月犯心後星。孝明帝永平元年閏九月辛未,火在太微左執法星所,光芒相及。十一月辛未,火逆行,乘東井北軒轅第二星。二年十二月戊辰,月食火星。三年六月丁卯,彗長三尺所,見三十五日乃去。四年三月庚戌,客星光二尺所,在太微左執法南端門外,凡見七十五日。八年十二月戊子,客星出東方。九年,客星歷斗、建、箕、房,過角、亢至翼,東指。十年七月甲寅,月犯歲星。十一年六月壬辰,火犯土星。十三年十一月,客星出軒轅四十八日。十二月戊午,月犯木星。孝章帝建初二年二月甲申,金入斗魁。五年二月戊辰,木、火具在參。三月戊寅,木在東井。六年七月丁酉,夜有流星起軒轅,大如拳,歷文昌,餘氣正白句曲,西如文昌,久之乃滅。孝和永元元年正月辛卯,有流星大如拳,起參東南。癸亥,鎮在參。又流星大如桃,色赤,起太微東藩。三月戊子,土在參。丙辰,流星大如桃,起天津,東至斗,黄白頻有光。壬戌,有流星起,色黄,無光。十一月壬申,鎮星在東井。二年正月丙寅,水在奎,土在東井,金在婁,火在昴。三月甲子,火在亢南端門第一星南。乙亥,金在東井。四月丁丑,火在氐東南星東南。五年正月甲戌,月乘歲星。四月,木在輿鬼。六年六月丁亥,金在東井。閏月己丑,流星大如桃,起參北,西至參肩南,稍有光。八年九月辛丑,夜有流星,大如拳,起婁。十一年六月庚辰,月入畢中。十三年正月辛未,水乘輿鬼。十二月癸巳,月犯軒轅大星。十四年正月己卯,月犯軒轅,在太微中。二月十日丁酉,水入太微西門。十一月丁丑,有流星大如拳,起北斗魁中,北至閣道,稍有光，色赤黄，須臾西北有雷聲。孝安永初二年四月乙亥，月入南斗魁中。八月己亥，熒惑出入太微端門。三年三月壬寅，熒惑入輿鬼中。五月丙寅，太白入畢中。四年二月丙寅，月犯軒轅大星。延光元年四月丙午，太白晝見。四年四月甲辰，太白入輿鬼中。永建元年二月甲午，客星入太微。五月甲子，月入斗。二年二月丁巳，月犯心。七月丁酉，月犯昴。其年九月甲寅，有白氣，廣三尺，長十餘丈，從北落師門南至斗。三年二月癸未，月犯心後星。六月甲子，太白晝見。四年二月癸丑，月犯心後星。五年閏月庚子，太白晝見。六年，彗星出於斗、牽牛，滅於虚、危，爲齊，牽牛吴越，故海賊浮於會稽，山賊捷於濟南。五月夏，熒惑守氐，諸侯有斬者，是冬班始腰斬馬市。陽嘉二年四月壬寅，太白晝見。五月癸巳，又晝見。十一月辛卯，又晝見。十二月壬寅，月犯太白。三年十二月辛未，太白晝見。四月乙卯，太白、熒惑入輿鬼。永和元年五月丁卯，太白犯牽牛大星。二年九月壬午，月入畢口中。八月己酉，熒惑入太微。十二月丁卯，月犯軒轅大星。六年五月庚寅，太白晝見。十一月甲午，太白晝見。漢安元年二月壬午，歲星在太微中。八月癸丑，月犯南斗，入魁中。二年丙辰，月入斗。建康元年九月己亥，太白晝見。孝質帝本初元年三月丁丑，月入南斗。並《天文志》注。建武六年九月，大雨連月，禾苗更生，鼠巢樹上。《五行志》注，《白帖》引同。十七年，雒陽暴雨，壞民廬舍，壓殺人，傷害禾稼。同上。成帝建始二年，太原祁安縣民石臼中水出如流，狀積盂，至滿臼。民夜謡曰："水大出，走上城。"後三年，女子陳持弓聞謡言，大水至，走入掖門，官吏大驚，上城。《開元占經》。武帝元封六年五月，旱。女及巫丈夫不入市也。《禮儀志》注。建武三年，雒陽大旱。帝至南郊求雨，即日雨。六年六月、九年春、十二年五月、二十一年六月、明帝永平元年五月、八年冬、十一年八月、十五年八月、十八年三月,並旱。章帝建初二年夏,雒陽旱。四年夏、元和元年春,並旱。永元元年,郡國十四旱。十五年,丹陽郡國二十二並旱,或傷稼。永初元年,郡國八旱,分遣議郎請雨。三年,郡國,四年、五年夏,並旱。建光元年,郡國四旱。延光元年,郡國五旱,傷稼。本初元年二月,京師旱。建武六年十二月,雒陽市火。二十四年正月,雷雨霹靂,火菑高廟北門。明帝永平二年六月己亥,桂陽市火,延燒城寺。章帝建初元年十二月,北宫火,燒壽安殿,延及右掖門。元和三年六月丙午,火燒北宫朱爵西闕。永初元年十二月,河南郡縣火,燒殺百五人。二年,河南郡縣又失火,燒五百八十四人。永建三年,守宫失火,燒宫藏財物盡。四年,河南郡失火,燒人六畜。陽嘉元年六月,不雨,郡國火,燒廬舍殺人。永和六年十二月,雒陽酒市失火,燒肆殺人。漢安元年三月甲午,雒陽劉漢等百九十七家爲火所燒,火或從室廬閒物中出,不知所從起,數月乃止。建武元年六月,八縣鼠食稼。安年延平六年,河東水化爲血。《五行志》注、《開元占經》引同。元初二年,潁川襄城潛水化爲血,不流。光武建武十年十月戊辰,樂浪、上谷雨雹傷稼。十二年,河南平陽雨雹,大如杯,壞敗吏民廬舍。十五年十二月乙卯,鉅鹿雨雹傷稼。永平三年八月,郡國十二雨雹傷稼。十年,郡國十八或雨雹、蝗。元初四年,樂安雹大如杅,殺人。順帝永建三年,郡國十二雨雹。六年,郡國十二雨雹,傷秋稼。光武建武十年,遼東冬雷,艸木實。章帝建初四年五月戊寅,潁川石從天墮,大如鐵鑕,色黑,始下時聲如雷。成帝建始四年,無雷而風,天雷如擊連鼓者。四五刻,隆隆如車聲。明帝永平七年十月,越巂雷。順帝永和四年四月戊午,雷震高廟、世廟槐樹。建武二十一年三月，京師郡國十九蝗。二十三年，京師郡國十八大蝗、旱，艸木盡。二十八年三月，郡國十八蝗。二十九年四月，武威、酒泉、清河、京兆、弘農、魏郡蝗。三十年六月，郡國十二大蝗。中元元年，郡十六大蝗。永平四年，酒泉大蝗，從塞外入。安帝永初六年三月，郡國四十八蝗。並《五行志》注。光武建武元年，山陽有小蟲類人形，甚衆。明日皆縣樹枝而死，乃大蟻也。《太平御覽·蟻》引。光武建武十三年，揚徐部大疾疫，會稽、江左尤甚。二十六年，郡國七大疫。永初二年時，州郡大饑，米石二千，人相食，老幼相棄道路。章帝建初五年，東海、魯國、東平、山陽、濟陰、陳留民譌言相驚有賊，捕至京師，民皆入城也。並《五行志》注。漢元帝永元中，日無光。其日長安無烏，或云日中之烏去也。《天中記》引。建武元年正月庚午朔，日有食之。四年五月乙卯晦，日有食之。九年七月丁酉、十一年六月癸丑、十二月辛亥，並日有食之。二十六年二月戊午，日有食之，盡。明帝四年八月丙寅，時加未，日有食之。五年二月乙未朔，日有食之。京師候者不覺，河南尹郡國三十一上。六年六月庚寅，日有食之。時雒陽候者不見。八年十二月，日有食之。十三年閏八月，日有食之。元和元年九月乙未，日有食之。安帝永初三年三月，日有食之。元初六年十二月戊午朔，日有食之，幾盡，星晝見。建武七年四月丙寅，時日加卯，西面東面日有抱，須臾成暈，中有兩鉤，在南北面，有白虹貫暈，在西北面，有背在景，加巳乃解。章帝建初元年正月壬申，白虹貫日。五年七月甲寅夜，出乙丑地西北曲入。七年丙寅，日加卯，西面有抱，須臾成暈，有白虹貫日。殤帝延平元年六月丁未，日暈上有半暈，暈中外有璚，背兩珥。十二月丙寅，日再暈重，中皆有璚。順帝永建三年正月戊午，白虹貫日。三年正月丁酉，日有白虹貫交暈中。六年正月丁卯,日暈兩珥,白虹貫珥中。永和六年正月己卯,暈兩珥,中赤外青,白虹交貫暈中。光武建武八年三月庚子夜,月暈五重,紫微青黄,似虹,有黑氣如雲,月星不見,丙夜乃解。中元元年十一月甲辰,月中星齒,往往出入。《五行志》注。漢元帝竟寧元年,大霧,樹皆白《御覽·霧》引。建始三年七月夜,有黄白氣,長十餘丈,明照地,或曰天劍。《御覽·氣》引。殤帝延平元年五月壬辰,河東垣山崩,足七丈,廣四丈。《殤帝紀》注。光武建武二十年,甘露下日南朱梧,積四十五里。《御覽·露》引。成帝建元四年,天雨粟。宣帝地節三年,長安雨黑粟。《天中記》引。宣帝元康四年,南陽雨豆。《御覽·豆》引。元帝竟寧元年,南陽山陽郡縣雨粟,赤青黑,味苦,大者如豆,小者如麻子,赤黄味如麥。光建武二十年,清河、廬州雨粟,大如莧實,色黑。建初五年,九江、壽春雨粟。《天中記》引。永和元年,長安雨綿,皆白。《廣博物志》引。元帝永元四年,東萊郡東牟山有野蠶爲繭,繭蛾生卵著石,人收得萬餘石,民以爲絲絮,廣五六丈。《御覽·蠶》引。光武建武三年春,縑一匹易一斗豆。夏,野生旅豆,民收取之。明年,野蠶成繭。明帝永平十八年,下邳雨豆,似槐豆。《天中記》引。章帝建初七年,玉珪出弘農。同上。章帝元和元年,明珠出館陶,大如李。三年,明珠出豫章,大如雞子,圍四寸八分。和帝永元五年,鬱林降人得大珠,圍五寸七分。《玉海·珠》引。章帝建初三年,丹陽宛陵民掘地得甲一。《御覽·甲》引。孝哀帝元嘉元年,芝生後庭木蘭。《御覽·木蘭》引。章帝元和二年,芝生沛,如人冠大,坐狀。又生於章武,如人抱三子狀。建初五年,芝生潁川,常以六月中生一葉,五歲五重,九尺。春青,夏紫,冬黑。十月後,黄氣出上,尺五寸。《御覽·芝》引。零陵泉陵女子傅宰宅,生芝艸五本,長者尺四五寸,短者七八寸,緑葉紫莖,蓋紫芝也。太守沈豐遣門下掾衍監奏獻，詔示天下。五年，泉陵卑子鴻周宅芝六本，狀如十二芝，並前凡十一本。《藝文類聚·芝》引。昭帝元鳳二年，馮翊獻桐，枝長六尺，九枝，枝三葉也。《御覽·桐》引。孝平帝元年，武陵縣生瓜，花如葱，紫色，實如小麥，墮地復生瓜蒂。《初學記·瓜》引。和帝永元元年，瓜枝生兩莖，一長尺五寸，分皆五枝，色皆青也。《五行志》注。和帝元興元年，黑黍穗一禾二實，或三四實，出任城，得粟三斗八升，以薦宗廟。三年，嘉禾生濟陰，一莖九穗。安帝延光九年，嘉禾生九真，百五十六本，七百六十八穗。《御覽·禾》引。建初二年，北海得一角獸，大如麕，有角，在其額間端有肉。元和二年，麒麟見陳，一角端如葱葉，色赤黄。《班固傳》注。和帝永元三年，白虎見彭城。《御覽·虎》引。明帝永平九年，三角白鹿出江陵。建初七年，獲白鹿。孝和帝永元十二年，豫章餘干得白鹿，高丈九尺。《御覽·鹿》引。章帝元和二年，白狐見信都。《藝文類聚·狐》引。成帝建平元年，山陽得白兔，目赤如朱。《類聚·兔》引。平帝元始三年，濟南鳩生白子。《類聚·鳩》引。孝哀帝初元三年，泰時殿中有雀，五色，頭冠長寸餘，大似雞，始到時，鳥環其旁。《類聚·雀》引。成帝河平四年，白烏集孝文廟殿下，黑烏從之。章帝元和三年，三足烏集沛國。三年，代郡高柳烏生子三，足大如雞，色赤，頭上有角，長寸餘。和帝元興元年，白烏見廬江，足皆赤。所謂赤烏者，朱烏也，其所居高遠。日中三足烏降而生三足烏，何以三足？陽數奇也，是以有虞至孝，三足烏集其庭。《類聚·烏》引。曾參鉏瓜，三足烏萃其冠。《御覽·烏》引。高祖五年，黄龍見華陽池十餘日。九年，又見長安。五鳳四年，黄龍出廣漢。甘露元年，黄龍見新豐。二年，龍見上郡，騰躍五色升天。丞相以下上壽。章帝建初三年，黄龍見汝南項氏田廬中，長五丈，高二丈，光曜廬舍，及樹皆黄。永元十年，黄龍見潁川定陵民家井中，色黄,目如鏡。又見巴郡宕渠,艸木皆黄。建初五年,有八黄龍見零陵泉陵湘水中,相與,其二大如馬,有角;六枚大如駒,無角。元和二年,黄龍見雒陽元延亭。《章帝紀》注。案:是書久佚,今據劉昭《續漢書·天文志》、《五行志》、《禮儀志》注及李賢范《書》紀傳注、《藝文類聚》、《初學記》、《北堂書鈔》、《太平御覽》、《開元占經》、《玉海》諸書所引,略爲條次,以類相從。又是書多與崔豹《中華古今注》相混,如"知蠲人之忿則贈以青棠"一條、"蒜卵蒜也"一條、"麞有牙而不能噬"一條、"鶴千歲則變蒼"一條,當是《中華古今注》之文,而《御覽》並題曰《伏侯注》,則輾轉援引,不加細攷也,今並不録。

應劭　狀人紀

初,劭父奉爲司隸時,并下諸官府郡國,各上前人象贊,劭乃連綴其名,録爲《狀人紀》。《漢官》曰:"郡府廳事壁畫皆尹贊,肇自建武,訖于陽嘉,注其進退清濁,甚得述事之實。"

諸葛亮　貞潔記一卷

見焦竑《國史經籍志》。

漢末英雄記八卷

舊本題魏王粲撰。

附　皇覽一百三十卷

王象等撰。象,字羲伯,少孤貧,爲人僕隸而私讀書。本郡楊俊嘉其才質,即贖之。建安初,與荀緯爲太子所禮。丕即位,遷散騎常侍,受詔撰《皇覽》八萬餘言,合四十餘部。

陳壽　三國志五十五卷

壽,字承祚,巴西安漢人。師事同郡譙周,撰魏蜀吴《三國志》六十五篇。

韋誕　魏書五十卷

誕,字仲將,典作《魏書》,號《散騎書》,一號《大魏書》,凡五十篇。

王沈　魏書四十四卷

魚豢　魏略三十八卷

魚豢　典略五十卷

韋昭　洞記九卷

自伏羲至建安。一作四卷。

吴書五十五卷

華覈、韋昭、胡沖等撰。周昭,字仲遠,與韋昭、薛綜、華覈並著《吴書》。

胡沖　吴歷六卷

張勃　吴録三十卷

楊羲　季漢輔臣贊

徐整　三五歷記一卷　通歷二卷　雜歷五卷以上並見《隋書》及《舊唐書·經籍志》。

右雜史霸史類

曹列女傳注十五卷

《隋志》:劉向撰,曹大家注。

曾鞏《目録》叙曰:"《隋書》、《崇文總目》皆稱十五卷,曹大家注。以《頌義》攷之,蓋大家所注,離爲十四,與《頌義》凡十五篇,蓋陳嬰母及東漢以來梁鴻妻遺事,非向書本然也。"衿,交領也。《顔氏家訓》引。㢋,深遠也。《文選·洞簫賦》注引。竹木曰林,山足曰麓。《文選·張景陽〈七命〉》注引。少采,降之采也。以秋分祀夕月,以迎陰氣也。《初學記》引。羣、眾、粲,皆多之名也。田獵得三獸,王不盡收,以其害除也。《史記》正義引。公,諸侯也。公之所與眾人共議也。同上。皋子,皋陶之子伯益也。《詩》正義引,《史記》注引同。衛釐侯,曹大家作"晉僖"。同上。玉環佩,佩玉有環。《後漢書·皇后紀》論注引。

馬融　列女傳注

見本傳所載著述目中。

延篤　戰國策注《顔氏家訓》作“音義”。

尸,雞中主也。從,牛子也,從或爲後,非也。《文選·阮元瑜〈爲曹公與孫權書〉》引延叔堅《戰國策注》。因是已,因事已復有是也。茹溪,溪流所沃者美好也。《文選·阮籍〈詠懷詩〉》注引延叔堅《戰國策論》。具帶黄金師比。《史記·匈奴傳》引延篤《戰國策注》:具帶黄金師比,胡革帶鉤也。富比乎陶、衛。《魯連傳》注引延篤《戰國策注》:陶,陶朱公。衛,公子荆也。

高誘　戰國策注三十三卷

宋忠　世本注四卷《問經堂叢書》有《刊校世本注》一卷。

附　宋均　世本注七卷

譙周　蜀本紀

禹本汶山廣柔縣人也,生於石紐,其地名刳兒坪,見《世帝紀》。《蜀志》引譙周《蜀本紀》。蜀人髽髻左言。《文選·王元長〈三月三日曲水詩序〉》注引。成都有人將其女獻之蜀王,女不安水土,欲歸。蜀王愛其女,留女,乃作《東平之歌》以悦之。秦王誅蜀侯暉,後迎葬咸陽。天雨三月,道不通,因葬成都。故蜀人求雨,祀蜀侯,必雨。並《史記》正義引。

譙周　古史考二十五卷《平津館叢書》有輯本刊行。

《晉書·司馬彪傳》:周以司馬遷《史記》書周秦以上,多采俗語百家之言,不專據經典,於是作《古史》二十五篇,皆憑舊典,以正遷之謬。晉太始中,司馬彪復以周爲未盡善,條《古史考》中凡百二十二事爲不當,多據《汲冢紀年》之義,亦行於世。

附　陳壽　古國志六十五篇

右古史類

桓譚　太初曆法三卷

三統曆

鄭興校。

四分曆

本古曆法。東漢以《太初》疏闊,章帝元和間用之。東漢既用《四分》,安帝延光中,謁者亶誦言當用《甲寅元曆》。順帝漢安中,邊韶言當用《太初曆》。靈帝熹平中,馮先、陳晃復議四分、五元之非,欲用甲寅元,互有異論,輒集眾議,議郎蔡邕斷四分之是,於是終東漢一代,《四分》不易。章帝元和二年二月,制曰:"史書用太初鄧平術,冬至之日,日在斗二十二度,而曆以爲牽牛中星。先立春二日,則四分數之立春也。而以折獄斷刑,於氣已迕,今改《四分曆》。"徐幹《中論》:章帝更用四分法,元起庚申。原本作"庚辰",《山堂考索》作"元以庚申",當以"庚申"爲是。先主在蜀,仍用《四分曆》。

李梵　四分曆三卷

《隋志》:梁有《四分曆》三卷,漢脩曆人李梵撰。梵,清河人,章帝時官治曆。蔡邕議:孝章皇帝用清河李梵之言,改從《四分曆》。

劉洪　七曜術

熹平二年,常山長史劉洪上《七曜術》,詔屬太常課效。袁山松《後漢書》:洪,字元卓,泰山蒙陰人,魯王之宗室也。延熹中,以校尉應太史徵,拜郎中,遷常山長史,以父憂去官。後爲上計掾,拜郎中,檢東觀著作。遷謁者,穀城門候,會稽東部都尉。徵還,未至,領丹陽太守,卒官。洪善算,當世無偶,作《七曜術》。及在東觀,與蔡邕共述《律曆紀》,驗天官。及造《乾象術》,十餘年,考驗日月,與象相應,皆傳於世。《博物記》:洪篤信好學,觀乎六藝羣書意,以爲天文數術,探賾索隱,鉤深致遠,遂專心鋭思。爲曲城侯相,政教清約,吏民畏而愛之,爲州郡之所禮異。

劉洪　律曆紀

與蔡邕共述。光和元年,蔡邕、劉洪補《曆志》。邕能著文,清濁鐘律;洪爲能算,叙述之。

劉洪　乾象曆五卷

徐幹《中論》:靈帝時,《四分曆》猶復後天半日於時。都尉劉洪更造《乾象曆》,以追日月星辰之行,考之天文,於今爲密。會宫車晏駕,京師大亂,事不施行,惜哉!靈帝時,劉洪悟四分疏闊,皆斗分太多故也,作《乾象曆》。《晉志》:靈帝光和中,洪攷古今曆法,案其進退之行,知《四分曆》疏闊,更以五百八十九爲紀法,一百四十五分爲斗分,而造《乾象曆》。冬至日在斗二十二度,以術追日、月、五星之行,依《易》立數,名爲《乾象曆》。又制日行黄道赤道之度,法轉精密。獻帝建安中,鄭玄受其法,又加注辭。自黄初後改曆者,皆斟酌《乾象》,洪術遂爲後代推步之表。黄初中,高堂隆議曆數改革,韓翊以爲《乾象》減斗分太過,後當先天,造《黄初曆》,以四千八百八十三爲統法,千二百五爲斗分。其後陳羣云:“翊首建,恐不審,故以《乾象》互相參校,更無是非。”徐岳議:“劉洪以曆後天,加《太初》元十二紀,減十斗下分,元起己丑,實精密,可長行。今翊所造,皆用洪法,小益斗下分,所錯無幾。岳課日月食五事,《乾象》四遠,《黄初》一近,翊術自疏。”又楊偉言韓翊據劉洪之術,知貴其術而棄其言。《吴中書》:闞澤受劉洪《乾象法》於東萊徐岳,故吴用《乾象曆》。王蕃《渾天説》:漢靈之末,《四分曆》與天違錯,時會稽東部都尉太山劉洪善於推候,乃攷術官及史自古至今曆法,原其進退之行,察其出入之驗,視其往來,度其終始,課效其法,不能四分之一,減爲五百八十九分之一百四十五,更造《乾象曆》,以追日月五星之行，比於諸家，最爲精密。今史官所用，則其曆也。故所鑄渾象，諸分度、節次及昏明、中星，皆更以乾象法作之。周天一百七萬一千里，以乾象法分之，得二千九百三十二里八十步三尺九寸五分弱，斗下分爲七百二十三里二百五十九步四尺五寸二分弱。乾象全度張古曆零度九步一尺二寸一分弱，斗下分減古曆斗下分十一里五十八步六寸六分弱，其大數俱一百七萬一千里，斗下分減則全度純，數使其然也。《東漢志述》：蔡邕、劉洪之法曰三蔀爲紀，三紀爲元，正與太初元同。《乾象元法》：後元七年，三百七十八年。《晉志》：乾象周天三十一萬五千有奇。《詩》正義引《乾象曆》"冬至則晝四十五刻，夜五十刻；夏至則晝六十五，夜三十五；春、秋分則晝五十五，夜四十四刻半。從春分至於夏至，晝漸長，增九刻半；從夏至至於秋分，所減亦如之；從秋分至於冬至，晝漸短，減十刻半；從冬至至於春分；所加亦如之。"案《潛研齋文集》問：《乾象術》推卦用事日曰："冬天大餘，倍其小餘，《坎》用事日也。加小餘千七十五滿，乾象法從大餘，《中孚》用事日也。求《坎》卦，名加大餘方，小餘百三。其四正各因其中日，而倍其小餘。"此條恐有譌舛，其算例亦可推否？曰：此即漢六日七分之法。《易稽覽圖》甲子卦氣始《中孚》，每六日七分而易一卦。《坎》、《離》、《震》、《兑》爲監司之卦，獨用事於分、至之日，得八十分之七十三。冬至《坎》卦始用事，又加《中孚》六日七分而《復》卦用事，合於《易》"七日來復"之數。其説始於京房，六十卦以《中孚》復《屯》、《謙》、《睽》、《升》、《臨》、《小過》、《蒙》、《益》、《漸》、《泰》、《需》、《隨》、《晉》、《解》、《大壯》、《豫》、《訟》、《蠱》、《革》、《夬》、《旅》、《師》、《比》、《小畜》、《乾》、《大有》、《家人》、《井》、《咸》、《姤》、《鼎》、《豐》、《渙》、《履》、《遯》、《恒》、《節》、《同人》、《損》、《否》、《巽》、《萃》、《大畜》、《賁》、《觀》、《歸妹》、《無妄》、《明夷》、《困》、《剥》、《艮》、《既濟》、《噬》、《嗑》、《坤》、《未濟》、《蹇》、《頤》爲次，每卦皆六日七分日之七，惟頤、晉、升、大畜皆五日八十分之十四，較它卦少七十三分，此所少之數，即四正卦用事之分數也。《乾象術》推卦用事，以乾法千一百七十八當一日，千一百七十八分日之千七十五，即八十分之七十三強也；千一百七十八分日之三百，即八十分之七弱也。必倍其小餘者，《乾象》推冬至術，以紀法五百八十九爲日法，今以乾法千一百七十八爲日法，則倍紀法之數，故必倍其小餘以入算也。求"坎"卦當係"次""坎"

卦之謁。"問：五歲再閏與十九年七閏之率，孰爲合？曰：五歲再閏，聖人不過言其大略，如《堯典》朞三百有六旬有六日，其實祇有三百六十五日四分日之一弱，若以十九年七閏之率計之，須五年又五個月而得再閏也。然十九年一章，亦是秦漢以前粗率，驗之天行，尚非密合，蓋古法皆用《四分》，章、蔀、紀、元之率，皆《四分》術也。自劉洪作《乾象》，減歲實以驗天行而章閏猶因舊法。問：《乾象》推日術十三日之下注云："限餘三千九百一十三，微分千七百五十二，此爲後限。"餘之義何解？有後限而無前限，又何故也？曰：《乾象》月行十三日七千八百七十四分日之五千二百有三而一入交，朔入交則日食，望入交則月食，入交前後一日有奇，皆爲可食之限，過此則不食矣。後世所謂食限者，蓋本於此。限餘謂日小餘以此爲限也。有後限則必有前限，故下文云"入曆在前限餘前、後限餘後者，月行中道。"《元嘉》月行法本依洪術，其於入曆二日之下，有前限餘及微分之數，可證《乾象》元有前限，當二日之下，而傳寫脱之耳。然則前限之數亦可攷乎？曰：前限者，交後之限也。後限者，交前之限也。凡交前、交後之限，宜相等。今之後限餘減月周，餘三千九百六十一，併周日分五千二百三，共得九千一百六十四，滿七千八百七十四分收爲一日，餘一千二百九十分，又借一分作二千二百九，減後微分，尚餘微分四百五十七，是距交一日一千二百九十分以内爲食限矣。然則前限餘尚在第二日，日餘千二百九十弱也。宜於二日之下補注十九字，云"限餘千二百八十九，微分四百五十七，此爲前限"，則前後之文相應矣。

劉洪　遲疾曆

《山堂攷索》：《乾象》始造月行遲疾法。東漢用《四分》，後以劉洪月行術參之。魏太史令許攸曰："劉洪月行術用以來且四十餘年，以後覺失一辰有奇。"宋治曆何承天曰："曆數之術，若所不達，雖復通人前識，無救其弊。是以多歷年歲，猶未能有定。四分於天，出三百年而盈一日，積世不悟，徒云建曆之本先立元，假托讖緯，遂開治亂。此之爲弊，亦以甚矣！劉歆《三統》猶復疏闊，方於《四分》，六千餘年又益一日。揚雄心惑其説，采爲《太玄》；班固謂之最密，著於《漢志》。司馬彪謂：'自太初元年始用《三統曆》，施行百有餘年。'曾不憶劉歆之生不逮太初，二三君子幾於爲曆，不知而妄言者歟？光和中穀城門候劉洪始悟《四分》於天疏闊，更以五百八十九爲紀法，百四十五分斗分，而造《乾象曆》法，又制《遲疾曆》以步月行，方於《太初》、《四分》，轉精密矣。”

公乘王漢　月食注

光和三年，萬年公乘王漢上《月食注》。自章和元年到今年，凡九十三歲，合百九十六食，與官曆河平元年錯，以己巳爲元。事下太史令修，上言“漢所作注不與見食相應者二事，以同爲異者二十九事”。尚書召穀城門候劉洪詣修，與漢相參，推元課分，考交月食。審己巳元密近，有師法，洪便從漢受；不能，絶句。對。洪上言：“推元漢己巳元，則《考靈曜》旃蒙之歲乙卯元也，與光、晃甲寅元相經緯。於以追天作曆，校三光之步，今爲疏闊。孔子緯一事見二端者，明曆興廢，隨天爲節。《甲寅曆》於孔子時效；己巳《顓頊》，秦所施用，漢興草創，因而不易。至元封中，迂闊不審，更用《太初》，應期三百改憲之節。甲寅、己巳讖雖有文，略其率數，是學人各傳所聞，至於課效，罔得厥正。夫甲寅元天正二月甲子朔冬至，七曜之起，始於牛初。乙卯之元人正己巳朔旦立春，三光聚天廟五度。課兩元端，閏餘差自五十分二之三，朔三百四，中節之餘二十九。以效信難聚，漢不解説，但言先人有書而已。以漢成注參官施行，術不同二十九事，不中見食二事。案漢習書，見己巳元，謂朝不聞，不知聖人獨有廢興之事，史官有附天密術。甲寅、己巳，前已施行，效後格而已不用。河平疏闊，史官已廢之，而漢以去事分争，殆非其意。雖有師法，與無同。課又不近密。其説蓈數，術家所共知，無所采取。”遣漢歸鄉里。

劉固　月食術

熹平三年，太史部郎中劉固作《月食術》。固術與劉洪《七曜術》同。

馮恂　八元術

熹平三年，常山長史劉洪上所作《七曜術》。甲辰，詔屬太史部郎中劉固、舍人馮恂課效,恂復作《八元術》。

馮恂　九道術

賈逵《曆數論》曰:"今史官推合朔、望、月食加時,率多不中,在於不知月行遲疾。治曆李梵、鉅鹿公乘蘇統,以史候注考校,月行當有遲疾,不必在牽牛、東井、婁、角之間,又非朓、側匿,乃由月所行道有遠近出入所生。據官注天度爲率,以其術陳上考建武以來月食三十八事,差密近,有益,宜課試。於是修《九道術》。"永元中,復令史官以《九道法》候弦望,驗有無差跌。賈逵論曰:"永平中,太史待詔張隆以《四分法》署弦、望、月食加時,所署多失。梵、統以史注考校,月行所疾處三度,九歲九道,凡九章,百七十歲,復十一月合朔冬至,合春秋、三統九道終類,可知以合朔、弦、望、月食加時。以其法術上考建武以來月食,凡三十八事,差密近。"案史官舊有《九道術》,廢而不修,宜令課試。熹平中,故治曆宋整上《九道術》,詔書下太常,以參舊術,相應。敕太子舍人馮恂課效,恂亦復作《九道術》,增損其分,與整術並校,差爲近。太史令單颺以恂術參弦、望,加時猶復先後天,遠則十餘度。延光二年,亶誦言當用甲寅元,梁豐言當用太初,張衡、周興參案儀注,考往校今,以爲《九道法》最密,詔下公卿議。漢安二年,邊韶言:"劉歆驗之《春秋》,參之《易》道,以《河圖帝覽嬉》、《雒書乾鑿度》推廣九道,七十一歲進退六十三分,百四十四歲一超次。"

宋整　九道術

光和九年,宋整上書言:"去年三月不食,當以四月。"詔書下太常:"共詳案注記,平議術之要。"太常就耽上選侍中韓說、博士蔡較、穀城門候劉洪、郎中陳調於太常府,覆案注記,平議難問。

張衡　渾天儀《唐志》一卷。

《衡傳》：徵拜議郎，再遷太史令，遂乃研覈陰陽，妙盡璇璣之正，作渾天儀，立八尺員體，以具天地之象，以正黄道，以察發斂，以行日月，以步五緯，著《靈憲》、《算罔》諸論，言甚詳明。《晉志》：張衡渾天象，其内外規，南北極，黄赤道。列二十四氣，二十八宿，中外星辰及日、月、五緯。以漏水轉之於殿上室内。星中、出、没與天相應。因其關捩，又轉瑞蓂於堦下，隨月盈虚，依曆開落。《隋志》：永元五年，詔左中郎將賈逵始造太史黄道銅儀。桓帝延熹七年，太史令張衡更以銅制渾天儀，以四分爲一度，周天一丈四尺六寸一分。於密室中以漏水轉之，令伺之者閉户而唱之，以告靈臺之觀天文者。璇璣所加，其星始見，其星已中，其星合没，皆如合符。《初學記》：張衡《漏水轉渾天儀制》曰："以銅爲器，實以清水，下各開孔，以玉虬吐漏水入兩壺。右爲夜，左爲晝。蓋中又鑄金銅仙人居左壺，爲金胥徒居右壺，皆以左手抱箭，一作"左手、右手抱銅箭"。右手指刻，以别天時早晚。"衡復造候地動儀，以精銅鑄成。員徑八尺，合蓋隆起，形似酒樽，飾以篆文山龜鳥獸之形。中有都柱，旁行形八道，施關發機。外有八龍，首銜銅丸，下有蟾蜍，張口承之。其牙機巧劇，皆隱在樽中，覆蓋周密無際。如有地動，樽振，則龍發機，吐丸，而蟾蜍銜之，振聲激揚，伺者因此覺之。雖一龍發機，而七首不動，尋其方面，乃知震之所在。驗之以事，契合若神。自典記以來未之有也。嘗一龍發機而地不動，京師學者咸怪其無徵。後數日，驛至，果地震隴西，於是咸服其妙。自此以後，乃令史官記地震所從方起。《晉起居注》：相國表曰："近於長安獲張衡所作渾儀、玉圭，歷代寶器。謹奉陛下，歸之天府。"天如雞子大小，天表裏有水，地各乘氣而立，載水而浮。天轉如車轂之運。《藝文類聚》。

赤道横帶渾天之腹,去極九十一度十分之五。黄道斜帶其腹,出赤道表裏各二十四度。故夏至去極六十七度而強,冬至去極百一十五度亦強也。然則黄道斜截赤道者,則春分、秋分之去極也。今此春分去極九十少,秋分去極九十一少者,就夏曆景去極之法以爲率也。上頭横行第一行者,黄道進退之數也。本當以銅儀日月度之,則日晷可知也。"日晷"二字據《北堂書鈔》補。以儀一歲乃竟,而中間又有陰雨,卒難成也。是以作小渾,盡赤道黄道,乃各調賦三百六十五度四分之一,從冬至所在始起,令之相當值也。取北極及衡各誠椓之爲軸,取薄竹篾,穿其兩端,令兩穿中間與渾半等,以貫之,令察之與渾相切摩也。乃從減半起,以爲八十二度八分之五,盡衡減之半焉。又中分其篾,拗去其半,令其半之際正直,與兩端減半相值。令篾半之際從冬至起,一度一移之,視篾之半際夕多,黄赤道幾也。其所多少,則進退之數也。從北極數之,則元極之度也。各分赤道、黄道爲二十四氣,一氣相去十五度十六分之七,每一氣者,黄道進退一度焉。所以然者,黄道直時去南北極近,其處地小,而横行與赤道且等,故以蔑度之,於赤道多也。設一氣令十六日,皆常率四日差少半也。令一氣十五日,不能半耳,故使中道三日之中若少半也。三氣一節,故四十六日而差今三度也。至於差三之時,而五日同率者一。其實節之間,不能四十六日也。今殘日居其策,故五日同率也。其率雖同,先之皆強,後之皆弱,而不可勝計。取至於三而復有進退者,黄道稍斜,於横行不得度故也。春分、秋分所以退者,黄道始起更斜矣,於横行不得度故也。亦每一氣一度焉,三氣一節,亦差三度也。至三氣之後,稍遠而直,故横行得度而稍進也。立春、立秋横行稍退矣,而度猶云進者,以其所退減其所進,猶有盈餘,未盡故也。立夏、立冬横行稍進矣,而度猶云退者,以其所進增其所退,猶有不足,未畢故也。以此論之,日行非有進退,而亦赤道重廣黄道使之然也。本二十八宿相去度數,以赤道爲強耳,故於黄道亦進退也。冬至在斗二十一度少半,最遠者也。而此歷斗二十度,俱百十五強矣,冬至宜與之同率焉。夏至在井二十一度半強,最近也。而此歷井二十三度,俱六十七度強矣,夏至宜與之同度焉。

張衡　靈憲《隋志》一卷。

《山堂攷索》:張衡爲太史令,鑄渾天儀,總序星經,謂之《靈憲》。昔在先王,將步天路,用定靈軌,尋緒本元。先準之於渾體,是爲正儀立度,而皇極有逌建也,樞運有逌稽也。乃建乃稽,斯經天常。聖人無心,因兹以生心,故《靈憲》作興。曰:"太素之前,幽清玄靜,寂漠冥默,不可爲象,厥中惟虚,厥外惟無。如是者永久,斯謂溟涬,蓋乃道之根也。道根既建,自無生有。太素始萌,萌而未兆,并氣同色,混沌不分。故道志之言云:'有物渾成,先天地生。'其氣體固未得而形,其遲速固未可得而紀也。如是者又永久焉,斯謂龐洪,蓋乃道之幹也。道幹既育,育物成體。於是元氣剖判,剛柔始分,清濁異位。天成於外,地定於内。天體於陽,故圓以動;地體於陰,故平以靜。動以形施,靜以合化,堙鬱構精,時育萬物,斯謂天元,蓋乃道之實也。在天成象,在地成形。天有九位,地有九域;天有三辰,地有三形;有象可考,有形可度。情性萬殊,旁通感薄,自然相生,莫之能紀。於是人之精者作聖。實始紀綱而經緯之。八極之維,徑二億三萬二千三百里,南北則短減千里,東西則廣增千里。自地至天,一億一萬六千一百五十里,"一億"句,據《御覽》引補。半於八極,則極地之深亦如之。則是渾已。將覆其數,用重差句股,懸天之景,薄地之儀,皆移千里而差一寸得之。過此以往,未之或知也。未之知者,宇宙之謂也。宇之大無極,宙之端無窮。天有兩儀,以儛道中。其可睹,樞星是也,謂之北極。在南者不著,故聖人弗之名焉。其世之遂,句誤,未詳。九分而減二。陽道左回,故天運左行。有驗於物,則人氣左羸,形左繚也。天以陽迴,地以陰淳。《天中記》引作"天以陽而迴轉,地以陰而停輪"。是故天致其動,禀氣舒光;地致其靜,承施候明。天以順動,不失其中,則四時順至,寒暑不忒,死生有節,故品物用生。地以靈靜,作合承天,清化致養,四時而後育物,故品物用成。凡至大莫如天,至厚莫如地,地至質者曰地而已。句誤,未詳。至多莫如水,水精上爲天漢。漢周於天而無列焉,思次質也。句誤,未詳。至空莫若土,至華莫若木,至實莫若金,至無莫若火。据《天中記》引補。地有山嶽,以宣其氣,精種於天。星也者,體生於地,精成於天。《隋志》引"成"作"發"。列居錯峙,各有逌屬。紫宫爲皇極之居,大微爲五帝之廷。《隋志》"皇極"作"帝皇","廷"作"坐"。明堂之房,大角有席,天市有坐。蒼龍連蜷於左,白虎蹲踞於右,朱雀奮翼於前,靈龜圈首於後。圈,一作"匿"。黄帝軒轅於中。則軒轅一星,與蒼龍、白虎、朱雀、玄武四獸爲五矣。三句據《山堂攷索》補,案軒轅大角麒麟之精。六畜既擾,而狼蚖魚鼈罔有不具。在野象物,在朝象官,在人象事,於是備矣。懸象著明,莫大乎日月。其徑當天周七百三十六分之一,地廣二百四十二分之一。日者,陽精之宗,積而成烏,象烏而有三趾。陽之類,其數奇。月者,陰精之宗,積而成獸,象兔。陰之類,其數偶。其後有馮焉者。羿請無死之藥於西王母,恒娥竊之以奔月。將往,枚筮之於有黄,占之曰:"吉。翩翩歸妹,獨將西行,逢天晦芒,無驚無恐,後且大昌。"恒娥遂托身於月,是爲蟾蠩。夫日譬猶火,月譬猶水,火則外光,水則含景。故宣明於晝,納明於夜，如有瑕，必露其匿。人君者，仰則焉。夫月端其形而潔其質，向日禀光。二句據《北堂書鈔》補。月光生於日之所照，魄生於日之所蔽，當日則光盈，就日則光盡也。眾星被燿，因水轉光。當日之衝，光常不合者，蔽於地也。是謂闇虚。在星星微，月過則食。日之薄地，暗其明也。舊脱"暗"字，今依《隋書·天文志》引補。繇暗視明，明無所屈，是以望之若火，方於中天，天地同明。繇明瞻暗，暗還自奪，故望之若火。火當晝於揚光，在晝則不明也。月之於夜，與日同而差微。星則不然，强弱之分也。眾星列布，其以神著者，有五列焉。歲星木精，熒惑火精，鎮星土精，太白金精，辰星水精也。五句據《山堂攷索》補。是爲三十五名。一居中央，謂之北斗。動變挺占，《隋志》引作"動係于占"。實司王命。四布於方，爲二十八宿。日月運行，歷示吉凶。五緯經次，用告禍福，則天心於是見矣。三公在天爲三台，九卿爲北斗，故三公象五嶽，九卿法河海，二十七大夫法丘陵，八十一元士法阜谷，合爲帝佐，以匡綱紀。三公以下據《山堂攷索》補。中外之官，常明者百有二十四，《續漢書》有此四字，《隋志》占繇但作"常明者百"，當是衍文。可名者三百二十，爲星二千五百，而海人之占不與焉。微星之數，蓋萬一千五百二十。庶物蠢蠢，咸得繫命。不然，何以總而理諸！夫三光同形，有似珠玉，神守精存，麗其職而宣其明。及其衰亂，神歇精斁，於是乎有隕星。然則奔星之所墜，至地則石。文曜麗乎天，其動者七，日月五星是也。周旋右回。天道者，貴順也。近天則遲，遠天則速，行則屈，屈則留，回則逆，逆則遲，迫於天也。行遲者覿於東，覿於東屬陽；行速者覿於西，覿於西屬陰。日與月共配合也。攝提、熒惑、填星候見晨，附於日也。太白、辰星候見昏，附於月也。二陰三陽，参天兩地，故男女取則焉。方星巡鎮，必因常度，或苟盈縮，不逾於次。故有列司作使,曰老子四星,周伯、王逢、芮各一,錯於五緯之間,其見無期,其行無度,實妖經星之所。審而察之,然後吉凶宣問,其詳可盡。《開元占經》。冬至日成天文,夏至日成地理。人統月建寅,物生之端,謂之人統,夏以爲正。《山堂攷索》。昆侖東南有赤縣之州,風雨有時,寒暑有節。苟非此土,南則多暑,北則多寒,東則多陽,西則多陰,故聖王不處焉。《藝文類聚》引《靈憲圖》。

張衡　算罔論

《後漢書》注：言網絡天地而算之,無不包括也。附張衡《應間》：渾天初基,靈軌未紀,吉凶分錯,人用朣朦。黄帝爲斯深慘。有風后者,是焉亮之,察三辰於上,跡禍福於下,經緯曆數,然後天步有常,則風后之爲也。當少皞青陽之末,九黎亂德,重黎又相顓頊而申理之,日月即次,則重黎之爲也。人各有能,用藝受任,鳥師別名,四叔三正,官無二業,事不並濟。

賈逵　曆數論

論曰："臣前上傅安等用黄道度日弦望多近。史官一以赤道度之,不與日月同,於今曆弦望至差一日。願請太史官日月宿簿及星度課,與待詔星象攷校。奏可。案《五紀論》'日月循黄道,南至牽牛,北至東井,率日日行一度,月行十三度十九分度七'也。今史官一以赤道爲度,不與日月同行,其斗、牽牛、輿鬼,赤道得十五,而黄道得十三度半；行東壁、奎、婁、軫、角、亢,赤道十度,黄道八度；或月行多而日月相去反少,謂之日卻。案黄道值牽牛,出赤道南二十五度,其直東井、輿鬼,出赤道北五度。赤道者爲中天,去極俱九十度,非日月道,而以遥準度日月,失其實行故也。以今太史官候注攷元和二年已來月行牽牛、東井四十九事,無行十一度者；婁、角三十七事,無行十五六度者,如安言。問典星待詔姚崇、井畢等十二人,皆曰'星圖有規法,日月實從黄道起,官無其器,不知施行'。案甘露二年大司農耿壽昌奏,以圖儀度日月行,攷驗天運狀，日月行至牽牛、東井，日過度，日行十五度，至婁、角，日行一度，月行十三度，赤道使然，此前世所共知也。如言黄道有驗，合天，日無前卻，弦望不差一日，比用赤道密近，宜施用。”“又史官推合朔、弦、望、月食加時，率多不中，在於不知月行遲疾意。永平中，詔書令故太史待詔張隆以四分法署弦、望、月食加時。隆言能用《易》九、六、七、八爻知月行多少。今案隆所署多失。臣使隆逆推前手所署，不應，或異日，不中天乃益遠，至十餘度。梵、統以史官候注攷校，月行當有遲疾，不必在牽牛、東井、婁、角之間，又非所謂朓、側匿，乃由月所行道有遠近出入所生，率一月移故所疾處三度，九歲九道一復，凡九章，百七十一歲，復十一月合朔旦冬至，合《春秋》、《三統》九道終數，可以知合朔、弦、望、月食加時。據官注天度爲分率，以其術法上攷建武以來月食凡三十八事，差密近，有益，宜課試上。”“《太初曆》冬至日在牽牛初者，牽牛中星也。古黄帝、夏、殷、周、魯冬至日在建星，建星即今斗星也。《太初曆》斗二十六度三百八十五分，牽牛八度。案行事史官注，冬、夏至日常不及《太初曆》五度，冬至日在斗二十一度四分度之一。石氏《星經》曰：‘黄道規牽牛初直斗二十度，去極二十五度。’於赤道，二十一度也。《四分法》與行事候注天度相應。《尚書考靈曜》‘斗二十二度，無餘分，冬至在牽牛所起’。又編訢等據今日所在牽牛中星五度，於斗二十一度四分一，與《考靈曜》相近，即以明事。”“以《大初曆》考漢元盡太初元年日朔二十三事，其十七得朔，四得晦，二得二日；新曆七得朔，十四得晦，二得三日。以《太初曆》攷太初元年盡更始二年二十四事，十得晦；以新曆十六得朔，七得二日，一得晦。以《太初曆》攷建武元年盡永元元年二十三事，五得朔，十八得晦；以新曆十七得朔，三得晦，三得二日。又以新曆上考《春秋》中有日朔者二十四事,失不中者二十三事。天道參差不齊,必有餘分,又有長短,不言以等齊。治曆者方以七十六歲斷之,則餘分稍長,稍得一日。故《易》金火相革之卦《象》曰:'君子以治曆明時。'又曰:'湯、武革命,順乎天應乎人。'言聖人必改曆象日月星辰,明數不可貫數千萬歲,其間必改更,先矩求度數,取合日月星辰所在而已。故求度數,取合日月星辰,有異世之術。《太初曆》不能下通於今,新曆不能上得漢元。一家曆法必在三百年之間。故讖文曰'三百半斗曆改憲'。漢興,當用《太初》而不改,至太初元年百二歲乃改。故其前有先晦一日合朔,下至成、哀,以二日爲朔,故合朔多在晦,此其明驗也。"

霍融　刻漏經一卷

《經籍志》:梁有霍融等《刻漏經》三卷。

建武中,朱浮、許淑請更曆法。天下初定,顧猶未遑。而《令甲》第六《漏品》所載日分百刻,率以九日爲刻,增損視夏曆爲疏。永平中,詔張盛景仿以四分法課校,頗施行。元和中,李梵推廣其術,曆用四分,而宫漏之制一仍其舊。或時至差二刻以上,不與天相應。永元十四年,待詔太史霍融上言:"官漏刻九日增減一刻,不與天相應。或時至差二刻半,不如夏曆密。"詔書下太常,令史官與融以儀校天,課度遠近。太史令舒、承、梵篤對:"案官所施漏法《令甲》第六《常符漏品》,孝宣皇帝三年十二月乙酉下,建武十年二月壬午詔書施行。漏刻以日長短爲數,率日南北二度四分而增減一刻。一氣俱十五日,日去極各有多少。率九日移一刻,不隨十月進退。夏曆漏隨日南北長短,密近於官漏,分明可施行。"其年十一月甲寅,詔曰:"告司徒、司空:漏所以節時分,定昏明。長短起於日去極遠近,日道周圜,不可以計率分,當據儀度,下參晷景。今官漏以計率分昏明,九日增減一刻,違失其實,至爲疏數以耦法。霍融上言,不與天相應。太常史官運儀下水,官漏失天者於三刻。夏曆以晷景爲刻,少所違失,密近有驗。今下晷景漏刻四十八箭,立成官府當用,計吏到,班子四十八箭。"取二十四氣日所在,并黄道去極、晷景、漏刻、昏明中星列於下。《書》正義:漢初率九日增減一刻,霍融始請改之。鄭注《攷靈曜》仍云"九日增一刻",尚未覺誤也。《周禮》疏:漢法以器盛四十八箭,箭各百刻,蓋取倍二十四氣也。《律曆志》:孔壺爲漏,浮箭爲刻。百漏數刻,以攷中星,昏明生焉。漏刻之生,以去極遠近差乘所節氣之差。衛宏《漢舊儀》:夜漏起,宫中宫城門傳伍伯官直符,行衛士,周廬擊木柝,傳呼備火。邯鄲淳《五經析疑》:漢制,以先冬至三日晝。冬至後三日,晝漏四十五刻,夜五十五刻。先夏至三日晝,後三日,晝漏六十五刻,夜三十五刻。長孫無忌曰:"光武之初,亦以百刻九日加減法,編於《令甲》,爲《常符漏品》。"

劉陶　七曜論

鄭玄　乾象曆注

《晉書·志》:靈帝時,會稽東部都尉劉洪作《乾象曆》。獻帝建安元年,鄭玄受其法,以爲窮極幽微,又加注釋焉。

鄭玄　日月交會圖一卷　天文七政注

清臺課試六律

《山堂攷索》:清臺所課試曆集即黄帝、顓頊、夏、商、周、魯六曆是也。其後加以太初《三統》爲漢曆,則七曆矣。漢末,宋仲子集七曆以攷《春秋》,案夏、周三曆術數,與《漢志》所紀者不同,故更曰《真夏曆》、《真周曆》。

蔡邕　曆元議

靈帝熹平四年,五官郎中馮光、上計掾陳晃言:"曆元不正,故妖民叛寇益州,盜賊相續。爲曆不用甲寅爲元而用庚申,圖讖無以庚申爲元者。近秦所用代周之元。太史治曆郭香、劉固意造妄説,乞與本庚申元經緯有明,受虚欺重誅。”乙卯,詔書下三府,與儒林明道者詳議,務得道真。以羣臣會司徒府議。《蔡邕集》:三月九日,百官會府公殿下,東面,校尉南面,侍中、郎將、大夫、千石、六百石重行北面,議郎、博士西面。户曹令史當坐中而讀詔書,公議。蔡邕前坐侍中西北,近公卿,與光、晃相難問是非焉。議郎蔡邕議,以爲:“曆數精微,去聖久遠,得失更迭,術無常。是以承秦,曆用《顓頊》,元用乙卯。”蔡邕《明堂月令論》:《顓項曆術》曰:“天元正月己巳朔旦立春,以日月起於天廟營室五度。”今《月令》“孟春之月,日在營室”。案:原注作“蔡邕《命論》”,今改正。百有二歲,孝武皇帝始改正朔,曆用《太初》,元用丁丑,行之百八十九歲。孝章皇帝改從《四分》,元用庚申。今光、晃各以庚申爲非,甲寅爲是。案曆法,黄帝、顓頊、夏、殷、周、魯,凡六家,各自有元。光、晃所據,則殷曆元也。它元雖不明於圖讖,各家術皆當有效於其當時。黄帝始用《太初》丁丑之元,有六家紛錯,争訟是非。太史令張壽王挾甲寅元以非漢曆,雜候清臺,課在下第,卒以疏闊,連見劾奏,《太初》效驗,無所漏失。是則雖非圖讖之元,而有效於前者也。及用《四分》以來,考之行度,密於《太初》,是則新元效於今者也。延光中,謁者亶誦亦非《四分》庚申,上言當用《命曆序》甲寅元。公卿百寮参議正處,竟不施行。且三光之行,遲速進退,不必若一。術家以算追而求之,取合於當時而已。故有古今之術。今不能上通於古,亦猶古術之不能下通於今也。《元命苞》、《乾鑿度》皆以爲開闢至獲麟二百七十六萬歲;及《命曆序》積獲麟至漢,起庚子蔀之二十三歲,竟己酉、戊子及丁卯蔀六十九歲,合爲二百七十五歲。漢元年歲在乙未,上至獲麟則歲在庚申。推此以上,上極開闢,則不在庚申。讖雖無文,其數現存。而光、晃以爲開闢至獲麟二百七十五萬九千八百八十六歲,獲麟至漢百六十二歲,轉差少一百一十四歲。云當滿足,則上違《乾鑿度》、《元命苞》,中使獲麟不得在哀公十四年,下不及《命曆序》獲麟漢相去四蔀年數,與奏記譜注不相應。當今曆正月癸亥朔,光、晃以爲乙丑朔。乙丑之與癸亥,無題勒款識可與衆共别者,須以弦望晦朔光魄虧滿可得而見者,考其符驗。而光、晃曆以《考靈曜》二十八宿度數及冬至日所在,與今史官甘、石舊文錯異,不可攷校;以今渾天圖儀檢天文,亦不合於《考靈曜》。光、晃誠能自依其術,更造望儀,以追天度,遠有驗於圖書,近有效於三光,可以易奪甘、石,窮服諸術者,實宜用之。難問光、晃,但言圖讖,所言不服。元和二年二月甲寅制書曰:'朕聞古先聖王,先天而天不違,後天而奉天時。史官用太初鄧平術,冬至之日,日在斗二十二度,而曆以爲牽牛中星,先立春一日,則四分數之立春也,而以折獄斷大刑,於氣已迕,用望平和,蓋亦遠矣。今改行《四分》,以遵於堯,以順孔聖奉天之文。'是始用《四分曆》庚申元之詔也。深引《河洛》圖讖以爲符驗,非史官私意獨所興搆。而光、晃以爲固意造妄説,違反經文,謬之甚者。昔堯命羲和曆象日月星辰,舜叶時月正日,湯、武革命,治曆明時,可謂正矣,且猶遇水遭旱,戒以'蠻夷猾夏,寇賊姦宄'。而光、晃以爲陰陽不和,姦臣盜賊,皆元之咎,誠非其理。元和二年乃用庚申,至今九十二歲,而光、晃言秦所用代周之元,不知從秦來,漢三易元,不常庚申。光、晃區區信用所學,亦妄虚無造欺語之愆。年於改朔易元,往者壽王之術已課不效,亶誦之議不用,元和詔書文備義著,非羣臣議者所能變易。"《南史》:陶弘景尤明陰陽五行、風角星算、帝代年曆,以算推之漢熹平三年丁丑冬至,加時在日中,而實以乙亥冬至,加時夜半,凡差三十八刻,是漢曆後天二日十二刻也。

陸績　渾天圖説一卷

見本傳。

附　王蕃　渾天象注一卷

姚信　昕天論一卷

魏景初曆三卷

趙達　素書兩卷

達,河南人。少從漢侍中單甫受學,治九宫一算之術,究其微旨,有《素書》二卷,終不以示人。

闞澤　乾象曆注

渾輿經

劉惇　書百餘篇

惇,字正仁,三原人。避亂,客遊廬陵,師事孫輔。尤精太乙,能演其妙。著書百餘篇,名儒刁玄稱以爲奇。

右曆象類

卷　五

景鸞　月令章句

見本傳。

今月令

當時所頒月令之書也,鄭《禮記注》引《今月令》。

崔寔　四民月令

《隋志》:《四民月令》一卷,漢大尚書崔寔撰。《唐志》同。案:《志》"民"作"人",避太宗諱。《養新録》:予初讀《隋書·經籍志》"《四人月令》一卷,漢大尚書崔寔撰",疑其有誤。後讀洪氏《隸續》載《劉寬碑陰》有大尚書河南張祇字子戒,《祝睦碑》亦云"拜大尚書"。攷東京官制,惟鴻臚、司農、長秋有"大"字,尚書六人分爲六曹,初無大尚書,及觀《祝睦後碑》,但云"拜尚書、尚書僕射",乃知大尚書者,以其長於諸曹,故加"大"以別之,蓋當時官曹有此稱,未著於令甲也。《困學紀聞》:崔寔《四民月令》,朱文公稱其見當時風俗及其治家整齊,即以嚴致敎本之意。《經義攷》謂此書雖佚,而《齊民要術》、《太平御覽》所引特多,尚可掇拾成書。正月之朔,朔,亦作"旦",亦作"日"。是謂正日。躬率妻孥,潔祀祖禰。及祀日,進酒降神畢,乃至室家尊卑,無大無小,以次列於先祖之前,子婦曾孫各上椒酒於家長,稱觴舉壽,欣欣如也。椒是玉衡星,服之令人身輕能老。柏是神仙之藥。進酒次第當從小起,以年少者爲先。《初學記》。屠蘇酒,元旦飲之,避疫癘一切不正之氣。造法:用赤木桂七錢五分,防風一兩,菝葜五分,蜀椒、桔梗、大黄五錢七分,烏頭二錢五分,赤小豆十四枚,以三角絳囊盛之,除夜縣井底,元旦取出置酒中,煎沸。舉家東向,從少至長,次第飲之。藥絳囊還投井中,飲此水,一世無病。《本草》注。立春日食生菜不過多,取迎新之意而已。及進漿粥,以導和氣。《北堂書鈔》。齊人呼寒食爲冷節。寒食以麵爲蒸餅,團棗謂之棗糕。《月令廣義》。正月,研凍釋,令童幼入學學篇章。《御覽》。二月祠大社之日,薦韭卵於祖禰。《初學記》。四月,可作棗脯以待賓佐。《北堂書鈔》。五月,距立秋,無食煮餅及水溲餅。同上。《御覽》引同。初伏,薦麥瓜於祖禰。《初學記》。蝨蟲並興,以灰藏氈裘。《御覽》。七月七日,暴經書及衣冠裳,不蝨。據《白帖》引補。設酒脯《北堂書鈔》。時果,散香粉於筵上,祈請於河鼓織女,言此二星神當會,守夜者咸懷私願,或云見天漢中有奕奕白氣,如地河之波輝也,有光曜五采,以此爲徵應,見者便拜乞,三年乃得。《藝文類聚》作《四民月令》,《初學記》引作《風土記》。案"烏鵲填河"已見《淮南子》,而《桂陽先賢讚》成武丁亦言"織女渡河,暫詣牽牛",古樂府有"黄姑織女時相見"語,是牛女渡河東漢人習聞其説,此條或本出《四民月令》,《孝侯風土記》轉相援引,《初學記》引屬《風土》也。八月清風戒寒,趣絹縑帛。《初學記》、《御覽》引同。八月制韋履。《北堂書鈔》、《御覽》引同。十月研凍,命童幼讀《孝經》、《論語》。《御覽》。十月,作白屐,不借。同上。"不借"二字,據《藝文類聚》引補。十月,上辛命典饋清麴,釀冬酒,以供臘祀。《初學記》。十月,洗冰凍,作煮餳,煮暴飴。《御覽》。冬至之日,薦黍餻。先薦玄冥及祖禰,並進酒肴及謁君師、耆老如正旦。《北堂書鈔》。近古女人常以冬至日進履襪於舅姑,長至之義也。《女儀》。冬至先後五日,買白犬養之,以供祖禰。《北堂書鈔》。臘明日更新,謂之曰小歲,進酒尊長,修賀君師。同上。日没臙脂紅,無雨也有風。楊升盦《古今諺》。東鱟晴,西鱟雨。雅浴風,雊浴雨。羸牛努馬寒食下。春寒四十五,貧兒市上舞。貧兒莫且誇,待過刺桐華。上火不落,下火滴沰。五月及澤,父子不相借。黄梅雨未過，冬青華未破。冬青華已開，黄梅雨又來。舶艀風雲起，旱魃深歡喜。未雨先雷，船行步歸。夏至後不没狗，但雨多濕橐駞。朝立秋，冷颼颼。夜立秋，熱到頭。河射角，堪夜作。犂星没，水生骨。同上。孫叔敖作期思陂。《通典》。京師立秋，滿街賣楸葉，兒童皆翦花樣戴之，形製不一。《御覽》。子欲富，黄金覆。《古今諺》。正月，地氣上騰，土長冒橛，陳根可拔，可急菑強土黑壚之田。二月，陰凍畢澤，可菑美田。三月杏花盛，一作"勝"。可菑白沙輕土之田。菑，一作"播"。諺曰："杏子開花，可耕白沙。"據《古今諺》補。五月、六月，可菑麥田。《齊民要術》、《農政全書》同引。三月，昏參夕，杏花盛，桑椹赤，可種大豆，謂之上時。四月，時雨降，可種大小豆。種稻，美田欲稀，薄田欲稠。同上。三月，可種秔稻。《初學記》。四月，蠶入簇，時雨降，可種黍，謂之上時。此句據《御覽》引補。未夏至先後各二日，可種黍。蟲食李，黍貴也。《農政全書》。四月，可糴穬。《文選·潘安仁〈馬汧督誄〉》注。凡種大小麥，得白露節可種。薄田秋分種，中田後十日種，美田惟穬，早晚無時。正月菑蕎麥，盡二月止。《齊民要術》。二月，可種胡麻，謂之上時也。《御覽》。正月、三月、四月、五月，時雨降，可種麻。《農政全書》。正月，糞疇。疇，麻田也。案：蔡邕《月令章句》亦曰"麻田曰疇"。夏至先後五日，可種牡麻。牡麻青白無實，兩頭銳而輕浮。同上。三月，可種苴麻。二月，可糴麻子。《御覽》。諺曰："麻黄種麥，麥黄種麻。"《古今諺》。正月，可種䴵豆。二月，可種大豆。《御覽》。三月清明節，蠶妾理蠶室，除陳穴，具槌持籠，一槌可安十箔。《農政輯要》。柘，染黄色。黄、赤，人君所尊，黄者中尊，赤者南方，人君之所向也。《御覽》。家政法：正月可菹芋，二月可種芋。家政法：正月可種葵，中伏之後可種冬葵，八月可種乾葵，九月作葵菹、乾葵。正月可種瓜瓠，六月可菑瓠，八月可斷瓠作蓄瓠。正月可種蓼、芥、𦼮、大小葱、蒜。七月、八月可種苜蓿,及雜蒜亦種,此三物不如秋。三月别小葱,六月别大葱,七月可種大小葱。布穀鳴,收小蒜。六月、七月可種小蒜,八月可種大蒜。正月掃除韭畦中枯葉,七月藏韭菁,八月收韭菁,作擣齏。六月大暑中可收芥子,七月、八月可種芥。六月可種冬藍。冬藍,木藍也。八月可染。榆莢落時,可種藍。五月可種藍。三月,清明節後十日,封生薑,至四月立夏,蠶大食,牙生,可種之。九月,藏茈薑、蘘荷。其歲若温,皆待十月。以上並《齊民要術》及《御覽》。二月,榆莢成者收乾以爲旨蓄,色變白,將落,收以爲醬,謂之醟醔。據《白帖》引補。早晚隨時,一作“隨節早晏”。勿失其適。《御覽》。正月可作酢,五月五日亦可作酢。七月七日作麴。《齊民要術》。四月,收蕪菁及芥、葶藶、冬葵子。六月中伏後,七日可種蕪菁,十月可收也。《農政全書》。貸我東牆,償我白粱。《古今諺》。十月農事畢。五月穀既登,家家儲蓄,乃順時令也。《初學記》、《白帖》引同。二月可采术。《藝文類聚》。二月盡三月可采土爪根。《御覽》。三月三日及上除採柳絮,柳絮愈瘡。三月可采烏頭。同上。三月可采艾耳。《初學記》。五月五日取蠅虎,杵碎,拌豆,豆自踴躍,可以擊蠅,出淮南王《畢萬術》。《天中記》。五月五日,取蟾蜍可合藥治惡疽瘡,取東行螻蛄治婦難産。《藝文類聚》。七月七日合藍丸及蜀漆。《白帖》。九月九日收枳實。《御覽》。十月收柏實。十二月東門磔白雞可以和藥。同上。祖道神,黄帝之子,好遠遊,死道路,故祀以爲道神,以求道路之福。《一切衆經音義》。衛果法:正月盡二月,可剝樹枝。二月盡三月,可掩樹枝。自正月以終季夏,不可伐木,必生蝨蟲。或曰,以上旬伐之,雖春夏不蝨也,猶有剖析間解之害,又犯時令,非急不伐。十一月,斬竹伐木蛀。斫松:在下弦後,上弦前,永無白螘。它樹亦然。《種樹書》。

服虔 月令章句

蔡邕 月令章句《隋志》"《月令章句》十二卷十三篇"。《中興書目》"今存一卷"。近吴縣蔡鐵耕雲有集本刊行。

蔡邕 明堂月令論

明堂者,天子太廟,所以禮其祖先以配上帝者也。夏后氏曰世室,殷人曰重屋,周人曰明堂。東曰青陽,南曰明堂,西曰總章,北曰玄堂,中央曰太室。《易》曰:"離也者,明也,南方之卦也。"聖人南面而聽天下,嚮明而治。人君之位,莫正於此焉。故雖有五名,而主以明堂。其正中皆曰太廟,謹承天順時之令,昭令德宗祀之禮,明前功百辟之勞,起養老敬長之義,顯教幼誨稺之學。朝諸侯選造士於其中,以明制度。生者乘其能而至,死者論其功而祭,故爲大教之宫,而四學具焉,官司備焉。譬如北辰,居其所而衆星共之,萬象翼翼。政教之所由生,變化之所由來,明一統也。故言明堂,事之大,義之深也。論其宗祀之貌,則曰清廟;取其正室之貌,則曰太廟;取其尊崇,則曰太室;取其向明,則曰明堂;取其四門之學,則曰太學;取其四面周水圜如璧,則曰辟雍:異名而同事,其實一也。《春秋》因魯取宋之奸賂,則顯之太廟,以明聖王清廟明堂之義。經曰:"取郜大鼎於宋,戊申,納於太廟。"傳曰:"非禮也。君人者,將昭德塞違,故昭令德以示子孫。是以清廟茅屋,昭其儉也。夫德儉而有度,升降有數。文物以紀之,聲明以發之,以臨照百官。於是乎戒懼而不敢易紀律",所以明大教也。以周清廟論之,魯太廟皆明堂也。魯禘祀周公於太廟明堂,猶周宗祀文王於清廟明堂也。《禮記·檀弓》曰:"王齋禘於清廟明堂也。"《孝經》曰:"宗祀文王於明堂。"《禮記·明堂位》曰:"太廟,天子曰明堂。"又曰:"成王幼,周公踐天子位以治天下。朝諸侯於明堂,制禮作樂,頒度量,而天下大服。成王以周公有大勳勞於天下,命魯公世世禘祀周公於太廟,以天子之禮,升歌清廟,下管象武,所以異魯於天下也。”取周清廟之歌歌於魯太廟,魯之太廟猶周之清廟也,皆所以昭文王、周公之德以示子孫也。《易傳·太初篇》:天子旦入東學,晝入南學,暮入西學。太學在中央,天子之所自學也。《禮記·保傅篇》:帝入東學,上親而貴仁;入西學,上賢而貴德;入南學,尚齒而貴信;入北學,尚貴而尊爵;入太學,承師而問道。與《易傳》同。魏文侯《孝經傳》:太學者,中學明堂之位也。《禮記》古大明堂之禮曰:“膳夫是相,禮日中出南闈,見九侯門子;日側出西闈,視五國之事;日入出北闈,視帝節猷。”《爾雅》曰:“宫中之門,謂之闈。”王居明堂之禮,又別陰陽門,東南稱門,西北稱闈,故《周官》有門闈之學。師氏教以三德守王門,保氏教以六藝守王闈。然則師氏居東門、南門,保氏居西門、北門也。知掌教國子,與《易》、《保傅》王居明堂之禮參相法明,爲四學焉。《文王世子篇》:“凡大合樂,則遂養老。天子至,乃命有司行事,興秩節,祭先師、先聖焉。始之養也,適東序,釋奠於先老,遂設三老五更之席位焉。教學始之於養老,由東方歲始也。又春夏學干戈,秋冬學羽籥,皆習於東序。凡祭與養老、乞言、合語之禮,皆小學正詔之東序。”又曰:“大司成論説在東序。”然則詔學皆在東序。東序,東之堂也,學者詔焉,故稱太學。仲夏之月,令祀百辟卿士之有德於民者。《禮記太學志》曰:“禮,士大夫學於聖人、善人,祭於明堂,其無位者祭於太學,禮也。”《昭穆篇》“祀先賢於西學,所以教諸侯之德也”,即所以顯國禮之處也。太學,明堂之東序也,皆在明堂辟雍之内。《月令記》:明堂者,所以明天氣,統萬物。明堂上通於天,象日辰,故下十二宮象日辰也。水環四周，言王者動作法天地，德廣及四海，方此水也。《禮記·盛德》曰："明堂九室，以茅蓋屋，上圓下方，此水名曰辟雍。"《王制》曰："天子出征，反釋奠於學，以訊馘告。"《樂記》曰："武王伐殷，薦俘馘於京太室。"《詩·魯頌》："矯矯虎臣，在泮獻馘。"京，鎬京也。太室，辟雍之中明堂太室。與諸臣泮宫俱獻馘焉，即《王制》所謂"以訊馘告"也。《禮記》曰："祀乎明堂，所以教諸侯之孝也。"《孝經》曰："孝弟之至，通乎神明，光於四海，無所不通。《詩》曰：'自西自東，自南自北，無思不服。'"言行孝者則曰明堂，言行弟者則曰太室，故《孝經》合爲一義，而稱鎬京之詩以明之。凡此皆明堂、太室、辟雍、太學事通文合之義也。其制度數各有所法。堂方百四十四尺，坤之策也。屋圜屋徑二百丈一十六尺，乾之策也。太廟明堂方三十六丈，通天屋徑九丈，陰陽九六之變也。圜蓋方載，九六之道也。八闥以象八卦，九室以象九州，十二宫以象辰。三十六户十二牖，以四户九牖乘九室之數也。户皆外設而不閉，示天下不藏也。通天屋高八十一尺，黄鍾九九之實也。二十八柱列於四方，亦七宿之象也。堂高三丈，以應三統。四鄉五色者，象其五行。外廣二十四丈，應一歲二十四氣也。四周以水，象四海。王者之大禮也。《月令篇》曰："因天時，制人事，天子發號施令，祀神受職，每月異禮，故謂之'月令'。"所以順陰陽、奉四時、效氣物、行王政也。成法具備，各從時日。藏之明堂，所以示承祖考神明，明不敢泄瀆之義。故以明堂冠月令。自天地定位，有其象。聖帝明君，世有紹襲，蓋以裁成大業，非一代之事也。《易》正月之卦曰"泰"，其經曰："王用享於帝，吉。"《孟春令》曰："乃擇元日，祈穀於上帝。"《顓頊曆術》曰："天元正月己巳朔日立春，日月俱起於泰，建宫室制度。"《月令》孟春之月，日在營室。《堯典》曰："乃命羲和，欽若昊天，曆象日月星辰，敬授人時"。《月令》曰："乃命太史，守典奉法，司天日月星辰之行。"《易》曰："不利爲寇，利禦寇。"《月令》曰："兵戎不起，不可從我始。"《書》曰："歲二月，同律度量衡。"《中春令》："日夜分，則同度量鈞衡石"。凡此合於太曆唐政，其類不可盡稱。《戴禮·夏小正傳》曰："陰陽生物之後，王事之次，則夏之月令也。"殷人無文，及周而備。文義所説，傳衍深遠，宜周公之所著也。官號職司，與《周官》合。《周書》七十二篇，而《月令》第五十三。古者諸侯朝正於天子，受《月令》以歸，而藏諸廟中，天子藏之於明堂，每月告朔朝廟，出而行之。周室既衰，諸侯朝怠於禮。魯文公不告朔而朝，仲尼譏之。經曰："閏月不告朔，猶朝於廟。"舍太廟而朝小儀也。自是告朔遂缺，而徒用其羊。子貢非廢其令而請去之，仲尼曰："賜也，爾愛其羊，我愛其禮。"庶明王復興，君人者昭而明之，稽而用之。耳無逆聽，令無逆政，所以臻於大順，陰陽和，年穀豐，太平洽，符瑞由此而至矣。秦相吕不韋取月令爲紀號，淮南王安亦取以爲第四篇，改名"時則"，故偏見之徒或云《月令》不韋作，或云淮南，皆非也。

蔡邕　月令問答

問者曰：子何爲著《月令説》也？曰：幼讀《記》，以爲《月令》體大經同，不宜與《記》書雜録並行。而《記》家記之，又略及前儒特爲章句者，皆用其意傳，非其本旨。又不知《月令》徵驗，布在諸經。《周官》、《左傳》實與《禮記》通，它議橫生，紛紛久矣。光和三年，余被謗章，罹重罪，徙朔方。内有獵狁敵衝之釁，外有寇虜鋒鏑之艱，危險凜凜，死亡無日。過被學者聞，家就而考之，亦自有所覺悟，庶幾頗得事情，而迄未有注記著於文字也。懼顛蹶隕墜，無以示後，同於朽腐。竊誠思之,《書》有陰陽升降,天文曆數,事物制度,可假以爲本,敦辭托説,審求曆數,其要者莫大乎《月令》。故遂於憂怖之中,晝夜密勿,昧死成之。旁貫五經,參互羣書,及國家律令制度,遂定曆數,盡天地三光之情。辭繁多而曼衍,非所謂理約而達也。道長日短,危殆兢業,取其心盡而已,故不能復加删省,蓋所以探賾辨物,庶幾多識前言往行之流。苟便學者以爲可覽,則余死而不朽也。問曰:子説《月令》多類《周官》、《左傳》,假無《周官》、《左傳》,《月令》爲無説乎?曰:夫根柢植則枝葉必相從也。《月令》與《周官》並爲時王政令之記,異文而同體。官各有職,皆《周官》解,《月令》甲子,沈子所謂似《春秋》也。若夫太皞、蓐收、句芒、祝融之屬,《左傳》造義立説,生名者同,是以用之。問者曰:既用古文於曆數,乃不用《三統》用《四分》,何也?曰:《月令》所用,參諸曆象,非一家之事。傳之於世,不曉學者,宜以當時所施行夫密近者。《三統》已疏闊廢弛,故不用也。問曰:既不用《三統》,以驚蟄爲孟春之中,雨水爲二月節,皆《三統》法也,獨用之何?曰:《孟春月令》曰"蟄蟲始振",在正月也。中春"始雨水",則雨水二月節也。以其應時,故用之。問曰:曆云"小暑,季夏節也",而今文見於五月,何也?曰:今不以曆節言,據時始暑而記也。曆於大雪、小雪、大寒、小寒皆去十五日,然則小暑當去十五日,不得及四十五日。不以節言,據時暑也。問者曰:《中春令》不用犧牲,以圭璧更皮幣。不用犧牲,何也?曰:是月獻羔,以太牢祀高禖。宗廟之祭以中月,安得用犧牲?祈者何求之祭也?著《令》豫設水旱疫癘當禱祈,用犧牲者,是用之助生養,《傳》祈以幣代犧,《章句》因於高禖之事,乃造説曰:"更者刻木代牲,如廟有祧更。"此説自欺極矣!經典傳記無刻木代牲之説,蓋書有轉誤,"三豕渡河"之類也。問者曰:

《中冬》"閹尹申宮令,謹門閭",今曰"門闈",何也?曰:閹尹者,内官也,主宮室,出入宮中。宮中之闈,閹尹之職也。閭里門非奄尹所掌,知當作"闈"也。問者曰:令曰"七騶咸駕",今曰"六騶",何也?曰:本官職者,莫正於《周官》,《周官》天子"馬六種",種别有騶,故知六騶。《左氏傳》"晉程鄭爲乘馬御,六騶屬焉",無言七者,知當爲"六"也。問者曰:今以中秋築城郭,於經傳爲非其時。《詩》曰:"定之方中,作于楚宮。"定,營室也。九月、十月之交,西南方中。故傳曰"水昏正而栽"。築即營室也。昏正者,昏中也。栽,築者栽木而始築也。今文在前月,不合於經傳也。問者曰:子説有三儺,皆以日行爲本。《古論》、《周官》、《禮記》説以爲但逐惡而已。獨安所取之?曰:取之於《月令》而已。四時通等而夏無儺文,由日行也。春行少陰,秋行少陽,冬行太陰,陰陽背使不於其類。故冬春難以助陽,秋難以達陰,至夏節太陽行太陰,自得其類,無所扶助,獨不儺取之於是也。問者曰:令每一時轉三旬,以應三月政。春行夏令則雨水不時,謂孟夏也;艸木蚤枯,中夏也;國乃有恐,季夏也。今總合爲一事,不分别施之於三月,何也?曰:説者見其三旬,不得傳注而爲之説,有所滯礙,不得通矣。孟秋反令行冬令,則艸蚤枯,後乃大水,敗其城郭,即分爲三節。後乃大水,在誰後也?城郭爲獨自壞,非水所爲也?季冬曰行春令,則胎夭多傷,民多蠱疾,命之曰逆。即分爲三事。行季冬,爲不感災異,命之曰逆,知不得斷絶,分應一月也。今之所述,略舉其尤者也。問:春食麥羊、夏食菽雞、秋食麻犬、冬食黍豕之屬,但以爲時味之宜,不合於五行。《月令》服食器用之制,皆順五行者。説所食獨不用五行,不已略乎?曰:蓋亦思之矣。凡十二辰之屬,五時所食者,必家人所畜,丑牛、未羊、戌犬、酉雞、亥豕而已,其餘龍虎以下非食也。春木王，木勝土，土王四季。四季之禽，牛屬季夏，犬屬季秋，故未羊可以爲春食也。夏火王，火勝金，故酉雞可以爲夏食也。季夏土王，土勝水，故屬豕而食牛。土，五行之尊者；牛，五畜之大者。四時之牲，無足以配土德者，故以牛爲季夏食也。秋金王，金勝木，寅虎非可食，犬豕而無角，故以犬爲秋食也。冬水王，水勝火，當食馬。而禮不以馬爲牲，故以其類而食豕也。然則麥爲木，菽爲金，麻爲火，黍爲水，各配其精以食也。雖有此説，而米鹽精碎，不合於《易》卦所爲之禽，及《洪範傳》五事之畜，似近卜筮之術，故予略之，不以爲章句。聊以應問，見有此説而已。問：《記》曰"三老五更"，子獨曰"五叟"；《周禮》曰"八十一御妻"，今曰"御妾"，何也？曰：字誤也。叟，長老之稱，其字與"更"相似，書者轉誤，遂以爲"更"。"嫂"字"女"旁"叟"，字從"叟"，今皆以爲"更"矣。立字法不以形聲，何得爲字？以"嫂"、"娙"推之，知是"更"爲"叟"也。妻也者，齊也。惟一適人稱妻，其餘皆妾。位最下，是不得言妻也。

四時食制

曹操撰。鱣魚大如五斗奩，長丈，口在頷下，常以三月中從河上，常於孟津捕之，黄肥，惟以作鮓，淮水亦有。《初學記》。郫縣子魚，黄鱗赤尾，出稻田，可以爲醬。《本草》注。鰽，一名黄魚，大數百斤，骨軟可食，出江陽犍爲。東海有大魚如山，長五六里，謂之鯨鯢。次有如屋者。時死岸上，膏流九頃。其髮鬚一丈，廣三尺，厚六寸，瞳子如三升盌，大骨可爲方臼。海中魚，皮生毛，可以飾物，出揚州。望魚側如刀，可以刈艸，出豫章明都澤，一名溠澤。同上。蕭折魚，海之乾魚也。鮃肺魚，黑色，大如百斤豬，黄肥不可食。數枚相隨，一浮一沈。一名敷，常見首。出淮及五湖。蕃蹹魚，如鼈，大如箕，其甲上有鬚,無頭,口在腹下,尾長數尺,有節,有毒,螫人。髮魚,帶髮如婦人,白肥無鱗,出滇池。《北户録》。蒲魚,其鱗如粥,出郫縣。疏齒魚,味如豬肉,出東海。斑魚,頭中有石如珠,出北海。《御覽》。蠡薺子如彈丸。《廣博物志》引作魏武《食品》。

南陽風俗傳

《隋志》:光武始詔南陽作《風俗傳》,故沛、魯國有耆舊節士之序,廬江有名德先賢之傳。郡國之書由是而作。

輿地圖

隗囂據隴右,馬援説其將楊廣曰:"前披《輿地圖》,見天下郡國百有六所。"光武至廣阿舍城樓,披《輿地》,指示鄧禹。浮沮,井名,在匈奴中,去九原二千里,見漢《輿地圖》。《武帝紀》注臣瓚引。吴漢上書請封皇子,竇融、鄧禹議上大司空《輿地圖》。《東觀漢記·明帝紀》:皇子之封皆減舊制,嘗案《輿地圖》,指謂皇后曰:"我子之封,豈宜與先帝等?"肅宗建初中,案《輿地》,令諸國户口皆等租入。《續漢書》:辛臣爲田戎作地圖,圖彭寵、張步、董憲、公孫述所分郡國,云洛陽所得如掌耳。案漢《輿地圖》散見諸書者:《史記·文帝紀》注裴駰案"如淳曰'《長安圖》細柳倉在渭北'",潘岳《關中記》引《長安圖》"漢七里渠有飲馬橋",《後漢書·郡國志》注引《關中圖》"縣南有新豐縣",《文選·西征賦》注引《雍州圖》,《思玄賦》注引《四海圖》,《後漢書·東夷傳》注、《文選·游仙詩》注引《外國圖》,《南蠻夷傳》注引《荆州圖副》。

匈奴地圖

建武二十一年,左奥鞬日逐王比密遣漢人郭衡奉匈奴地圖詣河西太守,求内附。

楊終　哀牢傳

《論衡》:終字子山,爲郡掾上計吏,見三府掾史爲《哀牢傳》不能成,歸作上,孝明奇之,名在蘭臺。九隆代代相傳,名號不可得而數,至於禁高,乃可知。禁高死,子吸代;吸死,子建非代;建非死,子哀牢代;哀牢死,子桑藕代;桑藕死,子柳承代；柳承死，子柳貌代；柳貌死，子扈栗代。

秦彭　三品條式簿

彭，字伯平，扶風茂陵人。官至潁川太守。彭分土地肥瘠，差爲三品，各立文簿。上言宜令天下齊同其制。詔以所立條式頒三府，并下州郡。

李恂　幽州山川屯田聚落百餘卷

恂，字叔英，安定臨涇人。官至武威太守。

班勇　西域記

勇，超次子。《後漢書·西域傳》：諸國風土人俗皆已詳備前書，今撰建武以後其事異於前者，以爲《西域傳》，皆安帝末班勇所記也。

漢宮殿簿三卷

洛陽宮殿簿三卷

焦竑《經籍志》不著撰人名氏。

袁湯　陳留耆舊傳

湯，字仲河。袁宏《紀》：湯初爲陳留太守，褒善叙惡，以勵風俗。嘗曰："不值仲尼，夷、齊西山餓夫，柳下東國黜臣，致聲名不泯者，篇籍浸然也。"乃使户曹追録舊聞，以爲《耆舊傳》。

圈稱　陳留耆舊傳

《隋志》：漢議郎圈稱《陳留耆舊傳》二卷。案：稱，字幼舉，陳留人。見《廣韻》注。圉人魏尚，高帝時爲太史，有罪繫詔獄。有萬頭雀集棘樹上，拊翼而鳴，占曰："夫棘樹者，中心赤，外有刺，象我有理有赤，心之至誠。雀，爵命之祥，其鳴即復也，我其復故官也。"有頃，詔還故官。《御覽》。酈食其，圉高陽鄉人。《史記》索隱。董宣爲北海太守，大姓公孫丹造起太宅。卜工占之云："宅成，當出一喪。"使子取行人殺之，以塞咎。宣收丹，考殺之。《御覽》。洛陽令董宣死，詔使視之，有敝輿一乘，白馬一匹。帝曰:“董宣之清,死乃知之。”《北堂書鈔》。戴斌爲郡主簿,送故將喪歸鄉里蠡吾,里人距之,孝子臣吏脱絰叩頭,終不見聽。斌乃投絰放縗,手操劍,瞋目厲聲,距踊而前曰:“哭不哀者,郎君也。喪車不前者,戴斌也。”里人服其義,乃納之。同上。《御覽》引同。楊仁,字文義。明帝引見,問當代政治之事。仁對,上大奇之,拜侍御史。明帝崩,是時諸馬貴戚,各爭入宫,仁披甲持戟遮敕宫門不得令入。章帝既立,諸馬貴戚更譖仁刻峻,於是上善之。《御覽》。梁桓牧爲郡功曹,與郎君共歸鄉里,爲赤眉賊所得。賊將啖之,牧求先死,賊長義而釋之,送蘖露實一斛。《御覽》兩引,一引作“送豋豆一斛”。爰珍,字伯仁。年十歲,叔父蘭部濟陰從事,與御卒俱獵縣。送酒肉,珍不肯嘗。問其故,答曰:“聞之於諸侯,不臨其事,不食其食。”蘭然其言,還而不受。貞潔之行,由是以彰也。爰珍除六令,吏人訟息,教誨其子弟,歌之曰:“我有田疇,爰父殖置。我有子弟,爰父教誨。”同上。李充在鄧將軍坐,鄧設炙肉,充挾以箸以噉,炙冷,復温之,及温而後食。《北堂書鈔》。充喪父,家側夜有盜斫充柏樹者,充手刃之。吴祐爲恒農令,勸善懲奸,貪濁出境,甘露降,年穀豐。童謡曰:“君不我憂,人何以憂。君不行署,焉知人處。”《御覽》。吴祐爲膠東相嗇夫,孫性盜富民錢五百,爲父市單衣。父恐,以單衣詣門自謝,以單衣遣其父。同上。祐處同僚,無私書之問,上司無牋檄之敬,在膠東,書不入京師也。《御覽》。安丘男子毋丘長,其母到市,遇醉客罵母。長怒,殺之,爲吏所得,繫獄。祐問知無子,令妻入,遂有娠。臨刑,囓指斷,吞之。曰:“若生男,名曰吴生,云我臨死吞指爲誓,屬子報吴君。”《御覽》。祐長子鳳,字君雅。鳳子馮,字子高。太守泠宏召補文學,宏見異之,擢舉孝廉。《祐傳》注。劉昆爲江陵令,民有火災,向火叩頭,即沛然下雨,反風滅火。詔問："反風滅火，虎北渡河，何以致此?"昆曰："偶然耳。"帝曰："長者之言。"《北堂書鈔》。虞延爲洛陽令，治皇后外戚家。虞先爲令，每一年伏臘，輒遣囚歸，應期而還。高眘，一作"慎"。字孝甫，父不仕，王莽世，爲淮陽太守所害，以節烈垂名。慎敦厚，少文華，有深沈之量。撫育兄孤子五人，恩義甚篤。瑯邪相何英嘉其行履，以女妻之。英即車騎將軍熙之父也。慎口不能劇談，而好深沈之謀，爲從事號曰"卧虎"，故人謂之"嶷然不語，名高孝甫"。歷二縣令、東萊太守。老病歸，艸屋蓬户，甕瓨無儲。其妻謂之曰："君素經宰守，積有歲年，何能不少爲儲蓄以遺子孫乎?"慎曰："我以勤身清名爲之基，以二千石遺之，不亦可乎?"子式至孝，盡力供養。永初中，蝗螟爲害，獨不食式麥。圉令周彊以表州郡。太守王舜舉式孝子，讓不行。後舉孝廉爲郎。式子昌、次子紹、紹弟賜，並爲刺史、郡守。式子宏，孝廉。宏生靖。並《北堂書鈔》，裴松之《三國志》注引同。褚禧爲兼督郵書史，與太守以下皆稱史。《北堂書鈔》。王業，字子香，爲荆州刺史，有德政。卒於枝江，有三白虎宿衛其側。及喪去，踰州境忽然不見。民爲立碑，號曰"枝江白虎"。《御覽》。《北堂書鈔》"枝江"作"湘江"。仇覽年四十爲蒲亭長。有陳元者，母告子不孝。覽爲陳慈孝之道，卒成孝子，時考城令河内王涣政尚嚴猛，聞覽以德化人，署爲主簿。謂覽曰："聞陳元之過，不罪而化之，得無少鷹鸇之志耶!"同上。范丹學通三經，常自賃灌園。《初學記》。

圈稱　陳留風俗傳

宋之地猶有先王遺風，重厚多仁，好稼穡，惡衣食，以致蓄藏。《御覽》。周成王戲其弟桐葉之封，周公曰："君無戲言。"遂封之於唐，常慎其德。《詩》曰"媚兹一人，唐侯慎德"是也。案：所據當是《三家詩》。高祖與項氏戰於延鄉，有翟氏母者免其難，故以延鄉爲封丘縣,以封翟母焉。小黄縣者,宋地,故陽武東黄鄉也,因黄水以名縣。沛公起兵野戰,喪皇妣於黄鄉。天下平定,乃使使者梓棺招魂幽野。於是丹虵在水,自灑濯,入於梓棺。其浴處仍有遺髪,故謚曰"昭靈夫人"。同上。《藝類類聚》引同。因作園陵、寢殿、司馬門、鐘簴、衛守。小黄有祭器籩豆鼎俎之屬十四種,廟基尚存焉。《後漢書·虞延傳》注。小黄縣南有渠水,於春秋爲宋之曲棘里,故宋之别都矣。《水經注》。昭帝時,蒙人焦貢爲小黄令,休囚於家,路不拾遺,囹圄空虚。詔還賢良,百姓揮涕守闕,求復還。天子聽,增貢之秩千石。貢之風化猶存,其民好學多貧,此其風也。《御覽》引。浚儀,魏之都也。《文選·王仲宣誄》注。浚儀縣北有浚水,象而儀之,故曰"浚儀"。《水經注》。浚儀,周時梁伯所居國都。多池沼,池中時出神鉤,到今其民象而作之,號曰"大梁氏鉤"焉。同上,《北堂書鈔》引同。浚儀縣有倉頡廟、師曠城,上有列仙之吹臺,北有牧澤,中出蘭蒲,土多俊髦,襟帶牧澤,方一十五里,俗謂之"蒲蘭澤"。《水經注》。襄邑,宋地,本承匡襄陵鄉也。宋襄公所葬,故曰襄陵。秦始皇以承匡卑濕,故徙縣於襄陵,謂之襄邑。縣西三十里有承匡城。《前漢書·地理志》注。襄邑縣南有涣水,北有睢水,傳曰"睢涣之間出文章",故有黼黻藻錦。日月華蟲,以奉天子御服焉。《御覽》。東昏縣者,縣故地故陽武之户牖鄉也,漢相陳平家焉,今民祀其社。同上。陳留外黄縣有莘昌亭,本梁地莘氏邑也。《後漢書·郡國志》注。外黄縣有大齊亭、科禀亭、利望亭,故成安也。《水經注》。雍丘縣有五陵之丘,因以氏縣。《北堂書鈔》。高陽亭在雍丘西南。《前漢書》注。酈食其,高陽鄉人。《史記》正義。雍丘縣有祠,名夏公祠,神井能致雲霧,案"霧"亦作"電"。古來享祀。《藝文類聚》。尉氏縣,鄭國之東鄙弊獄官名也,鄭大夫尉氏之邑,故欒盈曰"盈歸死於尉氏"也。尉氏縣少曲亭，俗謂之少城也。《水經注》。昔天子建國名都，或以令名，或以山林，故豫章以樹氏郡，酸棗以棘名都。尉氏章樹鄉生酸棗，此句據《御覽》引補。故曰“酸棗”也。《水經注》。陳留尉氏安陵鄉，故富平縣也。同上。平丘，衛靈公邑。《後漢書·郡國志》注。己吾縣，故宋也，雜以陳楚之地，故梁國寧陵之徙種龍鄉，今其都印文以種龍。此句據《初學記》引補。成哀之世，户至八九千，冠帶之徒求置縣矣。永元十一年，陳王削地，以大棘鄉自僞隸之，命以嘉名，曰“己吾”，猶有陳楚之俗焉。《水經注》。出鳴雞。三字據《文選·謝希逸〈宋孝武宣貴妃誄〉》注補。考城縣，秦之穀縣也。後遭漢兵起，邑多菑年，故改曰“菑縣”。王莽更名“嘉穀”。漢章帝東巡過縣，詔曰：“陳留菑縣，其名不善。高祖鄗柏人之邑，世宗休聞喜而顯獲嘉應，享元符，嘉皇靈之顧，賜越有光烈考武皇，其改菑縣曰考城縣。”《水經注》。菑縣有斜亭。《後漢書·郡國志》注。長垣須，故衛地。縣有防垣，故縣氏之。有羅亭，故長羅縣也。又西北有訾樓，有蘧鄉，一名新鄉，有蘧亭伯玉祠、伯玉冢。《水經注》，《文選·東征賦》注引“長垣縣有蘧鄉，蘧伯玉冢”。圉，舊陳地，苦楚之難，修干戈於境，以虞其患，故曰“圉”。《後漢書·郡國志》注。陳留縣裘氏鄉有澹臺子羽冢，又有子羽祠，民祈禱焉。陳留縣有鉼鄉亭。陸樹鄉，故平陸縣也。扶溝縣小扶亭有洧水之溝，因以名縣。有帛鄉帛亭，名在七鄉十二亭中。大棘鄉，故安平縣也。土人敦惷，易以統御。濟陽縣，故宋地也。並《水經注》。桓烈，字惠伯，爲侍御史。王莽之初，遁入山林。世祖即位，就其家，食以二千石禄，以旌其德。《御覽》。八月雨爲豆華雨。同上。張、王、李、趙，皇帝賜姓也。虔氏祖於黄帝。資氏，黄帝之後。浚儀有寇氏，黄帝之後。舜陶甄河濱，其後爲氏，出中山、河南二望。秦之先曰伯翳，佐舜馴擾鳥獸，錫姓曰嬴氏。其後分封，以國爲姓，有徐氏、郯氏、黄氏、江氏。侯氏,侯爵。周微,官失其守,故以侯爵爲氏。暢氏出齊。楊氏出齊。邊氏祖於宋平公。畢公封於新垣,後因氏焉。魏將新垣衍改爲梁垣氏。酈氏居於高陽。沛公攻陳留縣,酈食其有功,封高陽侯。有酈峻,字文山,官至公府掾。有大將軍商,有功食邑於涿。圈氏本氏於其國,陳留太守琅邪改圈姓卷,字異音同。並《廣韻》同。圈公宣明爲秦博士,與角里先生、綺里季、夏黄公避地於終南山,漢祖徵之,不至,就惠太子。太子即位,以圈公爲司徒。《職官要録》。至稱十一世。此句據《五總志》補引。

王逸　廣陵圖經

郡城吴王濞所築。《文選・鮑明遠〈蕪城賦〉》注。

祝龜　漢中耆舊傳

《華陽國志》:龜,字元靈,漢中人。

陳術　巴蜀耆舊傳

《華陽國志》:術,字申伯,作《耆舊傳》者也。失其行事。

鄭廑　巴蜀耆舊傳

《華陽國志》:廑,字伯邑,蜀郡人。

趙峻　巴蜀耆舊傳

峻,字彦信,蜀郡人。

王文表　巴蜀耆舊傳

《華陽國志》:王商,字文表,廣漢人。以上皆以博學洽聞,作《巴蜀耆舊傳》。

趙寧　蜀郡鄉俗記

《華陽國志》:太守高眹亦播文教,太尉趙公初爲九卿,適子寧還鄉,眹命爲文學,撰《鄉俗記》。

楊震　關輔古語

甘泉谷北岸有槐樹,今謂玉樹,根幹槃峙,三二百年木也。楊震《關輔古語》云:"耆老相傳,咸謂此樹即揚雄《甘泉賦》所謂'玉樹青葱者'也。"《三輔黄圖》。長安民俗謂鳳皇闕爲貞女樓。《天中記》。

仲長統 兗州山陽先賢傳一卷

統,字公理,山陽人。

盧植 冀州風土記

冀州,天地之泉藪,帝王之舊邑。《御覽》。

趙岐 三輔決録《隋志》七卷。《唐志》十卷。《唐志》雜傳記類作十卷。

摯虞注。《決録》序:三輔本雍州地,世世徙公卿吏二千石及高貲者以陪諸陵。五方雜會,非一國之風,不但係於《詩·秦》、《豳》也。其爲士好高尚義,貴於名行,其俗失則趨勢進權,惟利是視。予生於西土,嘗以玄冬寤黄髮之士,姓玄名明,字子真,與予寤言,言必有中。善惡之間,無所依違,命操筆者書之。近從建武,暨於斯,今其人既亡,行乃可書,玉石朱紫,由此定矣。嚴象,字文則,京兆人。少聰博,有膽術,以督軍御史中丞討袁術。會袁病卒,因以爲揚州刺史。建安五年,爲孫策將廬江太守李術所殺,時年二十八。象同郡趙岐作《三輔決録》,恐時人不能盡其意,故隱其書,惟以示象。京,大也。天子曰兆民。馮,大也。翊,明也。扶風,化也。《後漢書·郡國志》注。鄗在酆水東,酆在鎬水西,相去二十五里。同上。鉅下,地名也。《後漢書》注引《決録注》。辟雍,水四周於外,象四海也。《藝文類聚》。長安城面三門,四面十二門,皆通達九逵經緯,衢路平正,可並列車軌。十二門相向,三途洞闢,隱以金椎,周以林木,左右出入,爲往來之徑,行者升降,有上下之别。《天中記》。竇后父名倚,遭秦亂,隱居釣魚,墜淵而卒。后登尊號,遣使者填父所墜淵,築起大墳於懸城南,《北堂書鈔》。民號曰"竇氏青山"。此句據《後漢書·郡國志》注補。竇建,字長君。

《外戚世家》注引《決録》。武帝時,後宫八區,有昭陽、飛翔、增城、合歡、蘭林、披香、鳳皇、鴛鴦等殿,後有增修安處、常寧、茝香、椒風、發越、惠艸等殿。《廣博物志》。昆明池中有神池,通白鹿泉。人釣得魚,絶綸而去,通寢於漢武帝,求去鉤。明日戲於池,見大魚銜索,帝曰:"豈寢所見也?"取而放之。後三日,池邊得明珠一雙,帝曰:"豈魚之報耶?"《藝文類聚》。汝南何比干,字少卿,爲汝陰縣吏決曹掾,平活數千人。後爲丹陽都尉,獄無冤囚,淮汝號曰"何公"。案漢武帝丞相公孫弘舉爲廷尉平。征和三年三月辛亥,天大陰雨。比干在家,日中寢貴客車騎滿門,覺以語妻。語未已,而門有老嫗可八十餘,頭白,求寄避雨,雨甚而衣履不沾漬。雨止,送出門,乃謂比干曰:"公有陰德,今天錫君策,以廣公之子孫。"因出懷中符策,狀如簡,長九寸,凡百九十九枚,以授比干,曰:"子孫佩印綬者,當隨此算。"嫗東行,忽不見。自比干以下,與張氏俱授靈瑞,累世爲名族,三輔舊語曰"何氏策,張氏鉤"也。《廣博物志》。張氏先爲京兆都功曹,晨時早起,忽有鳩從天飛下。張氏謂曰:"鳩來,爲我禍耶止承塵,爲我福耶入我懷。"鳩乃投入張氏懷中,探之,得一銅鉤,官至趙郡太守。後失鉤,官亦絶矣。《白帖》。張氏得鉤,何氏得算,故三輔舊語"何氏算,張氏鉤。何氏肥,張氏瘦",言何氏有肥人輒貴,瘦人輒賤;張氏瘦者輒貴,肥者輒賤,故二族以鉤算知吉凶,以肥瘦爲貴賤。《後漢書》注引《決録注》。金日磾,字翁叔,封秺侯,有忠勤之節,七葉侍中。《水經注》。淮陽憲王,宣帝愛子,器異其才,欲以爲嗣王。恃寵自驕,天子乃用韋玄成爲中尉,以輔導之。受詔與蕭望之等論五經於石渠閣。《藝文類聚》。卓茂,字元康,元帝時遊學長安,以儒行爲給事黄門郎。《御覽》。嚴君平,名尊。《前漢書》音義。蔣翊,字元卿,爲兗州刺史,以廉直爲名。王莽居攝,以病免官,歸鄉里。舍中三徑，蓬蒿不翦，荆棘塞門，惟羊仲、裘仲從之游。二人不知何許人，皆治車爲業，挫廉逃名，時人謂之二仲。《藝文類聚》，據《御覽》引補。王邑爲弟奇求蔣翊女，盛服送之，翊辭不受。但衣青布，曰："受父命不敢違。"邑乃歎曰："所以與賢者婚，欲爲此也。"同上。馬援《誡兄子書》："龐伯高敦篤周慎，口無擇言。吾愛之重之，願汝曹效之。"世祖見援書，即擢爲零陵太守。在郡四年，甚有治化。《御覽》。丁邯，字叔春，京兆陽陵人也。有高節，正直不撓，舉孝廉爲郎。以令史久缺，次補之。世祖改用孝廉爲郎，選邯補。邯稱疾不就職。詔問："實病乎？羞爲郎乎"對曰："臣實不病，恥以孝廉爲令史職。"世祖怒，使虎賁滅頭杖之數十。詔問："欲爲郎否?"邯曰："能殺臣者，陛下也。不能爲郎者，臣也。"詔出，不用爲郎，《北堂書鈔》。拜汾陰令，治有名迹，遷漢中太守，妻弟爲公孫述將，收妻送南鄭獄，免官徒跣自陳。詔曰："漢中太守妻乃繫南鄭獄，誰當搔其背垢者？縣牛頭，賣馬脯。盜跖行，孔子語。以邯服罪。且邯一妻，冠履勿謝。"治有異，卒於官。《續漢書·百官志》注。平陵之王惠孟，鏘鏘激昂，囂、述困於東平。《隗囂傳》注。辛繕，字公文，少治《春秋》、《詩》、《易》。隱居弘農，弟子受業者六百餘人。所居旁有白鹿，甚馴，不畏人。《藝文類聚》。辛繕隱居華陰，光武徵，不至。有大鳥高五尺，雞頭、燕頷、蛇頸、魚尾，五色備舉而多青，棲繕槐樹，旬時不去。弘農太守以聞，詔問百僚，咸以爲鳳。太史令蔡衡對曰："凡象鳳者有五：多赤者鳳，多青者鸞，多黄者鵷雛，多紫者鸑鷟，多白者鵠，今此鳥多青，成鸞非鳳也。"上善其言，王公聞之，咸遜位避席不遑。同上《決録注》。張仲蔚，平陵人，與同郡魏景卿俱隱身不仕。明天官博學，好爲詩賦。所居蓬蒿没人，惟開三徑，閉門養性，不治榮名。時人莫識，惟劉龔知之。《北堂書鈔》。井丹,字大春,少通五經,善談論,京師爲之語曰:"五經紛論井大春。"井丹舉室疾疫,梁松自將醫藥治丹。馮豹,字仲文,母爲父所出,後母遇之甚酷,豹事之甚謹,時人爲之語曰:"道德彬彬馮仲文。"同上。長安劉氏,惟有孟公,論可觀者。一作"談者取則"。班叔皮與京兆丞郭季通書:"劉孟公藏器於身,用心固篤,實瑚璉之器、宗廟之寶也。"班固亦言:"孟公,篤論士也。"《後漢書·蘇竟傳》注。周季貞,班固姊之子也,善屬文。婦喪,作《問神》,其姨曹大家難之。《御覽》。齊相子穀,頗隨時俗。《文選音義》。曹成,壽子也,司徒掾察孝廉,爲長垣長。母爲太后師,徵拜中散大夫。《決録注》,同上。馬后志在克己輔上,不以私家干朝廷。兄爲虎賁中郎將,弟爲黄門郎,讫永平世不遷。《御覽》。茂陵郭伋爲潁川太守,化如時雨。《文選·沈休文〈齊故安陸昭王碑〉》注。韋彪與上黨太守公孫伯達、河陽長魏仲達同時齊名,世號三達。《羣輔録》:右扶風平陵孟達,名彪,丞相賢五世孫,明帝時人,見《漢書》及《決録》。梁鴻東出關,過京師,作《五噫之歌》,曰:"陟彼北芒兮,噫!顧瞻帝京兮,噫!宫闕崔巍兮,噫!遼遼未央兮,噫!民之勤勞兮,噫!"肅宗聞而悲之,"悲"當作"非"。求鴻不得。《北堂書鈔》。賈逵建初元年受詔,列《春秋》公羊、穀梁不如《左氏》四十事,名《春秋左氏長義》。帝大喜之,賜布五百匹。何敞,字文高,爲汝南太守。章帝南巡過郡,郡有刻鏤屏風,帝命侍中黄香銘之曰:"古典務農,雕鏤傷民。惠在竭節,義在修身。"同上。平陵范氏,西河舊語"前隊大夫有范翁,鹽豉蒜果共一筒",言其廉儉也。《御覽》。安陵清者有項仲山,飲馬渭水,日與三錢以償之。《藝文類聚》引補。孫晨,字允公,家貧不仕,居城社中織箕爲業。明《詩》、《書》,爲郡功曹。冬月無被,有薪一束,薪一作"藁"。暮卧其中,旦燒之。同上。孫晨爲郡功曹,將軍馬防聞名,餽錢四百萬。晨不敢拒,受而埋之閤内。《北堂書鈔》。第五頡，字子陵，倫少子。以清正爲郡功曹，至州從事。辟公府高第，侍御史，南頓令，桂陽、廬江、南陽三郡太守，皆稱病，免爲諫議大夫。洛陽無主人，鄉里無田宅，寄止靈臺中，或十日不炊。同上。司隸校尉南陽左雄、太史令張衡、尚書朱建、孟興皆與頡故舊，各致禮餉，頡終不受。《第五倫傳》注。蘇章爲冀州刺史，召崔瑗爲別駕。《太平御覽》。行部有故人爲清河太守，好貨，案得其實，乃請太守飲酒，接以温顏。太守喜曰："人各有一天，我獨有二天!"章曰："今日蘇孺文與故人飲酒者，私恩也；明日冀州白奏事，公法也。"遂舉正其罪，《藝文類聚》。州界肅清。據《北堂書鈔》引補。曹眾，字伯師，與諸生蘇孺文、竇伯向、馬季長並游宦，惟眾不遇，終於家。《後漢書·蘇順傳》注。趙牧，字仲師，長安人。少知名，以公正稱。修《春秋》，事樂恢。恢以直諫，牧爲陳冤得伸。高第爲侍御史、會稽太守，皆有治績。及誣奏恭王，安帝疑其侵，乃使御史母丘歆覆其事，下牧廷尉，會赦不誅，終於家。《彭城靖王恭傳》注。樂己，字伯文。爲郎，非其好也，去官。同上。龐知伯，名勃，爲郡小吏。東平尉農爲書生，窮乏，乃客鍛於勃家。知伯知其賢，尤加禮待，賃值過償。及去，送至十里。過舅家，復貸錢贈之。農不肯受，勃曰："不受，令僕不安。"農乃受，曰："爲馮翊，乃相報。"別七年，果爲馮翊太守。勃爲門上書佐，《北堂書鈔》。忘之矣，農召問，乃寤，舉孝廉，爲尚書郎、左丞、魏郡太守、河内太守。《類聚》引多此六句。郭詳爲太尉長史，起大宅，在高陵城西，世稱長史宅。《御覽》。韋約，字季明，司徒劉愷甚重之，謂曰："君以輕去就，大位不躋，今歲垂盡，選御史實欲煩君。"約曰："犬馬齒盡，既無膂力，又無考課，所以躊躇戀慕者，明公禮遇隆崇，未能自割。"因稱素有風疾，眩冒不堪久遂，徒跣走出，公追不及。吉閎幼有美名，九歲明《尚書》。舅何邈死，家貧子幼,自造墳塋殯葬之。同上。摯恂,字季直,好學善屬文,隱於南山之陰。《後漢書》注。摯茂,字子華,以茂才爲郡功曹,治財大富,悉散以分家人。以貧始,以壽終。《御覽》。王調,字叔和,爲河南尹。永和二年,坐買洛陽令同郡任稜竹田及上罷城東漕渠免官。《欒恢傳》注。鮑恢,父爲縣吏,有罪,令欲殺之。恢年十五,常伏門外,晝夜號泣,令感而赦之。《北堂書鈔》。陳重與其友雷義俱拜尚書郎。義以左黜,重見義去官,亦以病免。《通典》。法真,字高卿,少明五經義,通讖緯,學無常師。嘗幅巾見扶風守,守曰:"哀公雖不材,猶臣仲尼,柳下惠不去父母之邦,欲相屈爲功曹,何如?"真曰:"明府見待有禮,故四時朝覲。若欲吏使之,真將在北山之北南山之南矣。"扶風守遂不敢以爲吏。初,真年未弱冠,父在南郡,步往候父。已欲去,父留待正旦,使觀朝吏會。會者數百人,真於牖中闚其父與語。畢,問真"孰賢"?真曰:"曹掾胡廣有公卿之量。"廣果歷九卿三公之位,世以服真之知人。前後徵辟,皆不就。友人郭正美之,號曰玄德先生。年八十九,中平五年卒。《三國志·法正傳》注。真年未弱,知廣有公卿之量。《決録》注,《後漢書》注。馬融爲南郡太守,二府以融在郡貪濁,受主記掾岐肅錢四十萬,融子強又受吏白向錢六十萬,布三百匹,以肅爲孝廉,向爲主簿。《決録》注,《馬融傳》注。竇叔高,名玄,爲上郡吏。朝會數百人,玄儀狀絶異,天子異之。詔以公主妻之,《北堂書鈔》。同輩調笑。時叔高已自有妻,不敢以聞。方欲迎婦與訣,未發,而詔召叔高就第成婚。《御覽》。妻悲怨,寄書及歌與玄别曰:"棄妻去女,敬白竇生:卑賤鄙陋,不如貴人。悲哉竇生!衣不厭新,人不如故。悲不可忍,怨不自去。彼獨何人,而居我處?"歌曰:"縈縈白兔,東走西顧。衣不如新,人不如故。"時人憐之。《古樂府》叙録。平陵士孫奮,字景卿,少爲郡五官掾,起宅得財，至億七千萬，富聞京師，而性悋吝。容作雇錢甚少，主人曰："君士大夫惜錢如此，欲作孫景卿耶？"不知實是景卿。從子瑞，梁冀掾奮送絹五疋，食以乾魚。冀問奮何以相送，瑞以實對。冀素聞奮富且悋，以鏤衢鞍遺奮，從貸錢五千萬。奮知冀貪，畏之，以三千萬與冀。冀大怒，乃告郡，詐認奮母爲守藏婢，云盜白珠十斛，紫磨金千萬，收考奮兄弟，死獄中，財貨盡没。《御覽》。長陵田鳳，字季宗，爲尚書郎，儀貌端立。入奏事，靈帝目送之，因題殿柱曰："堂堂乎張，京兆田郎"。同上。王諶，字子嗣，博學有力。洛陽种景伯、武原吴季高尚未知名，諶薦二人於朱伯厚，有宰輔之器。退語二人曰："卿必爲公。"後景伯至司徒，季高至司空。世以此服諶之知人也。五門子孫，凡民之伍。馬氏兄弟五人共居穀、澗二水之交，作五門舍，客因以爲名。養豬賣豚，故民爲之語曰："苑中三公，鉅下二卿。五門嘍嘍，但聞豚聲。"今在河南西十里。同上。馬日磾，字翁叔，馬融之族子。少傳融學，以才學進，與楊彪、盧植、蔡邕等典校中書，歷位九卿，遂登臺輔。《後漢書》注。平陵孟它，字伯郎，涼州人，名不令休。三字據裴松之《三國志》注引補。靈帝時，中常侍張讓專朝，讓監奴典任家計。它殫家財賂監奴，共結親厚。積年，衆奴心慚，問所欲。它曰："欲得汝曹拜耳。"衆奴皆許諾。時賓客求見讓者，門車常數百乘，或素日不得進。它最後往，衆奴以其至，皆迎而拜之，徑將它車騎入。衆人大驚，謂它與讓善，争以珍物遺它。它得盡以賂讓，讓大喜。後以蒲萄酒一斛遣讓，即拜涼州刺史。《藝文類聚》、《御覽》引同。朱宇，穆之第二子。以父功當封，自言兩目失明。天子信之，乃封弟恭。其小弟好戲無度，放散家財。宇悉以所得千萬與之。天子聞而嘉之，知其讓封，徵爲議郎《御覽》。杜陵韋伯考，鬻書力養親。既登常伯，貂璫煌煌，奉事尤謹。《北堂書鈔》。韋權,字孔衡。權弟瓚,字孔玉。瓚弟矩,字孔規。太尉掾韋子才之三子,皆修仁義,兄弟孝友,逢盜賊不能去。兄弟相慕,兵至俱死。時人稱之,號韋三義。《羣輔録》。鄭逵,字文信,累辟不就。大將軍何進表爲從事,逵志越其疇。《藝文類聚》。游殷,字幼齊,與司隸校尉胡軫有隙。軫誣搆殺之。初,殷爲郡功曹,有童子張既,字德容,世寒素。爲童兒時,未知名,殷察異之。殷先歸,敕家設密饌。及既至,殷妻笑曰:"君甚悖乎?張德容童昏小兒,何異於客哉?"殷曰:"卿勿怪,方伯之器也。"與論霸王之略,饗訖,以子楚託之。同上。既謙不受,殷固託之。既以殷邦之宿望,難違其旨,乃許之。子楚字仲允,爲蒲坂令。魏王定關中,《魏志·張既傳》注。以楚爲雍州。時漢興郡闕,王以問既,既稱楚文武兼才,遂以爲漢興太守。《藝文類聚》。軫害殷月餘得病,自説,但言:"伏罪,游功曹將鬼來。"遂死。諺曰:"生有知人之明,死有靈魂之驗。"《御覽》。游殷爲胡軫所害,同郡吉伯房、郭公休與殷同歲,爲服緦麻三月。游楚表乞宿衛,拜駙馬都尉。楚不學問,惟好邀遊,喜音樂及畜歌者。琵琶箏笛,每行將以自隨。同上。賈彪兄弟三人並有高名,彪最優,故天下稱曰:"賈家三虎,偉節最怒。"《北堂書鈔》。孝廉杜陵金敞,字文休,上計掾。長陵第五巡,字文休,上計掾。杜陵韋端,字甫休。同郡齊名,時人號之"京兆三休"。《羣輔録》:敞位至兗州刺史。巡,興先之子。興先名種,司空伯魚之孫,名士也。不詳巡位所至,時辟太尉掾。端位至涼州牧。並以光和元年察舉。光和,原刻作"光武"。案種第五倫孫,則巡倫曾孫也,去光武元年甚遠,"光武"二字當是"光和",今改正。韋康,字元將,京兆人。年十五,辟爲主簿。楊彪稱曰:"韋主簿年雖少,有老成之風,昂昂千里之駒也。"《御覽》。孔融與康父端書曰:"前日元將來,淵才亮茂,雅度弘毅,偉世之器也。昨日仲將又來,懿性真寔,文敏篤誠,保家之主也。不意雙珠竟出老蚌。”端從涼州牧徵爲太僕,康代爲涼州刺史。父出止傳舍,康入官寺,時人榮之。三句據《御覽》補。後爲馬超所圍,堅守歷年,救軍不至,遂爲超所殺。《三國志·荀彧傳》注。韋誕,字仲將,除武都太守。以書不得之官,轉侍中,典作《魏書》,號《散騎書》,一名《大魏書》,凡五十篇。洛陽、鄴、許三都宫觀始就,命誕題,以爲永制。以御筆墨皆不任用,因奏曰:“蔡邕自矜能兼斯、喜之法,非流紈素帛,不妄下筆。三句據《藝文類聚》補引。夫工欲善其事,必先利其器。用張芝筆、左伯紙及臣墨,兼此三者,又得臣手,然後可以逞徑寸之勢,方寸千言。”《御覽》。趙襲,字元嗣,爲敦煌太守。先是,杜伯度、崔子玉以上艸書稱於前世,襲與羅暉亦以能艸頗自矜夸。故張伯英與襲同郡太僕朱賜書:“上比崔、杜不足,下方羅、趙有餘也。”《藝文類聚》。弭生,字仲叔,其父賤,故張伯英與李幼才書曰:“弭仲叔高德美名,命世之才也。非弭氏小族所當有,新豐瘠土所當出也。”《廣博物志》。士孫瑞,字君榮,扶風人。博達無不通,仕歷顯位。卓既誅,遷大司農,爲國三老。每三公缺,嘗在選。太尉周忠、皇甫嵩,司徒淳于嘉、趙温,司空楊彪、張善等爲公,皆讓位於瑞。天子都許,追論瑞功,封子萌爲澹津亭侯。《董卓傳》注。金旋,字元機,京兆人,歷位黄門郎、漢陽太守,徵拜議郎,遷中郎將,領武陵太守,爲備所攻劫死。子禕。《三國志》引。金禕爲郡上計,留在許都。時魏武使長史王必將兵衛天子於許,禕與必善。見禕有胡婢善射,必常從請之。《藝文類聚》。時有京兆金禕,字德偉,自以世爲漢臣,自日磾討莽何羅,忠誠顯著,名節累葉。睹漢祚將移,謂可季興,乃喟然發憤,遂與耿紀、韋晃、吉本、本子邈、邈弟穆等結謀。紀字季行,少有美名,爲丞相掾,王甚敬異之,遷侍中、少府。邈字文然,穆字思然,以禕慷慨有日磾之風,又與王必善,因以聞之,若殺必,欲挾天子以攻魏,南援劉備。時關羽強盛,而王在鄴,留必典兵督許中事。文然率雜人及家僮千餘人夜燒門攻必,禕遣人爲内應,射必中肩。必不知攻者爲誰,以素與禕善,走投禕,夜喚德偉,禕家人不知是必,謂爲文然等,錯應曰:"王長史已死乎?卿曹事立矣!"必更從它路奔。王必欲投禕,帳下督謂必曰:"今日事竟知誰門而投入乎?"扶必奔南城。會天明,必猶在,文然衆散,故敗,夷三族。後十餘日,必竟以創死。《魏志》引《決録注》。射援,字文雄,扶風人也。其先本姓謝,與北地諸謝同族。始祖謝服,爲將軍出征。以天子以謝服非令名,改爲射。子孫氏焉。兄堅,字文固,少有美名,辟公府,爲黄門侍郎。獻帝之初,三輔饑亂,堅去官,與弟援南入蜀,依劉璋。璋以堅爲長史。劉備代璋,以堅爲廣漢、蜀郡太守。援亦少有令名,太尉皇甫嵩賢其行,以女妻之。丞相諸葛亮以援爲祭酒,遷從事中郎,卒官。《蜀志》注。杜恕拜黄門侍郎,每宣省閣,威儀矜嚴。《北堂書鈔》。耿援,字伯緒。耿賓,字君達。《耿弇傳》注。大鴻臚周奂,字文明,茂陵人也。《獻帝紀》注。張掖都尉史苞,字叔文,茂陵人也。《後漢書》注《決録注》。宋酆,字伯遇。同上。丘訢傲俗,自謂無伍。《御覽》。杜陵有玉氏。希海,字子江。扶風太守渦尚。侵恭。並《廣韻》注。厶,三隅矛。同上。趙岐,初名嘉。年三十餘,有重疾,卧蓐七年。自慮奄忽,乃爲遺令,敕其兄子,可令立一員石地吾墓前,刻之曰:"漢有逸民,姓趙名嘉。有志無時,命也奈何!"其後疾瘳。《藝文類聚》。以下卿自叙。岐娶馬敦女宗姜爲妻。敦兄子融,嘗至岐家,多從賓與從妹宴飲作樂乃出。過問趙處士所在。岐亦厲節,不以妹聟故屈志於融也。與其友書:"馬季長雖有名當世,而不持士節,三輔高士未嘗以衣裾襒其門也。"岐嘗讀《周官》二義不通,一往造之,賤融如此也。《岐傳》注。岐爲皮氏長,抑強討姦，大興學校。岐長兄磐州都官從事，早亡。次兄無忌，字世卿，部河東從事，爲唐玹所殺。同上。岐避難於四方，江海岱霍無所不到。自匿姓名，布衣弊絮，賣餅於北海市。一作"於北海市販胡餅"。安丘孫嵩年二十，乘犢車遊市，見趙，微察，知非常人。駐車問曰："自有餅耶？"曰："販之。"嵩曰："買幾錢？賣幾錢？"岐曰："買三十，賣亦三十。"嵩曰："視處士之狀，非賣餅者。我北海孫賓碩，終不相負。"岐聞嵩名，即以實告，呼與共載，遂與俱歸。嵩先入，白母曰："今日出，得死友在外。"岐即藏嵩家，積年乃出。後詣劉表。時嵩流離，在表末座，不爲表所識。岐遥識之，向表説嵩，表甚奇重之，共表嵩爲青州刺史。《北堂書鈔》、《藝文類聚》、《初學記》、《御覽》引略同。時綱維不攝，閹豎專權，岐倣前代連珠之書四十章上之，留中不出。岐還至陳倉，復遇亂，倮身得免，在艸中十二日不食。《岐傳》注引《决録》注。案陶九成《説郛》所載，寥寥數條，今采擇各書，案時次條例如右，以箸全書體例，俾嗜古者有所考焉。

應劭　地理風俗記

河内，殷國也，周名之爲南陽，晉始啓南陽，今南陽城是也。城南，大河之陽也。陳留有外黄，故加"内"。平恩縣，故館陶之别鄉也。甘陵郡東南十七里有清河故城，謂之鵲城。甘陵縣西北十七里有信鄉，故縣也。甘陵，故清河，清河在南一十七里。東武城西北三十里有復陽亭，故縣也。東武城西北五十里有棗彊城，故縣也。東武城西南七十里有陵鄉，故縣也。廣川西南六十里有辟陽亭，故縣也。《後漢書·郡國志》注引同。廣川縣西北三十里有歷城亭，故縣也。南皮城北五十里有北皮城。《郡國志》注同。高成縣東北五十里有柳亭，故縣也。《郡國志》注同。列人縣西南六十里有即裴城，故縣。即裴城西北二十里有邯溝城，故縣也。鄴北有梁期城，故縣也。案《史記》作"梁淇"，

《八王故事》作“梁湛”。平恩縣北四十里有南曲亭,故縣。鄡縣北有鄡阜,蓋縣氏也。扶柳縣西北五十里有西梁城,故縣也。修縣西北二十里有修市城。《郡國志》注引作“修市城在修縣西北二十里”。又六十里蒲領鄉,故縣也。案《郡國志》注“又六十里有蒲領城,故縣也”,“城”字疑“鄉”字之譌也。修縣東四十里有安陵鄉,故縣也。黴縣西北二十里有修鄉北城,故縣也。[①] 東平舒縣西南五十里有參合鄉、三字據《郡國志》注補。參后亭,故縣也。“后”疑當作“合”。涿縣東五十里有陽鄉亭,故縣也。《郡國志》注。北新城縣東二十里有東樊輿亭,故縣也。《郡國志》注引同。唐縣西四十里有中人亭。蠡吾縣,故饒陽之下鄉也,自河間分屬博陵。安帝元初七年,封河間王開子翼爲都鄉侯。順帝永建五年,更爲侯國。博陵縣,《史記》蠡吾故縣矣。質帝本初元年,繼孝沖爲帝,追尊父翼陵曰博陵,因以爲縣,又置安平,漢末罷安平。“質帝”以下“郡國志”注。方城南十里有臨鄉城,故縣也。方城縣東八十里有益昌城,故縣也。《郡國志》注引作“臨鄉十里有臨鄉城,東十里有蓋昌城,故縣也”。堂陽縣北三十里有昌城,故縣也。《郡國志》注。道人縣,初築此城,有仙人遊其地,故因以爲城名。道人縣北五十里有參合鄉,故縣也。東安陽縣,五原有西安陽縣,故此加“東”也。無鄉縣,城燕語呼“毛”爲“無”,今改宜鄉也。當城西北四十里有且如城,故縣也。當城西北有延陵鄉,故縣也。陽樂縣,故燕地。《郡國志》注引同。遼西郡治,秦始皇二十二年置。圁陰縣西五十里有鴻門亭。天封苑火井廟,火從地中出。河南平陰縣,故晉陰地,陰戎之所居,在平城之南,故曰平陰。侯安縣東南三十里有定鄉城,故縣也。重合縣西南八十里有重平鄉,故縣也。平原漯陰縣,今巨漯亭是也。南陽有朝陽

① 《水經注》卷十引作:“修縣西北二十里有修市城,故縣也。”

縣,故加“東”。漯水東北至千乘入海,河盛則通津委海,水耗則微涓絶流。原,博平也,故曰平原縣,故平原郡治矣。千乘縣西北五十里有大河,河北有漯沃城,故縣也。臨濟縣有樂安太守治。博昌縣東北八十里有琅邪鄉,故縣。濟陰乘氏縣,故宋乘丘邑也。富平縣,故名厭次。朱虚縣四十里有峿亭,故縣也。平昌縣東南四十里有石泉亭,故縣。丹水在西南,丹水所出,東入海。淳于縣東北六十里有平城亭,又四十里有密鄉亭,故縣也。淳于縣東南五十里有膠陽亭,故縣也。縣爲一都之會,故曰江都。華陽黑水爲梁州,漢武帝元朔二年,改梁曰益州,以新置犍爲、牂牁、越嶲益之,州之疆壤益廣,故曰益云。《御覽》引作“疆壤益廣,故曰益州”。夷中最仁,有信義,設官統之,《史記》所謂僰僮之官也。高后六年城之。漢武帝感相如之言,使縣令通巴蜀道,費功無成。唐蒙人斬之,乃鑿石開闢,以通南中,迄於建寧二千餘里,山道廣丈餘,深三四丈,其塹鑿之跡狀猶存,王莽更曰僰治也。漢武帝元朔三年,改雍曰涼州,以其金行土地寒涼故也。敦煌酒泉,其水味若酒故也。張掖,言張國臂掖以威羌狄。日南,故秦象郡,漢武帝元鼎六年開日南郡,治西捲縣。冠石山,武水出焉。鬱林,《周禮》“鬱人,掌裸器”,祭祀賓客之祼事,和鬱鬯以實樽酒,鬱,芳艸也。百草之華,煑以合釀黑黍,以降神者也。或説今鬱金香是也。一曰鬱人所貢,因氏郡矣。並《水經注》。

應劭　十三州記

太山萊蕪縣,魯之萊柞也。齊所以爲齊者,即天齊淵名也,其水北流,沃於淄水。淄水入濡。江别入沔,爲夏水源。平舒東九十里有廣平城,廣平城東北五十里有潘縣。《水經注》。光武封劉般爲杼秋侯,明帝以屬沛。《郡國注》志。

哀牢國譜

諸葛亮撰。

南夷國譜

諸葛亮撰。先畫天地、日月、君長、城府；次畫神龍，龍生夷及牛馬羊；後畫部主吏，乘馬幡蓋巡行；又畫牽羊負酒、齎金詣之之象，夷甚重之。

南中夷經

《華陽國志》：夷中有桀黠能言議屈服種人者，謂之耆老。好議論譬物，謂之《夷經》。今南中人言論，雖學者半引《夷經》。

巴郡圖經

《華陽國志》：永興二年，巴郡太守但望上疏曰："謹案《巴郡圖經》，境界南北四千，東西五千，周萬餘里，屬縣十四，鹽鐵五官各有丞史，户四十六萬四千七百八十，口百八十七萬五千五百三十五。"

岳瀆經第八卷

永和元年，李佐汎洞庭，登包山，入靈洞，得古文《岳瀆經》第八卷，奇字蠹毁，不能解。譙周《允南解》云："禹治淮水，三至桐柏山，驚風迅雷，石號木鳴，土伯擁川，天老肅兵，功不能興。禹怒，召集百靈，授命夔龍，桐柏千君長稽首請命，禹因囚鴻蒙氏、章商氏、兜氏、盧氏、黎婁氏，乃獲淮渦水神無支祈。善應對言語，形若猨猱，縮鼻高額，青軀白首，金目雪牙，頸伸百尺，力逾九象，搏擊騰踔，疾利倏忽，視不可久。禹授之童律，童律不能制；授之烏木田，烏木田不能制；授之庚辰，庚辰能制。鴟脾柏胡木魅，水靈山妖石怪，奔號叢繞者以千數。庚辰持戟逐去。頸鎖大械，鼻穿金鈴，徙之淮陰龜山之足，俾淮水安流。

譙周　益州志

成都織錦既成，濯於江水，其文分明，勝於初成。它水濯之，不如江水也。《文選・蜀都賦》注。

譙周　巴郡地説

後漢獻帝初平六年，臨江縣屬永寧郡。建安中，改永寧爲巴東郡，臨江仍隸焉。《御覽》。

譙周　三巴志一卷

閬中有渝水，賨民鋭氣喜舞，高祖樂其猛鋭，數觀其舞，使樂人習之，故樂府中有巴渝舞。《御覽》。初平六年，趙韙分巴爲二郡，欲得巴舊名，故郡以墊江爲治，安漢以下爲永寧郡。建安六年，劉焉分永寧爲巴東郡，以墊江爲巴西郡。靈帝分涪陵，置永寧縣。充國初平四年，復分爲南充國縣。平都，和帝分枳縣置。漢昌，永元中分宕渠之北而置。《續漢書・郡國志》注。

譙周　巴蜀異物志

滇池在建寧界，有大澤水周三百餘里，水乍深廣乍淺狹，有如倒池，故俗云滇池。《文選・蜀都賦》注。外域人隨舟大小，或作四帆，或三帆，前後沓旋以取風氣，而無危高之慮，故行不避迅風激波，安而能疾。有一山在海内，小而高，以繫船筏也。俗人謂之越王牂牁。遠望甚小，而高不似山；近望之，以爲一株柏樹在山間也。《通典》。謂頭上巾爲冒絮。《周勃傳》注。不能遠飛。《賈誼傳》注補。文章艸贊曰："文章作酒，能成其味。以金買艸，不言其貴。"《本草注》。鵬小如雞，體有文采，行不出域，若有疆服者，故土俗因形名之曰鵬。《天中記》。涪陵多大龜，其甲可以卜，其緣中又似瑇瑁，俗名曰靈。《蜀都賦》引。

王粲　荆州文學記　官志

有漢荆州牧曰劉君，稱曰：于先王爲世也，則象天地，軌儀憲極，設教導化，叙經志業，用建雍泮焉。立師保，爲作禮樂，以作其性；表陳義籍，以持其德。上知所以臨下，下知所以事上，官不失守，民德無悖，然後太平也。夫文學也者，人倫之首，大教之本也。乃命五業從事宋衷作文學，延明徒焉，宣德音以贊之，降嘉禮以勸之，五載之間，道化大行。耆德故老綦毋闓等，負書荷器，自遠而至者，三百餘人。於是童幼猛進，武人革面，總角佩觿，委介免胄，比肩繼踵，川逝泉湧，亹亹如也。遂訓六經，講禮物，諧八音，協律吕，修紀，理刑法，六路咸秩，百氏備矣。天降純嘏，有所底受。臻于我君，受命既茂。南牧是建，荆衡作守。時邁其德，宣其不繇。厥繇維何，四國交阻。乃赫斯威，爰整其旅。虔夷不若，屢戡寇武。誕啓洪範，敦崇聖緒。典墳既張，禮樂咸舉。濟濟搢紳，盛兹階宇。郁郁俊髦，亦集爰處。和化普暢，休徵時叙。品物宣育，百穀繁蕪。勳格皇穹，聲被四寓。

韋寬　蜀志一卷

《隋志》：後漢韋寬撰。

楊孚　交州異物志一卷

孚，爵里見《董卓别傳》。交阯夏稻名户熟稻，一歲再種。芭蕉葉如芋，取鑊煑之，如絲，可紡績，以爲絺綌。甘蕉如飴甚美，食之四五枚可飽，而餘滋味猶在齒牙間。交阯草，滋大者數寸，並三棱，如仌硍，如博棊，謂之石蜜。益智，類苡薏，艸長寸許，如枳椇子，味辛辣，飲酒食之佳。《本草》注。甘藷似芋，亦有巨魁，剥去，肌肉正白如脂肪。南人專食，以爲米穀。荳蔻生交阯，其實似薑而大，從根中生，形似益智，皮殼小厚，核如石榴子，辛且香。有竹曰篔，其大數圍，節間相去偪促，其中實滿，堅強。以爲屋榱，斷截便可爲棟梁，不復加斤斧也。橘，白葉而赤實，皮頗馨香，實亦有美味。交阯有橘官長一人，秩三百石，主歲貢異鄉橘。梹榔樹若筍竹，生，竿直上未五六尺間,洪洪瘇起,如瘣木焉,因坼裂出,若黍秀也。無華而爲實,大如桃李。又生棘針,重裹其下,所以禦衛其實也。剖其上皮,煑其膚而實之,堅如乾棗。以扶留藤、古賁灰食,則滑美下氣,及宿食消穀。椰樹,高六七丈,無枝葉。葉如束蒲,在上。其實如瓠,繫之顛實,外皮如葫蘆。中有汁升餘,清如水,味美於蜜,食其膚則不飢,食其汁則增渴。又有如兩眼處,俗人謂之越王頭。木棉,吉貝木所生。熟時,狀如鵝毳,細過絲綿;中有核如珠珣,用之,則治出其核。昔用輾軸,今用輭車尤便。但紡不織,在意外抽牽,無有斷絶,其爲布,曰班布。繁縟多巧者曰城,次粗者曰文縟,又次粗者曰烏驎。斯調國有火洲,在南海中。其上有野火,春夏自生,秋冬自死。有木生於其中而不消也,枝皮更活,秋冬火死則皆枯瘁。其俗嘗冬采其皮以爲布,色小青黑;若塵污垢之,便投火中,則更鮮明也。孔雀,自背及尾皆作圓文,五色,頭戴三毛,長數寸,以爲冠。足有距,迎晨則相鳴和。錦鳥,文章如丹地錦,而藻績華文。俗人見其端正似錦,謂之錦鳥。南中云養鸚鵡者,切忌以手㨊摸其背,犯者即不飲不食而死。鷓鴣,形似雌雞,其志懷南而不北,其鳴曰"但南不北"。鵁鶄巢於高樹巔,生子在窟中,未能飛,皆銜其母翼,下地飲食。鸕鶿能没於深水取魚而食之。不生卵,而孕雛於池澤間。既胎而又吐生,多者八九,少者五六,相連而出,若系緒焉。水鳥而巢高樹之上。翡,色赤而大於翠。《賈山傳》注。東北荒中有獸名獬豸,一角,性忠,見人鬬則觸不直者;聞人論,則咋不正者。楚執法者所服也。今冠兩角,非豸也。《輿服志》注。犀體兼五種肉,舌有棘,嘗食艸木棘刺,不食棘葉也。犀角中特有光耀,白理如綫,自本達末,則爲通天犀。《章本紀》注。俗傳象牙歲脱,愛惜之,掘地而藏之。人欲取當作假牙,潛往易之,覺則不藏。靈貍一體,自爲夫婦,故能惑人。《法苑珠林》。日南多駛牛,日行數百里。麢羊,狀似鹿,羊,一作“狼”。而角觸前向,入林則挂,故恒在平淺艸中,逐入林則得。皮可作履韈,角正四據,南人因以作踞牀。《北堂書鈔》。大秦國以野繭絲織成氍毹,以羣獸五色毛雜之,爲鳥獸人物艸木雲氣,千奇萬變,惟意所作。上有鸚鵡,遠望軒軒若飛。同上。蚺虵,食豕吞鹿,出鹿骨與巴虵。《一切衆經音義》。鮫皮可以飾刀,其子驚則入母腹中。《集韻》注。蠍蝺子如蠶子,著艸葉上,得其子,母自飛來就之。同上。鮫之爲魚,其子既育,驚必歸母,還入其腹。小則如之,大亦不復。鰕實四足,而有魚名,頭尾類鯷,跂跂而行。長口小凋,出入沈浮,是爲口婦,怨口自投。擁劍,狀如蟹,但一螯偏大,俗謂之越王鈴下。《顏氏家訓》。儋耳,南方夷,生則鏤其頰,連耳匡分爲數處,狀如雞腸,纍纍垂至肩。

附　海内先賢傳

曹叡撰。

海内士品録二卷《舊唐書·志》二卷。

同上。

甄别表狀

同上。

陳留耆舊傳《舊唐書·志》三卷。

蘇林撰。

豫章舊志傳八卷

徐整撰。

會稽先賢傳五卷《隋》:七卷。《唐》:五卷。

謝承撰。

陳壽　益部耆舊傳十卷

盧毓　九州人士論一卷

嚴畯　海潮論一卷

漢末名士録

杜恕撰。

吴興一卷

韋昭撰。

吴興堂一卷

韋昭撰。

陸瞻　吴郡記

吴漢上名賢傳

陸凱撰。

右輿地類

卷　六

東平王蒼　議定南北郊制度禮儀

《東平王蒼傳》：中興三十餘年，四方無事，蒼以天下和平，宜修禮樂，乃與公卿共議定南北郊冠冕車服制度。《晉書·志》：漢明帝時，天子車乘冠服從歐陽氏説，公卿以下從大、小夏侯氏説。董巴《輿服志》：顯宗初，服冕衣裳以祀天地，衣裳以玄上纁下，乘輿備文日月星辰十二章，諸侯用山龍九章，卿以下用華蟲七章，皆五服采。乘輿刺繡，公卿以下皆織成。陳留襄邑獻之。徐廣《車服志》：漢明帝案古禮備其服章，天子郊廟衣皂上絳下，前三幅，後四幅，衣畫而裳繡。《禮記》疏：今時朱衣朝服從後漢明帝所爲，鄭云今曲裾者，是今朝服之曲裾也。袁宏《漢紀》：漢初，文學既缺，輿服旗幟，一承秦制。永平二年正月，天子依《周官》、《禮記》制度，冠冕、衣裳、佩玉、乘輿依古式矣。

曹充　七廟三雍大射養老諸禮儀

充建武中爲博士，從狩岱宗，定封禪禮。受詔議立七廟、三雍、大射、養老諸禮儀。顯宗即位，上言："漢再受命，但有封禪之事，而禮樂廢缺，五帝不相沿樂，三王不相襲禮，大漢宜自制禮，以示萬世。"帝善之，用大予樂，拜充侍中。《曹褒傳》。先是陳元數陳郊廟之禮，帝不能用。建武二年正月壬子，起高廟於洛陽。是月，大司徒鄧禹入長安，遣府掾奉十一帝神主納於高廟。《禮儀制度》曰："光武都洛陽，乃令高廟以下至平帝爲一廟，藏十一主於其中；元帝次，當第八；光武第九。故立元帝爲祖廟，後遵而不改。"《祭祀志》：建武二年，立高廟於洛陽，四時祀祫，高帝爲太祖，文帝爲太宗，武帝爲世宗，如舊。餘帝四時及臘，一歲五祀。三年正月，立親廟於洛陽，祀父南頓君以上至春陵節侯。是時，祀儀未設。至十九年，五官中郎將張純與太僕朱浮奏議:“禮,爲人子事大宗,降其私親。當除今親廟。”以下博士、議郎。大司徒戴涉等議:“奉所代,立平、哀、成、元廟,代今親廟。”上可涉等議。詔曰:“以宗廟處所未定,且祫祭高廟。其成、哀、平且祠長安故高廟。其南陽春陵,且因故園庙祭祀。惟孝宣廟有功德,上尊號曰中宗。”於是洛陽高廟四時加祭孝宣、孝元,凡五帝。其西廟成、哀、平三帝主,四時祭於故高廟。東廟,京兆尹侍祠,衣冠車服如太常祠陵廟之禮。太僕朱浮上言:“陛下中興,宜恭承祭祀。今禘祫高廟,承序昭穆,而春陵四世,君臣並列,以卑廁尊,不合禮意,謂宜除今親廟。”詔下公卿,大司徒涉、大司空融請:“宣、元可親奉祠,成帝以下,有司行事,别爲南頓君立皇考廟。其祭上至春陵節侯,羣臣奉祠,以明尊尊親親之恩。”從之。　二十六年,詔張純曰:“禘、祫之祭,不行已久。宜據經典,詳爲其制。”純奏曰:“三年一祫,五年一禘。《春秋公羊傳》云:‘大祫者何?合祭也。’毁廟及未毁之主皆登,合食於太祖,五年而再殷祭。漢舊制,三年一祫,毁廟主合食高祖,存廟主未嘗合祭。元始五年,始爲禘祭。禮説三年一閏,五年再閏,天氣大備。三年一祫,五年一禘。禘之爲言諦,諦定昭穆尊卑之義也。禘祭以夏四月,陽氣在上,陰氣在下,故正尊卑之義。祫祭以十月,五穀成熟,物備禮成,合聚飲食。斯典之廢,於兹八年,謂可如禮施行,以時定議。”帝從之,自是禘、祫遂定。　杜林《郊祀疏》:漢基業特起,不因緣堯。堯遠於漢,民不曉信,言提其耳,終不悦諭。后稷近於周,民户知之,世據以興,基由其祚,本與漢異。郊祀高帝,誠從民望,得萬國之歡心,天下福應,莫大於此。民奉種祠,且猶世主,不失先俗。羣臣僉薦鯀,考績不成,九載乃殛。宗廟至重,衆心難違,不可卒改。《詩》云"不愆不忘,率由舊章"。明當遵用祖宗之故事。宜如舊制,以解天下之惑,合於《易》之所謂"先天而天不違,後天而奉天時"之義。方軍師在外,祭且如元年郊祭故事。　明帝即位,以光武撥亂中興,更爲起廟,尊號曰世祖廟。以元帝於光武爲穆,雖非宗,不毁也。明帝遺詔,遵儉無起寢廟,藏主於世祖廟更衣室。孝章即位,不敢違,以更衣有小室,别上尊號曰顯宗廟,間祠於更衣,四時合祭於世祖廟。章帝遺詔如先帝故事。　張純爲大司空,以聖王之建辟雍,所以尊崇禮儀,既富而教者也。乃案古經讖記、明堂圖、河間《古辟雍記》、孝武太山明堂制度,考及平帝時議,欲具奏之。未及上,會博士桓榮請立辟雍、明堂,帝下三公、太常議,而純議同榮,帝乃許之。　太尉趙熹上言:宜登封岱宗,正三雍之禮。　中元元年初,起靈臺、明堂、辟雍,宣布圖讖於天下。　永平二年三月,上始率羣臣躬養三老五更於辟雍,行大射之禮。先吉日,司徒上太傅若講師故三公人名,用其德行年耆高者一人爲老,一人爲更,皆服都紵大袍單衣,皁緣領袖中衣,冠進賢冠,扶玉杖。五更亦如之,不杖。皆齋於太學講堂。其日,乘輿先到辟雍禮殿,御坐東廂,遣使者安車迎三老、五更。天子迎於門屏,交禮,道自阼階,三老升西階,天子揖如禮。三老升,東面,三公設几席,九卿正履,天子親袒割牲,執醬而饋,執爵而酳,祝鯁在前,祝饐在後。五更南面,三公供禮,亦如之。明日,詣闕謝恩,以見禮遇大尊顯也。　永平二年三月,上始帥羣臣躬養三老五更於辟雍,郡國通行鄉飲酒禮,學校皆禮先聖先師周公、孔子。　冬十月壬子,幸辟雍。初行養老禮。詔曰:"間者暮春吉月,初行大射;今月元日,復踐三雍。尊事三老,兄事五更,安車蒲輪,供綏執授。侯王設醬,公卿饌珍,朕親袒割,執爵而酳。

祝哽在前，祝噎在後。升歌《鹿鳴》，下管《新宫》，八佾具修，萬舞於庭。三老李躬，年耆學明。五更桓榮，授朕《尚書》。其賜榮爵關内侯，賜天下三老酒一石、肉十斤。有司其存耆耋，恤幼孤，稱朕意焉。” 八年冬十月丙子，臨辟雍，養三老五更。　譙周《五經然否》曰：“漢中興，始定禮儀，羣臣欲令三老答拜。城門校尉董鈞議曰：‘養三老，所以教事父之道也。若答拜，是使天下父答子拜也。’”詔從鈞議。虞喜《志林》：據漢儀，於門屏交禮，交禮即答拜也。中興從鈞議，後革之。《伏湛傳》：湛奏行鄉飲酒禮，時建武五年也。《周澤傳》：永平中，拜侍中，後數爲三老。建初二年冬，肅宗行饗射禮，以伏恭爲三老。《馮魴傳》：建初三年爲五更，詔朝賀，就列侯位。和帝時，以魯丕爲三老。安帝時，以魯丕爲三老，李充爲五更。靈帝時，以袁逢爲三老。光和三年，行辟雍禮，楊賜以光禄大夫爲三老。

漢儀注

未詳撰人姓氏。民年二十三爲正，一歲爲衛士，一歲爲材官騎士，習射御騎馳戰陣。又曰：年五十六衰老，迺得免爲庶民，就田里。《前漢書・高祖紀》注引。民年十五以上至五十六，出口賦錢，人百二十爲一算，爲治庫兵車馬。八月初爲算賦。臣民被其德，以爲僥倖也。高帝母兵起時死小黄北，後於小黄作陵廟。先媪已葬陳留小黄。並同上。省中有五尚，而内官婦人有諸尚也。《惠帝紀》注引。大僕牧師諸苑三十六所，分布北邊、西邊，以郎爲苑監官，奴婢三萬人，養馬三十萬疋。《景帝紀》注引。郊泰畤，帝平旦出竹宫，東向揖日；其夕，西南向揖月。便用郊日，不用春秋也。《武帝紀》注引。諸侯王歲以户口酎黄金於漢廟，皇帝臨受獻金，金少不如斤兩，色惡，王削縣，侯免國。御史亦有屬。立秋，貙膢。並同上。徵事比六百石，皆故吏二千石不以臧罪免者爲徵事，絳衣奉朝賀正月。《昭帝紀》注引。丞相、太尉、大將、軍史秩四百石。武帝又寘丞相少史，秩四百石。民年七歲至十四歲，出口賦錢，人二十三。二十錢以食天子；其三錢者，武帝加錢以補車騎馬。並同上。太宰令屬者七十二人，宰二百人。《宣帝紀》注引。長安中諸官獄三十六所。舊秩從官七百人。佽飛具矰繳以射鳧雁，給祭祀。並同上。吏二千石以上視事滿三年，得任同產若子一人爲郎。《哀帝紀》注引。郎中令主郎中，左右車將主左右車郎，左右户將主左右户郎也。《百官公卿表》注引。若盧獄令主治庫兵將相大臣。有寺互。都船獄令，治水官也。衛帥主門衛，秩二千石。諸吏、給事日上朝謁，平尚書奏事，分爲左右。並同上。邊郡置部都尉、千人、司馬、候也。《靳歙傳》注引。吏四百石大臣下自除國中。皇帝輦動，左右侍帷幄者稱警，出殿則傳蹕，止人清道也。《梁孝王傳》注引。祭地五時，皇帝不自行，祠還致福。《賈誼傳》注引。獄二十六所，導官無獄。《張湯傳》注引。太史公，武帝置，位在丞相上。天下計書先上太史公，副上丞相，序事如古《春秋》。遷死後，宣帝以其官爲令，行太史公文書而已。《史遷傳》注引。女長御比侍中，皇后見娙娥以下，長御稱謝。《衛太子傳》注引。列侯爲丞相，稱君侯。《劉屈氂傳》注引。以玉爲襦，如篋鎧狀，連綴之，以黄金爲縷。腰以下玉爲札，長尺，廣二寸半，爲四，下至足，亦綴以黄金縷。天子陵中，明中高丈二尺四寸，周二丈。内梓宫，次楩柏椁，黄腸題湊。《霍光傳》注引。宗廟一歲十二祠。五月嘗麥。六月、七月三伏、立秋貙婁，又嘗粢。八月先夕饋飧，皆一太牢，酎祭用九太牢。十月嘗稻，又飲烝二太牢。十一月嘗，十二月臘，二太牢。又每月一太牢，如閏，加一祀。《韋玄成傳》注引。刺史得擇所部卒史與從事。《王尊傳》注引。御史大夫史員四十五人，皆六百石，其十五人給事殿中，其餘三十人留守治百事，皆冠法冠。《蕭望之傳》注引。有天地大變、天下大過，皇帝使侍中持節，乘四白馬，賜上尊酒十斛、牛一頭，策告殃咎。使者去半道，丞相即上病。使者還，未白事，尚書以丞相不起病聞。《翟方進傳》注引。皇后、婕好乘輦,餘者以茵,四人舉以行。《王莽傳》注引。御史大夫爲丞相,更春乃封,故先賜爵關内侯。《平當傳》注引。

明堂辟雍郊祀封禪禮儀

梁松與諸儒上。

封禪舊儀太山石刻記

司空張純上。

明堂圖

《隋志》:《明堂圖》有二本:一是後漢建武三十年作《禮圖》,有本不詳撰人。

封禪儀

建武三十二年,車駕東巡狩。正月二十八日,發雒陽宫。二月九日,到魯,宿奉高。十五日,始齋。十九日,之山虞,國家居亭,百官布野。比日,山上雲氣成宫闕,百官並見之。二十一日夕牲時,白氣廣一丈,東南望致濃厚。時天清和無雲。《瑞命篇》"岱嶽之瑞,以日爲應,晨祭也"。日高二丈燔燎,燔燎煙正北。百官各以次上。郡儲輦三百,爲貴臣、諸公、王、侯、卿、大夫、百官皆步上,少用輦。　國家御首輦,人輓升山,至中觀,休。須臾,復上。須臾,羣臣畢就位。國家臺上北面,虎賁陛戟臺下。騶騎二千餘人發壇上方石,以金爲繩,以石爲檢,東方、西方各三檢。檢中石泥及壇土,赤白黑各依如其方色。稱萬歲,音動山谷。有氣屬天,遥望不見山巔,山巔人在氣中,不知也。封畢有頃,詔百官以次下,國家隨後。數百人維持行相逢推,百官連延二十餘里。道多迫小,深谿高岸數百丈。步從匍匐邪上,起近炬火,止亦絡繹。步從觸擊大石,石聲正讙,但讙石无相應和者。腸不能已,口不能止。夜半後到,百官明旦乃訖。其中老者氣劣,不能行,卧巖下。明日早,大醫令復遵問起居。國家云:"昨日上下山,欲行迫前,欲休則後人所蹈,道峻危險,恐不能度。國家不勞,百官以下露卧水飲,無一人蹉跌,無一人疾病,豈非天耶?"太山率多暴雨,如今上直下柴祭登封,清晏温和。明日,上壽,賜百官省事。事畢發,暮宿奉高三十里。明日發,至梁甫九十里夕牲。　功效如彼,天應如此,羣臣上壽,國家不聽。

馬第伯　封禪記

文載應劭《漢官儀》,第伯爵里未詳。車駕正月二十八日發雒陽宫,二月九日到魯,遣守謁者郭堅伯將徒五百人治太山道。十日,魯遣宗室諸劉及孔氏、瑕丘丁氏上壽受賜,皆詣孔氏宅,賜酒肉。十一日發,十二日宿奉高。是日遣虎賁郎將先上山,案行。還,益治道徒千人。十五日,始齋。國家居太守府舍,諸王居府中,諸侯在縣庭中齋。諸卿、校尉、將軍、大夫、黄門郎、百官及宋公、衛公、褒成侯、東方諸侯、洛中小侯齋城外汶水上。太尉、太常齋山虞。馬第伯自云:某等七十人先之山虞,觀祭山壇及故明堂宫郎官等郊肆處。入其幕,觀治石。石二枚,狀博平,圓九尺,此壇上石也。其一石,武帝時石也。時用五車不能上也,因置山下爲屋,號五車石。四維距石長丈二,廣二尺,厚尺半所,四枚。檢石長三尺,廣六寸,狀如封篋。長檢十枚。一紀號石,高丈二尺,廣三尺,厚尺二寸,名曰立石。一枚,刻文字,紀功德。是朝上山騎行,往往道峻峭,下騎,步牽馬,乍步乍騎,且相半,至中觀留馬。去平地二十里,南向極望無不睹。仰望天關,如從谷底仰觀抗峯。其爲高也,如視浮雲。其峻也,石壁窅窱,如無道徑。遥望其人,端如行朽兀,或爲白石,或雪,久之,白者移過樹,乃知是人也。殊不可上,四布僵卧石上,有頃復蘇。亦賴賫酒脯,處處有泉水,目輒爲之明。復勉強相將行,到天關,自以已至也，聞道中人言尚十餘里。其道旁山脅，大者廣八九尺，狹者五六尺。仰視巖石松樹，鬱鬱蒼蒼，若在雲中。俛視谿谷，碌碌不可見丈尺。遂至天門之下。仰視天門，窔遼如從穴中視天。直上七里，賴其羊腸逶迤，名曰環道，往往有絙索，可得而登也。兩從者扶挾，前人相牽，後人見前人履底，前人見後人頂，如畫重累人矣，所謂磨胸捏石，捫天之難也。初上此道，行十餘步一休，稍疲，咽脣燋，五六步一休。牒牒據頓，地不避溼闇，前有燥地，目視而兩脚不隨。早食上，晡後到天門。郭使者得銅物。銅物形如鐘，又方柄有孔，莫能識，疑封禪具也。得之者汝南召陵人，姓楊名通。東上一里餘，得木甲。木甲者，武帝時神也。東北百餘步，得封所，始皇立石及闕在南方，漢武在其北。二十餘步得北垂圓臺，高九尺，方圓三丈所，有兩陛。人不得從，上從東陛上。臺上有壇，方一丈二尺所，上有方石，四維距石，四面有闕。鄉壇再拜謁，人多置錢物壇上，亦不掃除。國家上見之，則詔書所謂酢梨酸棗狼藉，散錢處數百，幣帛具，道是武帝封禪至太山下，未及上，百官先爲上跪拜，置梨棗錢於道以求福，即此也。東山名曰日觀。日觀者，雞一鳴時，見日始欲出，長三丈所，秦觀者望見長安，吴觀者望見會稽，周觀者望見齊。西北有石室。壇以南有玉檠，中有玉蟲。山南脅神泉，飲之極清美利人。日入下去，行數環。日暮時頗雨，不見其道，一人居其前，先知蹈有人，乃舉足隨之。比至天門下，夜人定矣。

封禪書

楊終撰，見《華陽國志》。

祭六宗儀

張純《六宗表》：臣竊以六宗凡有六統，而所據各異，考之理經，大義不通。臣聞禋於六宗，視祖考所尊者。六宗，則三昭三穆也。安帝元初六年三月庚辰,始立六宗,祀於雒陽北郊戌亥之地,禮比大社。時以《尚書》歐陽氏説,謂六宗者在天地四方之中,爲上下四方之祭。以元始中故事,謂六宗《易》六子之氣日、月、雷公、風伯、山、澤者爲非是。李氏家書:司空李郃侍祠南郊,不見六宗祠,奏曰:"案《尚書》'肆類于上帝,禋于六宗'。六宗者,上不及天,下不及地,旁不及四方,在六合之中,助陰陽,化成萬物。漢初甘泉、汾陰祀天地以禋六宗。孝成之時,匡衡亦奏立南北郊祀,復祠六宗。及王莽謂六宗,《易》六子也。建武都雒陽,制不道祭六宗,由是廢不血食。今宜復舊制度。"制曰:"下三公議。"五官將行宏三十一人議可祭,大鴻臚龐鴻等二十四人議不可祭。帝從公議,由是遂祭六宗。

樊鯈與公卿雜定郊祠禮儀

尚書令劉光條奏順帝即位禮儀

桓帝梁獻懿皇后納聘儀案:今所傳《雜事祕辛》乃楊慎僞撰。

宋皇后即位禮儀

見下蔡質《漢儀》。

衛宏　漢官舊儀《隋志》四卷,《唐志》同。

《儒林傳》:宏好古學,光武以爲議郎,作《漢舊儀》四篇,以載西京雜事。梁有衛敬仲《漢中興儀》一卷,亡。《中興書目》:《漢舊儀》四卷,今存者三卷,非宏全書也。

冠儀約制

何休撰。將冠子者具衣冠,冠者父兄若諸父宗族之尊者,一人爲主,主人告所素敬僚友一人爲冠賓,必自告其家,告曰:某之子若弟某長矣,將加冠於首,願吾子教之。賓既許,主人自定吉日,先冠一日,宿告賓曰:請以明日行事。賓曰:敢不從命。主人灑掃内外皆肅,執事者爲冠者設北嚮筵,又設賓東嚮筵，兩筵相接，授冠以篋器設於兩筵，又設罇爵於東方。冠者如常服，待命於房，夙興賓到，迎延揖讓如常。坐定，執事曰：請行事矣。跪告賓曰：請勞吾子。賓跪答曰：敬諾。賓起，立西序東面聽命。命禮賓，冠者興，西向拜賓，賓答拜，訖命就筵，賓主各還坐，冠者北向筵坐，復賓跪曰：吾子之使請將命。主人跪答曰：勞吾子。賓起，就東嚮筵。執事者執爵跪向冠者祝曰：令月吉日始加玄服，棄爾幼志，順爾成德，壽考維祺，介爾景福。冠者即坐。賓跪冠訖，冠者執爵酬地，然後啐酒，訖賓興，復還本位，主人亦起，乃俱坐。冠者還房，自整飾出拜父，父爲起，若諸父羣從及兄應，答拜如常。入拜母，母答拜。其餘兄弟姑姊妹皆相拜如常。主人命冠者出，更設酬爲歡，乃罷。異日有祭事，白告祖考者自如舊祭事之常儀。

曹褒　漢禮百五十篇

褒少篤志傳業，尤好禮事。常憾朝廷制度未定，慕叔孫通爲漢禮儀，晝夜研精，沈吟專思，寢則懷抱筆札，行則誦習文書。拜博士。肅宗欲制定禮樂，元和二年，下詔曰："《河圖》稱'赤九會昌，十世以光，十一以興'。《尚書璇璣鈐》曰：'述堯理世，平制禮樂，放唐之文。'"褒知帝旨欲有興作，上疏曰："聖人受命，制禮作樂，以著功德。今皇天降祉，嘉瑞並臻，作制之符，甚於言語。宜改文制，著成漢禮，丕顯祖宗盛德之美。"帝下太常，巢堪以爲一世大禮，非褒所定，不可許。章帝知羣儒拘攣，難與圖始，朝廷禮憲，宜時刊立。明年，復下詔曰："朕以不德，感祖宗宏烈。乃者鸞鳳仍集，麒麟並臻，甘露宵降，嘉穀滋生，赤艸之類，紀於史官。朕夙夜祗畏，上無以彰於先功，下無以克稱靈物。漢遭秦餘，禮壞樂崩，因循故事，未可觀省。知其説者，各盡其意。"褒省詔，歎息，復上疏，具陳禮樂之本,制作之意。拜褒侍中。事下三公,未及奏,詔召玄武司馬班固,問改作禮樂之儀。固曰:"京師諸儒,多能説禮,宜廣招集,共議得失。"帝曰:"諺云'作舍道旁,三年不成'。今議禮之家,名爲聚訟,互生異議,筆不得下。堯作《大章》,一夔足矣。"章和元年,乃召褒詣嘉德門,令小黄門持班固所上叔孫通《漢儀》十二篇,敕褒曰:"此制散略,多不合經。今宜依禮條正,使可施行。於南宫、東觀盡心集作。"褒既受命,乃叙次禮事,依準舊典,雜以五經讖記之文,撰次天子至於庶人冠、婚、吉、凶、終始制度,爲百五十篇,寫以二尺四寸簡。其年十二月奏上。帝以衆論難一,故但納之,不復令有司平奏。會帝崩,和帝即位,褒乃作章句,帝遂以新禮二篇冠。《開元禮義鑑》:漢順帝冠用曹褒新禮四加,初加紂布進賢,次爵弁,次通天,皆於高祖廟,以禮謁見世祖。太尉張酺、尚書張敏奏褒擅制漢禮,破亂聖術,宜加刑誅。帝雖寢其奏,然漢禮不行。

王隆　小學漢官篇

隆爵里見後集類。本傳:著《小學漢官篇》。注:見下《漢官解詁》。

胡廣　漢官解詁

廣《漢官篇注》論曰:"前安帝時,越騎校尉劉千秋校書東觀,好事者樊長孫與書曰:'漢家禮儀,叔孫通所艸創,皆隨律令在理官,藏於觀閣,無記録者,久令三代之業闕而不彰。誠宜撰次,依擬《周禮》,定位分職,各有條序,令人無愚智,入朝不惑。君以公族元老,正丁其任,焉可以已!'劉君甚然其言,與邑子通人張平子參議未定,而劉君遷爲宗正、衛尉,平子爲尚書郎、太史令,各務其職,未暇恤也。至順帝時,平子爲侍中典校書,方作《周官解説》,乃欲以次述漢事。會復遷河間相,遂莫能立也。述作之功，獨不易矣。既感斯言，顧見故新汲令王文山《小學漢官篇》，略道公卿内外之職，旁及四夷，博物條暢，多所發明，足以知舊制儀品。蓋法有成易，而道有因革，是以聊集所宜，作爲解詁，各隨其下，綴續後事，令世施行，庶明厥旨，廣前後憤盈之念憎，助來哲多聞之覽焉。”“冀趙常山”胡廣曰：“經曰‘冀州既載’。趙國，今治常山。”案：自“冀趙常山”至“并代晉霍”，皆《小學漢官篇》文。“兗衛濟河”：“經曰‘濟河爲兗州’衛國，今治山陽。”“青齊海岱”：“經曰‘海岱惟青州’，居齊國，今治焉。”“徐魯淮沂”：“經曰‘海岱及淮惟徐州’，又曰‘淮沂’其乂居魯國，今居豫州而治東海。”“揚吴彭蠡”：“經曰‘淮海爲揚州’，又曰‘彭蠡既瀦’居吴國，今治九江。”“荆楚衡揚”：“經曰‘荆及衡揚惟荆州’，居楚國，今治武陵。”“益庸岷梁”：“經曰‘華陽、黑水惟梁州’，漢改梁州爲益州，今治廣漢。”“涼邠黑水”：“經曰‘黑水西河惟雍州’，漢改雍州爲邠州，右扶風栒邑縣屬司隸部，不復屬州，今治漢陽。”“雍别朔方”：“漢别雍州之地，置朔方刺史。”“交阯南越”：“漢平南越之地，置交阯刺史，列諸州，治蒼梧。”“幽燕朝鮮”：“經無幽州，而《周官》有焉，蓋冀之别也，居燕國，今廣陽是。”“并代晉霍”：“經無并州，而《周官》有之，益州之别也。居燕國，今廣陽是。”《御覽》。“是以古者清廟茅屋”：《小學漢官篇》文。“古之清廟蓋茆，所以示儉。明堂今以茅蓋之，存古制也，一作“下藉茅”。乃加瓦其上。”《光武本紀》注。諸王在長安位次三公。《解詁》文，《北堂書鈔》。桷，桷也，諸侯丹桷以丹色也。棁，梁上柱也，諸侯藻棁爲藻文也。《御覽》。列侯金印紫綬，以賞有功也。《通典》。功大者食縣邑，小者食鄉亭，功隨大小而侯也。得臣其所食吏民，大小隨邑縣鄉所食也。《北堂書鈔》。本爲徹侯，避武帝諱，曰通侯。舊時文書，或爵通侯是也。後更爲列侯。今俗人或都言諸侯,乃王爾,非此也。《藝文類聚》。胡廣曰:“太傅每帝初即位總録尚書事,《通典》。猶大冡宰總己之職也。《百官志》注。太子太傅日就月將,琢磨玉質,《小學漢官篇》文。言太子之質琢磨以道也,位次太師。《北堂書鈔》。少傅琢磨玉質,永承無疆《小學漢官篇》文。言太子比珪玉也。”《北堂書鈔》。光武封諸子皆四縣。建武中,鄧禹罷大司徒,奉朝請。秋碧案:原引大司徒下有“三輔職如郡守,獨奉朝請”,文義不屬,當由與三輔條訛誤,今改正。成帝時,丞相張禹避位奉朝請,又以關内侯蕭望之奉朝請。奉朝請之職,則非爲官。下理坤道,上和乾光,謂之司空。前、後、左、右將軍,皆周末官,秦因之,位上卿,金印紫綬,皆掌兵及四夷,有長史,秩千石。前、後、左、右將軍,宣元以後,雖不出征,猶有其官,位在諸卿上也。中壘、城門,北軍、左校,修爾車馬,以戒不虞。《小學漢官篇》文。光禄大夫、諫議大夫,揖讓羣卿,四方則之。《小學漢官篇》文。光禄大夫,本爲中大夫,武帝元封五年置諫大夫,以中大夫爲光禄大夫。《御覽》。世祖中興,以爲諫議大夫。又有太中、中散光禄大夫。此四等者於古禮爲天子之下大夫,《北堂書鈔》。視列國之上卿。《百官志》注。與博士俱以儒雅之選,異官通職,《周官》所謂“官聯”者也。温故知新,與參國政,率由舊章,皆能明古今、辨章句、習舊聞者也。《太平御覽》一作“分明古今,辨章舊聞”。尚書出内詔命,齊眾喉舌。《初學記》。機事所總,號令攸發。《北堂書鈔》。士之權貴,不過尚書。《初學記》。唐虞曰納言,《周官》爲内史。《北堂書鈔》。其次諸吏,諸吏光禄勳是也。《御覽》。勳猶閽也。《易》曰“爲閽寺宦寺”,主啓宫門户之職。《百官志》注。案前書《百官公卿表》注引作“勳之言閽也,古主門官也。光禄主宫門”。建武以來,省御史大夫官屬入侍蘭臺,有十五人,特置中丞一人以總之,此官得舉非法,其權次尚書。《御覽》。孝宣感路温舒言,秋季後請讞。時帝幸宣室,齋居而決事,令侍御史二人治書。治書侍御史起此。後因別置,冠法冠,秩百石,有印綬,與符節郎共平廷尉奏事,罪當輕重,共上廷尉。《百官志》注。治書御史四人,皆法冠,一名柱後,一名獬豸。獬豸,獸名,知人曲直,觸邪佞。《初學記》。給事中常侍左右,無員,位次侍中常侍,或名儒,或國親。《藝文類聚》。劉向以諫議大夫爲給事中。《初學記》。太常掌社稷郊祀。《北堂書鈔·郊祀》作"郊畤"。事重職尊,故在九卿之首。《初學記》、《太平御覽》引同。官名祭酒,皆一位之元長者。古禮,賓客得主人饌,則老者一人舉酒以祭於地。舊説以爲示有先,《御覽》。故以祭酒爲名。《山堂考索》。"博士稽合同異,講語五始",《小學漢官篇》文。胡廣曰:"博士爲儒雅之林。"《文選·長楊賦》注。謹案:《公羊傳》五始者,元年、春、王、正月、公即位。元者歲之始也,春者四時之始,王者受命之始,正者月之始,公即位一國之始。《通典》。"鴻臚贊通四門,撫柔遠賓":《小學通官篇》。"鴻,聲也。臚,傳也。所以傳聲贊導大賓也。"《初學記》。胡廣曰:"灌謁者,明、章二帝服勤園陵,謁者灌柏,後遂得兹名焉。"《通典》。"衛尉掌宫闕周廬殿掖、屯陳夾道、當兵交戟",《小學漢官篇》文。胡伯始曰:"衛尉主宫闕之内,衛士於周垣下爲區廬。廬者若今之仗宿屋矣,各有員部,凡居宫中者,皆施籍於門,案其姓名。各有醫巫僦人當入者,本官長吏爲封啓傳,審其印信,然後内之。人有籍者,皆復有符。符用木,長尺二寸,以所屬當官兩字爲鐵印。有符當出入者,案籍畢,復齒符,齊其物色,乃引而内之也。其有官位得出入者,令執御者各傳呼前後以相通。分部行夜,有行者,輒前曰:'誰!誰!'若此不懈,終歲更始,所以重慎宿衛也。陳屯夾道,謂諸門郎周廬殿各陳屯士,夾其旁道設兵,以示威武,交節立戟,以遮呵妄出入者。"《百官志》注、《通典》、《太平御覽》。"執金吾典執禁兵":《小學漢官篇》文。"執金吾,吾者禦也,執金革以禦非常也。衛尉巡行宫中,則金吾徼巡宫外,相爲表裏,以擒奸討猾也。"《太平御覽》。宗正歲一治諸王世譜差序秩第。《小學漢官篇》文,《百官志》注。太僕廄府皮軒鸞旗"、《太平御覽》。"豹尾過後,罷屯解圍",《北堂書鈔》、《小學漢官篇》文。胡廣曰:"馬有廄,車有府,皮軒以虎皮爲軒,鸞旗以銅作鸞,鳥車衡上,建蓋在中,《御覽》。施於道路,豹尾之間爲省中,故須過後屯圍乃得解,所以備不虞也。"《輿服志》注。少府主供養,陂池、禁錢、服御、口實、掖庭、中宫。《通典》,《小學漢官篇》文。"調均報度,轉漕委輸",《百官志》注,《玉海》引同,《小學漢官篇》文。胡廣曰:"邊郡諸官請調者,皆爲均調報給之也。以水通輸曰漕。委,積也。郡國所積聚金帛貨賄,隨時輸送諸司農,曰委輸,以供國用。"同上。小官嗇夫各擅其職。《周官·職内》疏。樹:栗、椅、桐、梓。《百官志》注,并《小學漢官篇》文。胡廣曰:"古者列樹以表道,並以爲林囿。四者木名,治宫室並主之。"同上。在邑曰倉,在野曰庾。(從《前漢書·文帝紀》注。)"廷尉讞當疑獄",《小學漢官篇》文。胡廣曰:"讞,質也。"《北堂書鈔》。車駕出,有請室令在前先驅,此官有别獄也。《前漢書·賈誼傳》注。假佐,取内郡善史書佐給諸府。《王尊傳》注。武帝太初元年,左内史爲左馮翊,主爵都尉;右内史爲右扶風;京兆尹治京師,以爲三輔,職皆郡守,主爵列侯,獨奉朝請,其職並鴻臚也。世祖都雒陽,改河南爲河南尹。《北堂書鈔》。馮,輔;翊,蕃,故以爲名。惠帝三年,相國奏遣侍御史監三輔,察辭治,凡九條。二歲更,常以中月奏事也。並同上。京畿十有三牧,分土食焉。馳行郡國,督察在位。一作"分部督察諸州,常以八月巡行所部郡國"。録囚徒,考殿最,初歲盡詣京師奏事,中興但因計吏。《小學漢官篇》文,《百官志》。胡廣曰:"巡謂驛馬也。縣次傳送之,以走疾,猶言古附遽。"胡廣曰:"縣邑囚徒,皆閲録視,參考辭狀,實其真僞,有侵冤者,即時平理也。"胡廣曰:

“課第長吏不稱職者爲殿,奏免之。其有治能者爲最,舉上尤異州,又上狀州中吏民茂才異等,歲舉一人。”胡廣曰:“所察有條應繩異者輒覆問之,不茹柔吐剛也。歲盡齎所狀納京師,各奏事,差其遠近,各有常會。”胡廣曰:“不復自詣京師,其所道者皆如舊典。秋冬歲盡,各計縣户口墾田、錢穀入出、盜賊多少,上其集簿。丞尉以下,歲詣郡,課校其功。功多尤爲著者,於廷尉勉勞之,以勸其後。負多尤爲殿者,於後曹别責,以糾怠慢也。諸對辭窮尤困,收主者,掾史關白太守,使取法,丞尉縛責,以明下轉相督敕,爲民除害也。明帝詔書不得戮辱黄綬,以别小人吏也。”案《百官志》引“諸州常以八月至,但因計吏”,不言《小學漢官篇》文,然下列胡廣曰云云,與《漢官解詁》文體相似,則上數句爲《小學漢官篇》文無疑。太守專郡,信理庶績、勸農振貧、決訟斷辟、興利除害、檢察羣奸、舉善黜惡、誅殺暴殘。《小學漢官篇》文,《太平御覽》、《北堂書鈔》引作“誅討強暴”,今從《太平御覽》,以“殘”與“奸”韻也。“都尉將兵副佐太守,備盜賊也”:《小學漢官篇》文。“都尉一人,副佐太守,言與太守俱受銀印剖符之任,爲一郡副將。然俱主其武職,不預民事。舊時以八月都試講習其射力,以備不虞,皆絳衣戎服,揚威武,折衝厭難也。《北堂書鈔》。“魏氏瑣連,孫吴之法”:《小學漢官篇》文。“兵書有黄氏瑣連之器,蓋弩射法也。”《北堂書鈔》、《廣博物》引同。鹽官掊坑而得鹽,漢官二人,或有鑿井煮海水以得之者,鑄銅爲器,當鑄冶之時,扇熾其火,謂之鼓鑄。《百官志》注。胡公曰:“服官主作文繡,以給衮龍之服。”後漢妾數無限制,乃制設正嫡曰妃,取小夫人不得過四十人。同上。轂下,在輦轂之下,京城之中。《文選·齊竟陵文宣王行狀》注。康居北可一千里有國名奄蔡,一名闔蘇。《後漢書補注·陳湯傳注》。

胡廣　漢制度

謝沈《後漢書》:太傅胡廣博綜舊儀,立漢制度,蔡邕依以爲志,譙周後改爲《禮儀志》。人君之居,前有朝,後有寢。終則制廟以象朝,制寢以象寢。光武都雒陽,乃令高祖以下至平帝爲一廟,藏十一帝主於其中。元帝次當第八,光武第九,故立元帝爲祖廟,後遵而不改。《本紀》注。帝之下書有四:一曰策書,二曰制書,三曰詔書,四曰誡敕。策書者,編簡也,其制長二尺,短者半之,篆書,起年月日,稱皇帝,以命諸侯王。三公以罪免亦賜策,而以隸書,用尺一寸,兩行,惟此爲異也。制書者,帝者制度之命,其文曰制詔三公,皆璽封,尚書令印重封,露布州郡也。詔書者,詔,告也,其文曰告某官云,如故事。誡敕者,謂敕刺史、太守,其文曰有詔敕某官。它皆放此。《光武紀》注。功德優盛,朝廷所敬異者,賜特進,在三公下,不在車騎下。《百官志》注。朝侯、侍祠侯,公主子孫奉墳墓於京師者。胡廣曰:"是爲猥諸侯。"同上。諸侯受封,皆受茅土,歸立社稷。本朝爲宫室,自有制度。至於以列侯歸國者,不受茅土,不立宫室,各隨貧富,裁制黎庶,以守其寵。同上。戎立車以征伐。《輿服志》注。

胡廣　漢舊儀

《南齊書》:東京太傅胡廣撰《舊儀》,蔡邕進《獨斷》,應劭、蔡質咸諳識時事,而司馬之書不取。漢丞相置長史一人,銅印黄綬,秩千石,職無不統。《北堂書鈔》。丞相吏員七人,分爲東西曹,秩六百石。漢末,公辟則輕,臺除則重。武帝時,丞相設四科以辟之,德妙爲第一科,乃補南閣祭酒。順帝時,學生二百人,乙科補文學。高山冠,蓋齊王冠也。秦滅齊,以其冠賜近臣。今僕射謁者冠高山冠也。同上。趙武靈王效胡服,以金璫飾首,前插貂尾,爲貴職。秦滅趙,以其冠賜近臣。建武時,匈奴内屬,世祖賜南單于帶惠文冠,意謂北方多寒涼,胡人本以貂皮暖額。後代效之,附施於冠,因遂變成首飾。《藝文類聚》。一曰惠文冠，惠者，懷也，其冠文細如蟬翼，故名曰惠文。或曰齊人見千歲涸澤之神，名之曰慶忌，冠大冠，乘小車，好疾馳，因象其冠。《通典》。車駕巡狩幸其國者，諸侯衣玄端之衣，冠九旒之冕，其盛法服以就位也。今列侯自不奉朝請侍祠祭者，不得服此，皆當三梁冠，皁單衣。其歸國流黄衣皁。《輿服志》注。《左氏傳》"南冠而縶者，則楚冠也"。秦滅楚，以其君服賜執法近臣御史服之。同上。

術氏　冠圖注

《輿服志》：官有其圖注。

建武百官簿

《百官志》引。

東漢百官表一卷

《中興書目》：《東漢百官表》一卷，不知作者，記建武至建安三公百官拜罷日月。

鄧氏官譜

《隋志》：晉已亡。《唐書・柳沖傳》：後漢有《鄧氏官譜》，應劭《氏族》一篇，王符《潛夫論》亦有《姓氏》一篇。

蔡質　漢官典儀

《隋志》職官類：蔡質《漢官典儀選用》二卷。《齊書》：《漢官典儀》一卷，衛尉蔡質撰，記漢官位序職掌及上書謁拜儀。《唐志》作一卷。《書録解題》：漢衛尉蔡質撰，雜記官制及上書謁見禮式。《隋志》有《漢官典職儀式》二卷，今存一卷，李埴亦補一卷，其續者皆出於史中采拾。《蔡邕傳》注：質字子文，著《漢儀》，邕之叔父。李斯治驪山山陵，上書曰："臣所將隸徒七十餘萬人治驪山者，已深已極，鑿之不入，燒之不難，扣之空空，如下天之狀。"《太平御覽》。德陽殿周旋容萬人，畫屋朱梁，玉階金柱，皆金刻鏤。作宫室之好，奇禽萬巧，廁以丹青,翡翠竟柱,搆以水精,一柱三帶,韜以赤緹。陛高二丈,皆文石作壇,激洛水於殿下。同上。自偃師去宫四十五里,望朱雀、五闕、德陽,其上鬱律與天下連。《藝文類聚》。天子正旦節會朝百官於此。正月旦,天子幸德陽殿,臨軒。設九賓徹樂,公、卿、將、大夫、百官各陪朝賀。蠻、貊、胡、羌畢見屬郡計吏,皆覲,庭燎。宗室諸劉雜會,萬人以上,立西面。位定,公納薦,大官賜食酒,西入東出。既定,上壽。計吏中庭北面立,大官上食,賜羣臣酒食。畢,貢事御史四人執法殿下,虎賁、羽林弧弓撮矢,陛戟左右,戎頭偪脛啓前向後,左右中郎將住東西,虎賁、羽林將住東北,五官將住中央,悉坐就賜。舍利從西方來,戲於庭,乃畢入殿前,激水化作比目魚,跳躍漱水,作霧鄣日。畢,化成黄龍,長八丈,炫燿日光。以兩大絲繩繫兩柱頭中間,相去數十丈,兩倡女對舞,行於繩上,對面道逢,切肩不傾。又蹋局出身,藏形於斗中。鐘磬並作,魚龍曼衍。小黄門鼓吹三通,謁者引公卿羣臣以次拜,微行出罷,卑官在前,尊者在後。《禮儀志》注。朝見之儀,不視晚朝十月朔之故,以問廣。廣曰:"舊儀,公卿以下每月常朝,先帝以其頻,故省,惟六月、十月朔朝。後以六月朔盛暑,省之。"《通典》。正月旦朝賀,光禄勳劉嘉、廷尉趙世各辭不能朝,高賜舉奏:"皆以被病篤困,空文武之位,闕上卿之贊,既無忠信斷金之用,而爲敗禮傷俗之尤,不謹不敬!請廷尉治嘉罪,河南尹治世罪。"議以世掌廷尉,故轉屬它官。《百官志》注。尚書令臣囂、僕射臣鼎、尚書臣旭、臣乘、臣滂、臣謨、臣詣稽首言:"伏惟皇帝陛下履乾則坤,動合陰陽。羣臣大小咸以長秋宫未定,遵舊依典,章表仍聞,歷時乃聽。令月吉日,以宋貴人爲皇后,應期正位,羣生兆庶,莫不式舞。《易》稱'受兹介祉',《詩》云'干禄百福,子孫千億',萬方幸甚。今吉日已定,臣請太傅、太尉、司徒、司空、太常條列禮儀正處上，羣臣妾無得上壽，如故事。臣囂、臣鼎、臣旭、臣乘、臣滂、臣謨、臣詣愚闇不達大義，誠惶誠恐，頓首死罪。稽首再拜以聞。”制曰：“可。”維建寧四年七月乙未，制詔：“皇后之尊，與帝齊體，供奉天地，祇承宗廟，母臨天下，故有莘興殷，姜任母周，二代之隆，蓋有內德。長秋宮闕，中宮曠位。宋貴人秉淑媛之懿，體山河之儀，威容照耀，德冠後宮，羣寮所咨，僉曰懿哉。卜之蓍龜，卦得承乾。有司奏議，宜稱紱組，以儀兆民。今使太尉襲使持節奉璽綬，宗正祖爲副，立貴人爲皇后。其往踐爾位，敬宗禮典，肅慎中饋，無替朕命，永終天禄。”皇后初即位章德殿，太尉使持節奉璽綬，天子臨軒，百官陪位。皇后北面，太尉住蓋下，東向，宗正、大長秋西向。宗正讀策文，皇后拜，稱臣妾，畢，住位。太尉襲授璽綬，中常侍長樂、太僕高鄉侯覽長跽受璽綬，奏於殿前，女史授婕妤，婕妤長跽受，以授昭儀，昭儀長跽受，以帶皇后。皇后伏，起拜，稱臣妾。訖，黄門鼓吹三通。鳴鼓畢，羣臣以次出。后即位，大赦天下。皇后秩比國王，即位威儀，赤紱玉璽。《禮儀志》注。雒陽故宮有飛兔門、含章門、西華門、卻非門、九龍門、金商門、宜秋門。《廣博物志》。南北宮相去七里，中間作大屋，複道三行，天子案行中央，《本紀》注引作“天子行中道”。從臺官夾左右，十步一衛。《御覽》。宮北朱雀門逕止車門，內崇賢門，內建禮門。宮內苑聚土爲山，十里九坂，種奇樹，育麞鹿麑麃鳥獸百種。激上河水，銅龍吐水，銅仙人銜盃受水下注。天子乘輦游獵苑中。同上。太尉，孝文三年置，七年省。武帝建元元年置，五年復省，更爲大司馬。建武二十七年復置太尉，太尉府開闕。王莽初起大司馬，後盗竊神器，遂貶去其闕。《御覽·百官志》注。司徒本丞相官，哀帝改爲大司徒，眾馴五品。府與蒼龍闕對，壓於尊者，不敢號府也。《御覽》。漢興,置大將軍、驃騎,位次丞相。車騎、衛將軍、左、右、前、後,皆金印紫綬,位次上卿。典京兵衛,四夷屯警。《北堂書鈔》。中郎廨,其府對太學。三署郎見光禄勳,執板拜;見五官左右將,執板不拜。於三公諸卿無敬。左中郎廨,其府次五官。虎賁中郎將,主虎賁千五百人,無常員,多至千人,帶鶡冠,一作“皆戴毛鶡冠”。次右將府。羽林郎二百十八人,無常員,次虎賁府。同上。羽林有左監,主羽林左騎八百;右監主右騎九百人。《山堂考索》。六常侍從左右,無員,常侍中。《百官公卿表》。侍中常伯選舊儒高德、博學淵懿、仰占俯視、切問近對、喻旨公卿,上殿稱制,參乘佩璽秉劍,《北堂書鈔》。員本八人,舊在尚書令僕射下,尚書上。今得出入禁中,更在尚書下。司隸校尉見侍中,執板揖,河南尹亦如之。侍中舊與中官俱止禁中。武帝時,侍中莽何羅挾刃謀逆,由是侍中出禁外,有事乃入,畢即出。王莽秉政,侍中復入,與中官共止。章帝元和中,侍中郭舉與後宫通,拔刀傑上,舉伏誅,由是侍中復出外。《百官志》注。尚書令主贊奏,總領紀綱,無所不統,與司隸校尉、御史中丞朝會,皆專席絶坐,京師號曰“三獨坐”。《北堂書鈔》。尚書令故公爲之者,朝會不陛奏事,增秩二千石,故自佩銅印墨綬。《百官志》注。尚書令僕射給赤管大筆兩枝。《北堂書鈔》。尚書令僕射、尚書郎月賜隃麋大墨一枚、小墨一枚。《初學記》。僕射主封門,掌授廩,假錢穀。凡三公、列卿、將、大夫、五營校尉行複道中,遇尚書僕射、左右丞郎、御史中丞、侍御史,皆避車豫相迴避。衛士傳一作“侍”。不得迕臺官,一作“近”。過後乃得去。《百官志》注。僕射見尚書令,對揖無敬。謁者見,執板拜之。給事謁事,出府丞、長史、陵令,皆選儀容端正,任奉使者。宫中諸有劾奏臯,左都候執戟戲車縛送付詔獄,大小各付所屬。以馬被覆。見尚書令、僕射、尚書,皆執板拜,見丞郎皆揖。同上。尚書典天下歲盡集課事。三公尚書二人，典三公文書。吏曹尚書典選舉齋祀，屬三公曹。尚書奏事明光殿，省中皆胡粉塗壁，紫青界之，畫古賢人烈士，重行書贊，二句據《廣韻注》增補。其邊有閣，下大屏，據《文選·西京賦》注增補。以丹朱漆地，故稱曰“丹墀”。尚書郎含雞舌香握蘭，趨走丹墀，伏其下奏事《御覽》。答對，欲使氣息芬芳也。《通典》。奏事與黄門侍郎對揖，黄門侍郎跽受，稱已聞，乃出。《初學記》。天子五時賜衣服。若郎處曹三年遷二千石刺史。《通典》。常侍曹尚書，主常侍黄門御史事，世祖改曰吏曹。二千石曹尚書掌中郎官水火、盜賊、辭訟、罪宥。民曹尚書典繕治、功作、鹽池、苑囿、盜賊事。客曹尚書，天子出獵，駕，御府曹郎屬之。尚書左丞總典臺中綱紀，無所不統。右丞與僕射對掌廪假錢穀財用，與左丞無所不統。尚書郎初從三署詣臺試，初上臺稱守尚書郎，中歲滿稱尚書郎，三年稱侍郎。凡三十四人，選吏能者爲之。《初學記》。三署郎見光禄勳，執板拜；見五官中郎將，執板不拜；于三公諸卿無敬。《通典》。尚書郎給侍使女二人，皆選端正妖麗者。從至上東門，還奏事建禮門内，得神仙門；神仙門，得明光殿、神仙殿。女侍史潔衣服，執香鑪；燒薰從入臺中，給使護衣服。《御覽》。尚書郎夜直五日，於建禮門内入直臺中，官供青縑白綾被，或錦被，一作“或以錦絏爲之”。晝夜更宿，帷帳畫，通中枕，卧氈褥，冬夏隨時改易。大官供食物，湯官供餅餌五熟果食，二句據《通典》增補。五日一美食，下天子一等。《藝文類聚》、《北堂書鈔》引同。客曹郎主治羌胡事，劇遷二千石，或刺史。其公遷爲縣令，秩滿，自占縣去，詔書賜錢三萬與三臺祖餞，餘官則否。治嚴一月，準謁公卿陵廟乃發。御史中丞、侍御史行複道中，遇尚書及丞、郎，避車執板住揖，丞、郎坐車中舉手禮之，車過遠乃去。尚書言左右丞，敢告知如詔書律令。

郎見左右丞,對揖無敬,稱曰左右君。丞、郎見尚書,執板對揖,稱曰明君。見令、僕射,執板拜,朝賀對揖。尚書令史皆選蘭臺、符節上稱簡精練有能者爲之。《百官志》注。御史大夫寺在大司馬門内,無塾。其門署用梓板,不臒色,題曰御史大夫寺。《通典》。御史中丞,故二千石爲之,或遷侍御史,執憲中司,朝會獨坐,内掌蘭臺,督諸州刺史,糾察百寮,罪當輕重,出爲二千石。治書侍御史,選御史高第者補之,其二人者更直。執法省中者,糾察百官,督州郡。公府掾屬高第者補之。初稱守,滿歲稱真,出治劇爲刺史、二千石,平遷補令。見中丞,執板揖。《百官志》注。治書侍御史二人,治廷尉奏事,罪當輕重。《北堂書鈔》。侍御史,秦官,漢因之,掌郡國都邑之治,以贊冢宰。同上。惠帝改太常爲奉常,景帝復爲太常,蓋《周官》宗伯也。《御覽》。公儀休,魯博士也。爲魯相,無所變更,百官自正,使食禄者不得争利。《山堂考索》。謁者,秦官,中興三十人,皆選儀容端正任奉使者。《通典》。少府符著出見都官從事,持板。都官從事入少府見符著,持板。《御覽》。將作大匠位次河南尹,光武中元二年省,謁者領之,章帝建初元年復置。同上。雒陽二十四街,街一亭;十二城門,門一亭。《廣韻注》。城門候見校尉,執板不拜。《通典》。五營司馬見校尉,執板不拜。同上。越騎校尉亦曰掌越騎,長水校尉主長水宣曲胡騎,射聲校尉掌待詔射聲事。《百官志》注。凡中宫漏夜盡,鼓鳴則起,鐘鳴則息。衛士甲乙徼相傳,甲夜畢,傳乙夜,相傳盡五更。衛士傳言五更,未明三刻後,雞鳴,衛士踵丞郎起嚴上臺。不畜宫中雞,汝南出鳴雞,衛士候朱雀門外,專傳雞鳴於宫中。《初學記》。司隸校尉職在典京師外部諸郡,無所不糾。封侯、外戚、三公以下,無尊卑,開中道,稱使者。每會,後到先去。司隸詣臺廷議九卿上,朝賀處公卿下陪卿上。初除,詣大將軍、三公,通謁持板揖。公議、朝賀無敬。召入宫對。見尚書,持板揖,朝賀揖。同上。延熹中,京師游俠有盜發順陵者,賣御物於市,市長追捕不得。周景以尺一詔書詔司隸校尉左雄詣臺,期三日擒賊。《藝文類聚》。都官主雒陽,百官朝會,與三府掾同。《百官志》注。京兆秩二千石,見尚書令僕射,執板揖之。《通典》。詔書舊典,刺史班宣行郡國,省察治狀,《光武紀》注引作"省察政教"。黜陟能否,斷理冤獄,以六條問事,非條所問,即不省。一條:強宗豪右,田宅踰制,以強凌弱,以衆暴寡。二條:二千石不奉詔書,遵承典制,倍公向私,旁治守利,侵漁百姓,聚斂爲奸。三條:二千石不恤疑獄,風厲殺人,怒則任刑,喜則任賞,煩擾苛暴,剖戮黎元,爲百姓所疾,山崩石裂,妖祥譌言。四條:二千石選署不平,苟阿所愛,蔽賢寵頑。五條:二千石子弟怙勢榮利,請託所監。六條:二千石違公下比,阿附豪強,通行貨賂,割損政令。諸州刺史初除比試,持板揖,不拜。河南尹掾丞考案與從事同。《前漢書·公卿表》注、《後漢書·百官志》注。十二陵令見河南尹無敬也。《禮儀志》注。

服虔　漢祀令

高帝除秦社稷,立漢社稷,禮所謂太社也。時又立官社,配以夏禹,所謂王社也。《郊祀志》注引《漢祀令》。天子行有所之,出河沈白馬珪璧各一,衣以繒緹五尺,祠用脯二、束酒六升、鹽一升,涉渭、灞、涇、雒、滹沱各水如此者,沈璧各一,律在所給祠具及從沈。祠它川,先驅投石,少府給珪璧,不滿百里者不沈。《祭祀志》。

蔡邕　獨斷《漢魏叢書》、《抱經堂叢書》並有刊本。

《書録解題》:漢議郎陳留蔡邕伯喈撰。記漢世制度、禮文、車服及諸帝世次,而兼及前代禮樂。舒、台二郡皆有刻本。向在莆田,嘗録李氏本,大略與二本同,而上下卷前後錯互,因並存之。《四庫全書提要》:《獨斷》二卷,蔡邕撰。王應麟《玉海》謂"是書間有顛錯,嘉祐中,余擇中更爲次序,釋以己説,故别本題《新定獨斷》"。擇中之本,今不傳。然今書中序歷代帝系,末云"從唐祖乙未至今壬子歲三百一十年",壬子爲靈帝建寧五年,而靈帝世系末行小注乃有二十二年之事,又有獻帝之謚,則決非邕之本文,蓋後人亦有所竄亂也。是書於禮制多信《禮記》,不從《周官》。若五等封爵,全與大司徒異,而各條解義與鄭玄《禮記注》合者甚多。其釋太祝一條,與康成《太祝注》字句全符,則其所根據,當同出一書。又《續漢書·輿服志》"樊噲冠廣九寸,高七寸,前後各出四寸",是書則謂"廣七寸,前出四寸",其詞小異。劉昭《輿服志注》引《獨斷》曰"三公、諸侯九旒,卿七旒",今書則作"三公九,諸侯、卿七"。建華冠注引《獨斷》曰"其狀若今婦人縷鹿",今本並無此文。又《初學記》引《獨斷》曰"乘輿之車皆副轄者,施轄於外仍復設轄者也",與今本亦全異。此或諸家援引偶訛,或今本傳寫脱誤,均未可知。然全書統貫,雖小有參錯,固不害其宏旨矣,實考證家之淵藪也。

蔡邕　禮樂志　輿服志

見國史類。

蔡邕　講學圖一卷

《書畫品》:《講學圖》一卷,蔡邕畫。

應劭　漢儀

建安元年奏上。《書録解題》題"後漢軍謀校尉汝南應劭仲遠撰"。案《唐志》有《漢官》五卷,《漢官儀》十卷,今惟存一卷,載三公官名及名姓州里而已,其全書亡矣。李埴季允嘗續補一卷。

應劭 漢官儀禮儀故事一百三十卷

《續漢書》：劭所叙漢官及禮儀故事凡十一種，朝廷制度百官儀式所以不亡者，由劭記之。《遂初堂書目》有應仲遠《漢官儀》、《漢官制》、《漢官典秩》。《中興書目》：今存一卷，載光武以來三公百官名式。時遷都於許，舊章湮没，書記罕存，劭慨然歎息，著《漢官禮儀故事》。

甘泉鹵簿

《輿服志》：官有其書，名曰《甘泉鹵簿》。乘輿大駕，屬車八十一乘，備千乘萬騎，西都行祠天郊，甘泉備之。《地理志》：甘泉在雲陽，黄帝接萬靈之明庭，自古祭天圜丘處，本秦林光宫。自文帝郊五時，三歲一郊，車駕必幸雍甘泉，故有《甘泉鹵簿》。《西京雜記》：漢朝輿駕祀甘泉、汾陰，備千乘萬騎，太僕執轡，大將軍陪乘，名爲大駕。車有司馬、辟惡、記道、靖室、象車、武剛、九游、雲罕、皮軒、闟戟、鸞旗，建華、相風烏、金根之名儀，衛有騎隊、鼓吹、黄麾騎、畢罕、節、御馬、華蓋、棡鼓之制，或分八校，或分十六校，式道有候，護駕有郎。胡廣《漢制度》曰："天子出車駕次第謂之鹵簿，長安時出祠甘泉，天子用之，名曰《甘泉鹵》。"

應劭 漢鹵簿圖

《宣和鹵簿記》引應劭《漢鹵簿圖》"有騎執箛，即笳"。《輿服志》注引應劭《漢官鹵簿圖》"乘輿大駕，則御鳳皇車，以金根爲副"。

譙周 禮儀志

天子之廟，始祖及高祖、祖、考，皆每月朔加薦新，以象平生朔食也，謂之月祭。祧之廟時祭無月祭。唐太常博士彭景直疏引。四時祭，各於其廟中神位奥西牆下，東向。諸侯廟，木主在尸之南，爲在尸上也。東向，以南爲上。《通典》引譙周《禮祭集志》。

附　董巴　輿服志

董勛　問禮俗

丁孚　漢儀

荀攸　魏官儀

韋昭　官職訓

闞澤　太子見賓儀

高堂隆　封禪儀

魏明帝謚議二卷

魏覬　魏官儀

覬字傳儒,河東安樂人,著《魏官儀》,凡所撰述數十篇。

右儀注類

建武故事《唐志》三卷。

建武元年即位,告天地,采用元始中告祭故事。建武十三年詔曰:"漢家舊制,丞相拜日封爲列侯。"侯霸建武四年拜尚書令。時無故事,朝廷又少舊臣。霸習故事,收録遺文,條奏前世善政法度有益於時者,皆施行之。每春下寬大之詔,奉四方之令,皆霸所建也。張純在朝,明習故事。建武時,舊章多闕,每有疑議,輒以訪純。自郊廟冠昏喪紀禮儀,多所正定。郭賀建武中爲尚書令,任職六年,曉習故事。明帝遵奉建武制度,無敢違者。後宫之家,不得封侯與政。杜林《郊記議》曰:"祖宗故事,所宜因循。"伏湛拜尚書,使典舊制。班固《南單于求和議》曰:"建武之世,修復舊典,宜依故事,復遣使臣。"陳忠建光中尚書令,奏事言光武絶告寧之典,宜復建武故事。章和六年,計貢吏合集於樂堂,有野麢走至堂前,左右逐之於池中而獲之。《藝文類聚》。章和七年,左右啓以米飼熊。上曰:"此無益而費於穀,且是惡獸,所不宜畜。"便遣打殺,以肉賜左右直人。同上。案書題《建武故事》，而《藝文類聚》所引二條皆係章帝時事，疑章、和後纂是書。又晉亦有《建武故事》，《御覽》所引“平西將軍史亮送橘，十二實皆同一蔕，爲瑞異，羣臣畢賀”，此則晉《建武故事》也。

建武律令故事

《唐書·志》：《建武律令故事》三卷。《唐六典》：建武有《律令故事》上中下三卷，皆刑法制度。

馬將軍故事

援爲伏波將軍，所過輒爲郡縣治城郭，穿渠以利民，條奏越律與漢律駁者十餘事，與越人申明舊制以約束之，自後駱越行馬將軍故事。

永平故事二卷《唐志》二卷。

章帝元和二年五月戊申詔，神爵、甘露屢臻。祖宗舊事，或班恩施。其賜爵。《濟北王壽傳》：和帝遵永平故事，兄弟皆留京師，恩禮篤密。永元四年，帝將誅竇憲，欲得《外戚傳》，令清河王慶求之，又令慶求索故事。李法上疏和帝，以朝政苛碎，違永平、建初故事。順帝永建四年二月戊戌詔，以民入山鑿石，發泄藏氣，敕有司檢察所當禁斷，如建武、永平故事。建光二年，尚書孟布奏“宜復如建武、永平故事，斷刺史二千石告寧及父母喪服”，從之。桓帝永興二年二月癸卯詔，輿服申明法令，如永平故事。襄楷疏：永平舊典，先請後刑。李固對策曰：“梁氏子弟榮顯兼加，永平、建初故事，殆不如此。”班勇上議，宜復置護西域校尉，如永平故事。

三輔舊事三卷

韋彪撰。

京兆舊事

韋彪撰。孫晨家貧，爲郡功曹，十日一炊，無被，有藁一束，暮臥其中，旦則收之。《御覽》。杜陵蕭彪，字伯文，爲巴郡太守，以父老,歸供養。父有客,常在屏風後,自應使命。父嗜餅,立車下自進之。《北堂書鈔》。清河太守韋文高三子,皆以學行知名,時人號"韋氏三君"。平輿令韋順,字叔明,歷位樂平相,去官,以琴書自娱,不應三公之命。後爲平輿令,吏民立祠社中。順弟武陽令豹,字季明。友人羅陵犍爲縣丞,卒官,喪柩流離。豹棄官,致喪歸。比辟公府,輒棄去。司徒劉愷尤敬之。豹弟廣都長義,字季節,少好學,不求榮利。四十乃仕,三爲令長,皆有惠化,以兄喪去官。比辟公府,不就,廣都爲立生祠焉。《羣輔録》。

鄭宏　南中故事

宏字巨君,會稽人,官至太尉。宏建初中爲尚書令,前後所陳有益王政者,著之南宫,以爲故事。謝承《書》:明帝條李壽前後所上便宜以爲《南宫故事》。陳忠爲尚書令,前後所奏條於南宫閣,上以爲故事。楊賜去位,帝徙南宫,閲歷故事,得賜所上奏及侍講注籍。黄瓊隨父在臺閣,習見故事。及爲尚書僕射,練達官曹。左雄掌納言,每有章表,奏議臺閣,以爲故事。雄言:案尚書故事,無阿母封邑之制。楊球補尚書,閑達故事,章奏處議,爲臺閣所崇信。謝承曰:"高祖及光武之後,將相名臣策文通訓條在南宫,祕於省閣,惟臺郎升複道取急,因得開覽。武帝案大行無遺詔,左雄案尚書故事無乳母封爵邑之制,靈帝徙南宫閲録故事。"

漢名臣奏事《隋志》三十卷。《唐志》二十九卷。《世善堂書目》三十卷。

《中興書目》:二卷:一卷孔光元壽二年八月奏,篇凡三;一卷唐林在新莽時奏,篇凡十。《書録解題》:《隋志》刑法類有《漢名奏事》三十卷,《唐志》已亡。其一《中興書目》僅存其二,一爲孔光,一爲唐林,今惟唐林而已。所言皆莽朝事迹,無足論者,姑以存古云爾。案《漢名臣奏》斷自新莽,其後《漢名臣奏》則陳壽編輯者也，諸書所引止稱《漢名臣奏》，不復分别。漢得陰山，匈奴長者過之，未嘗不哭。《藝文類聚》、《白帖》引同。陳鳳對曰："民如六畜，在上所牧養者耳。"《文選·干令升〈晉紀總論〉》注。武帝時，北部都尉主兵馬，備寇賊，而年七十，拜起據地，不勝任，請免。《通典》。丞相薛宣對曰："陛下八月酎祠，嘉氣上昇，皇天報應，茂陵寢廟上食日，玄鳥來集，吐所含大豆，紫黑色，翱翔殿上，食物之象也。陛下永與天無極，天下幸甚。"《藝文類聚》。丞相薛宣奏："漢以來，深考古義，推萬變之備，於是制宣室出入之儀，正輕重之罰。故司馬殿省闌至五六重，周衛擊刁斗禁門。自近臣侍側尚不得著劍鉤带入，防未然也。陛下聖德純備，海内晏然。此國之明制，必前後備虎賁。"《御覽》。天將雨之，人病爲之先動，是陰氣和應而動也。天將陰雨，又使卧睡者，陰氣也。《北堂書鈔》。翟方進奏："敕渤海都尉當典盜賊，視事三年，盜賊浸多，不能統理，請免。"《通典》。杜業奏曰："河間獻王經書通明，積德絫仁，天下推重，諸儒皆歸之。孝武皇帝時，獻王朝，武帝色難之，謂獻王曰：'湯七十里，文王百里，王其勉之。'王知其意，即縱酒聽樂，因以終也。"《御覽》。張禹奏事曰："臣聞'天有三光，以成其化'，方今三公之官不備，丞相獨綱領天下，萬事最眾多，明不盡獨見，誠非一人之所作也。"《通典》。張禹奏曰："案今丞相奏事，司直持案，長史將簿。中二千石事奏，皆與其丞合緣。以臣下各得盡心竭誠，而事公明。"《御覽》。唐林請省吏，公卿大夫至都官稗官，各減什三。《前書·藝文志》注。王莽斥出王閎，太后憐之。閎伏泣失聲，太后親以手巾拭閎泣。《御覽》。大司空朱浮奏曰："車府丞玄黄綬，作乘輿，綬五采，何黄多也，可更用赤絲爲地。"《北堂書鈔》。曹褒上疏曰："王者莫不制作禮樂。"詔褒即差叙禮樂，擢褒羽林左監。同上。黄瓊上言："先王典籍曰有式，司徒咸戒，司空除壇。先時五日,有協風至,齋宫、饗薦、耒耜,誠重之也。先推三行,所宜躬親,以迎春和,以致時氣。"《御覽》。伏聞東平國無鹽縣山中有大石,無故一夕自起立。臣思以爲石者陰類,殆有微人當紹起者。漢興以來,與今再見。其一正以昭帝無統嗣,今又以陛下無繼嗣復見。《通典》。郎中張文上疏,其略曰:"《春秋》義曰:'蝗者貪擾之氣所生,天意若曰:貪狼之人,蠶食百姓,若蝗食禾稼而擾萬民。獸嚙人者,象暴政若獸而齧人。'京房《易傳》曰:'小人不義而反尊榮,則虎食人。辟歷殺人,亦象暴政,妄有喜怒。'政以賄成,刑放於寵,推類叙意,探指求原,皆象羣下貪狼,威教妄施,或若蝗蟲。宜敕正衆邦,清審選舉,退屏貪暴。魯僖公小國諸侯,敕政修己,斥退邪臣,尚獲其報,六月甚雨之應。況萬乘之主,修善求賢,宜舉敦樸,以輔善政。陛下體堯舜之聖,秉獨見之明,恢太平之業,敦經好學,流布遠近,可少留須臾神慮,則可致太平,招休徵矣。"制曰:"下太尉、司徒、司空。夫瑞不虚至,菑必有緣。朕以不德,兼統未明,以招袄僞,將何以昭顯憲法哉?三司任政者也,所當夙夜,而各拱默,訖未有聞,將何以奉答天意,救寧我人?其各悉心思所以崇政,務消復之術,稱朕意焉。"同上。太尉屬應劭、司徒屬孫嵩、司空掾孔仙議:"以鮮卑隔去漠北,犬羊爲羣,無君長之帥,廬落之居,又其天性貪而無信,故自漢興以至於兹,數犯障塞,吏民創楚,不與交關。唯有胡市,反成靡服。非畏威懷德,玩中國珍異之故耳。"《御覽》。

漢雜事

不著撰人名氏。案尤延之《遂初堂書目》有《漢雜事》。古者天子稱皇,其次稱王,秦承百王之末,爲漢驅除,自以德兼三皇五帝,故并爲號。《北堂書鈔》。漢有天下,號曰皇帝,自稱曰朕,人稱之曰陛下,命令曰制、詔,衣冠、車馬、器械、百物曰乘輿,所在曰行在，所至曰幸，所居曰禁中，所進曰御。《天中記》。古者諸侯二車九乘，秦滅六國，兼其車服，故大駕屬車八十一乘。《文選・東京賦》注。御史乘最後一車，縣豹尾於前，皆似省中。《北堂書鈔》。秦初之制，改書爲奏。羣臣奏事上書皆爲兩通，一詣太后，一詣帝。凡羣臣之書通於天子者，一曰章，二曰奏，三曰表，四曰駁議。故事，上書爲二封，其一曰副封，領爲尚書先發，有不善者，屏去不奏。魏相爲御史大夫，奏去副封，以防壅蔽。正月朝賀，三公奉璧。同上。上殿，御車北面，太常使贊曰"皇帝爲君興"，三公伏，皇帝坐，乃前進璧。《藝文類聚》。冬至陽氣起，君道長，故賀。夏至陰氣起，君道衰，故不賀。天子大社，以五色土爲壇。封諸侯者取其土，苴以白茅，各所以封方之色以立社於其國，故謂之受茅土。漢興，惟皇子封爲王者得茅土，其他臣以户賦租入爲節，不受茅土，不立社。同上。鼓以動衆，夜漏鼓鳴則起，漏壺乾，鐘鳴乃息。《北堂書鈔》。高祖時，羣臣議天子所服衣服，大謁者臣章受詔長樂宫，令羣臣議天子所衣服，以安天下。謁者趙堯舉春，李舜舉夏，貢禹舉秋，倪湯舉冬。四人各職一時，制曰"可"。舉者以各舉一時之事白之，四時衣服采蓋始於此。趙堯以刀筆稍遷至侍御史。同上。倪寬爲人卑禮下士，務在得人心，擇用仁孝，推誠待士，不求名譽。《藝文類聚》。張蒼，高祖時有罪當斬，身體長大，肥白如玉，帝一見而美之，與衣服甚鮮，遂赦之。《北堂書鈔》。漢廷尉扶嘉，朐䏰人也。初，嘉母於湯溪水側遇龍，后生嘉。長，占吉凶，巧發奇中。高祖初爲漢王，與嘉相遇，勸定三秦。高祖以嘉志在扶翼，賜姓扶氏，爲廷尉，食邑朐䏰。嘉臨終有言："三牛對馬嶺，不出貴人出鹽井。"《通典》。石慶爲太僕卿，出，上問車中幾馬。慶以策數馬，舉手指曰："六馬。"慶在兄弟中最爲簡，而猶如此。《初學記》。于定國謙遜下士。士雖貧，徒步過從,皆與均禮。《北堂書鈔》。鄭當時景帝時爲太子舍人,每五日休洗,常置驛馬長安,請諸賓客,夜以繼日,常恐不及。景帝時,吴楚七國反,齊孝王狐疑,膠西、濟北二國圍齊。齊使路中大夫告於天子,還報曰"堅守"! 比至二國圍齊數重,無從入。二國與路中大夫盟曰:"若反,言漢已破。"大夫許之。至城下,望見齊王,曰:"漢已發兵百萬,使太尉周亞夫擊破吴、楚,方引兵救齊,齊必堅守。"二國誅路中大夫。同上。公孫弘爲丞相,起舍館,開閣延賢人,與參謀議,身自食脱粟飯一器,盡以俸禄與故人賓客。《藝文類聚》。韋玄成讓侯,詔書引拜之也。田蚡爲丞相,中二千石拜謁,蚡不爲禮。汲黯爲主爵都尉,見蚡未嘗拜,揖之而已。同上。蔣滿爲上黨太守,其長子萬爲北地都尉,次子輔爲安定太守,同詔徵見。滿與萬俱知名臣,并見徵。時徵爲二千石者十三人,俱引見。萬卻退,不敢與父併。詔遣問謁者何以不齊,左右曰"此乃父子也"。宣帝太息曰:"父子剖符邪?"即先詔曰:"上黨太守經行篤著,信行山東,其以滿爲淮南王相,教誨東藩。弘農股肱,其以萬爲弘農太守。"父子同日拜於前,上嘉之。《北堂書鈔》。元帝時,匡衡、貢禹以經義殷先帝親盡之廟:高帝爲太祖,孝文爲太宗,孝武爲世宗,孝宣爲中宗,祖宗廟皆世世奉祀,其餘惠、景以下皆毁,五年而再殷祭,猶古之禘祫。辛慶忌爲酒泉太守,明略威重。大將軍王鳳薦慶忌:"正直仁勇,通於兵事,任國柱石。臣鳳不賢,久處其右。"上乃復徵爲光禄大夫、執金吾。金敞爲元帝侍中,帝崩,故事,近臣皆隨陵爲園。敞世名忠孝,太后使侍成帝。谷永薦尚書薛宣:"才茂行潔,達於從政。有退食自公之節,寡樹黨游説之助。臣恐陛下忽於《羔羊》之詩,捨實功之臣,任虚華之譽,是以越職陳宣行能,惟留神考察。"上然之,遂以宣爲御史大夫。傅喜爲大將軍,傅太后與事，喜數諫之，太后不悦。喜上印綬，病在家。司空何武、尚書唐林上書曰："魯以季友治亂，楚以子玉輕重，魏以無忌折衝，項以范增存亡。故楚跨在南土，帶甲百萬，鄰國不以爲難，子玉爲將，文公仄席而坐，及其死也，君臣相慶。百萬之眾，不及一賢。"於是上拜喜爲大司馬，封高武侯。同上。哀帝時，司隸校尉解光奏："曲陽侯王根，三世據權，五將秉政。根性貪邪，及根兄子成都侯況不思報國，聘娶掖庭貴人以爲妾。"上遣根就國，免況爲庶人。《通典》。陳萬年爲太僕，執正廉平，内行修潔。《北堂書鈔》。上自擊鄧奉，破之小長安，奉降。上以奉舊功臣不誅。弇曰："奉背恩反叛，曝師連年。上既至，奉親在陳，兵敗乃降，不誅無以懲惡。"於是誅之。秦豐與田戎連兵，據黎丘拒漢。上遣朱祐討豐。議者以爲豐見連年，勢敗困，上自往，豐必降。上往，豐出惡言。後數日降，祐檻車傳豐及母妻送洛陽。大司馬吴漢劾奏祐知豐狡猾，圍守連年，上親至城下而遂悖逆，天下所聞，當伏夷滅之誅。不時斬戮而聽受降，失將帥任，大不敬。上乃誅豐召祐。馬援與梁統友善，子虎賁中郎將松往候。援小疾，松拜牀下。援於牀上坐視，不爲禮。左右曰："松貴，不當禮耶?"曰："我松父友，雖貴，奈何失禮!"《御覽》。中元二年，光武崩。王莽之亂，國無制，皇太子、諸王同席坐，尊卑無别，是時上下莫之正。太尉趙熹乃正色，横劍殿階，扶下諸王以明尊卑。光武棄天下，以再受命復漢祚，更起廟，稱世祖。孝明臨崩，遺詔遵儉，無起寢廟，藏主於世祖廟。孝章不敢違。是後遵奉，藏主世祖廟，如孝明之禮，而園陵皆自起寢廟。孝明廟曰顯宗，孝章曰肅宗，是後踵前，孝和爲穆宗，孝安曰敬宗，孝順曰恭宗，孝桓曰威宗。令洛陽諸陵皆晦、望、二十四氣、伏、社、臘及四時上飯，大官送御物，園令食監典，省其親陵一所。宫人隨鼓漏理被枕,具盥水,陳嚴具。天子以正月、五月供畢,後上原陵,以次周徧,公卿百官皆從,四姓小侯諸家婦,凡與先君有瓜葛者,及諸侯、大夫、郡國、匈奴朝者、西國侍子,皆會尚書官,屬西除下,在先帝神坐後。大夫計吏皆當前軒下,占其郡國穀價四方改異,欲先帝魂神具聞之也,遂於親陵各賜計吏而遣之。同上。董重爲驃騎將軍,位在公上。《北堂書鈔》。章帝以城門校尉馬防爲車騎將軍,位在九卿上,絶坐也。奉車都尉竇固征匈奴,騎都尉秦彭别屯,擅斬軍司馬。固奏彭不由督帥,專賊殺人。公卿議,皆以爲固議是。公府掾郭躬以爲彭得斬人。有詔躬上殿,令尚書令與公卿雜難躬曰:"軍政校尉一統督將,何以得專殺?督將受斧鉞稱令,故得擅行法,都尉别將行軍法,何以明之?"躬曰:"一統將者,謂在部曲也。軍政校尉别將兵,假斧鉞,即得事軍法。今彭别將軍,事至急,勢不得關督。"難者曰:"今不假,故不得擅殺。"躬曰:"漢制,假棨戟以爲斧鉞。"議者皆屈,上從之。同上。陳寵爲司徒掾,天下之訟皆平皆伏。陳寵爲司徒掾,先是公府掾多不親事,但以交接爲務,寵常獨親事。尚書黄香爲東郡太守,乞留宿衛,拜爲尚書。蕭儲爲陳留太守,入爲鴻臚,不任賓客,還官。并《御覽》。陳蕃請徐穉爲功曹及師友祭酒,時設東面之坐,重席桼几以候之,穉辭疾不到。《北堂書鈔》一作"徐稚忽榮禄,陳蕃欽其高行,以禮召請,署爲功曹"。陳寔字仲弓。漢末,太史家瞻星,言有德星見,當有英才賢德同遊者。詔書下諸郡縣,潁川郡上事:其日有陳太丘父子三人俱共會社,小兒季方御,大兒元方從,幼孫子長文,此是也。高彪字義方,吴郡人。志尚甚高,遊太學,博覽經史,善屬文。常詣大儒馬融,辭不見。彪復刺其書曰:"伏聞高問,爲日久矣。冀一見寵光,叙腹心之願。以啓其蔽,不圖辭之以疾。昔周公父文王兄武王,九命作相,以尹華夏，猶握髮吐食以接白屋之士，天下歸德，歷載數矣。今君不能相見，宜哉？"融省書，大愧，遣人辭謝追請，徑去不肯還。同上。太常宏案禮儀，以黄金二萬斤、馬十二匹、玄纁、穀璧，以章典禮。建和元年八月乙未，立爲皇后。《後漢書》補注。潁川戲志才，籌畫之士，太祖甚重之，早卒。太祖與荀彧書曰："自志才亡後，莫可與計事。汝、潁固多奇士，誰可以繼之？"彧薦郭嘉。召見，與論天下事，太祖曰："使孤成大業者，必此人也。"《北堂書鈔》。詔賜陳留蔡邕金龜紫綬，邕表云："邕退省金龜紫綬之飾，非臣庸體之所能當也。"諸侯功德優盛朝廷所敬異者，賜位特進，在三公上，無秩。以怒增刑博士，申威也。

鮑昱　法比都目

昱字文泉，大司徒永之子，歷官司隸校尉、大司徒、太尉。《晉志》：漢司徒鮑昱撰嫁娶辭訟決，爲《法比都目》，凡九百六卷。《東觀漢記》：鮑昱奏定《辭訟比》七卷，《決事都目》八卷，以齊同法令、息遏辭訟也。昱爲泚陽長，泚陽人趙堅殺人繫獄。其父母詣昱，自言年七十餘，唯有一子，適新娶，今繫獄當死，長無種類，涕泣求哀。昱憐其言，令將妻入獄，解械止宿，遂任身有子。《東觀記》。南郡讞女何侍爲許遠妻，侍父何陽素酗酒，從遠假求，不悉如意。陽數罵詈，遠謂侍曰："汝翁復罵，吾必揣之。"侍曰："類作夫妻，奈何相辱。揣我翁者，搏慈母矣。"其後陽復罵，遠遂揣之。侍因上搏姑耳，再三。下司徒鮑昱決曰："夫妻所以養姑者也，今壻自辱其父，非姑所使。君子之於凡庸，況所尊重乎？當減死罪論。"陳國有趙祐者，酒後自相署，或稱亭長、督郵。祐復於外騎馬將絳幡，云："我行雲使者也。"司徒鮑昱決獄云："騎馬將幡，起於戲耳，無他惡意。"汝南張妙酒後相戲，逐縛杜士，捶二十下，又縣足指，遂至死。鮑昱決事云："原其本意，無賊心，宜減死。"

鮑昱　奏定辭訟比七卷

《陳寵傳》: 寵辟大司徒鮑昱府。昱高其能,轉爲辭曹,掌天下獄訟,其所平決,無不厭服衆心。時司徒辭訟久者數十年,事類溷雜,易爲輕重,不良吏得生因緣。寵爲昱撰《辭訟比》七卷,決事科條,皆以事類相從。昱奏上之,其後公府奉以爲法。案寵祖父咸,王莽時藏律文書壁中,故寵世明法律。

陳寵　鉤校律令

寵字昭公,官至大司徒。肅宗時,寵爲尚書令。是時承永平故事,吏尚嚴切,尚書決事,率近於重。寵以帝新即位,宜改前世苛俗,帝納寵言,每事務於寬恕,遂詔有司絶鉆鑽慘酷之科,解妖惡之禁,除文致之情五十餘事,定著於令。

元和新定報囚律

三年七月定《報囚律》。

郭躬　定事法律

《躬傳》: 永平中,以明法律入議。元和三年爲廷尉,多所矜恕,乃條奏諸重文可從輕者四十一事奏之。事皆施行,著於令。案躬父宏習小杜律,躬少傳父業,門徒數百人,郭氏自宏後數世傳律。

陳忠　決事比

本傳: 忠父寵在廷尉,嘗上漢法溢於《甫刑》者,未及施行,寵免,後遂寢。而苛法稍緐,人不堪之。忠依寵奏上三十三條,爲《決事比》,以省請讞之敝。安帝時,忠上除蠶室刑,解臧吏三世禁錮,狂易殺人得減重論,母子相代,聽赦所代,事皆施行。《晉志》: 章帝時,陳寵上疏曰:"唐堯著曰'流宥五刑,眚災肆赦'。舜命咎繇以'五宅五居,惟明克允'。文王重《易》六爻,而列叢棘之聽。周公作《立政》,戒成王勿誤庶獄。宜蕩滌煩苛,輕薄箠楚,以濟羣生。"永元六年,代郭躬爲廷尉,復校律令刑法溢於《甫刑》者,奏除之。子忠依寵意,奏上三十三條，爲《決事比》。《周禮·大司寇》"庶民獄訟，以邦成弊之"鄭司農注："若今《決事比》也。""士師八成"注："若《決事比》。"疏："決事依前比類決。"

廷尉決事二十卷見《唐志》。

廷尉上事張柱私賣餅，爲蘭臺令史所見。河内太守上民張太有狂病，發，殺母弟，應梟首。遇赦，謂不當除之，梟首如故。以上二條《御覽》引《廷尉決》事。光武時，有疑獄，見廷尉，曹吏張禹所問輒當，處當甚詳理，於是策免廷尉，以禹代之。雖越次而授，亦足以勵臣節。《漢官儀》。傅賢爲廷尉，每冬至斷獄，遲回流涕。盛吉爲廷尉，每冬至節，罪囚當斷，坐省狀，其妻執燭。吉持丹筆，夫妻相向垂淚。并謝承《後漢書》。楊賜爲廷尉，乃歎曰："昔三后成功，惟殷於民，而咎繇不與焉。"遂以世非決官固辭。《續漢書》。順帝時，吴雄明法律，斷獄平。子訢、孫恭三世廷尉，爲法名家。

廷尉駁事十一卷

廷尉雜詔書二十六卷

南臺奏事二十二卷以上並見《唐志》。

五曹詔板箋

《風俗通》：光武中興以來，五曹詔題鄉亭壁，歲補正，多有補闕謬。永建中，兗州刺史過翔箋撰卷别，改著板上，一勞而永逸。

叔孫宣　律本章句

郭令卿　律本章句

馬融　律本章句

鄭玄　漢律章句

《通典》：舊律其文起自魏文侯師李悝。次諸國法著經，以爲王者之政，莫急於盜賊，故其律始於《盜》、《賊》。須劾追捕，故曰《捕》二篇。其輕狡、越城、博戲、借假不廉、淫侈、踰制,以爲《雜律》一篇。又以具其加減。是故所著六篇而已,然皆罪名之制也。商君傳習,以爲秦相。漢承其制,蕭何定律,除參夷連坐之罪,增部主見知之條,益事律《擅興》、《廏》、《户》三篇,合为九篇。叔孫通益律所不及,《傍章》十八篇,張湯《越宫律》二十七篇,趙禹《朝律》六篇,合六十篇。又漢時決事为《令甲》以下三百餘篇。又司徒鮑昱撰嫁娶詞訟比为《決事都目》,凡九百六卷。代有增損,輕重舛異,而通體連句,上下相蒙,雖大體異篇,實相採入。《盜律》有賊傷之例,《賊律》有盜章之文,《興律》有上獄之法,《廏律》有逮捕之事,若此之比,錯糅無常。後人生意,各爲章句。叔孫宣、郭令卿、馬融、鄭玄諸儒章句十有餘家,數千萬言。凡斷罪所當由用者,合三萬六千二百七十二條,七百七十三萬二千二百餘言。言數益煩,覽者益難。於是詔但用鄭氏章句,不得雜用餘家。令有先後,故有令甲、令乙、令丙。如淳《漢書注》。天子詔所增損不在律上者爲令。令甲者,前帝第一令也。文穎《漢書注》。高祖初入咸陽,約法三章,曰:“殺人者死,傷人及盜者抵罪。”蠲削秦法,兆人大悦。然大辟尚有三族之誅,先黥、劓,斬左右趾,笞殺,梟其首,菹其骨肉於市。其誹謗詈詛,又先斷舌,謂之具五刑。韓信、彭越之屬皆受此戮。又制曰:“有耐罪以上,請之。”後以三章之法不足禦奸,遂令蕭何攈摭秦法,取其宜於時者,作律九章。又制獄疑者,各讞所屬官長,皆移廷尉。廷尉不能決,具爲奏,附所當比律令以聞。高皇帝七年制詔御史:獄之疑者,吏或不敢決,有罪者久而不論,無罪者久繫不決。自今以來,縣道官獄疑者,各讞所屬二千石,二千石官以其罪各當報之。所不能決者,皆移廷尉,廷尉亦當報之。廷尉所不能決,具爲奏,傅所當比律令以聞。文帝二年制曰:“今法有誹謗妖言之罪,是使衆臣不得盡情,而上無由聞過失也。其除之。”又制：上造以上及内外公孫、耳孫有罪當刑及當城旦舂者，耐爲鬼薪、白粲。人年七十以上若不滿十歲當刑者，完之。除挾書律。吕太后初，除三族罪。後新垣平爲逆，復行三族之誅。文帝制：人有犯法已論，其父母妻子同産坐之及收孥，律令宜除之。罪疑者與人。於是刑獄大省，斷獄四百。案文帝九年盡除收孥相坐律令。又感齊女緹縈之言，除肉刑。定律曰：“諸當髡者，完爲城旦舂；當黥者，髡鉗爲城旦舂；當劓者，笞三百；當斬左趾者，笞五百；當斬右趾者，及殺人先自告，及吏受賕枉法，守縣官財物而即盗之，已論命復有笞罪者，皆棄市。罪人獄已決，完爲城旦舂，滿三歲爲鬼薪、白粲。鬼薪、白粲一歲，爲隸臣妾。隸臣妾一歲，免爲庶人。隸臣妾滿二歲，爲司寇。司寇一歲，及作如司寇二歲，皆免爲庶人。其亡逃及有罪耐以上，不用此令。是時外有輕刑之名，内實殺傷。斬右趾者又當刑，斬左趾者笞五百，當劓者笞三百，率多死。崔浩《漢律序文》“帝除肉刑，而宫不易”張裴注：“以淫亂人族類，故不易。”當時律條，吏受所監臨賂遺飲食，即坐免官爵。景帝元年秋七月詔曰：“吏受所監臨以飲食免，重受財物賤買貴賣論輕，廷尉與丞相更議著令。”制改定律令：笞五百曰三百，笞三百曰二百，猶尚不全。自今吏及諸有秩，皆受其官屬所監、所理、所行、所將，其與飲食計償費，勿論。它物，若買故賤、賣故貴，皆坐臧爲盗，没入臧縣官。吏遷徙免罷，受其故官屬所將監治送財物，奪爵爲士伍，免之。無爵，罰金二斤，没入所受。有能捕告者，畀其所受臧。其後，罷磔曰棄市。復下詔曰：“長老，人所尊敬也；鰥寡，人所哀憐也。其著令年八十以上、八歲以下、孕者未乳、師、侏儒，當鞠繫者，頌繫之。罪死欲腐者，許之。六年，定鑄錢僞黄金棄市律。又以笞者或至死未畢，復減笞三百曰二百，笞二百曰百。其定箠令，笞臀，畢一罪乃得更人。

自是笞者得全。然死刑即重,而生刑又輕,人多犯之。景帝元年詔曰:"加笞與重罪無異,幸而不死,不可爲人。其定律:笞五百曰三百,笞三百曰二百。"中六年又減笞三百曰二百,笞二百曰一百。定箠令:箠長五尺,其本大一寸,其竹也,末薄半寸,皆平其節。當笞者笞臀,毋更人,畢一人乃更之。後元年正月詔曰:"獄,重事也。人有智愚,官有上下。獄疑者讞有司,有司所不能決移廷尉,有令讞而後不當,讞者不爲失,欲令治獄者務先寬。"孝武徵發煩數,人窮犯法,遂令張湯、趙禹定律令,作見知故縱、監臨部主之法,緩深故之罪,急縱法之誅。律之初制,無免坐之文。張湯、趙禹始作監臨部主、見知故縱之例,其見知而故不舉劾者與同罪,失不舉劾各以贖,論其不見不知不坐也。張湯立見知法,吏見知不舉劾爲故縱。案廷尉李種坐故縱死罪棄市。廢沮格:眾有所作,廢格沮敗誹謗,則窮治之。沈命法:羣盜起不發覺,發覺而弗捕滿品者,二千石以下至小吏皆死。告緡令法:使天下公得顧租鑄銅錫爲錢,敢雜以鉛鐵者爲它巧,其罪黥。人有告者,以所没入畀之。元鼎三年冬,令民告緡者以其半與之。"武帝時有淮南、衡山之謀,作左官之辟、附益之法"鄭玄章句:"人道尚右,言捨天子仕諸侯王爲左官。左,僻也。封諸侯過限曰附益,或曰阿媚,附益王侯有重法。元狩元年,廣平侯召穰坐受淮南賂稱臣。"律令凡三百五十九章,大辟四百九條千八百八十二事,死罪決事萬三千四百七十二事。文書既煩,主者不能盡睹,或罪同而論異。孝昭制:子首匿父母、妻匿夫、孫匿大父母,皆勿坐。其父母匿子、夫匿妻、大父母匿孫,罪殊死,皆上請。宣帝患刑法不一,署廷平四人平之。孝宣元康三年詔曰:"自今已來,諸年八十非誣告殺傷人它皆勿坐。"地節六年九月詔曰:"令甲,死者不可生,刑者不可息。今繫者或以掠辜若飢寒瘐死獄中,何用心逆人道也。其令郡國歲上繫囚以掠笞若瘐死者所坐名縣爵里。"元帝初元五年四月,省刑罰七十餘事,除光禄大夫以下至郎中保父母同産之令。元帝著令,令太子得絶馳道。成帝鴻嘉初定令:"年未滿七歲賊鬭殺人及犯殊死者,上請廷尉以聞,得減死。"合於三赦幼弱、老眊之人。皆法令近古而便人者。哀帝綏和二年,除誹謗詆欺法。《哀紀》注:除任子令及誹謗詆欺法。平帝即位詔：諸有臧及内惡未發而薦舉者，皆勿驗。自今以來，有司無得陳赦前事置奏上。有不如詔書爲虧恩，以不道論，定著令。平帝元始中制曰："前詔有司復貞婦，歸女徒，誠欲以防邪辟，全貞信。及悼眊之人刑罰所不加，聖王之所制也。惟苛暴吏多拘繫犯法者親屬，婦人老弱。其明敕百僚，婦女非身犯法，及男子之年八十以上七歲以下，非坐不道，詔所名捕，它皆無得繫。其當驗者，即驗問，定著令。後漢光武留心庶獄，然自王莽篡位之後，舊章不存，法網弛縱，無以懲肅。梁統上疏曰："臣竊見元帝初元五年，輕殊死刑三十四事；哀帝建平元年，輕殊死刑八十一事，其四十二事手殺人者減一等。自後人輕犯法，吏易殺人。臣愚以爲刑罰不苟務輕，務其中也。是以五帝有流、殛、放、殺之誅，三王有大辟、刻肌之刑，所以爲除殘去亂也。高帝定法，傳之後代。文帝遭代康平，因時施恩，省去肉刑、相坐之法，天下幾平。武帝值中國全盛，征伐天下，百姓罷弊，豪傑犯禁，奸吏弄法，故重首匿之科，著知縱之律。宣帝履道要以御海内，臣下奉憲，不失繩墨，天下稱安。孝元、孝哀即位日淺，丞相王嘉等便以數年之間，虧除先帝舊約，定令斷律，凡百餘事。臣取其尤妨政者條奏。伏請擇其善者而從之。定不易之典。"時廷尉以爲崇刑峻法，非明主急務，遂罷之。章帝時，郭躬條請重文可從者四十一事，著於令。陳寵又代躬爲廷尉，帝納寵言，除鉆鑽諸慘酷之科，解妖惡之禁，又除文致請讞五十餘事。寵復鉤較律令溢於《甫刑》者，奏除之。曰："今律令，犯死刑者六百一十，耐罪千六百九十八，贖罪以下二千六百八十一，溢於《甫刑》者千九百八十九，其四百一十大辟，千五百七耐罪，七十九贖罪。請令三公、廷尉集平律令，可施行者，大辟二百，耐罪、贖罪二千八百，合爲三千。其餘千九百八十九事，悉可詳除。"會寵得罪,遂罷。安帝永初中,法稍苛緐,人不堪之。陳寵子忠復爲尚書,略依寵法,奏上三十三條,爲《決事比》,以省讞獄之弊。又上除蠶室、解臧吏三代禁錮、狂易殺人得減死、其重論母子兄弟相代死聽赦所代者。獻帝初,應劭又删定律令,撰具《律本章句》、《尚書舊事》、《廷尉板令》、《決事比例》、《司徒都目》、《五曹詔書》及《春秋決獄》,凡二百五十篇。又集《駮議》三十篇,以類相從,凡八十二事。於是舊事存焉。曹公秉政,欲復肉刑,陳羣深陳其便,鍾繇亦贊成之,孔融、王修不同其議,遂止。乃定甲子科,記鈦左右趾者,易於木械。是時乏鐵,故易以木焉。又以漢律太重,故令依律論者聽得科半使半減也。《續漢書》:建武二年詔曰:"與中二千石諸大夫、博士、議郎,省刑罰。"桓譚上言:法令決事,輕重不齊,或一罪殊罰,同罪異論,姦吏因緣爲市,欲活則出生議,所欲陷則與死比,是爲刑開二門也。今可令通義理明習法律者,校定科比。《連叢子》:梁人娶後妻,後妻殺夫,其子又殺之。梁相讞"此子當以大逆論"。季彦曰:"昔文姜與弑齊桓,《春秋》去其姜氏,絶不爲親,禮也。且手殺重於知情,是子宜以非司寇而擅殺當之。"案後漢名臣論刑法者,梁統《廷尉議》,魯恭《諫盛夏斷獄疏》、《冬至前斷獄議》,杜詩《上格殺將軍放縱兵士縱掠民間狀》,郭躬《水旱不宜改律奏》、《請犯在赦前繫在赦後可皆勿笞以全人命事奏》、《彭擅斬人議》、《孫章誤宣斬人議》,賈宗《上斷獄不盡三冬奏》,張敏《輕侮議》,樊儵《請誅廣陵王荆對》,寒朗《楚獄對》,鍾離意《王望擅廩百姓議》,劉愷《居延都尉復犯臧罪議》,黄香《削臨邑侯萇爵邑議》,陳寵《上減刑疏》、《鉤校律令疏》,虞詡《駮尚書劾寧陵主簿詣闕訴縣令枉狀罪當大逆議》,朱酺《議馮緄無罪不合致科奏》,陳忠《刑獄疏》、《罪疑惟輕議》,楊秉《乞檻車徵單匡對》,史弼《平原無黨人對》,橋玄《上章乞天下凡有劫質皆并殺之不得贖以財寶開張奸路》玄幼子十歲爲賊所殺故也,申屠蟠《奏記陳留縣令梁配論女緱玉爲父報仇事》,郭林宗《蘇不韋復仇論》,應劭《駁陳忠罪疑輕惟輕議》,王符《論赦篇》,孔融《肉刑議》,荀祈《肉刑論》、《有司奏劉琰罪議》,曹操《嚴敗軍令》、《慎刑令》、《禁絶火令》、《臨菑侯犯禁令》、其劾奏及飛章誣陷者,朱浮《密表彭寵反狀》,大司馬吴漢劾奏朱祜,范升奏毁同黨,謁者李譚奏耿恭怨望,楊儉奏任光在職貪污,胡齊奏改黜,杜撫馬嚴劾曹褒輭弱,張酺劾奏曹褒漢禮不可行,晏稱奏張酺怨望,竇憲奏免李恂,樂恢奏免御史中丞周紆、河南尹王調、洛陽令李阜、司徒蔡衍,韋彪奏周紆在任過酷不宜典司京輦彭城,國相趙牧奏彭城王恭,國相奏樂城王黨,國相奏愍王寵,竇篤奏止奸亭長拔劍儗篤肆口恣詈,有司奏誅廣陵王荆,鄭宏《劾尚書張林阿附竇憲》、《奏請誅竇憲》、《奉上洛陽楊光在位貪污不宜處位》,周任《劾竇憲竇瓌疏》,袁安《劾竇景奏》、《劾司隸校尉鄭據、河南尹蔡嵩阿附貴戚奏》,又舉奏二千石免官者五十餘人,陳忠《劾陳禪奏》、《劾司農朱寵奏》、《劾來歷祝諷奏》,司隸楊淮劾執金吾梁忠不朝正,奏汝南太守孫訓、南陽太守曹麻、潁川太守曹騰罪,李固奏河南太守高賜臧罪,與廷尉吴雄上疏言八使所糾急宜誅,胡廣上書陳鄭騭罪惡,陳龜《梁冀罪狀疏》,張陵《劾奏梁冀帶劍入省》,張綱《劾奏梁冀》,張其劾奏梁冀十五事,陳翔《劾奏梁冀恃貴戚不敬請收案罪》,延篤《發梁冀客詣京兆求牛黄私書奏》,种暠奏蜀郡太守劉憲等罪惡,又奏誅四府辟舉近臣父兄及親知爲二千石尤貪殘者,發永昌太守鑄黄金蚍獻梁冀,馬融爲梁冀誣奏太尉李固,梁冀諷有司劾奏杜喬,朱穆劾虎賁奏,周景奏諸奸猾自將軍以下免者五十餘人,郎中審忠劾朱瑀罪惡,沈景奏河間王師傅無訓導之義,張鈞《請斬十常侍疏》,張敞《劾奏馮緄》,第五種劾單匡及中常侍單超,司隸韓縯劾中常侍左悺罪惡及其兄南鄉侯稱請託州郡奏、劾具瑗兄弟罪狀奏,徐璆奏張忠臧一萬億,又奏五郡太守及屬縣貪污,周舉劾左雄奏,虞延追奏陳忠罪過,有司奏侯覽專恣,楊秉劾奏中常侍侯覽弟參,因奏侯覽及中常侍具瑗,杜喬奏具瑗臧罪,張儉《劾奏侯覽》、《上籍侯覽貲財狀》、《奏侯覽母生時交通賓客狀》,侯覽詐奏史弼,陳蕃《請誅宦官疏》,楊球劾封㝏中黄門劉毅、小黄門龐訓、齊克等奏,《請誅中常侍王甫曹節表》,蔡衍《劾曹鼎罪》,朱寓劾奏河東太守單安、河内太守徐盛,范滂奏刺史二千石權豪之黨二十餘人,皇甫規劾涼州刺史郭閎、平陽太守趙喜、安定太守孫儁倚恃貴戚皆不任職奏,尚書劾奏蔡邕以仇怨奏公議害大臣,中常侍程璜使人飛章告蔡邕、蔡質以私書干劉郃,李燮奏廢甄邵,張角弟子唐周上書告張角,張成弟子上書誣告李膺養太學游士,張儉鄉人朱並上書告儉與鄉里二十四人别相署號共爲鉤黨,劉寬《上張角逆謀策》,劉陶《張角疏》,橋玄奏廷尉郭貞私書、奏南陽太守蓋升臧罪、表張升貪放請禁錮終身没入財賂、奏黄琬、奏罷太尉樊陵、司徒許相、劾奏下軍校尉鮑陽奸罪,尚書梁碩劾奏吴碩,孔融奏馬賢不恤軍事,郄慮奏孔融,路粹枉奏孔融,王允《請密誅董卓表》,公孫瓚《表袁紹罪狀》,諸葛亮《廢李平表》、《廢廖立表》,費禕《奏楊儀密表》,其謝罪、自訟、自陳、自劾、自請坐者,隗囂《謝罪疏》,盧芳《謝罪疏》,楊終《獄中上書》,孔僖上書自訟,彭城王恭上書自訟,虞翔上書自訟,樊調妻樊嫕上書自訟,寇榮自訟書、亡命上書,崔瑗上書自訟,馮緄懼爲宦官所訟上書,張俊假各上書,馬融遭兄子喪乞自劾疏,皇甫規上書自訟、自請坐黨禁,蔡邕《徙朔方上書》、《尚書詰問自陳狀》,

段熲日食自劾、其爲人訟冤申理請救者,陳元上書追訟歐陽歙、追訟宋宏,平原禮震上書求代歐陽歙死,班固與諸儒表請楊終,馬嚴爲援上書訟冤,朱勃上書爲馬援訟冤,吏民上書訟第五倫,彭城相趙牧爲樂恢上書陳冤,鄭宏爲焦貺訟罪章,袁安理楚獄分别具奏,何敞《理郅壽疏》、《上書訟張酺公忠》,梁商奏原宋光,段恭上書理龐參,杜真上書訟翟酺,朱寵追訟鄧騭疏,馬融上書訟梁慬,楊震救河内男子趙騰疏,楊震門生虞放、陳翼詣闕上書追訟楊震,虞伸追訟楊震冤,皇甫規訟楊秉公忠不宜久抑,劉茂訟李膺抵罪、太守成瑨、太守劉瓆下獄當死書,陳蕃《救李雲疏》、《救李膺疏》,應奉《理李膺疏》、《理馮緄書》,竇武《救李膺疏》,李固《請白王龔罪疏》、《救种暠疏》,李固門生王調上書陳固之枉,郭諒上書乞收葬固尸,杜眾上書願與李雲同死,杜喬故掾楊匡上書乞收李杜二公骸骨,平原吏民上書爲史弼訟冤,竇武上書諫考逮黨事,永昌太守曹鸞上書訟黨人,上禄長和海上言黨禁,尹勳上書請解釋范滂、李膺,孫程上書請免虞詡,太學生張鳳上書訟皇甫規,吕強追訟段熲,盧植上書請蔡邕徙朔方,橋玄上涼州稟擅書,劉岱理陸康書,董卓追理陳蕃、竇武,臧旻上書訟第五種,若曹操之理出楊彪,則迫於孔融之公義也。《山堂考索》:廷尉本掌獄,而中都官又有二十六所。考之灌夫繫居室,復繫都司空,是居室、都司空皆獄也。謁者詔王商詣若盧獄,張湯詔它囚導官,是若盧、導官皆獄也。典客有别火獄,水衡有上林詔獄,中尉有互都船獄,至若北軍尉則主上書者獄,它若蠶室、暴室皆獄也。辛慶忌救劉輔徙供文,則供文亦獄。絳侯囚於請室,則請室亦獄也。黨錮事起,詔書下州郡逮捕,送黄門北寺獄拷訊,海内名賢皆三木囊頭鋃鐺鐵鏁。《續漢書》:范滂繫黄門北寺,北寺獄吏謂曰:“凡坐繫皆祭咎繇。”滂曰:“咎繇者,古之直臣,如滂無罪,將理之帝;如其有罪,祭之何益?"衆人由此止也。《盜律》有劫掠、恐喝、和賣買人,科有持質。《盜律》有受所監臨受賕枉法。《盜律》有置賊界主。《盜律》有教辱強賊。陳羣《新律序》。前二年詔曰"敢拘執如律",所謂律者即賣人法也。律曰:"敢盜乘輿服御物。"裴駰《史記集解·吕后本紀注》:蔡邕《獨斷》引同,案下當有"者棄市"三字,文不具耳。漢律:敢盜郊祀宗廟之物,無多少,皆死。《尚書》"敢攘竊神祇之犧牲"注。文帝時,人有盜高廟座前玉環,得下廷尉,治案盜宗廟服御物者爲奏,當棄市。盜律:略人、略賣人、和賣人爲奴婢者死。陳群《新律序》。案:蒲侯蘇夷吾,鴻嘉三年,坐婢自贖爲民後略以爲婢免。陳平五世孫何,元光五年坐略人妻棄市。律:主守而盜直十金棄市。《陳萬年傳注》。鄭"掌戮"注:"殺以兵刃若今棄市也。"建武二十年,大司徒戴涉下獄死,坐所舉人盜金。律:爲人請求於吏以枉法,而事已行官爲聽行者,皆爲司寇。《恩澤侯表》注。漢律:有《持在盜》篇。陳群《新律序》。貢禹除飯賣租銖律。《食貨志》。律條:臧至十金便重罪。《薛宣傳》注。斟酌盜取國家密事,若今時刺探尚書事。鄭司農"邦汋"注。賊律:有欺謾、詐僞、踰封、矯制。《賊律》有賊伐樹木、殺傷人畜及諸亡印。《賊律》有儲峙不辦。陳羣《新律序》。賊律:以言語及犯宗廟園陵謂之大逆無道,要斬。同上。鄭"掌戮"注:"斬以斧鉞,若今要斬也。"律:詛咒上者要斬。賊律:敢蠱人及教令者棄市。鄭《周官》"庶氏蠱毒"注,又《禮記》"執左道"注"若今巫蠱"。大逆無道、父母妻子同産無少長皆棄市。《景帝紀》注,孔光駁議同。律:殺不辜一家三人爲不道。《前漢書音義》。擅議宗廟者棄市。《韋玄成傳》:初,高后時,妄非先帝廟寢園官,故定著令,敢有擅議者棄市。漢律"矯詔,大害要斬",鄭氏《章句》"矯詔,有害有不害也"。《竇嬰傳》"劾嬰矯先帝詔害,罪當棄市"。賊律:無故入人室宅廬舍、上人車船、牽人欲犯法者,其時格殺之無罪。鄭司農《周官》"殺之無罪"注疏"先鄭舉《漢賊律》"。律曰:以刃傷人者完爲城旦舂,其賊加罪一等,與謀者同罪。傳曰:遇人不以禮而見痏者與痏人罪鈞。《前漢書》廷尉駁議。賊律:有異子科,有投書棄市科。陳羣《新律序》。《囚律》有繫囚鞫獄之法。《囚律》有詐僞生死,有告劾傳覆。告,爲人所告也。劾,爲人所劾也。傳,傳稱覆案也。《書·吕刑》正義:漢世問罪謂之鞫,斷獄謂之劾。囚律:囚以飢寒而死曰瘐。陳羣《新律序》,《通典》同。律主守不覺失囚減囚罪二等,其拒捍走者又減二等,皆限百日追捕,限外它人捕得,若囚已死及自首除其罪。又云:徒流囚徒限内亡者,一日笞四十,三日加一等。主守不覺,減囚三等,故脱與囚同罪也。同上。律:諸徒解脱桎梏鉗赭,加罪人一等;爲人解脱,與同罪。縱鞫相賂餉者二百人爲解脱死罪,盡殺也。《酷吏傳》注。令丙:箠長短有數掠者,惟得搒笞。章帝詔引律。律:十二月立春不報囚。章帝元和二年詔曰:"其定律無以十一月、十二月報囚。"令:郡國歲上繫囚以掠笞,若瘐死者所坐名縣爵里。《通典》。囹圄,所以禁守繫者,若今别獄。桎梏,今械也。鄭《禮記》"省囹圄、去桎梏"注。《金布律》有毁傷亡失縣官財物,有罰贖入責以呈黄金爲償,科有平庸坐臧。陳羣《新律序》。金布令甲曰:邊郡數被兵,離飢寒,絶夭天年,父子相失,令下供給其費。《蕭望之傳》注。金布令:不幸死,死所爲櫝,傳歸所居縣,賜以衣棺。《漢書·高祖本紀》注作"一不幸死,死所爲具之"。若今一室二尸,官與之棺。鄭司農"賻補"注。漢律:三人以上無故羣飲,罰金四兩。《孝文本紀注》。盜鑄者棄市,雜錢罪黥。文帝時令,武帝復定律:鑄錢棄市。律:鑄僞黄金棄市。《劉德傳》注。令:吏發民若取庸采黄金珠玉者,坐臧爲盜,二千石聽者與同罪。景帝三年令。律説:平賈一月,得二千。《河渠志》注。若今時得遺物及放失六畜,持詣鄉亭縣廷,大物没入,小物自畀也。鄭司農《周官》"得獲貨賄人民六畜,大者公之,小者私之"注。若今時加貴取息坐臧。鄭司農"犯令者罼"注。令:諸侯十月獻酎金,不如法者國除,其縣邑皆别屬它郡。《孝文帝紀》。《酎金律》,文帝所加,以正月朝作酒,八月成,名曰酎酒,因令諸侯獻助祭黄金。金布令:諸侯列侯各以人口數率,千口奉金四兩有奇,不滿千口至五百以下四兩,皆令酎,少府受。九真、交阯、日南用犀角二長八寸以上若玳瑁甲一,鬱林用象牙皆長三尺以上若翠羽各二十,準以當金。丁孚《漢儀》。律:稻米一斗得酒一斗爲上尊,稷米一斗得酒一斗爲中尊,粟米一斗得酒一斗爲下尊。《平當傳》注。漢律:會稽獻蘔一斗。《説文解字》案鄭《禮記注》作"會稽獻煎茱萸"。漢律:會稽獻鮚醬三斗。漢律:綺絲數謂之絩,布謂之總綬,組謂之首。同上。《事興律》有上獄之事科,有考事報讞。鄭《尚書·吕刑》"輸而孚"注謂"上其鞫劾之辭","訝士有造於朝者"注"如今郡國亦時遣主者吏詣廷尉議者"。有擅興、徭役,其律有出賣呈科,有擅作修舍事。《興律》有乏徭、稽留。陳羣《新律序》。案:韓延年坐爲太常行大行令事,留外國書一月,乏興,入穀贖,完爲城旦。案:軑侯黎朱扶,元封元年,坐爲東海太守行過擅發卒爲衛,當斬,會赦免。律:司空主水及罪人。《公卿表》。律:都水治渠堤水門。藏兵器。品令:若盧郎中三十人,主弩射。同上。律名:船方長爲舳艫。《説文解字》。樂浪挈令織。臣鉉曰:"挈令,蓋律令之書。"漢律:及其門首洒浩。漢律:篳,小筐也。漢令𠩺。並《説文解字》。《廄律》有告反、受逮,科有登聞道辭。《廄律》有乏軍興。孔安國《尚書注》"汝則有乏軍興之死刑",鄭玄《周官注》"縣官徵聚物曰興",疏"軍興而有乏少謂之乏軍興"。案成帝陽朔三年,潁川鐵官申屠聖等百十人,殺長吏,盜庫兵,自稱將軍,遣丞相長吏、御史中丞逐捕,以軍興從事。尉史禹故劾蘇賢爲騎士屯霸上,不詣屯所,乏軍興。《趙廣漢》注。黄霸守京兆尹,坐發騎士詣北軍,馬不適士,劾乏軍興。及舊典有奉詔不謹、不承用詔書,及不如令,輒劾以不用詔書之罪,要斬。秦代舊有廄置、乘傳、副車、食廚。漢初承秦不改,後以費廣稍省,故後漢但設騎置。陳羣《新律序》。律:四馬高足爲置傳,四馬中足爲馳傳,四馬下足爲乘傳,一馬、二馬爲軺傳,急者乘一乘傳。如淳《漢書注》。律:諸當乘傳及發駕置傳,皆持尺五寸木傳信,封以御史大夫印章,其乘傳参封之。参,三也。有期會絫,封兩端,端各兩封,凡四封。乘置、馳傳五封,兩端各二,中央一也。軺傳兩馬再封之,一馬一封也《平帝紀》注。漢法,上言變事及驚事告急者,皆乘傳詣洛陽見《廄篇》。匿馬者有罪,有以列侯而要斬者。漢馬高五尺六寸,齒未平,不出關。《武帝紀》注。案:黎頃侯召瀆坐元封六年不出持馬要斬。令:諸使有制得行馳道中者,行旁道,無得行中央三丈也。令乙:騎乘車馬行馳道中已論者没入車馬被具。《漢書音義》。和御藥不如本方治、御幸舟船誤不牢固者皆死,乏軍興者斬。《書》正義。尉律:學僮十七以上始試,諷籀書九千字乃得爲吏,以八體試之移太史,又以六體試之並課最者以爲尚書史,書或不正,輒舉劾之。今雖有尉律,不課,廷尉至以字斷。《説文解字》。詔書無以詆欺成罪,前書廷尉律論。令郡國官有好文學敬長肅政教者,二千石奏上,與計偕詣太學,受業如弟子也《蕭望之傳》。律説:卒更、踐更,更者居縣中五月乃也。後從尉律,卒踐更一月,依十一月也。《游俠傳》注。更有三品,有卒更,有踐更,有過更。古者正卒無常人,當迭爲之,一月一更,是爲卒更也。貧者欲得雇更錢者,次直者出錢雇之,月二千,是爲踐更。天下人皆直戍邊三日,亦名爲更,律所謂繇戍更也。雖丞相子亦在戍邊之調。不可人人自行三日戍,又行者當自戍三日,不可往便還,因便住一歲一更。諸不行者,皆出錢三百入官,官以給戍者,是爲過更也。《昭帝紀》如淳注。律説:戍邊一歲當罷,若有急,當留守六月。《前書音義》。捕律:能捕虎一,購錢三千。其狗半之。捕豺一,購錢百。鄭玄《禮記注》,《説文解字》引作"豺貀",《捕律》在《漢律》九篇中。律:諸侯春曰朝,秋曰請。《魏其傳》注,《後漢書·

皇后紀》引同。案此當是《朝律篇》文。漢律:列侯墳高四丈。律:非始封,十減二。《宣帝紀》注。關内侯以下至庶人各有差。《後漢書補注》。漢祠令:陰安侯,高帝嫂也。《文帝紀》注。漢律:祠宗廟丹書告。漢律:見姅不得侍祠。漢律:祠祉司命。漢律:賜衣者縵表白裏。並《説文解字》。漢朝上計律:陳屬車於庭。鄭司農《周官·典路》注。漢律:丞相、大司馬、大將軍奉錢月六萬,成帝綏和元年,益大司馬、大司空奉如丞相。御史大夫奉月四萬。《成帝紀》。漢律:真二千石奉月二萬,二千石月萬六千,《汲鄭傳》注。《前漢書》注引作"律:真二千石月得百五十斛,歲得千八百石耳。二千石得百二十斛,歲凡得一千四百四十石耳"。百石以上奉月六石。宣帝神爵三年,益吏百石以下奉十五。《百官志》注。三公出城,郡督郵盜賊道也鄭司農"三公若有邦事,則爲之前驅而辟"注。漢律:吏二千石有予告、賜告。予告者,在官課計最,法所當得者也。賜告者,天子優賜復其告,使得帶印綬、將官屬歸家治疾也。《前漢書·高祖本紀》注。案汲黯病滿三月,當免。上嘗賜告者數焉。又馮野王守琅邪,病滿三月,賜告。至成帝時,郡國二千石不賜告不得歸家。和帝時,予、賜皆絶。《通典》。律:二千石以上告歸歸寧,不過在所者,便道之官無問。一作"無辭"。未至行在,令便道之官者優之也。《後漢書補注》。律:太守、都尉、諸侯内史各二人,卒史、書佐各十人。《汲鄭傳》注。律:有文無害都吏。《蕭相國世家》注。律説:都吏,今之督郵也。閑惠曉事即文爲無害。如淳《漢書注》。漢律:有斗食佐史。《孝惠帝本紀》注。漢律:近塞郡皆置尉,百里一人,士史、尉史各二人,巡行徼塞。《匈奴傳》注。律:都軍官長史一人。《衛青傳》注。漢律:不爲親行三年服,不得察舉。《揚雄傳》注。案陳忠疏"大臣有寧告之科",寧謂居家持喪服也。故事:令郎出錢市財,用給文書迺得出,名曰山郎。移病盡一日,輒償一沐,或至歲餘不得沐。漢律:吏五日得一休沐,言休息以洗沐也。《史記正義》。案:石建爲郎中令,每五日洗沐歸。鄭當時爲太子舍人，每五日洗沐，嘗置驛馬長安諸郊，請謝賓客。《薛宣傳》"日至休免"。《東方朔傳》"伏日當早歸"。律：有失官爵稱士伍。《淮南厲王傳》注。漢律：蠻夷長有罪，當殊之。《説文解字》，《風俗通》引多"戎狄"二字。古曰："殊，絶也，異也，言其身首異離絶也。"韋昭曰："殊死，斬刑也。"漢令有鬄長，漢令卒有顙。同上。律有不衛宫條。《晉書・刑法志》"賈充就《漢律》九章，依其族類，爲《衛宫》、《遺制》也"。折竹以繩連綿禁禦，使人不得往來，律名爲籞。《哀帝紀》注。宫衛令：諸出入殿門、公車司馬門者皆下，不如令，罰金四兩。乙令：蹕先至而犯者，罰金四兩。《張釋之傳》注。令宫府有符籍，官府無故入城門，有離載下帷之禁。鄭司農《周官注》。

漢制有尺籍伍符。《李衛公兵法》。軍法：行而逗留畏撓者要斬。撓，一作"愞"。《史記索隱》、孟康《漢書注》"逗留不進，律語也"。案公孫敖、張騫並以擊匈奴畏愞當斬，贖罪免。律謂勒兵而守曰屯。《傅寬傳》注。律：降敵者，誅其身，没其家。《漢書音義》。律：營軍司空、軍中司空，名二人。《杜延年傳》。律：邊部兵所臧直百錢，故當坐棄市。董仲舒《春秋決獄》。律：營軍司馬中。《趙充國傳》。漢法：阿附反虜與同罪。《袁安傳》。子弄父兵罪當笞。《車千秋傳》。漢軍法：吏卒斬首，以尺籍書下縣移郡，令人故行，不行奪勞二載。如淳《漢書注》。律：增首不以實者斬。《功臣侯表》。漢律：趆張百人。《説文解字》。案《漢書注》"趆張以足踏彊弩也"，《申屠嘉傳》注引作"律有蹶張士"。七科：吏有罪，一；亡命，命者名也，謂脱名籍而逃匿則削除名籍，二；贅聟，三；賈人，四；故有市籍，五；父母有市籍，六；大父母有市籍，七。《武帝紀》注。軍有讙囂夜行之禁。鄭玄《周官・五禁》注。漢發兵用銅虎符。杜林《疏》。今時徵郡守，以竹使符。鄭《周官注》。律：胡市吏民不得持兵器入關。《汲鄭傳》注。漢律：人出一算，算百二十錢，惟賈人與奴婢倍算。《史記正義》。惠帝六年冬十月，令女子年十五以上至二十不嫁五算。漢制，常以八月算民，《風俗通義》。人十六出錢,十五至五十五賦錢。《漢儀注》。武常建元元年,令年八十復二算,九十復甲卒。元年冬,初算商車。元狩元年冬,初算緡錢。茂陵書:諸賈人末作貰貸,居邑儲積諸物,及商以取利者,雖無市籍,各以其物自占,率緡錢二千而一算。孝斐曰:一貫千錢,出算二十也。武帝時,民産子三歲則出口錢,民重困,生子輒殺。貢禹上書請令兒七歲乃出口錢,年二十乃算。《禹傳》。律:年二十三傳之疇官,各從其父疇内學之。高不高六尺三寸以下爲罷癃。如淳《漢書注》。漢律:繇人百二十爲一算。《史記》注。律:民不繇,貸錢二十二。《一切眾經音義》引作"民不繇貲"。漢律:以貲爲郎。同上。漢制:貲五百萬爲常侍郎。景帝詔曰:"今貲算十以上乃得宦,廉士算不必眾。有市籍不得宦,無貲又不得宦,令出貲算四得宦。"《景帝紀》。漢法:民年九十以上有受鬻法。鬻,淖糜也。高誘《吕覽注》"今之八月比户賜高年鳩杖粉粢是也",鄭玄《周官注》"今時八月案比",《儀禮注》"仲秋之日縣道皆案比"。五時令。《通典》:後漢制,太史每歲上其年曆,先立春、立夏、大暑、立秋、立冬讀五時令,又立春日下寬大詔。律有諸郡得日擇伏自[①]。陳羣《新律序》。論決滿三月,不得乞鞫。鄭司農"期過不聽"注。若今望後利日。鄭司農"士師受中協日"注,"協和和合支幹"疏。漢時受二千石禄廪之數,受在下已成之獄。利日,謂合刑殺之日。案明帝令郡吏之任不避反支,見《後漢書》及《論衡》。野有田律。鄭《五禁注》。田令曰:畽田茠艸。漢令:解衣耕謂之襄。《説文解字》。田令曰:商者不農。《黄香傳》。漢家斂民以田爲率。何休《公羊解詁》。案:漢興,田租十五税一,景帝時三十税一,光武中興三十税一。又有半租令,又屢詔民無出今年租賦,及無出所過田租芻藁。律:當占租者家長身各以其物占,占不以實,家長不身自書,皆罰金二斤,没入所占物及賈錢縣官。《昭帝紀》注。令

① 整理者按,文淵阁《四庫全書》本《晉書·刑法志》稱陳羣序"改諸郡不得自擇伏日",疑此底本有誤。

甲：諸侯在國名占田它縣者，罰金二兩。《哀帝紀》注。哀帝即位，有司條奏：諸王、列侯得名田國中，列侯在長安及公主名田縣道，關内、吏民名田，皆無得過三十頃。諸侯王奴婢二百人，列侯公主百人，關内侯、吏民三十人，年六十以上、十歲以下，不在數中。賈人不得名田。爲吏犯者以律論。諸名畜奴婢過品，皆没入縣官。《哀帝紀》。十傷二三，實除減半。鄭《周官》“豐年則正，凶年則損”注，賈公彦疏“漢時十分之内傷二分、三分，餘有七分、八分在。實除減半者，謂就七分、八分爲實在，乃減去不税，於半内税之，以爲荒所優饒民法也”。犯田罰，誓曰：“無干車，無自後射。”鄭《周官・誓民》注，《月令》注同。《雜律》有假借不廉。《雜律》有博戲。《令甲》有所呵人受錢，科有使者驗賂。陳羣《新律序》。案《王子侯年表》“旁光侯殷坐貸子錢不占租取息過律免”，師古曰：“以子錢出貸人，律合收租，匿不占，取利息又過也，又陵鄉侯以貸穀息過律免”。律文：立子奸母，見乃得殺之。何休《公羊解詁》。律無妻母之文。聖人所不忍言，此經所謂造獄也。王尊行美陽縣令事，後母告假子不孝，曰：“兒嘗以我爲妻，妬笞我。”尊聞之，遣吏收捕驗問，辭服。尊取不孝子磔著樹間，使騎吏五人張弓射殺之。歐陽尚書有造獄事。《王尊傳》注。漢律：淫季父之妻曰報。杜預《左傳注》。漢律：齊人予妻婢奸曰姘。漢律：婦告威姑。並《説文解字》。律：先自告，除其罪。《淮南王傳》。光武時，遣使者下郡國，聽羣盜自相糾捕，五人共斬一人者除其罪。漢律：與罪人交關三日皆應知情。見《孔融傳》。律：一人有二罪，以重者論之。何休《公羊解詁》。律：罪人妻子没入爲奴婢，黥面。高誘《吕覽注》“律坐，父兄没入爲奴”，此亦據漢。律説：出罪爲故縱，入罪爲故不直。《孝武功臣年表》注。律：有故乞鞫。《夏侯嬰傳》注。令甲：死者不可生，刑者不可息。《漢書注》。議親，若今時宗室有罪先請是也。議賢，若今時廉吏有罪先請是也。議貴，若今時墨綬有罪先請是也。鄭司農“八議”注。律：過失殺人，不坐死。鄭司農“三宥”注。識,審也。不審,若今仇讎出殺甲,見乙,誠以爲甲而殺之者。過失,若今舉刃欲斫伐而軼中者。遺忘,若今帷薄忘有在焉者而以兵刃投射之。後鄭“三宥”注。律:年未滿八歲、八十以上,非手殺人,皆不坐。鄭司農“老、幼、弱、三赦”注。景帝詔多“誣告”二字。今二千石以令解仇怨,復相報,移從之,蓋舊有是令。鄭司農《周官注》。禁,若今絶蒙大巾持兵杖之屬。鄭《周官》“凡道禁”注。治刑罰者處其所當否,如今律上所署法矣。鄭《周官注》。令甲:女子犯罪,作如徒六月,免歸家,出錢雇人於山伐木,曰雇山。《漢書音義》。律:耐司寇,耐爲鬼薪、白粲。《淮南王傳》。漢令:完而不髡曰耐。如淳《漢書注》:“耐,猶任也。”應劭曰:“輕罪不至於髡,完其耏鬢,故曰耏。古‘耐’字,從彡。杜林始改‘耏’爲‘耐’。”右趾謂刖其右足,次刖左足,次劓,次黥,次髡鉗爲城旦舂。城旦者,晝日伺寇虜,夜暮築長城。舂者,婦人不任軍旅之事,但令舂以食徒者。城旦舂,四歲刑也。次鬼薪、白粲。鬼薪者,漢令役人取薪給宗廟,三歲刑。白粲者,漢令坐擇粲,三歲刑。次作司寇。二歲刑以上爲耐,一歲刑爲罰作。鄭司農“司圜任之以事”注:“若今罰作矣。”二歲刑有家人乞鞠制。參用《史記》、《漢書》。前令之刑城旦舂而非禁錮者,完爲城旦舂歲數以免。《漢書》注。復作謂弛刑徒也,有赦令詔書去其鉗釱赭衣,謂之弛刑。更犯事,不從徒加,與民爲例,故當復爲官作,滿其坐罪年月日,律名爲復作。《哀帝紀》注:“復作者,女徒也。輕罪,男子守邊一歲,女子輭弱不任守,復令作於官,亦一歲,故謂之復作。”

仇覽　蒲亭科令

覽,字季智,爲蒲亭長,爲民條設科令。

應劭　漢駁議三十卷

本傳:爲《駁議》三十篇,又删定律令爲《漢儀》,《晉書·志》“儀”作“議”。建安元年乃奏之。曰:“夫國之大事,莫尚載籍。載籍也者,決嫌疑,明是非,賞罰之宜,允執厥中,俾後之人永爲監焉。故膠東相董仲舒老疾致仕,朝廷每有政議,數遣張湯至陋巷,問其得失。於是作《春秋決獄》二百三十二事,動以經對,言之詳矣。逆臣董卓,蕩覆王室,典章焚燎,靡有孑遺。今大駕東邁,巡省許都,拔出黯難,其命維新。臣屢世受恩,榮祚豐衍,竊不自揆,輒撰具《律本章句》、《尚書舊事》、《廷尉板令》、《決事比例》、《司徒都目》、《五曹詔書》及《春秋斷獄》,凡二百五十篇。蠲去重複,爲之節文。集《駁議》三十篇,以類相從,凡八十二事。其見《漢書》二十五、《漢記》四,皆刪叙潤色,以全本體。其二十六篇,博採古今瓌偉之士,文章炳煥,德義可觀。其二十七,臣所自造。庶幾觀察,增闡聖聽。惟因萬幾之餘暇,留意省覽焉。"

應劭　律略論五卷

《隋志》:梁有應劭《律略論》五卷。

武侯十六條一卷

《中興書目》:初,先主三訪亮於艸廬。既見,亮上便宜事,列之文武。二篇,凡十六條。《遂初堂書目》入兵家類。

諸葛故事

成都作匕首五百枚,以給騎士。《御覽》。

蜀科

伊籍,字機伯,與諸葛亮、法正、劉巴、李嚴共造《蜀科》。

魏王奏事十卷

今邊有驚,輒露檄插羽檄。《前漢書·高祖本紀》注引作《魏武奏事》。

魏武故事

劉岱,字公山,沛國人。以司空長史從征伐,有功,封列侯。案:《魏志》裴松之注引《魏武故事》有《述志令》、《辟王必爲長史令》,《任峻傳》引《封棗祇子令》,皆見《操集》,不録。

右科令類

卷 七

張純别傳

不著撰人姓氏。純,字伯仁,郊廟、冠昏、喪紀禮儀多所正定,上甚重之,以純兼虎賁中郎將,一日數見。《北堂書鈔》。

邵氏家傳

不著撰人。案此書及《荀氏家傳》疑皆晉時所述,以其載邵訓及鴻臚女邵夫人事,故第録此二則。邵訓,字伯春,爲陳留太守。以君性多宏恕,追詔勉厲之,曰:“陳留太守講授省中,六年於兹。經術明篤,有匡生解頤之風。賜錢三十萬,及刀劍衣服居家之具。”虞建,武都尉,妻邵夫人,字義姬,鴻臚之第三女也。少而寡,虞氏及夫人之宗,哀夫人辛苦,欲更爲圖婚,然重夫人宿操,慮不可非禮逼;亦知夫人潛儲刀誓,故不敢生意。夫人自以虞氏凶短,繼世無子,常獨處一室,絶書學,非祭祀墳墓不出,紡績輒貨,以供祭祀,稱其多寡,不求豐厚。

鍾離意别傳

意,字子阿,會稽山陰人也。太守竇翔召意署功曹,意爲府立條式,威儀嚴肅,莫不靖恭。後日竇君與相見,曰:“功曹頃設嚴科,太守觀察朝晡,吏無大小,莫不畏威。”《太平御覽·功曹》引。意爲功曹,常以周樹白事誕欺,朝廷皆知意心限。中部平永缺,意牒曰:“賊曹吏周樹,結髮佐吏,服勤有法,果於從政,行如玉白,百折而不撓,請宜部職也。”《北堂書鈔·功曹》引。案周樹即周長生也。西部都尉南陽任延以優文召縣,曰:“都尉德薄,思賢汲汲，處士鍾離意正色鄉行優備，應令補吏。”檄到，史掾以禮發遣者。《北堂書鈔·掾》引。汝南黄讜拜會稽太守，署意北部督郵。時郡中大疫，黄君轉意中部督郵。意乃露車不冠，身循行病者門，入家，賜與醫藥，過神廟爲禱祭，召録醫師百人，合和神艸藥。恐醫小子或不辨毒藥，賊害民命，先自吞嘗，然後施行，遂得差其所臨，存獲濟四千餘人。後日府君出行，災眚百姓攀車轅號泣曰：“明府君不須出，但得鍾離督郵，民皆活也。”此條參合《藝文類聚·督郵》、《太平御覽·醫》引叙次。意爲會稽督郵，亭長受民酒禮，府下記案考之，意封記，還府不考。太守黄君大怒，驛馬召。意到，對曰：“督郵受任中部，當奉繩千里爲視聽，立政當舉大綱且闊細微。”《藝文類聚·督郵》引。揚州刺史夏君三辟意署九江郡從事，三府側席，夏君見意曰：“刺史得京師書，聞從事有令譽，刺史何惜王家之爵不貴賢者。”乃表上尚書。《北堂書鈔·從事》引。舉孝廉，有詔試，意爲天下第一。《北堂書鈔·孝廉》引。司徒侯霸辟署議曹掾，以詔書送徒三百餘人到河北連陰。遇隆冬道寒，徒衣被單，手足皆貫連械，不復能行。到弘農縣，使令出錢爲徒作襦袴，各有升數。令謝曰：“不被詔書，不敢妄出錢。”意曰：“使者奉詔命，寧私行邪？出錢便當上書，使者亦當上之。”光武皇帝得狀，見司徒侯霸曰：“所使掾何乃仁恕，爲國用心，誠良吏也。”襦袴既具悉到，前縣給賜糜粥。後謂徒曰：“使者不忍善人嬰刑，饑寒感惻，今已得衣，又欲悉解善人械梏，得逃去耶？”皆曰：“明使君哀徒，恩過慈父，身成灰土，不敢逃亡。”意復曰：“徒中無欲歸候親者邪？”其有節義名者五六十，悉解桎出之，與期日會作所，徒皆先期至。《太平御覽·徒》引。意遷東平瑕丘令。男子直兒勇悍有力，三日一飯十斤肉、五斗粟飯。便弓弩，飛射走獸，百不脱一,桀悖好犯長吏。意到官,召署捕盜掾,敕謂之曰:“令嘗破三軍之眾,不用尺兵;嘗縛暴虎,不用尺繩。但以良謀爲之耳。爾掾之氣勢安若?宜慎之。”因復召直子涉署門下,將游徼私出入寺門,無所關白。收涉鞭之,直走之寺門,吐氣大言,言無上下。意敕直,能爲子屈者,自縛謝令,否則鞭殺其子。直果自縛。意告曰:“令前告汝曹,縛暴虎不用尺繩,汝自視何如虎自縛邪?”敕獄械直父子,結連其頭,對榜之欲死。掾吏陳諫,乃貸之,由是相率爲善,所謂上德之政,鷹化爲鳩,暴虎成貍,此之謂也。《北堂書鈔·縣令》引,《御覽》引同。意爲瑕丘令,立春遣户曹桓建桓,一作“檀”。賫青幘幡白督郵,督郵不受,建留於家,還白意言受。它日,意見督郵,而督郵謝意,言所以不受青幘幡者,已自有也。意還,召建問狀,建惶怖叩頭。意曰:“勿叩頭使外聞也。”出因轉署主計吏假,遣無期。建歸家,父問之曰:“朝大事眾賢能者多,子何功才既獲顯榮,假乃無期,寵厚將何謂也?得無有不信於賢主邪?”建長跪,以青幡意語父。父默然,有頃,令妻設酒殺雞,與建相樂,謂建曰:“吾聞有道之君以禮義戮人,無道之君以血刃殺人。長假無期,唯死不還,將何以自裁乎?”酒畢進藥,建遂物故。《太平御覽·幡》引。堂邑令鍾離意至德仁和,孝明皇帝徵詣闕,拜尚書。《北堂書鈔·諸曹尚書》引。明帝作北宫,意諫曰:“昔湯遭旱,以六事自責,曰:‘政不節邪?使民疾邪?宫室勞邪?女謁盛邪?讒夫昌邪?苞苴行邪?’夫宫室廣大,所以驚目極觀,非所以崇德致平,宣化海内。”意復諫曰:“頃天旱不雨,陛下躬自劾責,避正殿之榮。今日雨而不濡,豈政有所改邪?是天威未消也。愚以爲可令將作大匠止功作諸室,減省不急,以助時氣。”有詔曰:“朕之不德,敢不如教。”即日,沛然大雨。《太平御覽·諫》引。意爲尚書,交阯太守張恢居官貪亂,贓逾千萬。珠璣寶玩乃有不數。收贓簿入司農，詔悉以珠賜尚書。尚書皆拜受，意獨委珠璣於地，不拜而受。明帝問："委珠何也？"對曰："愚聞孔子忍渴，不飲盜泉之水；曾參還車，不入勝母之門：惡其名也。今陛下以贓珠賜忠臣，故臣不拜受耳。"《太平御覽·珠》引。意爲尚書僕射，其年匈奴、羌胡歸義，詔賜縑三百匹。尚書侍郎廣陵暨鄷受詔，誤以爲三千匹。帝大怒，鞭鄷欲死。意獨排省閣，入見帝，諫曰："陛下德被四夷，恩及夷狄，是以左衽之徒稽首來服。愚聞刑疑從輕，賞疑從重。今陛下以鄷賞誤，發雷霆之威，海内遐邇謂陛下貴微財而賤人命。臣愚所不安。"明帝以意諫，且鄷錯合大意，恚損怒消，貰鄷，敕大官賜酒藥。詔謂意曰："非鍾離尚書，朕幾降威於此郎。"《北堂書鈔·僕射》引。意爲魯相，有孔子車乘皆毁敗。意自糶俸出私錢萬三千文，付户曹孔訢，雇膠漆之直，修孔子車。入廟，拭几席劍履。男子張伯，剗艸階下，土中得玉璧七枚，藏其一，以六白意。意令主簿安置几前。孔子教堂下牀首有縣甕，意召守廟孔訢問曰："此何等甕？"訢曰："夫子甕，背有丹書，故自夫子亡後，無敢發者。"意曰："夫子聖人，所以遺甕者，欲以縣示後賢。"因發之，得素書，曰："後世修吾書，董仲舒。護吾車，拭吾履，發吾笥，會稽鍾離意。璧有七，張伯懷其一。"意召問張伯，叩頭出之。《北堂書鈔·璧》引。《藝文類聚·宗廟》引。《後漢書》本傳注引。嚴遵與光武俱爲諸生，游涉他縣，同門精學，晨夜宿息，二人寒不寢卧。更相謂曰："富貴憶此勿相忘！"後數年，光武有天下，徵不至。《藝文類聚·寒》引。《周書》言秦史趙凱以私園恨告民吴旦生盜食宗廟御桃，旦生對曰："民不敢食也！"王曰："剖其腹，出其桃！"史記惡而書之曰："食桃當有遺核，王不知而剖人腹以求桃，非禮也。"《太平御覽·桃》引。附《會稽典録》二則。意爲北部督郵，烏程男子孫常、常弟烈分居，各得田半頃。

烈死,歲饑,常稍以半粟給烈妻子,輒追計直作券,設取其田。烈兒長大,訟掾吏。議曰:"烈男兒遭饑,常賴升合長大成人,而更興訟,非順理也。"意獨曰:"常身爲伯父,當撫孤弱,是人道正義。稍以升合券取其田,懷奸挾私,貪利忘義。烈妻子雖以田與常,困迫之至,非公義也。請以常田給烈妻子。"於是衆議無以奪意之理。意爲堂邑令,縣民房廣爲父執仇,其母病死,廣痛之,號泣於獄。意爲之悽惻,出廣見之,曰:"今欲出若歸家殯斂,有義則還,無義則亡。"丞掾諫以爲不可,意曰:"不還之罪,令自當之。"廣歸殯殮,即自詣獄,以狀表上,詔減死一等。

殷氏世傳

不著撰人。殷亮,字子華,少學《公羊春秋》,年十四傳祖父業,舉孝廉。到陽城,遇虎爭一羊,亮乃按劍瞋目,斬羊腹,虎乃各以其半羊去。《太平御覽·虎》引。建武中,拜博士,遷講學大夫。諸儒論勝者賜席,亮席重至八九。帝嘉之,曰:"學不當如是邪!"《藝文類聚·博士》引。殷褒爲洛陽令,先多淫雨,百姓饑饉。君乃穿渠入河三十餘里,疏導原隰,用致豐年,百姓賴其利,號"殷神君"。《太平御覽·縣令》引。

崔氏家傳

崔瑗上疏曰:"臣聞孝廉皆限年三十乃得察舉,恐失賢才之士也。"《北堂書鈔·孝廉》引。崔瑗爲汲令,乃爲開溝造稻田,薄鹵之地更爲沃壤,民賴其利。長老歌之曰:"天降神明君,錫我慈仁父。臨民布大德,恩惠施以序。穿田廣灌溉,決渠作甘雨。"《太平御覽·歌》引。崔寔爲五原太守,郡處邊陲,不知耕桑之業,民多饑寒之患,於是乃勸人農種,教其織紝,以振貧窮,民用獲濟,號曰神惠。《太守》引。

李郃別傳

不著撰人姓名。郃,字孟節,漢中人。長七尺八寸,多須髯,八眉,左耳有奇表,頂枕如鼎足,手握三公之字。《太平御覽·形體》引。郃居漢中,和帝即位,分遣使者循行州郡,觀風俗,皆單車微行。使者二人到益州,投公舍宿,公察其人異焉。時日暮露坐，爲出酒與啖，公仰觀星，問曰："君發京師時，寧知二使者何日發邪？"二人驚，相視曰："不聞。"問公何以知之，郃指星曰："有二使星來向益部。"《北堂書鈔·奉使》引。二人知其深明天文，遂共談，甚嘉異焉。三句據《太平御覽》增補。太守常豐欲遣吏通厚竇憲，郃苦諫之。及竇氏敗，盡收交通者，豐於是奇郃能絶榮，舉孝廉。《北堂書鈔·孝廉》引。公至京學問，常以賃書自給，爲人深沈，宏雅有大度。《太平御覽·度》引。郃以郎謁者爲上林苑令。《苑令》引。郃上書太后，數陳忠諫，其辭雖不能盡施用，輒有策詔褒贊焉。博士著兩梁冠，朝會宜隨士大夫例。時賤經學，博士乃在市長下，公奏非所以敬儒德明國體也。上善公言，正月大朝，引博士列公府長史前。《初學記·博士》引，《御覽》引同。郃侍祠南郊，不見六宗祠，奏曰："案《尚書》'肆類於上帝，禋於六宗'。漢興，於甘泉、汾陰祭天地，亦祭六宗。至孝成時，匡衡奏立北郊，復祠六宗。至建武都雒陽，制郊祀，不道祭六宗，由是廢不血食。今宜復舊。"上從公議，由是遂祭六宗。《太平御覽·六宗》引。鄧騭弟豹爲將作大匠。河南尹缺，豹欲得之。上及騭亦欲用豹，難便召拜，下詔令公卿舉，騭以旨遣人諷公卿悉舉豹。李郃曰："司隸河南尹當整頓京師，檢御貴戚，今反使親家爲之，必不可爲後法。"令舉司隸羊浸，自是公卿皆不舉豹。豹竟不得尹，恨公卿不舉，對士大夫曰："李公寧能不舉我，故不得尹邪！"《北堂書鈔·京尹》引。公居貧而不好産業，有稻田三十畝，第宅一區。《初學記·貧》引。

李固别傳

不著撰人姓名。固隱狼澤山，以三經教授。漢中太守遣五官丞舉孝廉，不就。《北堂書鈔·孝廉》引。益州及司隸辟，皆不就。門徒或稱從事掾，固曰："未嘗受其位，不能竊其號。"《太平御覽·從事》引。梁冀誅固，露尸於西衢，有敢親臨者加以罪。弟子汝南郭亮始成童,遊學雒陽,乃左提章鉞右秉鈇鑕,詣闕上書,乞收固尸,不許,往臨哭,陳辭於前,遂守尸喪不去。太后聞而許之。《太平御覽·尸》引。

李固外傳

不著撰人姓名。質帝暴得疾,云食煮餅,腹中悶,遂崩。《太平御覽·餅》引。梁冀欲立清河王蒜,常侍曹騰聞議定,往見冀曰:"清河爲人嚴明,若遂即位,將軍受禍不久矣。"冀更會議立蠡吾侯,惟固與杜喬執本議。桓帝忿固與杜喬,以本立蒜下獄。太后詔出固,冀復令黄門常侍作飛章虚辭奏,收固等繫獄。京師諺曰:"直如弦,死道邊。曲如鉤,反封侯。"《太平御覽·諺》引。

德行一篇

謝承《後漢書》:李固既死,所授弟子潁川杜訪、汝南鄭遵、河内謝承共論固德行。

李燮別傳

不著撰人姓名。燮,字德公,常逃亡,匿臨淄,爲酒家傭。靈帝即位,時月經陰道暈五車,史官曰:"有流星升漢西北,陽芒通昴,熒惑入角,犯帝座。占當有大臣被誅冤死者。故太尉李固,西土人,占應固。今月經陰道,圍五車,宜有赦令,以除此異。"上感此變,大赦天下,詔求公子孫,酒家具車乘厚送之。《太平御覽·傭》引。燮拜京兆尹,吏民愛敬,乃作歌曰:"我府君,道教舉。恩如春,威如虎。愛如母,訓如父。"《太平御覽·歌》引。

梁冀別傳

不著撰人姓名。冀鳶肩。《太平御覽·肩》引。冀好彈棋、意錢、蹴鞠。《太平御覽·伎術》引。暑夏之月,露首袒體,惟在樗蒲彈棋,不離綺紈幕襦之側。《天中記》引。冀爲河南尹,居職恣暴,多爲非法。遼東太守侯猛初拜不謁,託以他事,乃腰斬之。郎中汝南袁著年十九,見冀凶縱,不勝其憤,乃詣闕上書。冀聞而密遣掩捕得著,殺之。《太平御覽·河南尹》引。元嘉二年,又加冀禮儀。大將軍朝,端門若龍門,謁者引。增掾屬、舍人、令史、官騎、鼓吹各十人。《百官志》注引。冀愛監奴秦宮,官至太倉令。宮得出入冀妻壽所。語言飲食,獨住獨來,屏去御者,託以言事,因通焉,内外兼寵。刺史二千石皆謁拜之。宮,冀蒼頭。壽姊夫宗炘不知書,因壽氣力起家,拜太倉令。《太平御覽·太倉令》引。冀子嗣爲河南尹,一名胡狗。時年十六,容貌甚陋,不勝冠帶,道路見者莫不嗤笑焉。《藝文類聚·河南尹》引。扶風人士孫奮居富,冀從貸錢五千萬,奮以三千萬與之。冀大怒,乃告郡縣,認奮母爲守藏婢,云盜白珠十斛、紫磨金千觔以叛,遂收考奮兄弟,死於獄中,悉没貨財。《藝文類聚·珠》引。子産治鄭,蒺藜不生,鴟梟不至。《北堂書鈔·德感》引,案此當是朱穆奏記中語。常侍徐璜白言:“見道術家常言,漢死在戌亥。今太歲在丙戌,五月甲戌,日食柳宿。朱雀,漢家之貴國,宿分周地,今之京師是也。史官上占,去重見輕。”璜召太史陳瑗詰問,乃以實對。冀怒瑗不爲隱諱,使人陰求其短,發擿瑗以亡失候儀不肅,有司奏收殺獄中。《天文志》注引。冀之專政,天爲見異,眾蓄並湊,蝗蟲滋生,河水逆流,五星失次,太白經天,民人疾疫,出入六年,羌戎叛戾,盜賊略地,皆冀所致。《五行志》注引。冀奢僭,四方調發,歲時貢獻,皆先輸上第於冀,乘輿乃其次焉。又廣開園囿,采土築山,十里九坂,以象二崤,深林邃洞,有若自然,奇禽怪獸,飛走其間。妻共冀乘輦,張羽蓋,飾以金銀,遊第内。《太平御覽·侈》引。冀作狐尾單衣,上短下長。《太平御覽·單衣》引。冀未誅時,婦人作不聊生髻。《太平御覽·髮》引。

馬融别傳

不著撰人姓名。融爲大儒,教養諸生常有千數,善鼓琴,好吹笛,達生任性,不拘小節。居宇器服,多存侈飾。常坐高堂,施絳帳,前授生徒,後列女樂,弟子以次傳授,罕有入其室者。

樊英别傳

不著撰人姓名。英隱於壺山,常有暴風從西方起。英謂學者曰:"成都市火甚。"因含水向西噀之,乃令記其日。有從蜀來者,云是日大火,黑雲卒從東起,須臾大雨,火遂得滅。《藝文類聚·火》引。英披髮忽拔刀斫舍中。妻問故,曰:"郤生道遇鈔。"郤還,言道遇賊,賴披髮老人相救得全。郤生名巡,字仲信,陳君夏陽人,能傳英業。《藝文類聚·髮》引。順帝策書備禮玄纁徵英,切詔州郡駕載上道。英不得已,到京師,稱疾不肯赴。乃强輿入殿,猶不以禮屈。帝怒曰:"朕能生君,能殺君;能貴君,能賤君;能富君,能貧君。君何慢朕?"英曰:"臣受命於天,盡其命天也,不得其命亦天也,陛下焉能殺臣?臣見暴君如見仇讎,立朝猶不肯,可得貴乎?雖在布衣之列,環堵之中,晏然自得,不易萬乘之尊,又可得而賤乎?陛下安能賤臣?臣非禮之禄,萬鍾不受;小申其志,雖箪食不厭。陛下焉能富臣?焉能貧臣?"帝不能屈,而敬其名,使出就太醫,月置羊、酒。《太平御覽·禮賢》引。英陳事畢,向西南唾,天子問其故,曰:"成都今日火。"後郡太守上火災,言時雲雨從西北來,故火不爲害。《太平御覽·火》引。詔書告南陽太守曰:"五官中郎將樊英,委榮辭禄,不降其節,志不可奪。四字據《御覽》引增補。今以英爲光禄大夫,賜歸所在縣給穀千斛,常旨八月致牛一頭、酒三斛。"《北堂書鈔·光禄大夫》引。英嘗卧疾便室中,妻遣婢往問疾,英下牀答拜。陳寔問英何答婢拜,英曰:"妻者齊也,共奉祭祀,禮無往而不反。"《太平御覽·拜》引。

三君八俊録

不著撰人姓名，見陶潛《群輔録》。

郭林宗别傳

不著撰人姓名。林宗家貧，初欲遊學，無資，就姊夫貸五千錢。乃遠至成皋，從師受業。併日而食，衣不蔽形。常以蓋幅自鄣，入則護前，出則掩後。《太平御覽·貧》引。林宗遊雒陽，始見河南尹李膺，膺大奇之，遂相友善，於是名震京師。後歸鄉曲，諸儒送至河上，車數千輛。林宗惟與李膺同舟而濟。衆客望之，以爲神僊焉。《藝文類聚·舟》引。林宗嘗行陳梁間，遇雨，故其巾一角霑而折。二國學士著巾莫不折其角，其見儀如此。《北堂書鈔·巾》引。林宗儀貌魁岸，身長八尺，聲音如鐘，當時以爲準的。《太平御覽·聲》引。太名顯，士争歸之，載刺盈車。《太平御覽·刺》引。林宗家有書五千餘卷。《北堂書鈔·藏書》引，案此下當有所言皆天文圖讖之事，《書鈔》未之引耳。同郡宋子浚素服其名，以爲自漢元以來，未見其匹，嘗勸之仕。《北堂書鈔·仕》引。林宗嘗止陳國，文學見童子魏德公求近其房，供給灑掃。林宗嘗不佳，夜中呼使作粥。一啜，怒而呼之，曰："爲長者作粥，使沙不可食!"以盃擲地。德公更爲進之。三呵，德公無變容《太平御覽·粥》引。林宗每行宿逆旅，輒躬灑埽。及明去，人至見之，曰："此必郭有道宿處也。"《太平御覽·行旅》引。林宗入潁川則友李元禮，至陳留則結符偉明，之外黄則親韓子助，至蒲亭則師仇季智，止學舍則收魏德公，觀耕者則拔茅季容，皆爲名士。至汝南見袁奉高，不宿而去，從黄憲三日乃去，薛勤問之曰："足下見袁奉高不宿而去，見叔度乃彌日，何也?"太曰："奉高之流，雖清而易挹也。叔度汪汪若千頃之波，澂之不清，摇之不濁，難測量也。"《太平御覽·鑒識》引《黄憲傳》注引作"時林宗過薛恭祖，恭祖問曰：'聞足下見袁奉高車不停軌鑾不輟軛，從叔度乃彌信宿也'"。郭太品題海内之士,或在幼童,或在里肆,後皆成英彦六十餘人,自著書一卷,論取士之本末,行遭亂遺失。《廣博物志》引。茅容,字季偉,陳留人。案陶宏景《真靈位業圖》,茅容作茅固,字季偉,當以《後漢書》爲正。年四十餘,耕於野。時與弟輩避雨樹下,衆皆夷踞相對,偉獨危坐愈恭。林宗見而奇之,與言,因請寓宿。旦日殺雞爲饌,林宗謂爲己設,既而以供其母,自以菜蔬與客同飯。林宗起拜之曰:"卿賢乎哉!"因勸令學,卒以成德。《藝文類聚·人部》引,《御覽》引同。鉅鹿孟敏居太原,墜甑不顧。林宗見而問之,對曰:"甑已破矣,視之何益!"林宗賞其介決,因以知其德性必爲美士,勸使學,果爲美士。《太平御覽·甑》引。衛兹弱冠,與同郡周文生俱稱盛德。郭林宗與二人俱至市,子許買物隨讎直,文生訾訶減價乃取。林宗曰:"子許少欲,文生多情,非徒兄弟乃父子也。"文生以穢貨見捐,兹以節烈垂名。《天中記》引。林宗與徐孺子遊學,同稚還家。林宗庭有一樹,欲伐去之。稚乃問其故,林宗曰:"爲宅之法,方正如口,口中有木'困'字,不祥也,是以去之。"稚難林宗曰:"爲宅之法,方正如口,口中有人'囚'字,豈可居之?"林宗默然無對。《廣博物志》引。賈淑字子厚,林宗鄉人,雖世有冠冕,而性險害,邑里患之。林宗遭母喪,淑來弔之。而鉅鹿孫咸直亦至,咸直以林宗受惡人弔,心怪之,不進而去。林宗遽追而謝曰:"賈子厚誠凶德也,然洗心向善。仲尼不逆鄉互,故許其進。"淑聞之,改過自厲,終成善士。又林宗有母喪,徐穉往弔,置生芻一束於廬前而去。林宗曰:"此必南州徐孺子也。《詩》不云乎'生芻一束,其人如玉',吾無德以堪之!"《太平御覽·弔》引。太以有道君子徵,同邑宋子浚勸使仕,太遂辭以疾,闔門教授。《太平御覽·疾》引。昔仲玉爲部從事,嘗乘柴車駕牛編荆爲當。《太平御覽·車》引。林宗秀立高峙,澹然淵渟。蔡伯喈告盧子幹、馬日磾曰："爲天下作碑銘多矣，未嘗不有慚色。惟郭有道碑頌無愧色耳。"案《文選注》有郭林宗《與盛仲明書》。

李膺家録

膺居陽城時，門生在門下者恒有四五百人。膺每作一文出手，門下共争之，不得墜地。《天中記》引。陳仲弓初與大兒元方來見，膺與言語訖，遣厨中具食。元方喜，以爲合意，當復得見焉。膺爲侍御史，按青州凡六郡，惟陳仲弓爲樂安視事，其餘皆稱病，七十縣並棄官而去，其威風如此。膺嶽峙淵停，清峻貌貴重，華夏稱曰："潁川李府君，頵頵如玉山。汝南陳仲舉，軒軒如千里駒馬。南陽朱公叔，飂飂如行松柏之下。"並同上。李元禮一世龍門，時同縣聶季寶小家子不敢見元禮。杜周甫知季寶賢，不能定名，以語元禮。元禮呼見，坐置砌下牛衣上，一與言，即決曰："此人當作國士。"後卒如元禮言。《廣博物志》引。李膺恒以疾不送迎賓客，惟陳仲弓爲，輒乘輿出門迎之。同上。郭林宗來遊京師，當還鄉里，送車千許乘，膺亦在焉。衆人皆詣大槐客舍，獨膺與林宗共載，乘薄笨車上大槐坂。觀者數百人，引領望之，若喬松之在霄漢。《天中記》引。膺坐黨事與杜密、荀翊同繫新汲獄。時歲旦，翊引杯曰："正朝從小起。"膺謂翊曰："死者人情所惡，今子無悉色者何?"翊曰："求仁得仁，又誰恨也?"膺乃歎曰："漢其亡矣！善人天地之紀而多害之，何以存國！"《太平御覽·元旦》引。

陳寔别傳

寔，字仲弓，潁川許人也。自爲兒童，不爲戲弄，爲等類所歸。寔在鄉閭，平心率物，其有争訟者，輒求判正，曉譬曲直，所平反無怨者。乃歎曰："寧爲刑罰所加，不爲陳君所短。"歲時民儉，有盜夜入其室，伏於梁上。寔陰見之，乃起自整拂。呼命子孫，訓之曰："夫人不可不自勉，不善之人未必本惡，習與性成遂至於此,如梁上君子是矣!"盜大驚,自投於地,稽首歸罪。寔徐譬之曰:"視子狀,貌不似惡,宜人深克己反善,然此當由困貧。今遺絹二疋。"自此縣無復盜。《太平御覽·絹》引。寔爲郡功曹,時中常侍侯覽託太守高倫用吏,倫教署文學掾。寔知其非人,乃懷檄請見,乞從外署,倫從之。於是鄉論怪其非舉。倫後徵爲尚書,郡中士大夫送至傳舍,倫語衆人:"吾前爲中常侍用吏,此咎由故人畏憚強禦,陳君可謂善則稱君,惡則稱己者也!"聞者莫不歎息。《北堂書鈔·功曹》引。

鄭玄別傳

不著撰人姓名。康成以永建二年七月戊寅生,年八九歲能下算乘除。玄年十二,隨母還家,正臘,宴會同列十人皆美服盛飾,語言閑通。玄獨漠然如不及。父母私督教之,乃曰:"此非我志,不在所願。"《太平御覽·歲時》引。玄少好學,年十三誦五經,好天文占候風角隱術。《世説·文學》劉峻注引。玄年十六,號曰神童,民有嘉瓜者,案"瓜"一作"本"。異本同實,縣欲表府,文辭鄙略,君爲改作。又著《頌》二篇,侯相高其才,爲修冠禮。《太平御覽·瓜》引。年十七,在家見大風起,詣縣曰:"某時當有火災,宜祭禳,廣設禁備。"時火果起而不爲害。《太平御覽·咎徵》引。知者異之。四字據《世説》注引補。年二十一,博極羣書,精術數緯圖之言,兼精算術。《世説》注引。玄去吏,師故兗州刺史第五元先。本傳注引。季長后戚,嫚於侍士,玄不得見。自起精廬,既因介紹得通。時涿郡盧子幹爲門人冠首,季長又不解剖裂七事,玄思得五,子幹得三,季長謂子幹曰:"吾與汝皆弗如也。"季長臨别執玄手曰:"大道東矣。"《世説》注引,附《酒譜》引《鄭玄别傳》:"馬季長以英儒著名,玄往從參攷同異。時與盧子幹相善在門下,以母老歸養。"案此條可補《世注》説之缺,蓋類書所引多割裂字句,文義往往不相連屬也。任城何休好《公羊》學,作《公羊傳注》,得《公羊》本意,遂著《公羊墨守》、《左氏膏肓》、《穀梁廢疾》，玄乃《發墨守》、《箴膏肓》、《起廢疾》。何休見而歎曰："康成入吾室，操吾戈，以伐我乎？"《太平御覽·經典》引。大將軍何進禮待甚優，玄不受朝服，惟服幅巾，一宿而去。《北堂書鈔·巾》引。建安元年，玄自徐州還高密，道遇黄巾賊數萬人，見玄皆下拜。《北堂書鈔·拜揖》引。袁紹遣使邀玄大會賓客，玄最後至，秀眉明目，容儀温偉。《北堂書鈔》原引在"飲至三百杯"句下，今以文義次此，移置於此。紹一見玄，歎曰："吾本謂鄭君東州名儒，今乃是天下長者。夫以布衣雄世，斯豈徒然也！"及去，餞之城東，"一見玄"以下六句據《御覽》引補。紹必欲玄醉。時會者三百人，酒酣之後，人人皆離席奉觴進爵，自旦至暮，"離席奉觴，自旦至暮"據《御覽》引補。玄飲至三百杯，《北堂書鈔·酒》引。而温克之容，終日無怠。二句據《御覽》引補。玄在徐州，孔文舉時爲北海相，欲反其郡，敦請懇惻，使人繼踵。又教曰："鄭公久遊南夏，今艱難稍平，何有歸來之思，無寓人於室，致傷其藩垣林木，必繕治牆宇以俟還。"及歸，融告僚屬曰："昔周人尊師，謂之尚父。今可咸曰鄭君，不得稱名也。"《廣博物志》引。國相孔文舉教高密令曰："公者人德之正號，不必三事大夫也，今鄭君鄉宜曰鄭公鄉。"《太平御覽·鄉》引。玄病，戒子益恩曰："吾家舊貧，爲郡父母所容，去廝役之吏，遊周、秦之都，往來幽、并、兗、豫之地，候觀通人大儒，得意者咸從捧手，有所受焉，遂博稽六藝，究覽傳記。今我告爾以老，歸爾以事，將閑居以安性，覃思以終業。自非拜國君之命，問親族之憂，展孝墳墓，觀省野物，曷嘗扶杖出門乎？家事大小，汝一承之。爾煢煢一夫，曾無同生相依。其勗求君子之道，鑽研勿替；恭慎威儀，以近有德，顯譽成於僚友，德行立於己志。若致聲稱，亦有榮於所生耳。"本傳引。玄惟一子名益，字益恩。年二十三，國相孔府君舉孝廉。府君以多寇屯都昌，爲賊管亥所圍,乃令從家將兵奔救,則賊見害,時年二十七。妻有遺體生男,玄以太歲在丁卯生,此男以丁卯日生,又手文與玄相似,故名曰小同。《太平御覽·遺腹》引。國淵始未知名,玄稱之曰:"國子尼美才也,吾觀其人必爲國器。"《三國志·國淵傳》注引。故尚書左丞同縣張逸年十三,爲縣小吏,君謂之曰:"爾有贊道之質,玉雖美須雕琢而成器,能爲書生以成爾志否?"對曰:"願之。"乃遂拔於其輩,妻以弟女。《太平御覽·婚》引。玄卒,遺令薄葬,自郡守以下嘗受業者衰絰,赴者千餘人。《北堂書鈔·葬》引。

盧植别傳

不著撰人姓名。植,初平三年卒,臨終敕其子儉葬於山足,不用棺槨,附體單布而已。《北堂書鈔·葬》引。

蔡邕别傳

不著撰人姓名。張衡死,邕母始懷孕,此二人才貌相類,時人云邕是衡之後身。殷芸《小説》引。邕與李則遊學時在弱冠,始共讀《左氏傳》,性通敏兼人,舉一反三。《北堂書鈔·讀書》引。邕嘗遊橋亭。一作"高亭",一作"柯亭"。見屋椽竹可以爲籥,因取用之,果有異聲,知音類如此也。《北堂書鈔·籥》引。邕昔作《漢記十意》,未及奏,遭事流離,因上書自陳曰:"臣既到徙所,乘塞守烽,職在候望,憂怖焦灼,無心復能操筆成艸,至章闕廷。誠知聖朝不責臣謝,但懷愚心有所不竟。臣自在布衣,嘗以爲《漢書》十志下盡王莽而止,光武以來惟記紀傳,無作志者。臣所師事故太傅胡廣,知臣頗識其門户,略以所有舊事與臣。雖未備悉,粗見首尾,積累思惟,二十餘年。不在其位,非外吏庶人所得擅述。天誘其衷,得備著作郎,建言十志皆當撰録。會臣被罪,逐放邊野,恐所懷隨軀朽腐,抱恨黄泉,遂不設施,謹先顛踣,科條諸志。臣欲删定者一,所當接續者四,前志所無臣欲著者五,及經典羣書宜捃摭,本奏詔書所當依據,分别首目,並書章左,惟陛下留神省察。臣謹因臨戎長霍圉封上。有《律曆意》第一,《禮意》第二,《樂意》第三,《郊祀意》第四,《天文意》第五,《車服意》第六。"《後漢書》本傳注引。東國宗敬蔡中郎,咸稱蔡君,不言名。兗州、陳留並圖畫形象爲目之曰:"文同三閭,孝齊曾、騫。"《廣博物志》引。初司徒王允與邕會議,允詞常屈,由是銜邕。及允誅卓,並收邕,衆人争之不能得。太尉馬日磾謂允曰:"伯喈忠直,素有孝行,且曠世逸才,多識漢事,當定十志,子今殺之,海内失望矣。"允曰:"無蔡邕獨當,無十志何損?"遂殺之。同上。

蔡玉别傳

不著撰人姓名。玉,字文姬,陳留人,左中郎將邕之女,聰慧秀異。年六歲,邕鼓琴,絃絶。玉曰:"第一絃。"邕故斷一絃問之,玉曰:"第二絃。"邕又故斷一絃,玉曰:"第四絃。"邕曰:"偶得之耳。"玉曰:"吴札觀化,知興亡之國;師曠吹律,識南風之不競。由是言之,何足不知!"《太平御覽·琴》引。玉先適河東衛仲道,夫亡無子,歸寧於家。漢末大亂,爲胡騎所獲,在左賢王部伍中。春日登胡殿,感胡笳之音,懷《凱風》之思,作詩言志,曰:"胡笳動兮邊馬鳴,孤雁歸兮聲嚶嚶。"《太平御覽·笳》引。玉在胡中十三年,有二男,捨之而歸,作詩曰:"家既迎兮當歸寧,兒呼母兮啼失聲,我掩耳兮不忍聽。"《太平御覽·啼》引。曹操問玉曰:"聞夫人家先多墳籍,猶能憶識之否?"文姬曰:"昔亡父賜書四千餘卷,頃流離塗炭,罔有存者。今所誦憶,裁四百餘卷耳。"《北堂書鈔·賜書》引。

孔融别傳

不著撰人姓名。孔文舉年四歲,每與諸兄共食梨,引小者。人問其故,曰:"我小兒,法當取小。"由此宗族異之。融十歲,隨父詣京師。聞漢中李公清節直亮,欲往觀其爲人,遂造公門,謂門者曰:“我是公通家子孫也。”門者白之,公曰:“高明祖父常與孤遊乎?”跪而應曰:“先君孔子與明君先李老君,同德比義,而相師友,則融與公絫世通家也。”坐眾數十人,莫不歎息,咸曰:“異童也。”大中大夫陳瑋後至,曰:“人小了了,大或未能佳。”循聲答曰:“君子之幼也,豈其惠乎?”李公撫掌大笑,曰:“高明長大必爲偉器。”《太平御覽·幼童》引。漢末荒亂,融每旦以饘一盛魚一首以祭。《北堂書鈔·粥》引。融嘗歎曰:“坐上客常滿,樽中酒不空,吾無憂矣!”《太平御覽·樽》引。客言於何進曰:“孔文舉於時英雄特傑,譬諸物類,猶眾星之有北辰,百穀之有黍稷,天下莫不屬目焉。”《太平御覽·黍》引。融爲大中大夫,虎賁士貌似蔡邕,每酒酣,輒引與同座,曰:“雖無老成人,尚有典刑。”《太平御覽·貌》引。袁術僭號,操託楊彪與術婚媾,誣以欲圖廢置,奏收下獄,劾以大逆。融聞之,不及朝服,往見操曰:“楊公四世清德,海内所瞻。《周書》‘父子兄弟罪不相及’,況以袁氏歸罪?《易》稱‘積善餘慶’,徒虛語耳?”操曰:“此國家之意。”融曰:“假如成王殺召公,周公何得言不知邪?纓緌搢紳所以瞻仰明公者,以公聰明仁知,輔相漢朝,舉直錯枉,致之雍熙。今横殺無辜,則海内視瞻,莫不解體。孔融魯國男子,便當拂衣而去。”操不得已,復理出彪。《太平御覽·太尉》引。

邊讓别傳

不著撰人姓名。讓才辨逸俊,孔融薦讓於曹操,曰:“邊讓爲九州之被則不足,爲單衣襜褕則有餘。”《太平御覽·被》引。

楊彪别傳

不著撰人姓名。魏文帝令彪著布單衣,待以賓客之禮。《太平御覽·單衣》引。

禰衡別傳

不著撰人姓名。衡,字正平,少有才辨,而氣尚剛傲,好矯時慢物。興平中,避難荆州。建安初,游許下,始達潁川,乃陰懷一刺,既而無所之適,至於刺字漫滅。許都建賢士大夫四方來集,或問衡曰:"盍從陳長文、司馬伯達乎?"對曰:"吾焉從屠沽兒游耶?"又問:"荀文若、趙稚長云何?"衡曰:"文若可借面弔喪,稚長可使監廚請客。"惟善魯國孔融及弘農楊修,嘗稱曰:"大兒孔文舉,小兒楊德祖,餘子碌碌不足數也。"《北堂書鈔·刺》引。署爲鼓吏,裸辱曹操。孔融復見操,説衡狂疾,令求自謝。《北堂書鈔·狂》引。衡著官布單衣,以杖捶地,數責罵操及其先祖,無所不至。操乃勑外廄具騎馬三匹,並騎二人。須臾外給啓馬辦,曹公謂孔文舉曰:"禰衡小人,無狀乃爾。孤今殺之,無異腐鼠雀耳。顧此子有異才,遠近聞之,將謂孤不能容物。劉景升天性險急,不能容受此子,必當殺之。"乃以衡置馬上,兩騎挾送至南陽也。《北堂書鈔·馬》引。劉表作上事,極以爲快。衡見之,便滅敗投地,曰:"作此筆者爲食飯否?"《北堂書鈔·飯》引。南陽寇柏松常託劉景升,景升當蹔小出,屬守長胡政令給視之。柏松父子宿與政不佳。景升不在,胡政因而殺之。景升還,慚悼無已,即治殺胡政,爲作二牲以祭。正平爲作板書弔之,駐馬援筆,倚柱而作焉。《北堂書鈔·弔文》引。黄祖子射爲章陵太守,與衡俱有所之,見蔡伯喈所作石碑,正平過視而歎之言好。後日各歸章陵,自恨不令寫之。正平曰:"吾雖一過,尚識其所言。然其中央第四行石理磨滅,兩字不分明,當是某字,恐不諦耳。"因援筆書之,初無遺失,惟兩字不著耳。章陵雖知其才明敏,猶嫌有所遺失,故遣往寫之,還以校正平所書,皆無脱誤,所遺兩字如正平所遺字也,於是章陵歎服。《太平御覽·碑》引。黄射大會賓客,人有獻鸚鵡者,射舉酒於衡曰:“願先生賦之,以娱嘉賓。”衡投筆而作,文不加點,辭采甚麗。《太平御覽·賦》引。十月朔,黄祖在艨衝舟上,賓客皆會,作黍臛。先到,衡得便飽食,初不顧左右,復指摶弄以戲。時江夏有張伯雲亦在座,調之曰:“禮教云何而食此?”正平不答,弄黍如故。祖曰:“處士不當答也?”衡謂祖曰:“君子寧聞車前馬糟?”祖呵之,衡熟視祖,駡曰:“死鍛錫公。”祖大怒,令伍伯將出,欲杖之,而駡不止,遂令絞殺之。黄射來救,無所復及,悽愴流涕曰:“此有異才。曹操及劉景升不殺,大人奈何殺之?”祖曰:“人駡汝父爲鍛錫公,奈何不殺?”《太平御覽·黍》引。

何容别傳

不著撰人姓名。容,字伯求,有人倫鑒。同郡張仲景總角見容,容謂曰:“君用思精而韻不高,將爲良醫。”卒如其言。《太平御覽·醫》引。

趙岐别傳

不著撰人姓名。岐,字臺卿,年九十餘,建安六年卒。先自爲壽藏圖季札、子産、晏嬰、叔向四象,又自圖其象居主位,皆爲贊頌。敕其子曰:“我死之日,墓中取沙爲牀,布簟白衣,散髮其上,覆以單被。即日便下,下便掩。”《太平御覽·冢墓》引。

董卓别傳

楊孚撰。孚字孝先,官議郎。卓父君雅爲潁川輪氏尉,生卓及弟旻。卓字仲潁,旻字叔潁。本傳注引。張奂將師北伐,表卓爲軍司馬。卓手斬購募羌酋,拜五官中郎將,賜縑九千匹。卓曰:“爲者則己,有者則士。”悉以縑分與將兵吏。《太平御覽·縑》引。卓知所爲不得遠近,意欲以力服之,遣行雒陽城。時遇二月,社民在社下飲食,悉就斷頭,駕其車馬,載其婦女財物,以斷頭繫車轅軸上，還雒，云攻賊大獲[①]，稱萬歲。入關雒陽城門，焚燒其頭。《太平御覽·頭》引。悉埋青城門外東都門内，而加書焉。又恐有盜取者，以尸送郿塢藏之。郝經《續漢書》。卓會公卿，召諸降賊敗，行責降者曰："何不鑿眼？"應聲，眼皆落地。《太平御覽·目》引。卓諷朝廷使光禄宣璠持節拜卓爲太師，位諸侯上。引還長安，百官迎路拜。卓遂僭儗車服，金華青蓋，畫兩輪車，時人號爲"竿摩車"，言服式近天子也。《太平御覽·車》引。卓冶鑄候望璇璣儀。《帝紀》注引。卓孫七歲，愛之以爲己子，爲作小兜鎧胄，使騎駃騠馬，與玉甲一具，俱出入，以爲麟駒鳳鶵，至殺人之子，如蚤蝨耳。卓改董逃爲董安。《五行志》注引。吕布殺卓，百姓相對歡喜忭舞，賣家珠環、衣服、床榻，以買酒食，自相慶賀。長安酒肉爲之踊貴。

吕布本末一卷

不著撰人姓名。

王允别傳

不著撰人姓名。本郡民有路仁者，"仁"亦作"拂"。少無名行。太守王珠召補吏，允犯顔直諫，珠怒收允，欲殺之。刺史鄧盛聞而馳傳，補爲别駕從事，允由是知名，路仁以之廢棄焉。《北堂書鈔·别駕》引。

許劭别傳

不著撰人姓名。劭幼時見子徵，便云"此賢當持汝南管鑰"。本傳注引。

荀彧别傳

不著撰人姓名。太祖表曰："臣聞慮爲功首，謀爲賞本，野績不逾廟堂，戰多不踰國勳。是故曲阜之賜不後營丘，蕭何之

---

① "大"，原作"不"，據《金陵叢書》本改。

賞先於平陽。珍策重計,古今所尚。侍中守尚書令彧,積德纍仁,少長無悔,遭世紛優,懷忠念治。臣自始事義兵,周遊征伐,與彧戮力同心,左右王略,發言授策,無施不效。彧之功業,臣由以濟,用披浮雲,顯光日月。陛下幸許,彧左右機近,忠恪祗順,如履薄冰,研精極鋭,以撫庶事。天下之定,彧之功也。宜享高爵,以彰元勳。"彧固辭無野戰之勞,不通太祖表。太祖與彧書曰:"與君共事以來,立朝廷,君之相爲匡弼,君之相爲舉人,君之相爲建計,君之相爲密謀,亦以多矣。夫功未必皆野戰也,願君勿讓。"彧乃受。彧本傳注引。太祖又表曰:"昔袁紹侵入郊甸,戰於官渡。時兵少糧盡,圖欲還許,書與彧議,彧不聽臣。建宜住之便,恢進討之規,更起臣心,易其愚慮,遂摧大逆,復取其衆。此彧覩勝敗之機,略不世出也。及紹破敗,臣糧亦盡,以爲河北未易圖也,欲南討劉表。彧復止臣,陳其得失,臣用返旆,遂吞凶族,克平四州。向使臣退讓於官渡,紹必鼓行而前,有傾覆之形,無克捷之勢。後若南征,委棄兖豫,利既難要,將失本據。彧之二策,以亡爲存,以禍致福,謀殊功異,臣所不及也。是以先帝貴指蹤之功,薄搏獲之賞。古人上帷幄之規,下攻拔之捷。前所賞録,未副彧巍巍之勳,乞重采議,疇其户邑。"彧深辭讓,太祖報之曰:"君之策勳,非但所表二事。前後謙沖,欲慕魯連先生乎?此聖人達節者所不貴也。昔介子推有言'竊人之財猶謂之盜',況君密謀安衆,光顯於孤者以百數乎!以二事相還而復辭之,何取謙亮之多邪!"太祖欲表彧爲三公,彧使荀攸深讓,至於十數,太祖乃止。《三國志》注引。自爲尚書令,常以書陳事,臨薨,皆焚毁之,故奇策異謀不得盡聞。是時征役艸創,制度多所興復。彧常言於太祖曰:"昔舜分命禹、稷、契、皋繇以揆庶績,教化征伐,並時而用。及高祖之初,金革方殷,猶舉民能善教訓者,叔孫通習禮儀於戎旅之間。世祖有投戈講藝、息馬論道之事。君子無終食之間違仁。今公外定武功,内興文學,使干戈輯睦,大道施行,國難方弭,六禮俱治,此姬旦宰周之所以速平也。既立德、立功,而又兼立言,誠仲尼作述之意。顯制於當時,揚名於後世,豈不盛哉! 若須武事畢而復制作,以稽治化,於事未敏。宜集天下大才通儒,考論六經,刊定傳記,存古今之學,除其緐重,以一聖真,並隆禮學,漸敦教化,則王道兩濟矣。"彧從容與太祖論治道,如此之類甚眾,太祖常嘉納之。彧德行周備,非正道不用心,名重天下,莫不以爲儀表,海内英雄咸宗焉。司馬宣王嘗稱:"書傳遠事,吾自耳目所從聞見,逮百數十年間,賢才未有及荀令君者也。"前後所舉者,命世大才,邦邑則荀攸、鍾繇、陳羣,海内則司馬宣王,及引致當世知名郄慮、華歆、荀悦、杜襲、辛毗、趙儼之儔,終爲卿相,以十數人。取士不以一揆,戲志才、郭嘉等有負俗之譏,杜畿簡傲少文,皆以智策舉之,終成顯名。荀攸後爲尚書令,亦推賢薦士。太祖曰:"二荀令之論人,久而益信,吾没世不忘。"鍾繇以爲顔子既没,能備九德,不貳其過,其惟荀彧爲然。或問繇曰:"君雅重荀君,比之顔子,自以不及,可得聞乎?"曰:"夫明君師臣,其次友之。以太祖之聰明,每有大事,常先諮之,是則古師友之義。吾等受命而行,猶或不盡,相去顧不遠邪?"

司馬徽别傳

徽有人倫鑒識。時人有以人物問徽者,初不辨其高下,每輒言佳。其婦諫曰:"人質所疑,君宜辨論。而一皆言佳,豈人所以諮君之意乎?"徽曰:"如君言,亦復佳。"《太平御覽·鑒識》引。劉琮欲候,先使左右問其存亡。徽鉏園,左右問司馬君所在,曰:"我是也。"徽頭面醜陋,問者罵之曰:"即欲求司馬公,何等田奴妄稱也?”徽更刷頭飾服而出,左右叩頭而謝之。《太平御覽·醜丈夫》引。與劉恭嗣書:黄旗紫蓋恒見東南,終成天下者,揚州之君乎?《太平御覽·旗》引。

諸葛亮别傳

魏明帝自征蜀,幸長安,遣宣帝督張郃諸軍,領卒三十萬,潛軍密向劍州。亮有戰士十萬,十二更下,住者八萬。時魏軍始陳,番兵適交,亮參佐咸以敵衆強多,非力所制,宜權停下兵,以并聲勢。亮曰:“吾聞用武行師,以大信爲本,得原失信,古人所惜。去者束裝以待期,妻子鶴望以計日。”皆敕速遣。於是去者感悦,願留一戰;住者憤勇,咸思致命。臨戰之時,莫不拔刃争先,以一當十,殺張郃,卻宣王,一戰大克,此之由也。《太平御覽·戰》引。

費禕别傳

不著撰人姓名。孫權每别酌好酒以飲禕,視其已醉,然後問以國事,並論當世之務。禕輒辭以醉,退而次所問,事事條章,無所遺失。權乃以手中嘗執寶刀贈之。禕答曰:“臣不才,何以堪明命?然刀所以討不庭、禁暴亂者也,但願大王勉建功業,同獎王室,臣雖闇弱,終不負東顧。”《北堂書鈔·奉使》引。禕代蔣琬爲尚書。於時軍國多事,公務煩猥,禕識悟過人,每省讀書記,舉目暫視,已究其意旨,其速數倍於人,終亦不忘。常以朝晡聽事,其間接納賓客,飲食嬉戲,加之博弈,每盡人之歡,事亦不廢。董允代禕爲尚書令,欲效禕之所行,旬日之中,事多愆滯。《北堂書鈔》引作“事多委積”。允乃歎曰:“人才力相縣若此甚遠,非吾之所及也。聽事終日,猶有不暇爾。”《禕傳》注引。魏延、楊儀並坐争論,延或舉刀擬儀,儀涕泣横集。禕常入處其間,諫諭分别。《太平御覽·鬬争》引。禕推性謙素,家不積財,兒子皆令布衣素食,出入不從車騎,無異凡人。《北堂書鈔·

尚書令》引。少子恭爲尚書郎,顯名當世,早卒。《禕傳》注引。)

趙雲别傳

不著撰人姓名。雲字子龍,姿顔雄偉,身長八尺,爲本郡所舉,將義從兵詣公孫瓚。時袁紹稱冀州牧,瓚深憂州人之從紹也,善雲來附,嘲雲曰:"聞貴州人皆願附袁氏,君何獨回心,迷而能返乎?"雲曰:"天下訩訩,未知孰是,民有倒懸之戹,鄙州論議,從仁政所在,不爲忽袁公私明將軍也。"遂與瓚征討。時先主亦依託瓚,每接納雲,雲得深自結託。雲以兄喪辭瓚歸,先主知其不反,握手而别。雲辭曰:"終不背德也。"先主就袁紹,雲見於鄴。先主與雲同牀眠卧,密遣雲召募得數百人,稱劉左將軍部曲。紹不能用,遂隨先主至荆州。《蜀志·雲傳》注引。初,先主之敗,有人言雲已北走者,先主以手戟擿之曰:"子龍不棄我先走也。"頃之,雲至。從平江南,以爲偏將軍,領桂陽太守,代趙範。範寡嫂樊氏,有國色,範欲以配雲。雲辭曰:"相與同姓,卿兄猶我兄。"固辭不許。時有人勸雲納之,雲曰:"範迫降耳,心未可測,天下女不少。"遂不娶。範果逃走,雲無纖介。先是,與夏侯惇戰於博望,生獲夏侯蘭。蘭是雲鄉里人,少小相知。雲白先主活之,薦蘭明於法律,以爲軍正。雲不用自近,其慎慮類如此。先主入益州,雲領留營司馬。此時先主孫夫人以權妹驕豪,多將吴吏兵,縱横不法。先主以雲嚴重,必能整齊,特任掌内事。權聞備西征,大遣舟船迎妹,而夫人内欲將後主還吴,雲與張飛勒兵截江,乃得後主還。益州既定,時議欲以成都中屋舍及城外園及桑田分賜諸將。雲駁之曰:"霍去病以匈奴未滅何用家爲,今國賊非但匈奴,未可求安也。須天下都定,各反桑梓,歸耕本土,乃其宜耳。益州人民,初罹兵革,田宅皆可歸還,令安居復業,然後可調役,得其歡心。"先主即從之。夏侯淵敗,曹公争漢中地,運米北山下,數千囊。黄忠以爲可取,雲兵隨忠取米。過期不還,雲將數十騎輕行出圍,迎視忠等。值曹公揚兵大出,雲爲公前鋒所擊,方戰,其大衆至,勢偪,遂前突其陣,且鬭且卻。公軍散,已復合。雲陷敵,還趣圍。將張著被創,雲復馳馬還陣迎著。公軍追至圍,此時沔陽長張翼在雲圍内,欲閉門拒守,而雲入營,更大開門,偃旗息鼓。公軍疑有伏兵,雲雷鼓震天,惟以戎弩於後射公軍。公軍驚駭,自相蹂踐,墮漢水中死者甚多。先主明旦自來,至雲營圍視昨戰處,曰:“子龍一身都是膽也。”作樂飲宴至暝。軍中號雲爲“虎威將軍”。《北堂書鈔·謀策》引。孫權襲荆州,先主大怒,欲討權。雲諫曰:“國賊是曹操,非孫權也。且先滅操,則吴自服。操身雖斃,子丕篡盜,當因衆心,早圖關中,居河、渭上流以討凶逆,關東義士必裹糧策馬以迎王師。不應置魏,先與吴戰;兵勢一交,不得卒解也。”先主不聽,遂東征,留雲督江州。先主失利於秭歸,雲進兵至永安,吴軍已退。亮曰:“街亭軍退,兵將不復相録;箕谷軍退,兵將初不相失,何故?”芝曰:“雲身自斷後,軍資什物,略無所棄,兵將無緣相失。”雲有軍資餘絹,亮使分賜將士,雲曰:“軍事無利,何爲有賜?其物請悉入赤岸府庫,須十月爲冬賜。”亮善之。後主詔曰:“雲昔從先帝,功績既著。朕以幼沖,涉塗艱難,賴恃忠勤,濟於危險。夫謚所以序元勳也,外議雲宜謚。”大將軍姜維等以爲,雲昔從先帝,勞績既著,經營天下,遵履法度,功效可書。當陽之役,義貫金石。忠以衛上,君念其賞;禮以厚下,臣忘其死。死者有知,足以不朽;生者感恩,足以殞身。謹案謚法,柔賢慈惠曰順,執事有班曰平,克定禍亂曰平,應謚雲曰順平侯。以上並《雲傳》注引。

蒲元別傳

君性多奇思,得之天然。夆類之事,出奇人神,不嘗見鍛功。忽於斜谷爲諸葛亮鑄刀三千口。鎔金造器,特異常法。刀成,言漢水鈍弱,不任淬厲;蜀江爽烈,是謂大金之元精,天分其野,乃命人於成都取之。有一人前取水,既至,君以淬刀,言:"雜涪水,不可用。"取水者猶悍言不雜,君以刀畫水云:"雜八升,何故言不雜?"取水者叩頭首服,曰:"實於涪津渡大浪覆水,懼怖,以涪水八升益之。"於是咸共驚服,稱爲神妙。刀成,以竹筒密内鐵珠滿其中,舉刀斷之,應手零落,若薙生芻,故稱絶當世,因曰神刀。今之屈耳環者,是其遺範。《北堂書鈔·匕首》引,《御覽·刀》引同。元爲丞相諸葛亮西曹掾。亮欲伐魏,患糧難致。元牒與亮曰:"元等輒推意作一木牛,連仰雙轅,人行六尺,牛行四尺,人載一歲之糧也。"《北堂書鈔·糧》引。

曹操別傳

不著撰人姓名。操爲典軍都尉,還譙、沛,士卒共叛,襲之。操得脱身亡走,竄於河亭長舍,稱曹濟南處士。卧養足創八九日,謂亭長者曰:"曹濟南雖敗,存亡未可知。公能以車牛相送,往還四五日,吾厚報公。"亭長乃以車牛送操,未至譙數十里,騎求操者多,操開帷叱之,皆大喜,始悟是操。《太平御覽·帷》引。操爲兗州,以畢諶爲别駕。兗州亂,張孟卓劫諶母弟,操見諶曰:"孤撫綏失和,卿母、弟爲張邈所得,人情不相遠,卿可去。孤自遣卿,不爲相棄。"諶涕泣曰:"當以死效。"操亦垂涕答之。諶明日便走,城破還邳,還以爲掾。《太平御覽·别駕》引。操兵入碭,發梁孝王冢,破棺收金寶數萬斤。天子聞之哀泣。《太平御覽·金》引。

曹氏家傳三卷

曹毗撰。自云曹叔振鐸之後,周武王封母弟振鐸於曹,後以國爲氏。《三國志・魏紀》注引。

曹瞞傳

吴人撰。嵩,夏侯氏子,惇之叔父也。魏太祖於惇爲從兄弟。《袁紹傳》注引。太祖一名吉利,字阿瞞。少好飛鷹走狗。游蕩無度,其叔父數言之於嵩。太祖患之,後逢叔父於路,乃佯敗面喎口。叔父怪而問其故,太祖曰:"卒中惡風。"叔父以告嵩。嵩驚愕,呼太祖,太祖口貌如故。嵩驚問曰:"叔父言汝中風,爲已差乎?"太祖曰:"初不中風,但失愛於叔父,故見誣耳。"嵩乃疑焉。自後叔父有所告,嵩終不復信,於是益得肆志矣。《太平御覽・口》引。太祖爲雒陽北部都尉,入縣廨,繕治四門。造五色棒,縣門左右各十餘枚,有犯禁者,不避豪强,皆棒殺之。後數月,靈帝愛幸小黄門蹇碩叔父夜行,即殺之。京師斂迹,莫敢犯者。近習寵臣咸疾之,然不能傷,於是共稱薦之,遷爲頓丘令。《太平御覽・棓》引。自京師遭董卓之亂,人民流移,多出徐彭城間。遇太祖至,坑殺男女數萬口於泗水,水爲之不流。陶謙帥其衆軍武原,太祖不得進。引軍從泗南攻取慮、雎陵、夏丘諸縣,屠之。雞犬亦盡,墟邑無復行人。《三國志》注引。公聞許攸來,跣出迎之,撫掌笑曰:"子卿遠來,吾事濟矣!"既入座,謂公曰:"袁氏軍盛,何以待之?今有幾糧乎?"公曰:"可支一歲。"攸曰:"無是,更言之。"又曰:"可支半載。"攸曰:"足下不欲破袁氏邪?何言之不實也?"公曰:"向言戲之耳,其實可一月,爲之奈何?"攸曰:"公孤軍獨守,外無救援,而糧穀已盡,此危急之日也。今袁氏輜重有萬餘乘,在故市烏巢,屯軍無嚴備。今以輕兵襲之,不意而至。焚其積聚,不過三日,袁氏自敗也。"公大喜,乃選精鋭步騎,皆用袁軍旗幟,銜枚,縛馬口,夜從間道出,人抱束薪。所歷道有問者,語之曰:"袁公恐曹操鈔略後軍,遣兵以益備。"聞者信以爲然,皆自若。既至圍屯，大放火，營中驚亂，大破之，盡燒其糧穀寶貨。斬督將眭元、進騎督韓莒子、吕威璜、趙叡等首，割得將軍淳于仲簡鼻未死，殺士卒千餘人，皆取鼻，牛馬割脣舌，以示紹軍，將士皆怛懼。一作"惶懼"。時有夜得仲簡以詣麾下，公謂曰："何爲如是？"仲簡曰："勝負自天，何用爲問乎？"公意不欲殺之，攸曰："明旦鑒於鏡，此益不忘。"乃殺之。袁買，尚兄子。遣候者數部參之，皆曰："定從西道，已在邯鄲。"公大喜，會諸將曰："吾已得冀州，諸君知之乎？"皆曰："不知。"公曰："諸君方見不久也。"時寒且旱，二百里無復水，軍又乏食，殺馬數千匹以爲糧，鑿地入三十餘丈得水。既還，科問前諫者，衆莫知其故，人人皆懼。公皆厚賞之，曰："孤前行，乘危以徼倖，雖得之功，天所佐也，故不可以爲常。諸君之諫，萬安之計，是以相賞，後勿難言之。"公將過河，前隊適渡，馬超等掩至，公恚，猶坐胡牀不起。張郃等見事急，共引公入船。河水急，北渡，流四五里，超等騎追射之，矢下如雨。諸將見軍敗，不知公所在，皆惶懼。至見，乃流涕，或悲喜。公大笑曰："今日幾爲小賊所困乎？"時公軍每渡渭，輒爲超騎所衝突，營不得立，地又多沙，不可築壘。婁子伯説公曰："今天寒，可起沙爲城，以水灌之。可一夜而成。"公乃多作縑囊以運水，夜渡兵作城。比旦城立，由是公軍盡得渡渭。超數挑戰不利，操縱虎騎夾擊超，遂走涼州。公征張魯，魯使弟衛據陽平關，横山築城垣十餘里，攻之不拔，乃引軍還。賊見大兵退，其守備懈，公乃選騎將乘險夜襲，大破之。並同上。廬江太守劉勳理明城，恃兵強士衆，横於江淮之間，無出其右者。孫策惡之。時已有江左，自領會稽太守，使人卑詞厚幣而説之曰："海昏上繚家人，數欺下國，患之有年矣。擊之路由不便，幸因將軍之神武而臨之。且上繚國富廪實，吴娃、越姬充於後庭，明珠、大貝被於聚藏,取之可以資軍糧。蜀郡成都金碧之府,未能過也。策願舉敝道士卒以爲外援。"勳然之,劉曄諫曰:"上繚雖小,而城堅池深。守之則易,攻之則難,不可旬日而拔也。且兵疲於外而國虚於内。孫策多謀而善用兵,乘虚襲我,將何以禦之?將軍進疲於敵,退無所歸。羝羊觸藩,不能退,不能遂,其在兹乎?"勳不從,遂大興師伐上繚,其廬江果爲孫策所襲。勳窮蹙,遂奔曹公。吕布驍勇,且有駿馬,常騎乘之。時人爲之語曰:"人中有吕布,馬中有赤兔。"《太平御覽·馬》引。公遣華歆勒兵入宫收后,后閉户匿壁中。歆壞户發壁,牽后出。帝與御史大夫郗慮坐,后披髮徒跣過,執帝手曰:"不能復相活邪?"帝曰:"我亦不知命在何時也?"帝謂慮曰:"郗公,大下寧有是耶?"遂將后殺之,完及宗族死者數百人。爲尚書右丞司馬建公所舉。及公爲王,召建公到鄴,與歡飲,謂建公曰:"孤今日可復作尉否?"建公曰:"昔舉大王時,適可作尉。"王大笑。是時南陽間苦繇役,宛守將侯音於是執太守東里褒,案《廣韻》注引作"東里昆"。與吏民共反,與關羽連和。南陽功曹宗子卿往説音曰:"足下順民心,舉大事,遠近莫不望風,然執郡將,逆而無益,何不遣之?吾與子戮力,比曹公軍來,關羽兵亦至矣。"音釋遣太守,子卿夜踰城亡走,遂與太守收餘民圍音,會曹仁兵至,共滅之。王更修治北部都尉廨舍,過於舊。並《三國志》注引。王自漢中至雒,修起正始殿,使工蘇越徙美梨,根傷盡血出。越白狀,王躬自視而惡之,以爲不祥,還遂寢疾。《太平御覽·梨》引。桓階勸王正位,夏侯惇以爲宜見滅蜀,蜀亡則吴服,二方既定,然後遵舜、禹之軌,王從之。及至王薨,惇追恨前言,發病卒。太祖爲人佻易無威重,好音樂,倡優在側,嘗以日達夕。被服陋儉,身自佩小鞶囊,以盛手巾細物。時或冠帢帽以見賓客。每與談論,戲弄言誦,盡無所隱，及歡悦大笑，至以頭没盃案中，肴膳皆沾污巾幘，其輕易如此。然持法峻刻，諸將有計畫勝出己者，隨以法誅之。及故人舊怨，亦皆無餘。其所刑殺，輒對之垂涕，嗟痛之，終無所活。初，袁忠爲沛相，嘗欲以法治太祖，沛國桓邵亦輕之。及在兗州，陳留邊讓頗侵太祖，太祖殺讓，族其家。忠、邵俱避難交州，太祖遣使就太守士燮，盡族之。桓邵得出首，拜謝於庭中，太祖謂曰："跪可解死邪?"遂殺之。嘗出軍行經麥中，令"士卒無敗麥，犯者死"。騎士皆下馬拊麥，以手相持。於是太祖馬騰入麥中，敕主簿議罪，對曰："以《春秋》之義，不加於尊。"太祖曰："制法而自犯之，何以帥下？然孤爲軍帥，不可自殺，請自刑。"因拔劍斷髪以置地。又有幸姬嘗以晝寢，枕之卧，告之曰："須臾覺我。"姬見太祖卧安，未即寤，及自覺，棒殺之。常討賊，廪穀不足，私謂主者曰："如何?"主者曰："可用小斛以足之。"太祖曰："善。"後軍中言太祖欺衆，太祖謂主者曰："特當借君死以厭衆，不然事不解。"乃斬之，取首題之曰："行小斛，盗官穀，縣之軍門。"其酷虐變詐，皆此之類也。並《三國志》注引。

華它别傳

不著撰人姓名。它以綫爲書衺，衺中有祕要之方也。《北堂書鈔·衺》引。人有在青龍中見山陽太守廣陵劉景宗，景宗説中平時見華它，其療病平脈之候，其驗若神。琅邪劉勳爲河内太守，有女年幾二十，左脚膝裏上有瘡，癢而不痛，愈數十日復發，如此七八年。迎它使視，它曰："是易治之。當得稻糠黄色犬一頭、好馬二匹。"以繩繫犬頸，使走馬牽犬，馬極輒易馬，計馬走三十餘里，犬不能行，當用步人拖曳，計四五十里。乃以藥飲女，女即安卧不知人。因取大刀斷犬腹近後脚之前，以所斷之處向瘡口，令去二三寸。停之須臾，有若蛇者從瘡中而出,便以鐵錐横貫虵頭。虵在皮中摇動良久,須臾不動,乃牽出,長三尺許。純是虵,但有眼處而無瞳子,又逆鱗耳。以膏散著瘡中,七日而愈。《後漢書·它傳》注引。又有人苦頭眩,頭不能舉,目不能視,積年。案《太平御覽》引作"它見嚴昕,語之曰:'君有急風見於面,勿多飲酒。'其年歸,聽於道中卒,得頭眩墜車輿,著車上歸家,一宿而死。它使解衣倒縣"云云,《後書》注引、《魏志》注所引不同,疑誤併爲一條也。它使悉解衣倒縣,令頭去地三寸,濡布拭身體,令周帀,候視諸脈,盡出五色。它令諸弟子數人以鈹刀決脈,五色血盡,視赤血,乃下。以膏摩之,被覆,汗自出周帀,飲亭藶犬血散,立愈。又有婦人長病經年,世謂寒熱注病者。冬十一月,它令坐石槽中,平旦用寒水汲灌,云當滿百。始七八灌,會戰欲死。灌者懼,欲止。它令滿數。至八十灌,熱氣乃蒸出,囂囂高二三尺。滿百,它乃使火温牀,厚覆,良久汗出,著粉,汗燥便愈。又有人病腹中半切痛,十餘日中,鬚眉墜落。它曰:"是脾半腐,可刳腹養治也。"使飲藥令卧,破腹就視,脾果半腐壞。以刀斷之,刮去惡肉,以膏傅瘡,飲之以藥,百日平復。有人病脚躄不能行,它切脈,便使解衣,點背十餘處,相去寸,或五寸,從邪不相當。言灸此各七壯,灸創愈即行。後愈灸處夾脊一寸,上下行端直均調,如引繩也。甘陵相夫人有胎六月,腹痛十餘日,大,亟請它視脈。它曰:"有兩胎,一已死。"便手摹其胎,在左男也,在右女也,右死。即爲湯下之,便愈。有一人腹内痛,晝夜不眠,敕其子曰:"吾氣絶後,可剖視之。"死後,其子果剖之,得一銅鎗。華它聞之,便往,出巾箱中藥投之,鎗即化爲清酒。亦見任昉《述異記》。吴普從它學,微得力。魏明帝呼之,使爲禽戲,普以年老,手足不能相及,粗以其法語諸醫。普今年將九十,耳不聾,目不瞑,牙齒完堅,飲食無損。青黏者,一名地節,一名黄芝。大理五藏,益精氣。本出於迷入山者,見仙人服之,以告它。它以爲佳,輒與阿,阿又祕之。近者人見阿之壽,而氣力彊盛,怪之,遂責阿所服,因醉亂誤道之。法一施,人多服者,皆有大驗。城陽郄儉少時行獵,墮空冢中。饑餓,見冢中央有大龜,數數回轉,所向無常,張口吞氣,或俯或仰。儉亦素聞龜能導引,乃試隨龜所爲,遂不復饑。百餘日,頗苦後人有窺冢中,見儉而出之,遂竟能咽氣斷穀。魏王召置土室中閉試之,一年不食,顏色悦澤,氣力自若。《天中記》引。《宋書》"景王嬰孩時有目病,宣王令華它治,當出眼瞳刮去疾而内之傅藥",案此條《後漢書》、《魏志》皆不載,故附識於此。

邴原別傳

不著撰人姓名。原十一而喪父,家貧,早孤。鄰有書舍,原過其旁而泣。師問曰:"童子何悲?"原曰:"孤者易傷,貧者易感。來書舍者,必皆具有父兄者,一則羨其不孤,一則羨其能學,心中惻然而爲涕零。"師曰:"童子苟有志,我能相教,不求資也。"於是遂就書。一冬之間,誦《孝經》、《論語》。自在童齔之中,嶷然有異。及長,金玉其行。欲遠遊,詣安丘孫崧。崧辭曰:"君鄉里鄭君,君知之乎?"原答曰:"然。"崧曰:"鄭君學覽古今,博聞強識,鉤深致遠,誠學者之師模也。君乃舍之,躡屣千里,所謂以鄭爲東家丘也。君似不知而曰然者,何?"原曰:"先生之説,誠可謂苦藥良箴矣,然猶未達僕之微趣也。人各有志,所規不同,故有登山而采玉者,有入海而采珠者,豈可謂登山者不知海之深,入海者不知山之高哉?君謂僕以鄭爲東家丘,君以僕爲西家愚夫邪?"崧辭謝焉。又曰:"兖、豫之士,吾多所識,未有若君者,當以書相分。"原重其意,難辭之,持書而別。原心以爲求師啟學,志高者通,非若交游待分而成也。書何爲哉?乃藏書於家而行。原舊能飲酒,自行之後,八九年間,酒不向口。單步負笈,苦身持力,至陳留則師韓子助,潁川則宗陳仲弓,汝南則交范孟博,涿郡則親盧子幹。臨别,師友以原不飲酒,會米肉送原。原曰:"本能飲酒,但以荒思廢業,故斷之耳。今當遠别,因見貺餞,可一燕飲。"於是共坐,終日飲酒,不醉。歸以書還孫崧,解不致書之意。後爲郡所召,署功曹。時魯國孔融在郡,教選計當任公卿之才,乃以鄭玄爲計掾,彭璆爲計吏,原爲計佐。融有所愛一人,嘗盛嗟歎之。後恚望,欲殺之。朝吏皆請。時其人亦在坐,叩頭流血,而融意不解。原獨不爲請。融謂原曰:"衆皆請,而君何獨不?"原曰:"明府於某,本不薄也。常言歲終當舉之,所謂'吾一子'也。如是,朝吏受恩未有在某前者矣,而今乃欲殺之。明府愛之,則引而方之於子;憎之,則推之欲危其身。原愚,不知明府何以愛之,何以惡之?"融曰:"某生於微門,吾成就其兄弟,拔擢而用之。某今孤負恩施。夫善則進之,惡則誅之,固君道也。往者應仲遠爲泰山太守,舉一孝廉,旬日之間而殺之。夫君人者,厚薄何常之有!"原曰:"仲遠舉孝廉,殺之,其義焉在?夫孝廉,國之俊選也,舉之若是,則殺之非也;若殺之是,則舉之非也。《詩》云'彼其之子,不遂其媾',蓋譏之也。語云'愛之欲其生,惡之欲其死。既欲其生,又欲其死,是惑也。'仲遠之惑甚明矣。明府奚取焉?"融乃大笑曰:"吾乃戲耳。"原又曰:"君子於其言,出乎身,加乎民。言行,君子之樞機也。安有欲殺人而可以爲戲者哉?"融無以答。是時漢朝陵遲,政以賄成,原乃將家人入鬱洲山中。郡舉有道,融書喻原曰:"修性保真,清虚守高,危邦不入,久潛樂土。王室多難,西遷鎬京。聖朝勞謙,疇咨俊乂。我徂求定,策命懇惻。國之將隕,嫠不恤緯。家之將亡,緹縈跋涉。彼匹夫也,猶執此義。實望根矩,仁爲己任,援手拯溺,振民於難。乃或晏晏居息,莫我肯顧,謂之君子,固如此乎? 根矩,根矩,可以來矣!"原以喪亂方熾,遂到遼東。遼東多虎,原之邑落獨無虎患。原嘗行而得遺錢,以繫樹枝,此錢既不見取,而繫錢者愈多。問其故,答者謂之神樹。原惡其由己而成淫祀,乃辨之,於是里中乃斂其錢以爲社供。里老爲之誦曰:"邴君行仁,邑落無虎。邴君行廉,路樹成社。"時同郡劉攀亦俱在焉,遼東人圖奉攀太守。公孫度覺之,捕其家,而攀得免。度曰:"有藏劉攀者同誅。"攀窘迫歸原曰:"窮鳥入懷。"原曰:"焉知斯懷之可入?"遂匿之月餘。東萊太史子義,素有節義,原欲以攀付之。攀臨去,以其手所仗劍金二餅與原,原受金辭劍,還謂度曰:"將軍平日與劉攀無郄,而欲殺之,但恐其蠭蠆也。而今攀已去,而尚拘困其家,以情推之,其令爲蠭蠆,必更甚矣!"度從之,即出其家,原以金還之。原後欲歸鄉里,止於三山。孔融與書曰:"隨會在秦,賈季在狄,諮仰靡所,歎息增懷。頃知來至,近在三山。《詩》不云乎'來歸自鎬,我行永久'! 故遣五官掾,奉問榜人舟楫之勞,禍福動靜告慰。時亂階未已,阻兵之雄,若棋弈爭梟。"原於是復返還。積十餘年,乃遁還。南行已數日,而度甫覺。度知原之不可復追也,因曰:"邴君所謂雲中白鶴,非鶉鷃之網所能羅矣。又吾自遣之,勿復求也。"遂免危難。自反國土,於是講述禮樂,吟詠詩書,門徒數百,服道數十。時鄭玄以博學洽聞,注解典籍,故儒疋之士集焉。原亦以高遠清白,頤志澹泊,口無擇言,身無擇行,故英偉之士向焉。是時海内清議云"青州有邴、鄭之學"。魏太祖爲司空,辟原署東閣祭酒。太祖北伐三郡單于,還住昌國,燕士大夫。酒酣,太祖曰:"孤反,鄴守諸君必將來迎,今日明旦,度皆至矣。其不來者,獨有邴祭酒耳。"言訖未久,而原先至。門下通謁太祖,太祖驚喜,擥履出迎原[①]曰:“賢者誠難測度! 孤謂君將不能來,而遠自屈,誠副飢虛之心。”謁訖而出,軍中士大夫詣原者數百人。太祖怪而問之,時荀文若在坐,對曰:“獨可省問邴原耳。”太祖曰:“此君名重,乃亦傾士大夫心。”文若曰:“此一世異人,士之精藻,乃宜重禮以待之。”太祖曰:“固孤之宿心也。”自是之後,見敬益重。雖在軍歷署,常以病疾,高枕里巷,終不當事,又希會見。河南張範,名公之子也,其志行有與原符,甚相親敬。令曰:“邴原名高德大,清規邈世,魁然而峙,不爲孤用。聞張子頗欲學,吾恐造之者富,隨之者貧也。”魏太子爲五官中郎將,天下向慕,賓客如雲,而原獨守道持常,非公事不妄舉動。太祖微使人問之,原曰:“吾聞國危不事冢宰,君老不奉世子,此典制也。”於是乃轉五官長史,令曰:“子弱不才,懼其難正。貪欲相屈,以匡勵之。雖云利賢,能不恧恧。”太子宴會,賓客百數十人,太子建議曰:“君父各有篤疾,有藥一丸,可救一人,當救君邪父邪?”眾人紛紜,或父或君。時原在坐,不與此論。太子諮之於原,原勃然對曰:“父也。”太子亦不復難之。本傳注。

管輅別傳

輅年八九歲,便喜仰視星辰,得人輒問其名,夜不肯寐。父母常禁之,猶不可止。自言“我年雖小,然眼中喜視天文”。常云“家雞野鵠,猶尚知時,況於人乎?”與鄰比兒共戲土壤中,輒畫地作天文及日月星辰。每答言說事,語皆不常。宿學耆人不能析之,皆知其當有大異之才。及成人,果明《周易》,仰觀風角占相之道,無不精微。體性寬大,多所含受。憎己不讎,愛己不褒,每欲以德報怨。常謂:“忠孝信義,人之根本,

① “原”,誤作“厚”,據《金陵叢書》本改。

不可不厚；廉介細直，士之浮飾，不足爲務也。"自言："知我者稀，則我貴矣，安能斷江、漢之流，爲激石之清？樂與季主論道，不欲與漁父同舟，此吾志也。"其事父母孝，篤兄弟，順愛士友，皆仁和發中，終無所闕。藏否之士，晚亦服焉。父爲琅邪即丘長，時年十五，來至官舍讀書。始讀《詩》、《論語》及《易》本，便開淵布筆，辭義斐然。於時黌上有遠方及國内諸生四百餘人，皆服其才也。琅邪太守單子春雅有材度，聞輅一黌之儁，欲得見，輅父即遣輅造之。大會賓客百餘人。坐上有能言之士，輅問子春："府君名士，加有雄貴之姿，輅既年少，膽未堅剛，若欲相觀，懼失精神，請先飲三升清酒，然後而言之。"子春大喜，便酌三升清酒，獨使飲之。酒盡之後，問子春："今欲與我爲對者，若府君四座之士邪？"子春曰："吾欲自與卿旗鼓相當。"輅言："始讀《詩》、《論》、《易》本，學問淺微，未能上引聖人之道，陳秦、漢之事，但欲論金木水火土鬼神之情耳。"子春言："此最難者，而卿以爲易邪？"於是唱大論之端，遂經於陰陽，文采葩流，枝葉横生，少引聖籍，多發天然。子春及衆士互共攻劫，論難鋒起，而輅人人對答，言皆有餘。至日向莫，酒食不行。子春語衆人曰："此年少盛有才器，聽其言論，正似司馬犬子游獵之賦，何其磊落雄壯，英神以茂，必能明天文地理變化之數，不徒有言也。"於是發聲徐州，號之神童。利漕民郭恩，字義博，有才學，善《周易》、《春秋》，又能仰觀。輅就義博讀《易》，數十日中，意便開發，言難踰師。於此分蓍下卦，用思精妙，占黌上諸生疾病死亡貧富喪衰，初無差錯，莫不驚怪，謂之神人也。又從義博學仰觀，三十日中，通夜不卧，語義博："君但相語墟落處所耳。至於推運會，論災異，自當出吾天分。"學未一年，義博反從輅問《易》及天文事要。義博每聽輅語，未嘗不推機慷慨。自言

“登聞君至論之時，忘我篤疾，明闇不相逮，何其遠也！”義博設主人，獨請輅，具告辛苦。自說“兄弟三人俱得躄疾，不知何故，試相爲作卦，知其所由。若有咎殃者，天道赦人，當爲吾祈福於神明，勿有所愛。兄弟俱行，此爲更生”。輅便作卦，思之未詳。會日夕，因留宿。至中夜，語義博曰：“吾以此得之。”既言其事，義博悲涕沾衣，曰：“皇漢之末，實有斯事。君不名主，諱也。我不得言，禮也。兄弟躄來三十餘載，脚如棘子，不可復治，但願不及子孫耳。”輅言火形不絶，水形無餘，不及後也。鮑子春爲列人令，有明思才理。與輅相見，曰：“聞君爲劉奉林卜婦死亡日，何其詳妙，試爲論其意義。”輅論爻象之旨，説變化之義，若規員矩方，無不合也。子春自言：“吾少好譚《易》，又喜分蓍，可謂盲者欲視白墨，聾者欲聽清濁，苦而無功也。聽君語後，自視體中，真爲憒憒者也。”王基與輅共論《易》，數日中，大以爲喜樂，語輅言：“俱相聞善卜，定共清論。君一時異才，當上竹帛也。”輅爲基出卦，知其無咎，因謂基曰：“昔高宗之鼎，非雉所雊，殷之階庭，非木所生，而野鳥一雊，武丁爲高宗，桑穀暂生，太戊以興焉。知三事不爲吉祥，願府君安身養德，從容光大，勿以知神姦汙累天真。”基即遣信都令遷掘其室中，入地八尺，果得二棺：一棺中有矛，一棺中有角弓及箭，箭久遠，木皆消爛，但有鐵及角完耳。及徙骸骨，去城一十里埋之，無復疾病。基曰：“吾少好讀《易》，玩之以久，不謂神明之數，其妙如此。”便從輅學《易》，推論天文。輅每開變化之象，演吉凶之兆，未嘗不纖微委曲，盡其精神。基曰：“始開君言，如何可得，終以皆亂，此自天授，非人力也。”於是藏《周易》，絶思慮，不復學卜筮之事。輅鄉里乃太原問輅：“君往者爲王府君論怪，云老書佐爲虵，老鈴下爲烏，此本皆人，何化之微賤乎？爲見於爻象，出君意乎?”輅言:“苟非性與天道,何由背爻象而任胸心者乎?夫萬物之化,無有常形,人之變異,無有常體,或大爲小,或小爲大,固無優劣。夫萬物之化,一例之道也。是以夏鯀,天子之父,趙王如意,漢祖之子,而鯀爲黄熊,如意爲蒼狗,斯亦至尊之位而爲黔喙之類也。況虵者協辰巳之位,烏者棲太陽之精,此乃騰黑之明象,白日之流景,如書佐、鈴下,各以微軀,化爲虵、烏,不亦過乎?”王經欲使輅卜,而有疑難之言,輅笑而答之曰:“君備州里達人,何言之鄙! 昔司馬季主有言,夫卜者必法天地,象四時,順仁義。伏羲作八卦,周文王三百八十四爻,而天下治。病者或以愈,且死或以生,患或以免,事或以成,嫁女娶妻,或以生長,豈直數千錢哉? 以此推之,急務也。苟道之明,聖賢不讓,況吾小人,敢以爲難!”彦緯斂手謝輅:“前言戲之耳。”於是輅爲作卦,其言皆驗。經每論輅,以爲得龍雲之精,能養和通幽者,非徒合會之才也。義博從輅學鳥鳴之候,輅言:“君雖好道,天才既少,又不解音律,恐難爲師也。”輅爲説八風之變,五音之數,以律吕爲衆鳥之商,六甲爲時日之端,反覆譴曲,出入無窮。義博靜然沈思,馳精數日,卒無所得。義博言:“才不出位,難以追徵。”遂於此止。勃海劉長仁有辯才,初雖聞輅能曉鳥鳴,後每見難輅曰:“夫生民之音曰言,鳥獸之音曰鳴,故言者則有知之貴靈,鳴者則無知之賤名,何由以鳥鳴爲語,亂神明之所異也? 孔子曰‘吾不與鳥獸同羣’,明其賤也。”輅答曰:“夫天雖有大象而不能言,故運星精於上,流神明於下,驗風雲以表異,役鳥獸以通靈。表異者必有浮沈之候,通靈者必有宫商之應,是以宋襄失德,六鷁並退;伯姬將焚,鳥唱其災;四國未火,融風已發;赤烏夾日,殃在荆楚:此乃上天之所使,自然之明符,考之律吕,則音聲有本;求之人事,則吉凶不失。昔在秦祖,以功受封,葛盧聽音,著在《春秋》,斯皆典謨之實,非聖賢之虚名也。商之將興,由一燕卵也;文王受命,丹烏銜書:此乃聖人之靈祥,周室之休祚,何賤之有乎?夫鳥鳴之聽,精在鶉火,妙在八神,自非斯倫,猶子路之於生死也。”長仁言:“君辭雖茂,華而不實,未敢之信。”須臾,有鳴鵲之驗,長仁乃服。輅又曰:“夫風以時動,又以象應,時者神之驅使,象者神之形表,一時其道,不足爲難。”王弘直亦大學問,有道術,皆不能精。問輅:“風之推變,乃可爾乎?”輅言:“此但風之毛髮,何足爲異?若夫列宿不守,衆神亂行,八風横起,怒氣電飛,山崩石飛,樹木摧傾,揚塵萬里,仰不見天,鳥獸藏竄,兆民駭驚,於是使梓慎之徒,登高臺,望風氣,分災異,刻期日,然後知神思遐幽,靈風可懼。”諸葛原字景春,亦學士。好卜筮,數與輅共射覆,不能窮之。景春與輅有榮辱之分,因輅餞之,大有高譚之客。諸人多聞其善卜、仰觀,不知其有大異之才,於是先與輅共論聖人著作之源,又叙五帝、三王受命之符。輅解景春微旨,遂開張戰地,示以不固,藏匿孤虚,以待來攻。景春奔北,軍師摧衄,自言吾覩卿旌旗,城池已壞也。其欲戰之士,於此鳴鼓角,舉雲梯,弓弩大起,牙旗雨集。然後登城曜威,開門受敵,上論五帝,如江如漢,下論三王,如翮如翰,其英者若春華之俱發,其攻者若秋風之落葉。聽者眩惑,不達其意,言者收聲,莫不心服,雖白起之坑趙卒,項羽之塞睢水,無以尚之。於時客皆欲面縛銜璧,求束手於軍鼓之下。輅猶總干山立,未便許之。至明日,離别之際,然後有腹心始終。一時海内俊士,八九人矣。蔡元才在朋友中最有清才,在衆人中言:“本聞卿作狗,何意爲龍?”輅言:“潛陽未變,非卿所知,焉有狗耳得聞龍聲乎?”景春言:“今當遠别,後會何期?且復共一射覆。”輅占既皆中,景春大笑:“卿爲我論此卦意,紓我心懷。”輅爲開爻散理，分賦形象，言徵辭合，妙不可述。景春及衆客莫不言聽後論之美，勝於射覆之樂。景春與輅别，戒以二事，言：“卿性樂酒，量雖温克，然不可保，寧當節之。卿有水鏡之才，所見者妙，仰觀雖神，禍如膏火，不可不慎。持卿叡才，游於雲漢之間，不憂不富貴也。”輅言：“酒不可極，才不可盡，吾欲持酒以禮，持才以愚，何患之有也？”輅爲華清河所召，爲北黌文學，一時士友，無不歎慕。安平趙孔曜，明敏有思識，與輅有管、鮑之分，故從發干來，就郡黌上與輅相見，言：“卿腹中汪汪，故時死人半，今生人無雙，當去俗騰飛，翱翔昊蒼，云何在此？聞卿消息，使吾食不甘味也。冀州裴使君才理清明，能釋玄虚，每論《易》及老莊之道，未嘗不注精於嚴、瞿之徒也。又眷吾意重，能相明信者。今當故往，爲卿陳感虎開石之誠。”輅言：“吾非四淵之龍，安能使白日晝陰？卿若能動東風，興朝雲，吾志所不讓也。”於是遂至冀州，見裴使君。使君言：“君顔色何以消減於故邪？”孔曜言：“體中無藥石之疾，然見清河郡内有一騏驥，拘縶後廄歷年，去王良、伯樂百八十里，不得騁天骨，起風塵，以此憔悴耳。”使君言：“騏驥今何在也？”孔曜言：“平原管輅字公明，年三十六，雅性寬大，與世無忌，可爲士雄。仰觀天文，則能同妙甘公、石申；俯覽《周易》，則能思齊季主，游步道術，開神無窮，可爲士英。抱荆山之璞，懷夜光之寶，而爲清河郡所録北黌文學，可爲痛心疾首也！使君方欲流精九皋，垂神幽藪，欲令明主不獨治，逸才不久滯，高風遐被，莫不草靡，宜使輅特蒙陰和之應，得及羽儀之時，必能翼宣隆化，揚聲九圍也。”裴使君聞言，則慷慨曰：“何乃爾邪！雖在大州，未見異才可用釋人鬱悶者，思還京師，得共論道耳。況草間自有清妙之才乎？如此便相爲取之，莫使騏驥更爲凡鳥，荆山反成凡石。”即檄召輅爲文學從事。一相見,清論終日,不覺罷倦。天時大熱,移牀在庭前樹下,乃至雞向晨,然後出。再相見,便轉爲鉅鹿從事。三見,轉治中。四見,轉爲别駕。至十月,舉爲秀才。輅辭裴使君,使君言:“丁、鄧二尚書,有經國才略,於物理不精也;何尚書神明精微,言皆巧妙,巧妙之志,殆破秋毫,君當慎之!自言不解《易》九事,必當以相問。比至洛,宜善精其理也。”輅言:“何若巧妙,以攻難之才,游形之表,未入於神。夫入神者,當步天元,推陰陽,探玄虚,極幽明,然後覽道無窮,未暇細言。若欲差次老莊而參爻象,受微辯而興浮藻,可謂射候之巧,非能破秋毫之妙也。若九事皆至義者,不足勞思也。若陰陽者,精之以久。輅去之後,歲朝當有時刑大風,風必摧破樹木。若發於乾者,必有天威,不足共清潭者。”輅爲何晏所請,果共論《易》九事,九事皆明。晏曰:“君論陰陽,此世無雙。”時鄧颺與晏共坐,颺言:“君見謂善《易》,而語初不及《易》中辭義,何故也?”輅尋聲答之曰:“夫善《易》者不論《易》也。”晏含笑而讚之“可謂要言不煩也”。因請輅爲卦。輅既稱引鑑誡,晏謝之曰:“知機其神奇乎,古人以爲難;交疏而吐其誠,今人以爲難。君今一面而盡二難之道,可謂明德惟馨。《詩》不云乎‘中心藏之,何日忘之。”舅夏大夫問輅:“前見何、鄧之日,爲已有凶氣未也?”輅言:“與禍人共會,然後知神明交錯;與吉人相近,又知聖賢求精之妙。夫鄧之行步,則筋不束骨,脈不制肉,起立傾倚,若無手足,謂之鬼躁。何之視候,則魂不守宅,血不華色,精爽煙浮,容若槁木,謂之鬼幽。故鬼躁者爲風所收,鬼幽者爲火所燒,自然之符,不可以蔽也。”輅後因得休,裴使君問:“何平叔一代才名,其實何如?”輅曰:“其才若盆盎之水,所見者清,不見者濁。神在廣博,志不務學,弗能成才。欲以盆盎之水,求一山之形,形不可得，則智由此惑。故説老莊則巧而多華，説易生義則美而多僞；華則道浮，僞則神虚；得上材則淺而流絶，得中材則遊精而獨出。輅以爲少功之才也。"裴使君曰："誠如來論，吾數與平叔共説老、莊及《易》，常覺其辭妙於理，不能折之。又時人吸習，皆歸服之焉，益令不了。相見得清言，然後灼灼耳。"魏郡太守鍾毓，清逸有才，難輅《易》二十餘事，自以爲難之至精也。輅尋聲投響，言無留滯，分張爻象，義皆殊妙。毓即謝輅。輅卜知毓生日月，毓愕然曰："聖人運神通化，連屬事物，何聰明乃爾！"輅言："幽明同化，死生一道，悠悠太極，終而復始。文王損命，不以爲憂；仲尼曳杖，不以爲懼。緒煩蓍筮，宜盡其意。"毓曰："生者好事，死者惡事，哀樂之分，吾所不能齊。且以付天，不以付君也。"石苞爲鄴典農，與輅相見，問曰："聞君鄉里翟文耀能隱形，其事可信乎?"輅言："此但陰陽蔽匿之數，苟得其數，則四岳可藏，河海可逃。況以七尺之形，游變化之内，散雲霧以幽身，布金水以滅迹，術足數成，不足爲難。"苞曰："欲聞其妙，君且善論其數也。"輅言："夫物不精不爲神，數不妙不爲術，故精者神之所合，妙者智之所遇，合之幾微，可以性通，難以言論。是故魯班不能説其手，離朱不能説其目。非言之難，孔子曰'書不盡言'，言之細也；'言不盡意'，意之微也，斯皆神妙之謂也。請舉其大體以驗之。夫白日登天，運景萬里，無物不照。及其入地，一炭之光，不可得見。三五盈月，清耀燭夜，可以遠望。及其在晝，明不如鏡。今逃日月者，必陰陽之數，陰陽之數通於萬類，鳥獸猶化，況於人乎！夫得數者妙，得神者靈，非徒生者有驗，死亦有徵。是以杜伯乘火氣以流金，彭生託水變以立形。是故生者能出亦能入，死者能顯亦能幽，此物之精氣，化之游魂，人鬼相感，數使之然也。"苞曰："目見陰陽之理，不過於君,君何以不隱?”輅曰:“大陵虚之鳥,愛其清高,不願江、漢之魚;淵沼之魚,樂其濡濕,不易騰風之鳥:由性異而分不同也。僕自欲正身以明道,直己以親義,見數不以爲異,知術不以爲奇,夙夜研機,孳孳温故,而素隱行怪,未暇斯務也。”故郡將劉邠字令元,清和有思理,好《易》而不能精。與輅相見,意甚喜歡,自説注《易》向訖也。輅言:“今明府欲勞不世之神,經緯大道,誠富美之秋。然輅以爲注《易》之急,急於水火;水火之難,登時之驗,《易》之清濁,延於萬代,不可不先定其神而後垂明思也。自旦至今,聽採聖論,未有《易》之一分,《易》安可注也?輅不解古之聖人何以處乾位於西北,坤位於東南。夫乾坤者,天地之象,然天地至大,爲神明君父,覆載萬物,生長撫育,何以安處二位與六卦同列?乾之象,彖曰‘大哉乾元,萬物資始,乃統天’。夫統者屬也,尊莫上焉,何由有别位也?”邠依《易·繫辭》諸爲之理以爲注,不得其要。輅尋聲下難,事皆窮析,曰:“夫乾坤者,《易》之祖宗,變化之根源。今明府論清濁者有疑,疑則無神,恐非注《易》之符也。”輅於此爲論八卦之道及爻象之精,大論開廓,衆化相連。邠所解者,皆以爲妙;所不解者,皆以爲神。自説:“欲注《易》八年,用思勤苦,歷載靡寧,定相得至論,此才不及《易》,不愛久勞,喜承雅言,如此相爲高枕偃息矣。”欲從輅學射覆,輅言:“今明府以虚神於注《易》,亦宜絶思於靈蓍。靈蓍者,二儀之明數,陰陽之幽契,施之於道則定天下吉凶,用之於術則收天下豪纖。纖微,未可以爲《易》也。”邠曰:“以爲術者《易》之近數,欲求其端耳。若如來論,何事於斯?”留輅五日,不遑恤官,但共清譚。邠自言:“數與何平叔論《易》及老莊之道,至於精神遐流,與化周旋,清若金水,鬱若山林,非君侣也。”邠又曰:“此郡官舍,連有變怪,變怪多形,使人怖恐,君似當達此數者,其理何由也?"輅言:"此郡所以名平原者,本有原,山無木石,與地自然;含陰不能吐雲,含陽不能激風,陰陽雖弱,猶有微神;微神不真,多聚凶姦,以類相求,魍魎成羣。或因漢末兵馬擾攘,軍屍流血,汙染丘岳,彊魂相感,變化無常,故因昏夕之時,多有怪形也。昔夏禹文明,不怪於黄龍;周武信時,不惑於暴風。今明府道德高妙,神不懼妖,自天祐之,吉無不利,順安百禄以光休寵也。"邠曰:"聽雅論爲近其理。每有變怪,輒聞鼓角聲音,或見弓劍形象。夫以土山之精,伯有之魂,實能合會,干犯明靈也。"邠問輅曰:"《易》言'剛健篤實,輝光日新',斯爲同不也?"輅曰:"不同之名。朝旦爲輝,日中爲光。"晉諸公贊曰:"邠本名炎,犯晉太子諱,改爲邠。位至太僕。子粹,字純嘏,侍中;次宏,字終嘏,太常;次漢,字仲嘏,光禄大夫。漢清沖有貴識,名亞樂廣。宏子咸,徐州刺史;次耽,晉陵内史。耽子恢,字真長,尹丹陽,爲中興名士也。"清河令徐季龍,字開朋,有才機。與輅相見,共論龍動則景雲起,虎嘯則谷風至,以爲火星者龍,參星者虎。火出則雲應,參出則風到,此乃陰陽之感化,非龍虎之所致也。輅言:"夫論難當先審其本,然後求其理,理失則機謬,機謬則榮辱之主。若以參星爲虎,則谷風更爲寒霜之風,寒霜之風非東風之名。是以龍者陽精,以潛爲陰,幽靈上通,和氣感神,二物相扶,故能興雲。夫虎者陰精,而居於陽,依木長嘯,動於巽林,二氣相感,故能運風。若磁石之取鐵,不見其神而金自來,有徵應以相感也。況龍有潛飛之化,虎有文明之變,招雲召雨,何足爲疑?"季龍言:"夫龍之在淵,不過一井之底;虎之悲嘯,不過百步之中:形氣淺弱,所通者近,何能漂景雲而馳東風?"輅言:"君不見陰陽燧在掌握之中,形不出手,乃上引太陽之火,下引太陰之水,噓吸之間,煙景以集。

苟精氣相感,縣象應乎二燧;苟不相感,則二女同居,志不相得。自然之道,無有遠近。”季龍言:“世有軍事,則感雞雉先鳴,其道何由?復有他占,惟在雞雉而已。”輅言:“貴人有事,其應在天,則日月星辰也。兵動民憂,其應在物,在物則山林鳥獸也。夫雞者兑之畜,金者兵之精,雉者離之鳥,獸者武之神,故太白揚輝則雞鳴,熒惑流行則雉驚,各感數而動。又兵之神道,布在六甲,六甲推移,其占無常。是以晉柩牛呴果有西軍,鴻嘉石鼓鳴則有兵,不專近在于雞雉也。”季龍言:“魯昭公八年,有石言于晉,師曠以爲作事不時,怨讟動于民,則有非言之物而言,于理爲合不?”輅言:“晉平奢泰,崇飾宫室,斬伐林木,殘破金石,民力既盡,怨及山澤,神痛人感,二精並作,金石同氣,則兑爲口舌,口舌之妖,動於靈石。傳曰‘輕百姓,飾城郭,則金不從革’,此之謂也。”季龍欽嘉,留輅經數日。輅占獵既驗,季龍曰:“君雖神妙,但不多藏物耳,何能皆得之?”輅言:“吾與天地參神,蓍龜通靈,抱日月而游杳冥,極變化而覽未然,況兹近物,能蔽聰明?”季龍大笑:“君既不謙,又念窮在近矣。”輅言:“君尚未識謙言,焉能論道?夫天地者則乾坤之卦,蓍龜者則卜筮之數,日月者離坎之象,變化者陰陽之爻,杳冥者神化之源,未然者幽冥之先,此皆《周易》之紀綱,何僕之不謙?”季龍於是取十三種物,欲以窮之,輅射之皆中。季龍乃歎曰:“作者之謂聖,述者之謂明,豈此之謂乎?”輅與倪清河相見,既刻雨期,倪猶未信。輅曰:“夫造化之所以爲神,不疾而速,不行而至。十六日壬子,直滿,畢星中已有水氣,水氣之發,動於卯辰,此必至之應也。又天昨檄召五星,宣布星符,刺下東井,告命南箕,使召雷公、電父、風伯、雨師,羣岳吐陰,衆川激精,雲漢垂澤,蛟龍含靈,爗爗朱電,吐咀杳冥,殷殷雷聲,嘘吸雨靈,習習谷風,六合皆同,欬唾之間，品物流形。天有常期，道有自然，不足爲難也。"倪曰："譚高信寡，相爲憂之。"於是便留輅，往請府丞及清河令。若夜雨者當爲啖二百斤犢肉；若不雨，當住十日。輅曰："言念費損。"至日向暮，了無雲氣，衆人並嗤輅。輅言："樹上已有少女微風，樹間又有陰鳥和鳴。又少男風起，衆鳥和翔，其應至矣。"須臾，果有艮風鳴鳥。日未入，東南有山雲樓起。黄昏之後，雷聲動天。到鼓一中，星月皆没，風雲並興，玄氣四合，大雨河傾。倪調輅言："誤中耳，不爲神也。"輅曰："誤中與天期，不亦工乎？"既有明才，遭朱陽之運，於時名勢赫奕，若火猛風疾。當途之士，莫不枝附葉連。賓客如雲，無多少皆爲設食。賓無貴賤，候之以禮。京城紛紛，非徒歸其名勢而已，然亦懷其德焉。向不夭命，輅之榮華，非世所測也。弟辰嘗欲從輅學卜及仰觀事，輅言："卿不可教耳。夫卜非至精不可見其數，非至妙不能覩其道。《孝經》、《詩》、《論》足爲三公，無用知之也。"於是遂止。子弟無能傳其術者。辰叙曰："夫晉、魏之士，見輅道術神妙，占候無錯，以爲有隱書及象甲之數。辰每觀輅書傳，惟有《易林》、《風角》及《鳥鳴》、《仰觀星書》三十餘卷，世所共有。然輅獨在少府官舍，無家人子弟隨之。其亡没之際，好奇不哀喪者，盗輅書，惟餘《易林》、《風角》及《鳥鳴》書還耳。夫術數有百數十家，其書有數千卷，書不少也。然而世鮮名人，皆由無才，不由無書也。裴冀州、何、鄧二尚書及鄉里劉太常、潁川兄弟，以輅禀受天才，明陰陽之道，吉凶之情，一得其源，遂涉其流，亦不爲難，常歸服之。輅自言與此五君共語，使人精神清發，昏不暇昧。自此以下，殆白日欲寢矣。又自言當世無所願，欲得與魯梓慎、鄭裨竈、晉卜偃、宋子韋、楚甘公、魏石申共登靈臺，披神圖，步三光，明災異，運蓍龜，決狐疑，無所復恨也。辰不以闇淺，得因孔懷之親,數與輅有所諮論。至於辨人物,析臧否,説近義,彈曲直,拙而不工也。若敷皇、羲之典,揚文、孔之辭,周流五曜,經緯三度,口滿聲溢,微言風集,若仰眺飛鴻,漂漂兮景没;若俯臨深溪,杳杳兮精絶;偪以攻難,而失其端,欲受學求道,尋以迷昏,無不扼腕椎指,追響長歎也。昔京房雖善卜及風律之占,卒不免禍。而輅自知四十八當亡,可謂明哲相殊。又京房目見遘讒之黨,耳聽青蠅之聲,面諫不從,而猶道路紛紜。輅處魏晉之際,藏智以朴,卷舒有時,妙不見求,愚不見遺,可謂知幾相邈也。京房上不量萬乘之主,下不避佞諂之徒,欲以天文、《洪範》利國利身,困不能用,卒陷大刑,可謂枯龜之餘智,膏燭之末景,豈不哀哉?世人多以輅疇之京房,辰不敢許也。至於仰察星辰,俯定吉凶,遠期不失年歲,近期不失日月,辰以甘、石之妙不先也;射覆名物,見術流速,東方朔不過也;觀骨形而審貴賤,覽形色而知生死,許負、唐舉不超也。若夫疏風氣而探微候,聽鳥鳴而識神機,亦一代之奇也。向使輅官達,爲宰相大臣,膏腴流於明世,華曜列乎竹帛,使幽驗皆舉,祕言不遺,千載之後,有道者必信而貴之,無道者必疑而怪之;信者以妙過真,夫妙與神合者,得神則無所惑也。恨輅才長命短,道貴時賤,親賢遐潛,不宣於良史,而爲鄙弟所見追述,既自闇溺濁,又從來久遠,所載卜占事,雖不識本卦,捃拾殘餘,十得二焉。至於仰觀靈曜,説晉魏興衰,及五運浮沈,兵革災異,十不收一。無源何以成河,無根何以垂榮。雖秋菊可採,不及春英。臨文慷慨,伏用哀慚。將來君子,幸以高明,求其義焉。往孟荆州爲列人典農,常問亡兄:'昔東方朔射覆得何卦,正知守宫、蜥蜴二物者?'亡兄於此爲安卦生象,辭喻交錯,微義豪起,變化相推,會於辰巳,分别龍虵,各使有理。言絶之後,孟荆州長歎息曰:'吾聞君論，精神騰躍，殆欲飛散，何其汪汪乃至於斯邪！'"臣松之案：辰所稱鄉里劉太常者，謂劉實也。辰撰《輅傳》，實爲太常，潁川則實弟智也。實、智並以儒學爲名，無能言之。世語稱實博辯，猶不足以並裴、何之流也。又案輅自説云"本命在寅"，則建安十五年生也。至正始九年，應三十九，而傳云二十六；以正元三年卒，應四十七，傳云四十八，皆爲不相應也。近有閻續伯者，名纘，該微通物，有良史風。爲天下補綴遺脱，敢以所聞列於篇左。皆從受之於大人先哲，足以取信者，冀免虚誣之譏云爾。嘗受辰傳所謂劉太常者曰："輅始見聞，由於爲鄰婦卜亡牛，云當在西面窮牆中，縣頭上向。教婦人令視諸丘冢中，果得牛。婦人因以爲藏己牛，告官按驗，乃知以術知，故裴冀州遂聞焉。"又云："路中小人失妻者，輅爲卜，教使明旦於東陽城門中伺擔豚人牽與共鬬。具如其言。豚逸走，即共追之。豚入人舍，突破主人甕，婦從甕中出。"劉侯云甚多此類，辰所載纔十一二耳。劉侯云："辰，孝廉才也。"中書令史紀玄龍，輅鄉里人，云："輅在田舍，嘗候遠鄰，主人患數失火。輅卜，教使明日於南陌上伺，當有一角巾諸生，駕黑牛故車，必引留，爲設賓主，此能消之。即從輅戒。諸生有急求去，不聽，遂留當宿。意大不安，以爲圖己。主人罷入，生乃把刀出門，倚兩薪積間，側立假寐。欻有一小物直來過前，如獸，手中持火，以口吹之。生驚，舉刀斫，正斷腰，視之則狐。自此主人不復有災。"前長廣太守陳承祐口授城門校尉華長駿語云："昔其父爲清河太守時，召輅作吏，駿與少小，後以鄉里，遂加恩意，常與同載周旋，具知其事。云諸要驗，三倍於傳。辰既短才，又年縣小，又多在田舍，故益不詳。辰仕宦至州主簿、部從事。太康之初物故。"駿又云："輅卜亦不悉中，十得七八。駿問其故，輅云：'理無差錯，來卜者或言不足以宣事實,故使爾。'華城門夫人者,魏故司空涿郡盧公女也,得疾,連年不差。華家時居西城下南纏里中,三廄在其東南。輅卜,當有師從東南來,自言能治,便聽使之,必得其力。後無何,有南征廄騶,當充甲卒,來詣盧公,占能治女郎。公即表請留之,專使其子將詣華氏療疾。初用散藥,後復用丸治。尋有效,即奏除騶名,以補太醫。"又云:"隨輅父在利漕時,有治下屯民捕鹿者,其晨行還,見毛血,人取鹿處來詣廄告輅,輅爲卦語云'此有盜者,是汝東巷中第三家也。汝徑往門前,伺無人時,取一瓦子,密發其碓屋東頭第七椽,以瓦著下,不過明日食時,自送還汝。'其夜,盜者父病頭痛,壯熱煩疼,然亦來詣輅卜。輅爲發祟,盜者具服。輅令擔皮肉藏還著故處,病當自愈。乃密教鹿主往取。又語使復往如前,舉椽棄瓦。盜父病差。又都尉治内史有失物者,輅使明晨於寺門外看,當逢一人,使指天畫地,舉手四向,自當得之。暮果獲於故處矣。"

虞翻别傳

朗使翻見豫章太守華歆,圖起義兵。翻未至豫章,聞孫策向會稽,翻乃還。會遭父喪,以臣使有節,不敢過家,星行追朗至候官。朗遣翻還,然後奔喪。而傳云孫策之來,翻衰絰詣府門,勸朗避策,則爲大異。權即尊號,翻因上書曰:"陛下膺明聖之德,體舜、禹之孝,歷運當期,順天濟物。奉承策命,臣獨忭舞。罪棄兩絶,拜賀無階,仰瞻宸極,且喜且悲。臣伏自刻省,命輕雀鼠,性輶毫氂,罪惡莫大,不容於誅,昊天罔極,全宥九載,退當念戮,頻受生活,復偷視息。臣年耳順,思咎憂憤,形容枯悴,髮白齒落,雖未能死,自憚終没,不見宫闕百官之富,皇輿金軒之飾,仰觀巍巍衆民之謡,傍聽金鼓侃然之樂,永隕海隅,棄骸絶域,不勝悲慕,逸豫大慶,悦以忘罪。"翻初立《易注》,奏上曰:“臣聞六經之始,莫大陰陽,是以伏羲仰天縣象,而建八卦,觀變動六爻爲六十四,以通神明,以類萬物。臣高祖父故零陵太守光,少治孟氏《易》,曾祖父故平輿令成,纘述其業,至臣祖父鳳爲之最密。臣先考故日南太守歆,受本於鳳,最有舊書,世傳其業,至臣五世。前人通講,多玩章句,雖有祕說,於經疏闊。臣生遇世亂,長於軍旅,習經於枹鼓之間,講論於戎馬之上,蒙先師之說,依經立注。又臣郡吏陳桃夢臣與道士相遇,放髮被鹿裘,布《易》六爻,撓其三以飲臣,臣乞盡吞之。道士言《易》道在天,三爻足矣。豈臣受命,應當知經!所覽諸家解,不離流俗,義有不當實,輒悉改定,以就其正。孔子曰:‘乾元用九而天下治。’聖人南面,蓋取諸離,斯誠天子所宜協陰陽致麟鳳之道矣。謹正書副上,惟不罪戾。”翻又奏曰:“經之大者,莫過於《易》。自漢初以來,海内英才,其讀《易》者,解之率少。至孝靈之際,潁川荀諝號爲知《易》,臣得其注,有愈俗儒。至所説‘西南得朋,東北喪朋’,顛倒反逆,了不可知。孔子歎《易》曰‘知變化之道者,其知神之所爲乎’,以美大衍四象之作,而上爲章首,尤可怪笑。又南郡太守馬融,名有俊才,其所解釋復不及諝。孔子曰‘可與共學,未可與適道’,豈不其然!若乃北海鄭玄,南陽宋忠,雖各立注,忠小差玄,而皆未得其門,難以示世。”又奏鄭玄解《尚書》違失事因:“臣聞周公制禮以辨上下,孔子曰‘有君臣然後有上下,有上下然後禮義有所錯’,是故尊君卑臣,禮之大同也。伏見故徵士北海鄭玄所注《尚書》,以《顧命》康王執瑁,古‘冃’似‘同’,從誤作‘同’,既不覺定,復訓爲‘杯’,謂之酒杯;‘成王困疾憑几,洮頮爲濯’,以爲幹衣成事,‘洮’字虚更作‘濯’,以從其非。又古大篆‘丣’字讀當爲‘柳’,古‘柳’、‘丣’同字,而以爲昧;‘分北三苗’,‘北’古‘别’

字，又訓北，言北猶別也。若此之類，誠可怪也。《王人職》曰'天子執瑁以朝諸侯'謂之酒杯，'天子類面'謂之澣衣，古篆'卯'字反以爲昧。甚違不知蓋闕之義。於此數事，誤莫大焉，宜命學官定此三事。又馬融訓注亦以爲同者大同天下，今經益'金'就作'銅'字，詁訓言天子副璽，雖皆不得，猶愈於玄。然此不定，臣没之後，而奮乎百世，雖世有知者，懷謙莫或奏正。又玄所注五經，違義尤甚者百六十七事，不可不正。行乎學校，傳乎將來。臣竊恥之。"翻放棄南方，云："自恨疏節，骨體不媚，犯上憲罪，當長没海隅，生無可與語，死以青蠅爲弔客，使天下一人知己者，足以不恨。"以典籍自慰，依《易》設象，以占吉凶。又以宋氏解《玄》頗有繆錯，更爲立法，并著《明楊》、《釋宋》，以理其滯。臣松之案：翻云古大篆"卯"字讀當言"柳"，古"柳"、"卯"同字，竊謂翻言爲然。故"劉"、"留"、"聊"、"柳"同用此字，以從聲故也，與日辰"卯"字字同音異。然《漢書·王莽傳》論"卯金刀"，故以爲日辰之"卯"，今未能詳正。然世多亂之，故翻所説云。荀諝，荀爽之别名。

右别傳類

卷 八

程曾 孟子章句

曾爵里見前。

趙岐 孟子章句原書具《孟子正義》。

岐，字邠卿，《後漢書》有傳。

鄭玄 孟子注《隋志》七卷。

高誘 孟子章句

誘，涿郡人，師事盧子幹。建安中辟司空掾，歷東郡濮陽令，遷河東監。

劉陶 復孟軻 匡老子 反韓非

見本傳。

劉熙 孟子注七卷

熙，字成國，著《孟子注》七卷、《釋名》五卷。近長洲宋于庭翔鳳有輯本刊行，于庭云："《蜀志·許慈傳》'師事劉熙，善鄭氏學'，又《吴志·程秉傳》'避亂交州，與劉熙考論大義'，又《薛綜傳》'避地交州，從劉熙學'，蓋熙在建安中官交阯太守，故許慈、程秉、薛綜得師事熙。熙《後漢書》無傳，碑佚不存，不知所終歲月。其爲交阯太守當在士燮之前，蓋卒於建安時。"秋碧案錢竹汀學士《劉熙〈釋名〉跋語》，則熙亦避地交州，于庭云熙爲交阯太守在士燮之前，未知何據。

馬融 老子注

見本傳。

滕輔　慎子注

輔,字及爵里未詳。《初學記》引有滕輔《禡牙文》。

許慎　淮南子注《隋志》二十一卷。《問經堂叢書》有許叔重《淮南注》輯本一卷刊行。

應劭　淮南子注

見《邯鄲李氏書目》。

高誘　淮南子注

《漢魏叢書》有刊本,武進莊逵吉有校本刊行。誘《淮南子叙》曰:"淮南王名安,厲王長子也。長,高皇帝之子也。其母趙氏女,爲趙王張敖美人。高皇帝七年,討韓信於銅鞮,獻美女趙氏女,得幸有身。趙王不敢内之於宫,爲築宫於外。及貫高等謀反發覺,并逮治王,盡收王家及美人,趙氏女亦與焉。吏以得幸有身聞上,上方怒趙王,未理也。趙美人弟因辟陽侯審食其言之吕后,吕后不肯白,辟陽侯亦不强争。及趙美人生男,恚而自殺。吏奉男詣上,上命吕后母之,封爲淮南王。暨孝文皇帝即位,長上書願相見,詔至長安,日從遊宴,驕蹇如兄弟。怨辟陽侯不争其母於吕后,因椎殺之,上非之。肉袒北闕謝罪,奪四縣,還歸國。黄屋左纛,稱東帝,坐徙嚴道,死於雍。上閔之,封其四男爲列侯。時民歌之曰:'一尺繒,好童童。一升粟,飽蓬蓬。兄弟二人,不能相容。'上聞之曰:'以我貪其地邪?'乃召四侯而封之。其一人病死,長子安襲封淮南王,次爲衡山王,次爲廬江王。太傅賈誼諫曰:'怨仇之人,不可貴也。'後淮南、衡山卒反,如賈誼言。初,安爲辯達,善屬文。皇帝爲從父,數上書召見。孝武皇帝甚重之,詔使爲《離騷賦》,自旦受詔,日早食已就,上愛而祕之。天下方術之士多往歸焉。於是遂與蘇飛、李尚、左吴、田由、雷被、毛被、伍被、晉昌等八人,及諸儒大山、小山之徒,共講論道德，統總仁義，而著此書。其旨近《老子》，澹泊無爲，蹈虚守靜，出入經道。言其大也，則燾天載地；説其細也，則淪於無垠，及古今治亂存亡禍福，世間詭異瓌奇之事。其義也著，其文也富，物事其類，無所不載。然其大較歸之於道，號曰'鴻烈'。鴻，大也；烈，明也，以爲大明道之言。故夫學者不論《淮南》，則不知大道之深也。是以先賢通儒述作之士，莫不援采以驗經傳。以父諱'長'，諸'長'字皆曰'修'。光禄大夫劉向校定撰具，名之《淮南》。又有十九篇者，謂之《淮南外篇》。自誘之少，早從故侍中同縣盧君受其句讀，誦舉大義。會遭兵燹，天下棋峙，亡失書傳。廢不尋修，二十餘載。建安中年辟司空掾，除東郡濮陽令，睹時人少爲淮南者，懼遂陵遲，於是以朝餔事畢之閒，乃深思先師之訓，参以經傳道家之言，比方其事，爲之注解，悉載本文，并舉音讀。典農中郎將弁揖借八卷刺之，今揖身喪，遂亡不得。至十七年，遷監河東，復更補足。淺學寡見，未能備悉，其所不達，注以未聞。惟博物君子覽而詳之，以勸後學者云爾。"案此叙孫伯淵觀察從《道藏》中録出，刊入《續古文苑》。

高誘　吕氏春秋注《隋志》二十六卷本，見有刊本。

尹文子上下篇

仲長統撰定。序曰："尹文子者，蓋出於周之尹氏。齊宣王時居稷下，與宋鈃、彭蒙、田駢同學於公孫龍，龍稱之。著《龍》一篇，多所彌編。《莊子》曰：'不累於物，不苟於人，不忮於衆，願天下之安寧，以活於民命。人我之養畢足，如此而已。以此白心，見侮不辱，處其道也。'而劉向亦以其學本於黄老，大較刑名家也，迫爲注矣。黄初末到京師，繆熙伯以此書見示，意甚祕之。而多脱誤，試條次撰定爲上下篇，略能究其詳也。"

宋衷　法言注

辰,龍星也。參,虎星也。我不見龍虎俱見。《文選·蘇子卿詩》注引。張良爲高祖畫策六,陳平出奇計四,皆權謀,非正也。《文選·陸士衡〈漢高祖功臣頌〉》注引。篡,取也。鴻高飛,冥冥薄天,雖有弋人執矰繳,何所施巧而取焉。喻賢者深居,而不罹暴亂之害。今"篡"或爲"慕",誤也。《文選·范蔚宗〈逸民論〉》注引,宋本李軌《法言注》引同。

桓譚　新論《隋志》"桓子《新論》十七卷",《唐志》同。《問經堂叢書》有輯本《桓子新論》一卷刊行。

本傳:譚博學多通,徧習五經,尤妙古學,從揚雄、劉歆析辨疑異。著書言當世二十九篇,號曰《新論》。上書獻之,世祖善焉。《琴道》一篇未成,使班固續成之。《東觀漢記》:光武讀之,敕言卷大,令皆別爲上下,凡二十九篇。《琴道》未畢,但有《發首》一章。章懷太子賢注:《新論》一曰《本造》,二《王霸》,三《求輔》,四《言體》,五《見微》,六《譴非》,七《啟寤》,八《祛蔽》,九《正經》,十《識通》,十一《離事》,十二《道賦》,十三《辨惑》,十四《述策》,十五《閔友》,十六《琴道》。《本造》、《閔友》、《琴道》各一篇,餘並有上下。《漢書·高帝紀》"陳平祕計"注顏師古曰:"應劭之説出《新論》。"《新論·序》:爲《新論》,亦欲興治也,何異《春秋》褒貶邪?今有疑者,所謂蚌異蛤、二五爲非十也。譚見劉向《新序》、陸賈《新語》,乃爲《新論》。莊周寓言"堯問孔子",《淮南子》云"共工争,地維絶",亦爲妄作,故世人多云"短書不可用"。然論天莫明於聖人,莊周等虛誕,故當采其善,何謂盡善邪?

周黨書上下篇

黨,字伯況,太原人。

韋卿子十二篇

韋彪撰。彪,字伯達,京兆扶風人,官至太尉。

郅子

郅惲撰。惲,字君章,官長沙太守。

牟子《隋志》儒家"《牟子》二卷,後漢太尉牟融撰",《唐志》入道家。案《藏經》本《牟子》入佛《弘明集》。《平津館叢書》有刊本。

班昭　女誡七篇《唐志》二卷。

陳振孫《書録解題》:漢曹世叔妻班昭撰,固之妹也,俗號《女孝經》。詳見《後漢書·列女傳》。

杜篤　女誡

篤爵里見後集類。

杜篤　明世論十六篇

杜篤　通邊論

親録譯導,緩步四來。《文選·魏都賦》注引。匈奴請降,毾㲪罽褥。帳幔旃裘,積如丘山。《北堂書鈔》引,《太平御覽》引同。天下殷富。同上。漢征匈奴,取胡麻、蒲萄、大麥、苜蓿,示廣地①。《藝文類聚》引。

杜篤　廣武論

文越水震,鄉風仰流。《文選·王元長〈三月三日曲水詩序〉注》引。

王充　論衡八十五篇《隋志》二十九卷。《唐志》入雜家,三十卷。《崇文總目》二十卷。

本傳:充字仲任,會稽上虞人。好論説,始若詭異,終有理實。以爲俗儒守文,多失其真,乃閉門潛思,絶慶弔之禮,户牖牆壁各置刀筆。著《論衡》八十五篇,二十餘萬言,釋物類同異,正時俗嫌疑。案今本三十卷,自《逢遇》至《自紀》凡八十五篇,内佚《招致》一篇。

---

① "示廣地",原誤作"旨蓄",據《藝文類聚》卷八七引文改。

王充　六儒論

袁山松《後漢書》：充聰明，入太學，觀天子臨雍，作《六儒論》一篇。

王充　譏俗書　政務書　養性書

本傳：又造《養性書》十六篇。

鄒子

鄒伯奇撰。伯奇，東蕃人，名爵里未詳。《論衡·案書篇》“東蕃鄒伯奇”，又云“觀伯奇之《元思》”，又《對作篇》引鄒伯奇《檢論》。朱買臣孜孜修學，不知雨之流麥。《太平御覽》引《鄒子》。

梁竦　七序

竦，字叔敬，烏氏人，統子。爲竇憲迫遷自殺。永元九年，詔封爲褒親愍侯。《竦傳》：閉門自養，以經籍自娱。顯宗時，著書數篇，名曰《七序》，班固見而稱曰：“孔子作《春秋》而亂臣賊子懼，梁竦作《七序》而竊位素餐者慚。”袁宏《後漢紀》：作經書數篇。

王子五篇

《華陽國志》：王祐，字平仲，郪人也。少與雒高士張浮齊名，不應州郡之命。年四十二卒。弟獲志其遺言，撰《王子》五篇。東觀郎李勝文章之士，作誄，方之顔子，列畫學宫。

楊由書

《華陽國志》：由，字哀侯，成都人。學候緯，著書十篇而卒。

唐子

《方術傳》：檀著書二十八篇，名《唐子》。檀，字子産，南昌人，官郎中。案東漢有兩唐子：一名檀字子産，一名羌字伯游，汝南人，爲臨戎長，著書三十篇。未知諸書所引爲檀、爲羌，以其書久佚，姑掇數條于此。命相在天，才智由人。人可學，致在天，無可冀。《藝文類聚·智》引。暴主闇君不可生殺。《文選·陸士衡〈五等論〉》注引。聖人聞諫若甘味，愚者聞諫若食荼。《北堂書鈔·納諫》引。猶震霆摧枯千鈞壓卵。《北堂書鈔·兵勢》引。將者，專命千里，總帥六師。《北堂書鈔·將》引。猛將之發，觀於虎而鑒於鷹，故攻如擊雷，戰如風行，散如收霧，閉之若在缾，開之如散星。《太平御覽·缾》引，"戰如風行"句據《北堂書鈔》引補。良將其象如山，不知其歡戚也。《太平御覽·威名》引。吾嘗會賓設樂，天忽雲興，繼以大雨，有羣鷺成列，飛翔而過，此偶爾，何異玄鶴二八也。《太平御覽·鷺》引。人多患遠見百步而不自知眉頰，知眉頰者復不能察百步。《太平御覽·眉》引。君子者，乘南面之位，操生殺之柄，威如秋霜，恩如春養，何求而不得？何化而不從？《天中記》引。）

人君也，當以江海爲腹，山林爲面，當使觀者不知江海何藏、山林何有。

許子十卷

崔瑗《與葛元甫書》：今遣奉書錢千爲贄，并送《許子》十卷，貧不及素，但以紙耳。案許子不署名，以時攷之，疑是南閣祭酒許叔重之撰述也。

崔寔　政論寔爵里見後集類。《隋志》六卷。《舊唐書·志》五卷。《新唐書·志》法家"《崔氏政論》六卷"。

本傳：寔，字子真，其少沈靜，好典籍。桓帝詔公卿舉至孝獨行之士。寔以郡舉，詣公車，病不能對策，除爲郎。明於政體，吏才有餘，論當世事數十條，名曰《政論》。指切時事，言辨而确，當世稱之。仲長統曰："凡爲人主者，宜寫一通，置之坐側。"

傅子五卷

傅燮撰。燮，字南容，北地靈州人，官至漢陽太守。

魏子五卷《隋志》儒家"《魏子》三卷，後漢魏朗撰"。

朗，字少英，《三國志》作"叔英"。會稽上虞人。居危殆之國，治不善之民,是猶薄冰當白日、藁毛遇猛火也。《藝文類聚·冰》引。仲尼無契券於天下,而名著古今,善惡明也。《太平御覽·券》引。蓼蟲在蓼則生,在芥則死,非蓼仁而芥賊也,本不可失也。《天中記》引。

王符　潛夫論《隋志》儒家"王符《潛夫論》十卷"。《唐志》、《崇文總目》並同。《漢魏叢書》有刊本。

本傳:符,字節信。

劉毅　漢德論

平望侯劉毅少以文辨稱,元初元年上《漢德論》。

劉毅　憲論十六篇

毅並著《憲論》十六篇,劉珍、馬融共上書稱其美,安帝嘉之,拜議郎,賜錢百萬。

王逸子

木有扶桑、梧桐,皆受氣淳矣,異於羣類者也。《初學記·松》引。或問:"張騫可謂名使歟?""周流絶域,十有餘年,自京師以西、安息以東方數萬里,百有餘國,或逐水艸,或逐城郭,騫經歷之,知其所習,始得大蒜、蒲萄、苜蓿也。"《北堂書鈔·奉使》引。屈原、宋玉、枚乘、相如、王褒、揚雄、班固、傅毅,灼以揚其藻,斐以致其豔。《北堂書鈔·歎賞》引。顔淵之簞瓢則勝慶封之玉杯,何者?道德高遠能絶殊也。《太平御覽·杯》引。自幽、厲禮壞樂崩,天綱弛絶,諸侯力攻,轉相呑滅,德不能懷,威不能制。至於赧王,遂喪天下。《太平御覽·道德》引。

王逸　正部論

或問玉符,曰:"赤如雞冠,黄如蒸栗,白如豬肪,黑如點漆,玉之符也。"《初學記·玉》引,《文選》注、《太平御覽》引同,郭注《山海經》引作"王子靈符"。《易》與《春秋》同經總一機之織,經營天道,以成人事。《太平御覽·易》引。皎皎練絲,爲藍則青,得丹則赤,得蘗則黄,得泥則黑。《太平御覽·絲》引。

王逸 杜武論

亦作"折武"。畏以雷霆。《北堂書鈔》引。游藝百家,用道德爲弓弩,仁義爲鎧甲。《北堂書鈔·博學》引。

陳術 釋問七篇

《華陽國志》:術,漢中人,字申伯,博學多聞,著《釋問》七篇。《益部耆舊傳》及《志》:位歷三郡太守。

何汶 世務三十篇

《華陽國志》:汶字景由,何英孫。

劉梁 破羣論

梁字曼山,常疾世多利交,以邪曲相黨,乃著《破羣論》,時之覽者以爲仲尼作《春秋》而亂臣知懼。

劉梁 辨和同論

梁又著《和同論》一篇。

侯瑾 矯世論一篇

瑾爵里見後集類。碧之似玉者,惟猗頓能别之。白玉之肖牙者,惟離婁能察之。《太平御覽·珍寶》引。

趙岐 禦寇論

本傳:延熹九年,應胡廣之辟。會南匈奴、烏桓、鮮卑叛,公卿舉岐,擢并州刺史。岐欲奏守邊之策,未及上,會黨事免,因撰次爲《禦寇論》。

唐子三十篇

唐羌,字伯游,汝南人。有《諫交州貢荔枝龍眼書》。謝承《後漢書》:汝南唐羌爲臨戎長,縣接交州,州舊貢荔枝及土産,羌上書諫,乃止。

陳子

陳紀撰。紀字元方,遭黨錮,發憤著書數萬言,號曰《陳子》。

《陳紀碑》：君既處隱約，潛身味道，足不踰閾。覃思著書三十萬言，言不務華，事不虚設，其所交釋合贊，規聖哲而後建旨明歸焉，今所謂《陳子》者也。棄晨雞候犬，[①]亦猶棄當世之實才，須故人之執政也。《太平御覽》引《陳子·要言》。死刑有可加於仁恩者。曹操《復肉刑令》引紀語。臣父以爲漢除肉刑而增加笞，本興仁惻而死者更衆，所謂名輕而實重也。名輕則易犯，實重則傷民。陳羣《申紀論》。

仲長統　昌言《隋志》"仲長統《昌言》十二卷，録一卷"。《唐志》儒家十卷。《崇文總目》二卷。《中興書目》"今存十六篇，餘皆殘缺"。

本傳：統，字公理，山陽人。建安中，爲尚書郎，参丞相軍事。嘗發憤歎息，因著書，名曰《昌言》。凡三十四篇，十餘萬言，論説古今及時俗行事。繆襲稱統才足繼西京董、賈、揚、劉。今簡其書，有益於政者略載，云《理亂篇》、《損益篇》、《法識篇》。繆襲《上仲長統〈昌言〉表》曰："統性俶儻敢言，不拘小節，每州郡命召，輒稱疾，語默無常，時人或謂之狂。"

高彪　清誡

天長而地久，人生則不然。又不養以福，保全其壽年。飲酒病我性，思慮害我神。美色伐我命，利欲亂我真。神明無聊賴，愁毒干衆煩。中年棄我逝，忽若風過山。形氣各分離，一往不復還。上士愍其痛，抗志陵雲煙。滌蕩俗蔵累，飄邈任自然。退修清復淨，存吾玄中玄。澂心剪思慮，泰清不受塵。恍惚中有物，希微無形端。智慮赫赫盡，谷神緜緜存。《藝文類聚·鑒誡》引。

荀爽　女誡

《詩》云"泉源在左，淇水在右。女子有行，遠父母兄弟"，明當

---

① "犬"後原有"鳳鶩"二字，據《太平御覽》卷九一八引文删。

許嫁，配適君子，竭節從理，昏定晨省，夜卧早起，和顔悦色，事如依恃，正身潔行，稱爲順婦，以崇《螽斯》。百葉之祉，婚姻九族，云胡不喜。聖人制禮，以隔陰陽。七歲之男，王母不抱。七歲之女，王父不持。親非父母，不與同車。親非兄弟，不與同筵。非禮不行，是故宋伯姬遭火不下堂，知必爲災，傅母不來，遂成於灰。《春秋》書之，以爲高也。《藝文類聚・鑒誡》引。

蔡邕　女誡

心猶首面也，是以甚致飾焉。面一旦不修，則塵垢薉之；心一朝不思義，則邪惡入之。人咸知盛飾其面，而莫修其心，惑矣。二字據《文選・女史箴》注引補入。夫面之不飾，愚者謂之醜；心不修，賢者謂之惡。愚者謂之醜猶可，賢者謂之惡，將何容哉？故覽鑒拭面，則思其心之潔也；傅脂，則思其心之妍也；《北堂書鈔》引"研"作"和"。加粉，则思其心之鮮也；澤髪，则思其心之順也；用櫛，则思其心之理也；立髻，则思其心之正也；攝髪，则思其心之盛也。《太平御覽・誡》引。禮，女行服纁。纁，絳也，上正色也。紅紫不为褻服，緗緑不以为上繒。繒貴厚而色尚深，爲其堅韌也。《太平御覽・綵》引。舅姑若命之鼓琴，必正坐操琴而奏曲。若问曲名，則舍琴而對。《北堂書鈔・琴》引。興曰某曲。坐若近，則琴聲必聞；若遠，則左右必有贊其言者。凡鼓，小曲五終則止，大曲三終則止。無數變曲無多少，尊者之聽未厭，不敢早止。若顧望視也，則曲終而後止，亦爲終曲而息也。琴必常調。尊者之前，不更調張。私室若近舅姑，則不敢獨鼓。若絶遠聲不聞，鼓之可也。鼓琴之夜，有姊妹之宴，可也。《太平御覽・琴》引。

諸葛子

若能力兼三人，身與馬如膠漆，手與箭筒如飛虻，誠宜寵異。《御覽・箭部》引。

集誡二卷

諸葛亮撰。

五教志五卷

譙周撰。

譙子法訓八卷

譙周撰。夫交之道,譬之物,猶素之與白也,染之以朱則赤,染之以藍則青。遊居交友,亦人之所染也。韓起與田蘇處而成好仁之名,甘茂與史舉處用顯相齊之力,曹參師蓋公致清靜之治,竇巨君兄弟出於賤隸恭謹師友皆爲退讓。君子交得其人,千里同好,固於膠漆,堅如金石,久遠不阻其分,毁譽不疑其實。語曰:"蓬生麻中,不扶自直。"此言雖小,可以喻大。貢公之於王吉,可謂推賢矣。《藝文類聚》引譙子《齊交》。挽歌者,高帝召田横,至於尸鄉,自斃。從者晚至宫,不敢哭而不勝其哀,故爲挽歌以寄哀音。《北堂書鈔·挽歌》引,《初學記》引同。好學以崇智故得廣業,力行而卑體故能崇德,是以君子居謙而弘道,然後德能象天地。《北堂書鈔·謙》引。善耕者足以謹地待時而動,善射者調弓定準見可而發,君子善養其人足用。《初學記·耕》引。羊有跪乳之禮,雞有識時之候,雁有翔序之文,人取法焉。《初學記·羊》引。夫孝行之本,替本而求末,未有得之者也。如或得之,君子不貴矣。烏雅有反哺之心,況人而無孝心者乎?《初學記·烏》引,《御覽》引同。爲國者不患學人之害農,患治民者之無學。《太平御覽·學》引。鸞車璜佩,求中道心。《太平御覽·車》引。人之所以貴者,以其禮節。人而無禮,獮猴乎?雖人象而蟲質也。《太平御覽·獮猴》引。若有人母有疾,使妻爲母作粥,妻不肯,乃以刀擊傷妻面,可以爲孝乎?答曰:以刀擊妻,親必駭而有憂及之,何以爲孝?《太平御覽·面》引。一産二子者,以後生者爲兄,其先胎也。答曰:此野之鑿語耳。君子不測暗,安知胎先後也?《太平御覽·胎》引。或問:君子處陋巷之中,奚樂乎?曰:樂得其親,樂得其友,樂聖人之道也。《太平御覽·樂》引。貪者難爲惠,苛煩者難爲恭,君子以禮而已矣。《太平御覽·貪》引。古者茹毛飲血,燧人初作燧火,人始飲食。《天中記》引。唐、虞之衣裳文法,禹、稷之溝洫耕稼,人至今被之。王者所以居中國者何?順天地之和而同四方之類也。並同上。朝發而夕異宿,勤則菜盈頃筐。且苟有不織不衣,不能茹艸飲水,不耕不食。安可不自力哉?桀、紂雖有天下之位,而無一人之譽也,猶朽木枯樹逢風則仆也。男子初娶必冠,女子幼稼必笄。禮之則從成人,不爲殤。以上並《説郛》引。

荀悦　申鑒《隋志》五卷。《唐志》同。《中興書目》"今所載《政體》、《時事》、《俗好》、《雜言》、《上下》五卷。

本傳:悦,字公豫,建安中遷祕書郎。志在獻替,而謀無所用,乃作《申鑒》五篇。其所論辨,通見政體,既成奏之。

吕稚　恪論十五篇

見《蜀志》。稚,吕乂子,清厲有文。

王粲　去伐論《隋志》三卷。

徐幹　中論《隋志》儒家"徐氏《中論》六卷,梁有目一卷"。《唐志》、《崇文總目》卷同。幹,字偉長,北海人,見《魏志》。

周生烈子

舜嘗駕五龍以騰康衢,武常服九駮以馳名塗,此上御也。《太平御覽·馬》引。夫忠蹇,國之杷杌;凶人,國之凶篲。秉杷執杌,除凶掃薉,國之福、主之利也。《天中記》引。天無私覆,地無私載,日月無私照,子賢則流,不賢則禪,人道無私也。《禮》曰:"奉三無私,以勞天下也。"夫獵葉之風不應八節。桀、紂是湯、武之梯,秦、項是大漢之階。四逆不興,則四順不昇。並同上。

附　家語十卷

王肅撰。

秦子三卷

吴秦菁撰。

諸葛子五卷

諸葛恪撰。

通語一卷

殷基撰，字文禮。

韋昭　辨説一卷

典論五卷

曹丕撰。

體論四卷

杜恕撰。

篤論四卷

杜恕撰。

顧子　新語十二卷

顧譚撰。《唐志》五卷。

通語十卷

殷典撰。

袁子正論二十卷

袁準撰。

袁子正書二十五卷

袁準撰。

王弼　玄言新記二卷　道德經注二卷

鍾會　老子注二卷

鍾會　芻蕘論五卷

何晏　老子道德論二卷

劉劭　法言十卷

劉氏正論五卷

劉□撰。

人物志三卷　又三卷

劉劭撰。劭《都考官課》七十二條,《説略》一篇,《樂論》十四篇,共撰述《法論》、《人物志》百餘篇。

士操一卷

曹丕撰。

士緯十卷

姚信撰。

九州人士論一卷

盧毓撰。

萬機論八卷

蔣濟撰。

新言五卷

裴元撰。

默記五卷　誓論五卷

張儼撰。

桓氏要論十卷

桓範撰。

太玄論演

陸凱撰。

老子訓注

董遇撰。

虞翻　老子訓注

翻,黜徙交州,而講學不倦,門徒常數百人。又爲《論語》、《國語》、《老子》訓注,皆傳於世。

陸景　典訓十卷

典語別二卷

新議八篇

薛瑩撰。

矯非論三十篇

廣陵范慎撰。

薛綜　私載一卷

葛玄　老子次序一卷

姚氏新書二卷

姚信撰。

王昶　治略論

昶,字文舒,太原人。黄初中,遷兗州刺史。昶身在外,不忘朝廷,乃著《治略論》,依古制而合於時論者爲書二十篇奏之。

孫炎書十餘篇

右諸子類

五行章句

顯宗自制。

王景　太衍玄基

景,字仲通,樂浪誹邯人。建初八年,爲廬江太守。景以六經所載皆有卜筮,作事舉止質於蓍龜,而眾書雜糅,吉凶相反,迺參紀眾家術數文書,家宅禁忌、日相之術,適於事用者,爲《太衍玄基》。

景鸞　興道一篇

本傳:抄風角雜占,別其占驗,爲《興道》一篇。

景鸞　河洛交集

本傳:兼明河雒圖緯,著《河雒交集》。

楊由　其平書

本傳：著《其平書》數百篇。

楊由　兵雲圖

《益部耆舊傳》：由有《兵雲圖》，時竇憲將兵在外，太守高安遣工從由寫圖以進。《華陽國志》：憲從太守索《雲氣圖》，由諫莫與。憲尋受誅，其明如此。

馬援　銅馬相法

援好騎，善别名馬。建武二十年，征交阯，得駱越銅鼓，乃鑄爲銅馬式，遂上表曰："天行莫如龍，地行莫如馬。馬者，甲兵之本，國之大要，安寧以别尊卑之序，有事則以濟遠近之難。昔有騏驥，一日千里，伯樂見之，昭然不惑。近世有西河子輿，亦明相法。子輿傳西河儀長孺，長孺傳茂陵丁君都，君都傳成紀楊子阿。臣嘗師事子阿，受相馬骨法。考之行事，輒有效驗。臣愚以爲傳聞不如親見，視景不如察形。今欲形之生馬，則法難具備，又不可傳之於後。孝武皇帝時，善相馬者東門京鑄作銅馬法獻之，有詔立馬於魯班門外，更名魯班門爲金馬門。臣謹依儀氏䩭、中帛氏口齒、謝氏脣鬐、丁氏身中，備此數家骨相以爲法。"馬高三尺五寸，圍四尺五寸，有詔立宣德殿下，以爲名馬式。水火欲分明，水火在鼻孔兩間也。上脣欲急而方，口中欲紅而有光，此千里馬。頷下欲深，下脣欲緩，牙欲前向，牙欲去齒一寸，則四百里；牙劍鋒，則千里。目欲滿而澤，腹欲充，膁欲小，季肋欲長，縣薄欲厚而緩。縣薄，股也。腹下欲平滿，汗溝欲深長，而膝本欲起，肘腋欲開，蹏厚三寸，堅如石。本傳注引《銅馬相法》。

葬曆

沐書

裁衣書

以上見王充《論衡·愛日》所引,蓋當時民俗通用之書。

圖宅術

見王充《論衡》。宅有八術,以六甲之名,數而第之。第定名立,宫商殊别。宅有五音,姓有五聲。宅不宜其姓,姓與宅相賊,則疾病死亡,犯罪遇禍。商家門不宜南向,徵家門不宜北向。商,金,南方火也。徵,火,北方水也。水勝火,火滅金,五行之氣不相得,故五姓之門有宜嚮。嚮得其宜,富貴吉昌。嚮失其宜,貧賤衰耗。

許峻　周易雜占一卷　易災條二卷

母疾腹脹,虵在井旁,當破缾甕,井沸泥浮,五色玄黄。《北堂書鈔·缾》引,案"當破缾甕"下當落去一句,它書别無引證。井中有魚,如蟲出流,若當井沸五色玄珠。《初學記·井》引。

許峻　周易通靈要訣二卷

許峻　通靈要訣四卷梁《七録》作《易要訣》三卷。《通志》"《易訣》二卷"。

王喬　解鳥語經一卷　鳥晴占一卷

喬,明帝時官葉縣令。

張皓　周易占一卷

皓,字叔明。

張衡　黄帝飛鳥經一卷　黄帝四神曆一卷　太玄圖

衡雅好玄經,謂崔瑗曰:"吾觀《太玄》,方知子雲妙極道數,乃與五經相儗,非徒傳記之屬,使人論難陰陽之事,漢家得天下二百歲之書也。復二百歲,殆將終乎?所以作者之數,必顯一世,當然之符,漢四百歲,《玄》其興矣。"梟隼喜獲,先笑後愁。《文選·吴都賦》注引。玄者,無形之類,自然之根,作於太始,莫與爲先。《文選·盧子諒〈贈劉琨詩〉》注引。橐籥天地,禀受無窮。《太平御覽·氣》引。

宋忠　太玄解

堂，高也。《文選·西京賦》注引。畛，界也。《文選·東京賦》注引。樛，猶糾也。《文選·江賦》注引。質，問也。《文選·任彦昇〈爲蕭揚州薦士表〉》注引。《一切衆經音義》注引同。所以記綜之也。《一切衆經音義》引。

李譔　太玄指歸

譔爵里見前。

何休　風角七分注

李氏家書

漢太尉李郃撰。郃，字孟節。父頡，以儒學稱。官至博士。郃襲父業，詣太學，通五經，善《河》、《雒》風星，漢中南鄭人，官至大司空。時天有變氣，郃上書諫曰："臣聞天不言，縣象以示吉凶，挺災變異以爲譴戒。昔齊桓公遭虹貫斗、牛之變，納管仲之謀，令齊去婦，無近妃宫。桓公聽用，齊以大安。趙有尹史，見月生齒，齕畢大星，占有兵變。趙君曰：'天下共一畢，知爲何國也？'下史於獄。其後公子牙謀殺君，血書端門，如史所言。乃月十三日，有客星氣象彗孛，歷天市、梗河、招摇、槍棓，十六日入紫宫，迫北辰，十七日復過文昌、泰陵，至天船、積水間，稍微不見。客星一占曰：'魯星歷天市者爲穀貴，梗河三星備非常，泰陵八星爲凶喪，紫宫、北辰爲至尊。'如占，恐宫廬之内有兵喪之變，千里之外有非常暴逆之憂。客星不得過歷尊宿，行度從疾，應非一端，恐復有如王阿母母子賤妾之欲居帝旁秏亂政事者。誠令有之，宜當抑遠，饒足以財。王者權柄及爵禄，人天所重慎，誠非阿妾所宜干預，天故挺變以示人。如不承慎，禍至變生，悔之靡及也。"《天文志》注引。司空李郃上書曰："陛下祗畏天威，懼天變，克己責躬，博訪羣下。咎皆在臣，力小任重，招致咎徵。去年二月，京師地震。今月戊午，日蝕。夫至尊莫過夫天，天之變莫大乎日蝕，地之戒莫重乎震動。今一歲之中,大異兩見。日蝕之變,既爲尤深。地動之戒,摇宫最醜。日者,陽精,君之象也。戊者,土主,任在中宫。午者,火德,漢之所承。地道安静,法當由陽。今乃專恣,摇動宫闕,禍在蕭牆之内。臣恐宫中必有陰謀其陽,下圖其上,造爲逆也。災異終不虚生,推原二異,日辰行度,甚爲較明,譬猶指掌。宜察宫闕之内,如有所疑,急推破其謀,無令得成。修政恐懼,以答天意。十日辛卯,日有蝕之。周家所忌,乃爲亡徵。是時妃后用事,七子專朝。今戊午之災,近相似類。宜貶退諸后兄弟羣從内外之寵,求賢良,徵逸士,下德令,施恩惠,澤及山海。"時度遼將軍遵多興師重賦出塞妄攻之事,上深納其言。建光元年,鄧太后崩。上收考中人趙任,辭言地震、日蝕在中宫,竟有廢立之謀,郃乃自知其言驗也。《五行志》注引。李郃侍祠南郊,不見六宗祠,奏曰:"案《尚書》'肆類于上帝,禋于六宗'。六宗者,上不及天,下不及地,旁不及四方,在六合之中,助陰陽,化成萬物。漢初,甘泉、汾陰祀天地,亦禮六宗。孝成之時,匡衡奏立南北郊,復祀六宗。及王莽謂六宗,易六子也。建武都雒陽,制祀不道六宗,由是廢不血食。今宜復舊制度。"制曰:"下公卿議。"五官將行宏等三十一人議可祭,大鴻臚龐雄等二十四人議不可祭。上從郃議,由是遂祭六宗。《祭祀志》注引。

郄萌　春秋災異五十篇

《隋志》:漢末郄萌集圖緯讖雜占爲五十篇,謂之《春秋災異》。案《後漢書·天文志》注、《初學記》並引郄萌占,《開元占經》所引尤多,可輯爲一書。

段節英　天文書二卷

段節英,雒人。少周流七十餘郡求師,經三十年,凡事馮翊駱巽孫、泰山彦之章、渤海紀叔陽,遂明天文,著書二卷。東平虞叔雅學高當世，恭以朋友之禮待之。

馬援　九章算術

《山堂考索》：《九章算術》，周公所作也。凡有九篇：一曰《方田》，二曰《粟米》，三曰《差分》，四曰《少廣》，五曰《均輸》，六曰《旁要》，七曰《盈不足》，八曰《方程》，九曰《句股》，此大同小異，馬援采爲九章。《隋志》：一曰《方田》，二曰《粟米》，以御交質變易；三曰《衰分》，以御貴賤禀粟；四曰《少廣》，以御積冪方圓；五曰《商功》，以御功程積實；六曰《均輸》，以御遠近勞費；七曰《盈朒》，以御隱雜互見；八曰《方程》，以御雜糅正負；九曰《句股》，以御高深遠近，皆乘以散之，除以聚之，周以通之，合以貫之，算數之方盡於是矣。

劉祐　九章雜文一卷

祐爵里見前。

王粲　算術

粲善作算術，究極師法。

荊州星占《隋志》"《荊州星占》二十卷"。《唐志》列劉表《荊州星占》二卷、劉叡《荊州星占》三卷。《崇文總目》荊州列《石甘王占》一卷。

《晉志》：後漢劉表爲荊州牧，命武陵太守劉叡集天文眾占，名《荊州占》。其雜星之體，有瑞星，有妖星，有客星，有流星，有瑞氣，有妖氣，有日月旁氣。《周禮》疏引作《武陵太守星傳》。案《後漢書·天文志》注、《初學記》、《太平御覽》並引《荊州星占》，《開元占經》所引最多，可輯爲一書。

應奉　洞序《隋志》雜家"梁有《洞序》九卷，録一卷，應奉撰。"

相印書

相印書本出陳長文，長文以語韋仲將。印工楊利從仲將受法，以語許士宗，以法治占吉凶，十可中八九。長文本出漢世，有《相印》、《相笏經》，又有《鷹經》、《牛經》、《馬經》。印工宗養以法語程伊伯,是故有十一家相法傳於世。許允善相印,出爲鎮北將軍。將拜,以印不善,使更刻之,如此者三。允曰:"印雖始成,而已被辱。"問送印者,果懷之而墜於廁。印有八角十二芒,欲得周正,並無欹,上穩下平,光明潔清,如此皆吉《御覽·印》引。

相手板經

《世善堂書目》作"《相笏經》,漢人作"。《愛日齋叢抄》:相手板法出蕭何,或曰四皓,初出殆未行世。東方朔見而喜之,曰:"此非庸人所。"至魏司空陳長文見此書,歎之,以示許士宗、韋仲將。《緯略》又舉東方朔《相笏經》、袁天綱《郭先相笏經》、陳混常《相笏經》、《古相手板經》,亦驗人禍福也。齊綦毋稱之在州時,有一手板相者云"富貴"。陸長源《辨志》載:天寶中,有季旺稱善笏,驗之以事,卒皆無驗。《漫録云館志》有陳混常《相笏經》,其語推本管輅、李淳風之言,又常氏相手板印法、魏程伊伯相印,蓋相笏之類。相手板以閒泰之時,取五行,尋四時,定八節二十四氣,百不失一。板長一尺五寸,廣一寸五分,上狹而薄,下廣而厚,八角十二芒,並欲端平,板形皆完淨。合法者吉,不合者凶。二句據《北堂書鈔》引補。板凶少吉多者可用,吉少凶多者不可用服也。舊用白直檀、刺榆、桑、柘四材。審當令理通直,從上至下,直如弦,不得出邊絶理。《太平御覽·笏》引,《初學記·笏》引"審當令通直"四句。板頭是君座,板頭與君共事,必不得中。分板作四分:上一分爲二親,左爲父,右爲母;第二分都爲婦;第三分左爲男,右爲女;第四分左爲奴,右爲婢。板之下碎方,留爲田宅、財物、豬羊、雞犬之屬,以五行十二時分。若其處崩毁傷踼,破裂弔節,蝎穿兆隨,所屬物必損失死亡。板兩邊,左爲城,右爲社,寬博,文采斑斑,光澤清淨,必得封邑。

諸葛亮　木牛流馬式

木牛流馬法:木牛者,方腹曲頭,一脚四足,頭入領中,舌著於腹。載多而行少,宜可大用,不可小使。特行者數十里,羣行者二十里也。曲者爲牛頭,直者爲牛脚,横者爲牛領,轉者爲牛足,覆者爲牛背,方者爲牛腹,垂者爲牛舌,曲者爲牛肋,刻者爲牛齒,立者爲牛角,細者爲牛鞅,攝者爲牛鞦軸。牛飾雙轅。人行六尺,牛行四步。載一歲糧,日行二十里,而人不勞。流馬尺寸之數,肋長三尺五寸,廣三寸,厚二寸二分,左右同。前軸孔分墨去頭四寸,徑中二寸。前脚孔分墨二寸,去前軸孔四寸五分,廣一寸。前杠孔去前脚孔分墨二寸七分,孔長三寸,廣一寸。後軸孔去前杠分墨一尺五寸,大小與前同。後脚孔分墨去後軸孔三寸五分,大小與前同。後杠孔去後脚孔分墨二寸七分,後載剋去後孔分墨四寸五分。前杠長一尺八寸,廣二寸,厚一寸五分。後杠與等板方囊二枚,厚八分,長二尺七寸,高一尺六寸五分,廣一尺六寸,每枚受米二斛三斗,從上杠孔去下肋七寸,前後同。上杠孔去下杠孔分墨一尺三寸,孔長一寸五分,廣七分,八孔同。前後四脚,廣二寸,厚一寸五分。形制如象,靬長四寸,徑面四寸三分。孔徑中三脚杠,長二尺一寸,廣一寸五分,厚一寸四分,同杠耳。

附 虞翻 周易集林

《隋志》一卷。

管輅 周易林四卷

管輅 鳥情逆占一卷

虞翻 太玄觀《七録》。《通志》十四卷。

翻以宋氏解《玄》頗有謬錯,更爲立法,并明揚釋宋以解其滯。

陸績 太玄經注十卷 陸凱 太玄注十三卷

右陰陽雜家類

劉祐　陰策二十卷

劉祐　金韜十卷

許慎　六韜注

方胥鐵棓重十二斤,柄長五尺,千二百枚,一名天棓。《太平御覽·棓》引。大杖以桃爲之,擊殺羿,是以鬼畏桃人也。同上。

文武釋論二卷

《隋志》:後漢王越客撰。

諸葛亮　兵要軍誡

各詰朋黨,競進憸人,有此不去,是謂敗徵。《北堂書鈔·論兵》引。人之忠也,猶魚之有淵。魚失水則死,人失忠則凶,故良將守之,志立而名揚。《太平御覽·良將》引。不愛尺璧而愛寸陰者,皆難遭而易失也,故良將之趣時也,衣不解帶,履遺不躡。貴之而不驕,委之而不專,扶之而不隱,危之而不懼,故良將之動也,猶璧之不汙。良將之爲政也,使人擇之不自舉,使法量功不自度,故能者不可蔽,不能者不可飾,妄舉者不能進也。並同上。

武侯兵機法《隋志》"《兵法》五卷"。《崇文總目》"《兵機法》一卷。"

山陵之戰不仰其高,水上之戰不逆其流,艸上之戰不涉其深,平地之戰不逆其虚,此兵之利也,故戰鬭之利,惟氣與形。《通典》引。軍有七禁:一曰輕,二曰慢,三曰盜,四曰欺,五曰背,六曰亂,七曰誤,此治軍之禁也。若朝會不到,聞鼓不行,乘寬自留,迴避務止,初近而後遠,喚名而不應,軍甲不具,兵器不備,此謂輕軍。有此者斬之。受令不傳,傳之不審,以惑吏士,金鼓不聞,旌旗不睹,此謂慢軍。有此者斬之。食不廩糧,軍不部兵,賦賜不均,阿私所親,取非其物,借貸不還,奪人頭首,以獲功名,此謂盜軍。有此者斬之。若變易姓名,衣服不鮮,金鼓不具,兵刃不利,器仗不堅,矢不著羽,弓弩無弦,主者吏士,法令不行,此謂欺軍。有此者斬之。聞鼓不行,叩金不止,按旗不伏,舉旗不起,指麾不隨,避前在後,縱發亂行,折兵弩之勢,卻退不鬬,或左或右,扶傷舉死,因託歸還,此謂背軍。有此者斬之。出軍行將,士卒爭先,紛紛擾擾,軍騎相連,咽塞道路,後不得前,呼喚喧嘩,無所聽聞,失行亂次,兵刃中傷,長將不理,上下從横,此謂亂軍。有此者斬之。屯營所止,問其鄉里,親近相隨,共食相保,呼召不得,越入他伍,干誤次第,不可呵止,度營出入,不由門户,不自啓白,姧邪所起,知者不告,罪同一等,合人飲食,阿私所愛,大言驚語,疑惑吏士,此謂誤軍。有此者斬之。《御覽·法令》引。案此外尚有《武侯十六策》、《文武奇編》、《將心書》、《六軍鏡心訣》、《二十四機》、《八陣圖》,諸書見於各家書目,皆後人僞託,不録。

孫子兵法注十三篇曹操注。《世善堂書目》:《兵法》十三篇,注一卷。

《孫子兵法》序:操聞上古弧矢之利,《論語》"足食足兵",《易》曰"師貞",《詩》云"王赫斯怒",黄帝、湯、武咸用干戈爲民也。用武者滅,用文者亡,夫差、偃王是也。聖賢之用兵也,戢而時動,不得已而用之。吾讀兵書戰策多矣,武所著者深矣。審計重舉,明畫深圖,不可相誣。而世人未知深諒訓説,況文煩富,行世者失其旨要,故撰爲略解焉。孫子者,齊人也,名武。爲吴王闔廬作《兵法》十三篇,試之婦人,可以爲將,西破強楚,北威齊魯。後百餘歲有孫臏,是武之孫也。賞不以時,但留費也。《文選·魏都賦》注引。先出合戰爲正,後出爲奇。正者當敵,奇兵擊不備。《史記·田單傳》注引。如女示弱,脱兔往疾也。若便於事,不拘君命。《史記·司馬穰苴傳》注引。蹶猶挫也。《史記·孫子吴起傳》注引。馳車,銓車也。《困學紀聞》引。

司馬法注

曹操撰。

兵法略要九卷

《舊唐・志》作"魏文帝《兵法要略》十卷,曹操撰"。用軍行師,大率以孫吳之法,而因事設奇,譎敵制勝,變化如神。自作兵書十餘萬言,諸將征伐,皆以新書從事,從令者克捷,違教者負敗。《益部耆舊傳》:公以所撰兵書示松,松宴飲之間,一見便闇誦,楊修以此益奇之。

兵法接要十卷

操集諸家兵要法,名曰《接要》。《隋志》:《兵書接要》十卷,魏武帝撰。《舊唐書・志》:《兵法捷要》七卷。捷要即節要也,魏諱"節"改耳。大將之行,雨濡衣冠,是謂洗兵,《文選・魏都賦》注引。其師有慶。四字據《北堂書鈔》補。雨甚薄,不濡衣冠,是謂天泣。同上。孫子稱有雲氣,非雲非烟,非塵非霧,形似禽獸,客吉主人之忌。《初學記・雲》引。良將思計如飢,所以战必胜攻必取也。《通典》引。三军将行,其旗墊然若雨,是谓天露。三軍失徙,將軍,雨甚,是謂洗屍,先陣者敗也。《廣博物志》引。

陰謀三卷

曹操撰。

沈友　孫子兵法注

友,字子正,吳郡人。弱冠博學,多所貫通,喜屬文辭,兼好武事,注《孫子兵法》。建安九年,爲孫權所害。

全範　風氣占軍決勝戰一卷

程邈　陰符經注一卷

右兵家類

蔡邕　本草一卷

見《隋志》。案班固記《黄帝内經》,不載《本艸》,至梁《七録》乃稱之。世稱神農嘗藥,而黄帝以前文字不傳,以識相付,至桐雷乃載篇册,然所載郡縣多是漢時,疑張仲景、華佗所記。《中興書目》:《本艸圖經》二十卷,《漢書·藝文志》不載。《平帝紀》"元始元年,舉天下通知本艸方術者",《郊祀志》"成帝時,有本艸待詔",《樓護傳》"少誦醫經、方術、本艸數十萬言","本艸"之名,始見於此。梁《七録》"《神農本艸》三卷,陶隱居",疑仲景、元化所記。

涪翁鍼經衇法

《方術傳》:初有老父釣於涪水,著《鍼經衇訣》,弟子程高尋求積年,翁乃授之。

郭玉　經方頌説

《方術傳》:郭玉者,廣漢人。少師事程高,學方診六徵之術,爲太醫丞。《華陽國志》:玉字通直,新都人。明方術伎,妙用鍼,作《經方頌説》。

李助　經方頌説

《華陽國志》:助字翁君,涪人。通名方,校醫術,作《經方頌説》,齊名郭玉。

張仲景　衇經一卷

《張仲景方》序:衛汎好醫術,少師張仲景,有才識,撰《四逆三部厥經》及《婦人胎藏經》、《小兒顱顖方》三卷,皆行於世。高湛《養生論》:王叔和,高平人也。沈靜好養生,博好經方,識養生之道。考覈遺文,采摭羣論,撰《衇經》十卷,編次《張仲景方論》爲三十六卷,大行於世。張機,字仲景,南陽人。受業於張伯景,精於治療。一日入桐柏覓藥,遇一病人求診。張仲景曰:"子之捥有獸衇,何也?"其人以實具對,乃嶧山老猨也。仲景出囊中丸藥與之,一服輒愈。明日,其人肩一巨木至,曰:"此萬年桐也,聊以相報。"仲景斲爲二琴,一曰古猨,一曰萬年。《何容别傳》:容字伯求,有人倫鑒。同郡張仲景總角造容,容謂曰:"君用思精而韻不高,將爲良醫乎?"卒如其言。仲景謂山陽王仲宣曰:"君體有病,年三十當眉落。"仲宣時年十七,以其言遠不治。後至三十,疾,果落眉。《抱朴子》:仲景開懷,以納赤餅。

張仲景　金匱玉函經八卷

漢張機撰。

張仲景　傷寒論十卷《世善堂書目》十卷。

《書録解題》:漢長沙太守南陽張機仲景撰,建安中人,其文辭簡古奥雅,又名《傷寒卒病論》,凡一百一十三方,古今治傷寒者未有能出其外者也。

張仲景　評病要方一卷　五藏論一卷　方十五卷　口齒論一卷　治婦人方一卷

以上見焦竑《國史經籍志》。

華佗書一卷　青囊書一卷

佗,字元化,沛國譙人,一名旉。佗獄中出書一卷　與獄吏,吏不敢留,乃燒之。

中藏經一卷

《書録解題》:漢譙郡華佗元化撰。其序稱靈應洞主少室山鄧處中,自言爲華佗先生外孫,莫可攷也。

華佗方十卷　一作《華氏藥方》

佗弟子吴普撰集。廣陵吴普、彭城樊阿,皆從華佗學。

華佗　觀形察色并三部脈經一卷

華佗　五禽術

吴普常問道華佗。佗謂普曰:"人體欲得勞動,但不當使極耳。摇動則穀氣易消,血脈流通,病不得生。譬如户樞不蠹,案《北堂書鈔·養生》引作"卿見户樞,雖用易腐之木,朝暮開闔摇動;遂晚朽。"流水不腐,以其常動故也。是以古之赤松、彭祖及漢有道之士,爲導引之事,熊經鴟顧,引輓腰體,動諸關節,以求難老。吾有一術,名五禽之戲,汝可行之。一曰虎,二曰鹿,三曰熊,四曰猨,五曰鳥,亦以除疾,並利蹏足,以當導引。體中若不快,起作一禽之戲。"普施行之,遂年九十餘歲。《抱朴子·内篇》:有吴普者,從華佗受五禽之戲,以代導引。《淮南·精神訓》云:"是故真人之所游,若吹嘘呼吸,吐故内新,熊經鳥伸,鳧浴猨躩,鴟視虎顧,是養形之人也。"又《崔寔·政論》"熊經鳥伸,延年之術",然則佗以前早有此術矣。

華佗　濟急仙方一卷　急救僊方六十卷二書見《道藏》。

華佗　玄門脈訣内照圖一册　枕中灸刺經一卷　漆葉青黏散方黏,《抱朴子》作"蓁",云"漆,葉青。黏,凡弊之草。樊阿服之,得壽二百歲,而耳目聰明。"

佗弟子樊阿從佗求可服食益於人者,佗授以漆葉青黏散:漆葉屑一升,青黏屑十四兩,以是爲率,言久服,去三蟲,利五臟,輕體,使人頭不白。阿從其言,壽百餘歲。漆葉處所而有,青黏生於豐、沛、彭城及朝歌云。青黏者,一名地節,一名黄芝,大理五藏,益精氣。出於迷人山,仙人服之,以告佗。佗以爲佳,輒語阿。阿又祕之。近者人見阿之壽而氣力彊盛,怪之,遂責阿所服,因醉亂誤道之。法一施,人多服者,皆有大驗。

華佗　服食論

《御覽·茶》引華佗《服食論》。

吴普　本艸六卷

普,廣陵人,從華佗學。案《初學記》、《北堂書鈔》、《太平御覽》、《證類本艸》、《本艸綱目》並引吴普《本艸》,尚可輯爲一卷。

狐剛子萬全註一卷

右醫術經方類

天竺書四十二章

天竺沙門攝摩騰譯。《隋志》:漢明帝遣中郎將蔡愔使天竺,求佛經四十二章,因立白馬寺。經緘於蘭臺石室,又建像於清涼臺及顯節陵上。

晁氏曰:"《四十二章》一卷,天竺釋迦牟尼佛所説也。釋迦者,華言'能仁'。以周昭王二十四年甲寅四月八日生,十九學道,三十學成,處世演道者四十九年而終,蓋年七十九也。没後,子弟大迦葉與阿難纂掇其平生之言成書。自漢以上,中國未傳,或云雖傳而泯絶於秦火。張騫使西域,已聞有浮屠之教。及明帝感傅毅之言,遣蔡愔、秦景使天竺求之,得此經以歸。中國之有佛書自此始,其文不類他經云。"陳氏曰:"後漢竺法蘭譯佛到中國,此其首也,所謂經來白馬寺者,其後千經萬論,大藏教乘,要不出此。"馬端臨曰:"此經雖在藏中,然以其見於經籍志,故特取焉。"水心葉氏曰:"案《四十二章經》質略淺俗,是時天竺未測漢旨,采摘大意,頗用華言以復命,非浮屠本書也。夫西域僻阻,無有禮義忠信之教,彼浮屠直以人身喜怒哀樂之間,披析解剥,别其真妄,究其終始,爲聖狂、賢不肖之分,蓋世外離奇廣博之論也。與中國之學皎然殊異,豈可同哉?世之儒者不知其淺深,猥欲強爲攘斥,然反以中國之學佐助異端,而曰吾能自信不惑者,鮮矣。"《朱子語録》:釋氏書其初只《四十二章經》,所言甚鄙俚。後來日添月益,皆是中華文士相助撰集。如晉宋間自立講師,孰爲釋迦,孰爲阿難,孰爲迦葉,各自問難,筆之於書,轉相欺誑。大抵皆剽竊老、列意思,變换以文其説。《四十二章經》之説,卻自平實,如言彈琴弦急則絶,慢則不響,不急不慢乃是也。《高僧傳》:攝摩騰,中天竺人,美風儀,解大小乘經,嘗以遊化爲任。至漢明帝永平三年,帝夜夢金人飛空而至,乃大集羣臣,以占所夢。通人傅毅奏答:"臣聞西域有神,其名曰佛,陛下所夢,將無是乎?"帝以爲然,即遣中郎蔡愔、博士弟子秦景等,使往天竺,尋訪佛法,於彼見摩騰,乃要還漢地。騰誓志宏通,不憚疲苦,經涉流沙,至乎雒邑,明帝甚加賞,接於城西門外,建精舍以處之,今白馬寺是也。名白馬者,相傳天竺有伽藍名招提,其處大富有。惡國王利於財,將毁之。有一白馬繞塔悲鳴,即停毁。自後,改招提爲白馬,諸處多取此名焉。此漢地有沙門之始也。大法初傳,未有歸信,故藴其深解,無所宣述。後卒於雒陽。摩騰譯《四十二章經》一卷,初緘在蘭臺。騰所住處即今雒陽西白馬寺。明《洛陽伽藍記》:①白馬寺,漢明帝所立也。明帝崩,起祇洹於陵上。自此以後,百姓冢上或作浮圖焉。寺中經函至今猶存。常燒香供養之。李華《杭州開元寺新塔碑》:漢永平中,佛教初至雒陽,始置寺,度騰、蘭二德者,官之庭府稱寺,蓋賓而尊之也,比於曹署,此其原也。

十住經

《隋志》:永平中,法蘭又譯《十住經》,其餘傳譯多未能通。

泥洹經二卷

月支沙門支讖譯。《隋志》:桓帝時,有安息國沙門安静齎至雒陽,翻譯最爲通解。靈帝時,有月支沙門支讖、天竺沙門竺佛朔,並翻佛經,而支讖所譯《泥洹經》二卷,學者以爲大得本旨。《桓帝紀》:設華蓋,以祠浮屠、老子。熹平中,襄楷上書,言"宫中立浮屠、老子之祠,此道清虚,貴尚無爲,好生惡殺,省欲去奢。今陛下嗜欲不去,殺罰過理,既乖其道,豈獲其福哉?或言老子入夷狄爲浮屠。浮屠不三宿桑下,不欲久生恩愛,精之至也。天神遺以好女,浮屠曰:"此但革囊盛血。"遂不眄之。其守一如此,乃能成道。今陛下淫女豔妻,極天下

① "明"字疑衍。

之麗,甘肥飲美,單天下之味,奈何欲如黄老乎?"《陶謙傳》:謙同郡人笮融聚衆數百,往依於謙,大起浮屠寺。上纍金槃,下爲重樓,堂閣周回,可容三千許人。作黄金塗象,衣以錦采。每浴佛,輒多設飯饌,布席於路,其有就食及觀者且萬餘人。檪三案:佛教初興,其信從者大抵如食菜事魔之類,借以聚衆斂財。考後漢首崇佛法者楚王英,而卒以謀反自殺,連逮數千人。又謙本傳稱,謙信用非所,刑政不理,疏忠直,親小人,良善多被其害,卒爲曹操所敗。殺男女數十萬,雞犬無餘。笮融走廣陵,太守趙昱待以賓禮。融利廣陵資貨,殺昱,大掠。又殺豫章太守朱皓,據其城。後兵敗,爲人所殺。歷觀數事,奉佛之效可知矣。若夫談大乘、闡妙法、一切經論,皆魏以後中國文士傅致之詞,《後漢·西域傳》贊及前録朱子語爲得其實云。

法本内傳五卷

紀攝摩騰、竺法蘭事。

婆羅門書

《隋志》:後漢得西域胡書,以十四字貫一切音,文省義廣,謂之《婆羅門書》。字音十四字:裒、阿、伊、塢、烏、理、釐、黳、藹、污、奧[①]。比聲二十五字:迦、呿、伽、咟、俄,舌根聲;遮、車、闍、膳、若,舌齒聲;吒、咃、茶、咤、拏,上咢聲;多、他、陀、馱、那,舌頭聲;婆、頗、婆、婆、摩,脣吻聲。虵、邏、縛、奢、沙、婆、呵,此八字超聲。凡有四十七字,爲一切字本。其十四字如言,三十三字如是,合之以成諸字,即名滿字。滿者常住,以譬常住。半者惡義,以譬煩惱。雖因半字,爲字根本,得成滿字,乃是正字。案西域悉曇章本,是婆羅賀磨天所作。自古迄今,更無異書。但點畫之間,稍有不同耳。造書者凡有三人:長名曰梵,其書右行;次曰佉盧,其書左行;三曰蒼頡,其書順行。梵、佉盧居於天竺,蒼頡在於中夏。佉盧取法於淨天,蒼頡因華於鳥跡,文書誠異,徵理則同。鳩摩羅什

① 整理者按,計上所列,实十一字。

曰："天竺國俗甚重文制，其宫商體韻，以入管弦爲善。凡覲國王，必有贊德，佛經中偈頌，皆其式也。"本傳。鄭夾漈曰："梵人長於音，所得從聞入。華人長於文，所得從見入。華一音該一字，梵則一字或貫數音。"

右佛書類

魏伯陽　參同契《舊唐書・志》二卷。

《館閣書目》：明金丹之訣，篇題蓋仿緯書之目，詞韻皆古奥難通。首言《乾》、《坤》、《坎》、《離》四卦橐籥之内外，其次即言《屯》、《蒙》六十卦，以見一日用功之早晚；又次即言納甲六卦，以見一日用功之進退；又次即言十二辟卦，以分納甲六卦而兩之。蓋内以詳理月節，外以兼統歲時，此書大要在坎、離二字。晁公武《讀書志》：《參同契》，魏伯陽撰。案《神仙傳》，伯陽會稽上虞人，通貫詩律，文辭贍博，修真養志。案《周易》作此書，凡九十篇，徐氏箋注。桓帝時，以授同郡淳于叔通，因行於世。唐陸德明《經典釋文》解"易"字云"虞翻注《參同契》，言字從'日'下'月'"，今此書有"日月爲易"之文，其爲古書明矣。

魏伯陽　演參同契五相類祕要一卷葛洪云與《參同契》共三卷。

參同契箋三卷東漢程景休箋，并補遺脱一卷。東漢淳于叔通贊，見《天一閣書目》。

程徐字景休，會稽人，官至青州從事。《會稽典録》：淳于斟亦名翼，字叔通，除雒陽市長。桓帝即位，有大虵見德陽殿上。翼占曰："虵有鱗，甲兵之應也。"袁宏《後漢紀》：翼學問淵深，大儒舊名，嘗隱於田里，希見長吏。《神仙傳》：淳于斟字叔通，亦字叔頌，會稽上虞人。漢桓帝時作徐令，靈帝時辟大將軍掾。少好道術，數服餅胡麻黄精。後入吴烏目山隱居，遇仙人慧車子，授以《虹景丹經》，修行得道。

大丹記一卷　悟道真詮三卷　大返靈砂歌大丹九轉歌訣一卷　火鑑周天圖一卷　感應訣一卷　蓬萊東西竈還丹歌一卷　太

上金碧經注一卷

《通考》、陳氏皆題魏伯陽著。

魏伯陽　内經

百章集一卷

案此二書《書録解題》原本已佚,今據《文獻通考》補入。

魏伯陽　龍虎丹訣《書録解題》:《古文龍虎上經》一卷,王道推衍其義爲之注。

陰長生　參同契注　道書九篇見《神仙傳》。

金碧五相類一卷　太清金液神丹經三卷　修丹祕訣一卷　還丹歌　五精論一卷　注金丹訣一卷　水鏡經一卷皆陰長生撰。

凡軍始出,立牙竿,必令完堅;若有折,將軍不利。牙門旗竿,軍之精也。即《周禮·司常》職云"軍旅會同置旌門"是也。《袁紹傳》注引。

玄州上卿蘇君記一卷

李通撰。

蘇耽傳一卷

蘇仙公者,桂陽人也。漢文帝時得道。先生早喪所怙,鄉中以仁孝聞。宅在郡城東北,出入往來,不避燥濕。至於食物,不憚精粗。先生家貧,常自牧,牛與里中小兒更日爲牛郎。先生牧之,牛則徘徊側近,不驅自歸。餘小兒牧牛,則四散,跨岡越險。諸兒問曰:"爾何術也?"先生曰:"非汝輩所知。"嘗與母共食,母曰:"食無鮓,它日可往市鮓也。"先生以箸插飯中,攜錢而去,斯須即以鮓至。母食未畢,母曰:"何處買來?"對曰:"便縣市也。"母曰:"便縣去此一百二十里,道途極險,往來遲至。汝欺我也!"欲杖之。先生跪曰:"買鮓之時,見舅在市,與我語曰,明日來此,請待舅至,以驗虛實。"母遂寬之。明曉,舅果到,云昨見先生便縣買鮓,母即驚駭,方知其神異。先生曾持一竹杖,時人謂曰:"蘇生竹杖,固是龍也。”數歲之後，先生灑掃門風，修飾牆宇。友人曰：“有何邀迎？”答曰：“仙侶當降。”俄頃之間，乃見西北隅紫氣氤氲，有數十白鶴飛翔其中，翩翩然降於蘇氏之門，皆化爲少年，儀形端美，如十八九歲人，怡然輕舉。先生斂容逢迎，乃蹈白母曰：“某受命當仙，被召有期，儀衛已至，當違色養，即便拜辭。”母子歔欷。母曰：“汝去之後，使我如何存活？”先生曰：“明歲天下疾疫，庭中井水，檐前橘樹，可以代養。井水一升，橘葉一枚，可療一人。兼封一櫃留之，有所缺乏，可以叩櫃言之，所須當至，慎勿開也。”言畢，踟躕顧望，聳身入雲，紫雲捧足，翱翔羣鶴，昇雲而去。來年，果有疾疫。遠近悉求母療，皆以水及橘葉，無不愈者。有所缺乏，即叩櫃，所説即至。三年之後，母心疑，因即開之，見雙白鶴飛去。自後叩之，無復有應。母年歲盡，一旦無疾而終。鄉人共葬之，如世人之禮。葬後，忽見州東北山牛脾山紫雲蓋上，有號哭之聲，咸知蘇君之神也。郡守鄉人皆就山弔慰，但聞哭聲，不見其形。鄉人苦請相見，空中答曰：“出俗日久，形貌殊凡。若當露見，誠恐驚怪。”固請不已，即出半面，示一手，皆有細毛，異常人也。因謂郡守鄉人曰：“遠勞見慰，途徑險阻，可從直路而還，不須回顧。”言畢，即見橋亘嶺旁，直至郡城。行次，有一官吏輒回顧，遂失橋所在，墜落河濱，乃見一赤龍於橋下，宛轉而去。先生哭處，有桂竹兩枝，無風自掃，其地恒净。三年之後，無復哭聲也。因見白鶴常在嶺上，遂改牛脾山爲白鶴嶺。自後有白鶴來止郡城東北樓上，或挾彈彈之，鶴以爪攫樓板，以桼書：“城郭非，人民非，三百甲子一來歸，吾是蘇君，彈我何爲？”至今脩道之人，每至甲子日，焚香禮於蘇君之第也。《桂陽先賢畫贊》：蘇耽嘗聞夜有衆賓來，耽告母曰：“人招耽去，已種藥後園梅樹下，治百病，一葉愈一人，賣此藥足以供養。”

王喬傳一卷

《後漢書》有傳。《風俗通》：俗説孝明帝時，尚書郎河東王喬遷爲葉令。喬有神術，每月朔，嘗詣臺朝。帝怪其數而無車騎，密令太史候望。言其臨至時，常有雙鳧從南飛來。因伏伺，見鳧，舉羅，但得一雙舄耳。使尚方識視，四年中所賜尚書官屬履也。每當朝時，葉門鼓不擊自鳴，聞於京師。後天下一玉棺於廳事前，令臣吏試入，終不動摇。喬曰："天帝獨欲召我。"沐浴服飾，寢其中，蓋便立覆。宿夜葬於城東，土自成墳。縣中牛皆流汗吐舌，而人無知者，號葉君祠。牧守班録，皆先謁拜。吏民祈禱，無不如意。若有違犯，立得禍。明帝迎取其鼓，置都亭下，略無聲音，但云葉公鼓。太史候望，在上西門上，遂以占星辰，省察氛祥。言此令即仙人王喬者也。謹案《春秋左氏傳》，葉公子高姓沈名諸梁，古者令曰公，忠於社稷，惠恤萬民，方城之外，莫不欣戴。白公勝作亂，葉公自葉而入，與國人攻白公，迎反惠王，整肅官司，退老於葉。及其終也，葉人追思而立祠。功施於民，以勞定國，兼其二事，固祀典之所先也。此乃春秋之時，何有近孝明乎？《周書》稱：靈王太子晉，幼有盛德，聰明博達，師曠與言，弗能尚也。晉年十五，顧而問曰："吾聞太師能知人年之長短也。"師曠對曰："女色赤白，女聲清，女色不壽。"晉曰："然，吾後三年將上賓於天，女慎無言，禍將及女。"其後三年，太子果死。孔子聞之，曰："惜夫！殺吾君也！"後世以其自豫知其死，傳稱王子喬仙。或人問仙，揚雄以爲伏羲、神農、黄帝、堯、舜殞落，文王葬畢，孔子葬魯城之北。獨不愛其死乎？知非人之所能也。生乎！生乎！吾恐名生而實死也。國家畏天之威，思求譴告，故於上西門城上候望。近太史寺丞躬親，靈臺位國之陽之安陽門，禱祠齋戒，别在宫中，懼有得失，故參之也，何有伺一飛鳧遂建其處乎？世之矯誣，豈一事哉！蔡邕《王子喬碑》：永和元年冬十二月，當臘之時，夜有哭聲，其音甚哀。附居者王伯怪之，明則登而察焉。時天鴻雪，下無人徑，有大鳥跡在祭祀處，左右咸以爲神。其後有人著大冠，絳單衣，杖竹，立冢上，呼采薪孺子伊永昌曰："我王子喬也，勿得取我墳上樹。"忽然不見。時太山令萬喜稽故老之言，感精瑞之應，乃造靈廟，以休厥神。於是好道之儔，自遠方集，或絲琴以歌太乙，或覃思以歷丹田，知至德之宅兆，實真人之祖先。延熹八年，皇帝遣使者奉犧牲致禮，祇懼之敬，肅如也。國相東萊王璋字伯義，以爲神聖所興必有銘表，乃與長史邊乾樹之玄石，紀頌遺烈。《水經注》：蒙城縣有王子喬冢，冢側有碑，曰："王子喬者，蓋上世之仙人。聞其仙不知其興於何代也。傳聞道家，或云潁川，或云產蒙。初建此城，則有斯丘。傳承先民，曰王氏墓。"㮚三案《香案牘》，武陽山三祠有三王喬：一太子晉，一葉令王喬，一食肉芝王喬。

王喬　養性治身書三卷

馬鳴生別傳

成武丁傳一卷見《桂陽先賢傳》。

玉佩金璫經　石精金光符　太微黄書見《真誥》。

周義山内傳一卷見《雲笈七籤》。

劉真人内傳一卷見《太平御覽》。

記王珍遇劉根事。

劉根別傳見《藝文類聚》、《白帖》。

太上墨子枕中記五卷一作《枕中五行記》。

《抱朴子》本有五卷，昔劉君安未仙去時，鈔取其要以爲卷。《中興藝文志》：不知作者，此書載區形幻化之術，殆依託墨子云。案《太平御覽・藥部》引。

墨子隱形法一篇

靈寶衛生經一卷

樊英石壁文三卷

王遠符書見《真誥》。

樓觀内傳一卷

尹軌撰。《初學記》。

樓觀本行傳一卷　**樓觀先師傳一卷**

張陵　符書見《法苑珠林》。

後漢張陵造《靈寶經》及《章醮》等道書二十四卷。《法苑珠林》。張陵入蜀,學道鶴鳴山,作《道書》以惑百姓。從受道者出五斗米,號米賊。陵死,子衡行其道。衡死,魯復行之。以術教民,自號師君。其來學道者,初名鬼卒。受本道者已信,號祭酒。領卒衆多者爲治頭大祭酒。皆教以誠信不欺詐。有病者自首其過。請祭酒皆作義舍,爲舍之亭傳。又置義米肉,懸之義舍,行路者量腹爲足。若過多者,鬼道輒病之。犯法者三原,然後行刑。熹平中,妖賊大起,三輔有駱曜。光和中,東方有張角,漢中有張修。駱曜教民緬匿法,角爲太平道,修爲五斗米道。太平道者,師持九節杖爲符水呪,教病人叩頭思過,因以符水飲之,得病淺或日淺而愈者,則云此人修道;其或不愈,則以爲不信道。修法略與角同,加施靜室,使病者處其中思過。又使人爲奸令祭酒,祭酒主以《老子》五千文使都習,號爲奸令;爲鬼吏,主爲病者請禱。請禱之法:書病人姓名,説服罪之意,作三通,其一上之天,其一埋之地,其一沈之水,謂之三官手書。使病者出五斗米以爲常,號五斗米師。張陵避瘧丘社中,得咒鬼術,遂解使鬼。熹平末,爲蟒蛇所噏。子衡尋尸不獲,畏負清議之譏,乃假設權方,以表靈化之迹。生縻鶴足,置石崖顛,謀事辨畢,剋期發之。到光和年,遣使告曰:“正月七日,天師昇玄都。”米民巴獠螘集關外,各治民,稽首再拜,言伏聞聖駕玄都,常辭蔭接,尸塵方享,九幽方夜。衡入,久之乃出,詭稱曰:“吾旋駕晨華,爾等各還所治,淨心持行,存師念道。”衡便密抽鶴罥,鶴直沖虚空,民獠贊歎。僉言登仙,販死利生,欺罔天地,莫過此之甚也。李膺《蜀記·玄光辨惑論》。陵死,子衡行其道。衡死,魯復行之。魯母有姿色,挾鬼道,往來益州牧劉焉家。焉以魯爲督義司馬,督漢中。焉死,子璋立。魯驕恣不順,盡殺魯母家室。魯遂反,據漢中,以鬼道化民,自號師君。大都與張角相似,雄據漢中,垂三十年。曹操征魯,魯走巴中。弟衛横築平陽城以拒之。夜有野麋數千,決壞衛營。衛大驚,懼以爲大軍至,見掩,遂降曹公。或曰西歸劉備。魯勃然:“寧爲曹公作奴,不爲劉備上客。”遂委質曹公,拜鎮南將軍。《華陽國志·世語破邪論》。後漢順帝時,有沛人張陵客游蜀土,聞古老相傳:高祖應二十四氣,祭二十四山,遂王有天下。陵不度德,遂搆此謀,殺牛祭祀二十四所,以土壇,載以草屋,稱二十四治。治館之興,始於此也。二十三所在於蜀地尹喜,一所在於咸陽,於是誑誘愚民,招合凶黨,斂錢税米,謀爲亂階。時被虵吞,逆釁漸輟。至孫魯禍亂方興,起於漢中,於是假託神言黄衣當王,魯因與張角相應,合集部眾,並戴黄巾,披道士之服,數十萬人自據漢中,垂三十載,後爲曹公所破,黄巾始滅。《破邪論》。夫《國志》等書去陵不遠,其三張之僞接於耳目,而道書依託,流傳不悟,悲夫!據《釋老志》,後魏之世,嵩山道士寇謙之自謂遇太上老君,云“從張陵去世,無所傳授”授汝天師之位,賜汝《雲中音鋪科儀》二十篇,號道教,除去三張僞法,租米錢税,有男女合氣之術。大道清虚,寧有是事”?《天中記》。晉原鶴鳴山,張陵登仙之所。其上有銘,記張陵爲蟒虵所吸,其徒以爲登仙矣。《華陽國志》。《抱朴子》：曩有張角、柳根、王歆、李申之徒，或稱千歲，假託小術，坐在立亡，變形易貌，誑眩黎庶，進不以延年益壽爲務，退不以消災治病爲業，遂以招集奸黨，稱合逆亂，不久自伏其辜。檁三案《後漢書》及《華陽國志》、《抱朴子》、《破邪論》載陵事如彼，而道派依託附會陵事如此，則陵之本末從可知矣，屢朝崇奉，系嗣不絶，不亦惑乎？

張道陵別傳《法苑珠林》引。

虹景丹經

《真誥》：張立正禮。

仙人馬君陰君内傳一卷

趙昇撰。

于吉　太平經一百七十卷《江表傳》、《後漢・襄楷傳》注、《北堂書鈔》、《白帖》、《初學記》、《太平御覽》。

端臨馬氏曰："案道家之説，皆昉於後漢桓帝之時。今世所傳經典符籙，以爲張道陵天師於永壽年間受法於老君者也。而《太平經》正出於此時。范史所書甚明，然隋以來藝文志道書並不收入。至宋《中興史志》方有之，然以爲襄楷撰，則非也。今此經世所不見，獨章懷太子所注《漢書》及其二三，如楷疏中所謂'奉天地、順五行'者。經中所言，亦淺易無甚高論。至所謂興國廣嗣之道，則不過房中鄙褻之談耳。楷好學博古，於君昏政亂之時，能詣闕上書，明成瑨、李雲之冤，指常侍、黄門之過，不可謂非高明傑特之士。而疏中獨再三尊信此書，遂以'違背經誼'、'假託神靈'之劾，幾不免獄死，惜哉！然此經流傳甚古，卷帙最多，故附見於此。"

宫崇書《神仙傳》。

左慈　相見規戒一卷《真誥》。

九鼎丹經一卷

《抱朴子》：慈於天柱山精思積久，神人授以《金丹仙經》，凡《太清丹經》三卷、《九鼎丹經》一卷。

黄白中經五卷

《抱朴子》：《黄白中經》五卷，鄭君曾與左慈於廬山銅山中試作，皆成也。

太極左真人曲素訣辭　太極左仙公起居注《太平御覽》。

七變經一卷

《昇元經》：李翼字仲甫，以七變法授左慈。慈修之，變化無端。此經在《茅真人傳》，後道士以還丹方殊密，故略別出爲一卷。

包元太平經

齊人甘忠撰。

甘始容成陰道十卷《神仙傳》。案《前漢書・藝文志》有《容成陰道》二十卷。

王和平　寶書《抱朴子》。

趙炳　越方炳字公明，東陽人。《抱朴子》。

孔元方　素書二卷《抱朴子》。

李先生傳

李意期者，蜀人。劉先主欲伐吴，報關羽之死，使迎意期。至，甚敬之。問伐吴吉凶，意期不答，求紙畫作兵馬器杖十數萬，乃一一裂壞之；又畫一大人，掘地埋之，乃逕去。備不悦。後果爲吴軍所敗，十餘萬纔數百人得還。先主忿怒，遂崩於永安宫。意期少言，人有所問，略不對答。蜀有憂患，往問之，吉凶自有常候，但占其顔色。若歡悦則善，慘戚則惡。後入琅邪山，不復見出也。裴松志《三國志注》。榱三案：道書名目煩猥，見於甄鸞《笑道》及《抱朴子》所引者，凡千餘卷，皆依託謬誕，與佛經無異，概不著録。

附　虞翻　周易參同契注

見《經典釋文》。

右道家類

郭憲　洞冥記四卷拾遺一卷《唐志》。《中興書目》。

陳振孫《書録解題》：東漢光禄大夫郭憲子横撰，題《漢武别國洞冥記》，其别録又於《御覽》中鈔出，然則四卷非全書也。《唐志》入神仙家。

郭憲　麗娟傳一卷　東方朔傳一卷

漢武故事二卷《西京雜記》：葛洪家有《漢武禁中起居注》一卷、《漢武故事》二卷。

漢武内傳二卷《隋》、《唐·藝文志》。

《中興書目》：《漢武内傳》載西王母事，後有淮南王公孫卿、稷邱君八事，乃唐終南山道巖所附。

飛燕外傳叢書刊本。

西王母傳陶九成《説郛》有刊本。

桓驎撰。爵里見集類。

陳寔　異聞記見《抱朴子》。

龐娥親傳

黄門侍郎安定梁寬撰。事見《後漢書·列女傳》。

邯鄲淳　藝經

淳，一名竺，字子叔。博學有才華，又善《蒼》、《疋》、許氏《字指》。樓三案：淳爲度尚撰《曹娥碑》在桓帝元嘉元年，爲段君撰《孫叔敖碑》在延熹四年，不應魏正始中尚能書三體石經及進《投壺賦》，疑是兩人。碁局縱横各十七道，合二百八十九道，白黑棋子各一百五十枚。《文選·韋弘嗣〈博奕論〉》注引。夫圍棋之品有九：一曰入神，二曰坐照，三曰具體，四曰通幽，五曰用知，六曰小巧，七曰鬭力，八曰若愚，九曰守拙。九品之外，今不復云。《天中記》引。博局戲，六箸十二籌也，古者烏曹作博。同上。以博二枚，長七寸，相去三十步，立爲標。各以博一枚，方圓一尺，擲之。主人持籌添多少，甲先擲破,則得乙籌,後破則奪先破矣。《御覽》引。塞,行棋相塞謂之塞也。夾食者,二人黄黑各十七棋,横列於前第四道上,甲乙推造。二棋夾一爲食棋,不得食兩,不得邊食。不由道則不行,棋入夾不取食。一棋爲籌,賭多少隨人所制。悁悶者,周公作,先布本位,以十二時相從。曰:“同有文章,虎不如龍。豕者何爲,來入兔宫。王孫晝卜,乃造黄鐘。犬往就馬,非類相從。羊奔虵穴,牛入雞籠。”并同上。三不能比兩者,孔子造,布十子於其方,戊己在西南。四維者,東萊子所造,布十二時四維之一,其文曰:“天行星紀,石隨龍淵,風吹羊圈,天門地連,兔居虵穴,馬到猴邊,雞飛豬鄉,鼠入虎廛。”徐岳《術數記遺》引。簇子,子之多少,人之明數,隨戲者制。始於十子争先,以落多爲不妙。《御覽》引。擊壤,古戲也。以木爲之,前廣後鋭,長尺四寸,闊三寸,其形如屐。將戲,先側一壤於地,遥於三四十步以手中壤敲之,中者爲上。彈棋正彈法,二人對局,墨白棋各六枚,先列棋相當,下呼上擊之。同上。更先控之,三彈不得,各去一棋,先補角。《文選·魏文帝〈與朝歌令吴質書〉》注引。馬射,左邊爲月支二枚,馬蹄三枚。《文選·顔延年〈赭白馬賦〉》注引。投壺之禮,主人奉矢,司射奉中,吏人執壺。主人請曰:“某有枉矢哨壺,請以樂賓。”《天中記》引。投壺法,十二籌以象十二月之數。《御覽》引。義陽臘日飲祭之後,叟嫗兒童爲藏鉤之戲,分爲二曹,以效勝負。若人偶即敵對,人奇即使奇人爲游附,或屬上曹,或屬下曹,名爲飛烏,以齊二曹人數。一鉤藏在手中,曹人當射知所在,一藏爲一籌,三籌爲一都。《天中記》引。

邯鄲淳　笑林三卷

《能改齋漫録》:祕閣有《古笑林》十卷,孫楚《笑賦》“笑林調謔之具觀”本此。有南方人至京師食者,人戒之曰:“汝得物惟食,慎勿問其名也。"後詣主人,入門見馬矢便食,惡臭。乃步進,見敗屩棄於路。因復嚼,不可咽。顧伴者曰:"人言皆不可信。"後詣貴官,爲設餸,因相視曰:"故是首物,且當勿食。"《北堂書鈔·屩》引。吴人至京師,爲設食者有酪酥,未知是何物,強而食之,歸吐,遂至困頓。謂其子曰:"與傖人同死,亦無所恨。然汝固宜慎之!"《酪》引,"遂至困頓"五句據《藝文類聚·酪酥》引補。有人弔喪,並欲齎物助其子,問人:"可與何等物?"答曰:"錢布穀帛,任卿所有耳。"因齎大豆一斛相與。孝子哭唤奈何,以爲問豆,答曰:"可作飯。"孝子哭復唤窮已,曰:"適得便窮,自當更送一斛。"《藝文類聚·布》引。太原人夜失火,出物,欲出銅鎗,悮出熨斗,便大驚惋。語其子曰:"異事!火未至,鎗已被燒失脚。"《鐺》引。某甲夜暴疾,命門人鑽火。其夜陰暝,不得火,督迫頗急,門人忿然曰:"君責之亦太無道理,今闇如桼,何以不把火照我?我出當得鑽火具,《火》引。然彼易得耳。"孔文舉聞之曰:"責人當以其方也。"三句據《御覽》補入。沈峋弟峻,字叔山,有名譽,而性儉忞。張温使蜀,峻入内良久,出語温曰:"向擇一端布,欲以遺卿,而無粗者。"温嘉其能顯非。《布》引。趙伯公肥大,夏日醉卧,孫男緣其肚戲,因以李八九枚納臍中。至後日,李大爛,汁出,乃泣謂家人:"我腸爛將死。"明日,李核出,乃知孫兒所納李子也。《御覽·李》引。楚人居貧,得《淮南》方"螳螂伺蟬自障葉,可以隱形",遂於樹下仰取螳螂伺蟬葉以摘之。葉落樹下,樹下先有落葉,不能復分別,掃取數斗歸,一一以葉自障,問其妻曰:"汝見我否?"妻始時恒答言"見"。經日,乃厭倦不堪,紿云"不見"。默然大喜,齎葉入市,對面取人財。吏縛至縣官受辭,具説本末,官大笑,放而不治。《螳螂》引。有人作羹者,以杓嘗之,少鹽,便益之。後復嘗之,問杓中者,故云不足。如此益升許鹽,故不鹹,因以爲怪。《彙》引。姚斌至武昌遇風,與沈彪於江渚守風。糧用盡,遣人從彪貸鹽。彪得書不答,敕左右倒鹽著江水中,曰:"明吾不惜,惜所與耳。"同上。司徒崔烈辟上黨鮑堅爲掾。將謁見,自慮不過。問先到者儀,適有答曰"隨典儀口唱"。既謁,讚曰"可拜",堅亦曰"可拜";讚者曰"就位",堅亦曰"就位",因復著上坐。將離席,不知屐所在,讚者曰"屐著脚",堅亦曰"履著脚"也。《愚》引。平原陶丘氏取渤海墨台氏女。女色甚美,才甚令,復相敬。已生一男,而歸。母丁氏年老,進見女聟,女聟既歸,而遣婦。婦臨去,請罪。夫曰:"曩見夫人年德已衰,非昔日比。亦恐新婦老後必復如此,是以遣,無他故。"同上。漢人有適吴,吴人設筍,問是何物,曰:"竹也。"歸煑其牀簀而不熟,乃謂其妻曰:"吴人轣轆,欺我如此。"《廣博物志·竹》引。桓帝時,有人辟公府掾,倩人作奏記文。人不能爲,因語曰:"梁國葛龔者,先善爲記文,自可寫用,不煩更作。"遂從人言。寫記文不去龔名姓。府公大驚,不答而罷歸。時人語曰:"作奏雖工,宜去葛龔。"《後漢書·葛龔傳》注引出《笑林》。漢室有人年老無子,家富饒,性儉嗇,惡衣蔬食,侵晨而起,侵夜而息,營理産業,聚斂無厭,而不敢自用。或人從之求丐者,不得已而入内,取錢十,自堂而出,隨步輒減,比至於外,纔餘半在,閉目以授乞者,尋復屬曰:"我傾家贍君,慎勿他説。"復相效而來。老人俄死,田宅没官,貨財充於内帑矣。《天中記》引。

附　博經一卷

曹丕撰。

右小説類

卷　九

班彪　悼離騷

夫華植之有零茂,故陰陽之度也。聖哲之有窮達,亦命之故也。惟達人進止得時,行以遂伸,否則屈而折,螻體龍蛇以幽潛。《藝文類聚》引。

班固　離騷章句

序:昔在孝武,博覽古文。淮南王安叙《離騷傳》,以《國風》好色而不淫,《小雅》怨誹而不亂,若《離騷》者,可謂兼之。蟬蜕濁穢之中,浮游塵埃之外,皭然泥而不滓。推此志,雖與日月争光可也。斯論似過其真。而又論五子以失家巷,謂伍子胥也。及至羿、少康、貳姚、有娀佚女,皆各以所識有所增損,然猶未得其正也。故博采經書傳記本文以爲之解。且君子道窮,命矣。故潛龍不見是而無悶,《關雎》哀周道而不傷。蘧瑗持可懷之智,寧武保如愚之性,咸以全命避害,不受世患。故《大疋》曰:"既明且哲,以保其身。"斯爲貴矣!今若屈原,露才揚己,競乎危國羣小之間,以離讒賊。然責數懷王,怨惡椒蘭,愁神苦思,強非其人,忿懟不容,沈江而死,亦貶絜狂狷景行之士矣。多稱崐崙、冥婚宓妃虚無之語,案《曹子建〈贈白馬王彪詩〉》注引班固《楚辭序》作"帝閽宓妃虚無"。皆非法度之言,經義所載。謂之兼《詩》風疋而與日月争光,過矣!然其文宏博麗疋,爲詞賦宗。後世莫不斟酌其英華,則象其從容。自宋玉、唐勒、景差之徒,漢興枚叔、司馬相如、劉向、揚雄,馳騁文辭,好而悲之,自謂不能及也。雖非明智之器,可謂妙才者也。颾兮上征，班固曰“颸，疾也”。《文選・吴都賦》注引《離騷説》。晼，三十畝也。《魏都賦》注引班固《楚辭注》。坤作地勢，高下大則。洪興祖《補注》“地方九則，何以墳之”注引班孟堅。

班固　離騷贊

序：《離騷》者，屈原之所作也。屈原初事懷王，甚見信任。同列上官大夫妒害其寵，讒之於王，王怒而疏屈原。屈原以忠信見疑，憂愁幽思而作《離騷》。離，猶遭也。騷，憂也。明己遭憂作辭也。其時周室已滅，七國並争。屈原痛君不明，信用羣小，國將危亡，忠誠之情，懷不能已，故作《離騷》。上陳堯、舜、禹、湯、文、武之法，下言羿、澆、桀、紂之失，以諷。懷王終不覺悟，用反間之説，西朝於秦。秦人拘之，客死不還。至於襄王，復用讒言，逐屈原。在野又作《九章》賦以諷諫，卒不見納。不忍濁世，自投汨羅。原死之後，秦果滅楚。其辭爲衆賢所悼悲，故傳於後。

賈逵　離騷章句

楚人謂女曰須，前漢有吕須，取此爲名。嬋媛，音蟬爰。王逸《離騷經注》引賈侍中説。羿之先祖也，爲先王射官。帝嚳時有羿，堯時亦有羿，是善射之號。此羿夏時諸侯有窮后也。洪興祖《補注》“羿淫游以佚畋兮”注引賈逵説。

馬融　楚辭注

鷫鷞其羽，如紈高首而修頸。洪興祖《楚辭補注》“鴻鵠代游曼鷫鷞只”注引。秋碧案此二語亦見馬融《左傳注》。

梁竦　悼騷文載《東觀漢記》。

序：既徂南土，歷江湖，濟沅湘，感悼子胥，屈原以非辜沈身，乃作《悼騷賦》，繫玄石而沈之。

王逸　楚辭章句十六卷

晁無咎曰:"漢武帝時,淮南王安始作《離騷傳》。劉向校理經書,分爲十六卷。東京班固、賈逵各作《離騷章句》。餘十五篇,闕而不説。至校書郎王逸自以爲南陽人,與原同里,悼傷之,復作十六卷章句,又續爲《九思》,取班固二叙附之,爲十七篇。"

王逸　九思

序:《九思》者,王逸之所作也。逸,南陽人,博學多覽,讀楚詞而傷愍屈原,故爲作解。又自以屈原終没之後,忠臣介士游覽學者讀《離騷》、《九章》之文,莫不愴然,心爲悲感,高其節行,妙其麗雅。至劉向、王褒之徒,咸嘉其義,作賦騁辭,以讚其志,則皆列於譜録,世世相傳。逸與屈原同土共國,悼傷之情,與凡有異,竊慕向、褒之風,作頌一篇,號曰《九思》,以裨其辭,未有解説,故聊序訓誼焉。

崔琦　九咨佚。

服虔　九憤佚。

應奉　感騷三十篇佚。

本傳:著《感騷》三十篇,愍屈原因以自傷。

蔡邕　九惟

八維困乏,憂心殷殷。天之生我,星宿值貧。六極之厄,獨遭斯勤。居處浮漂,無以自任。冬日栗栗,上天同雲。無衣無褐,何以自温。六月徂暑,炎赫來臻。無絺無綌,何以蔽身。無食不飽,永離歡欣。《御覽》引。

右楚辭類

東平王蒼集五卷

東平王蒼,光武皇帝之子,母光烈陰皇后。建武十五年封東平公,十七年進爵爲王。明帝即位,拜驃騎將軍。建初七年薨，謚曰憲。詔告中傅封上蒼自建武以來章奏，及所作書、記、賦、頌、七言、别字、歌詩，並集覽焉。櫰三案：今可考者，《光武受命中興頌》、《薦吴良疏》、《薦左馮翊桓虞等疏》、《地震上便宜疏》、《諫獵書》、《請歸職疏》、《諫原陵顯節陵起縣邑疏》、《求朝疏》、《辭優禮疏》、《世廟登歌詩》、《世廟登歌八佾舞議》、《孝明皇帝廟謚議》、《顯宗祫食世廟議》、《奏定明德皇后宜配享孝明皇帝議》、《南北郊冕服議》、《上言明帝廟樂議》。

徐令班彪集五卷

彪，字叔皮，扶風茂陵人。年二十遭王莽亂，乃去京師，往天水郡歸隗囂。囂擁衆不禮，彪知囂必敗，乃避地河西，就大將軍竇融，勸融歸光武。光武問融曰："比來文章所奏誰作？"答云："班彪也。"舉秀才爲徐令，卒。著有賦、論、書、記、奏事九篇。櫰三案：今可考者，《北征賦》、摯虞《流别論》"更始時，彪避難涼州，發長安，至安定，作《北征賦》"。《冀州賦》、《覽海賦》、《悼離騷》、《王命論》、《爲竇融章奏前史得失論》、《請置太子諸王官屬疏》、《上言西羌事》、建武九年。《議答北匈奴疏》、《請置烏桓校尉北單于奏》、《上便宜表》、《上事》、《北堂書鈔》引《上便宜》一條、引《奏事》一條，《太平御覽》引《上事》二條。《奏記東平王蒼》、《與京兆丞郭季通書》、《與金昭卿書》、案昭卿杜陵人，隗囂賓客，名丹。牋。《北堂書鈔·太子中庶子》引。

中護軍司馬班固集十七卷《唐志》作十卷。

固，字孟堅，九歲能屬文，長遂博貫載籍。顯宗時，除蘭臺令，遷爲郎，乃上《兩都賦》。大將軍竇憲出征，以固爲護軍司馬。憲敗，固坐免官，死獄中。所作詩、賦、表、奏、論、難、牋、記、頌、碑、銘、哀辭、《典引》、《答賓戲》、《應譏》、《連珠》、《弈旨》，共四十九篇。櫰三案：張天如《固集》目録有《兩都賦》、《明堂詩》、《辟雍詩》、《靈臺詩》、《寶鼎詩》、《白雉詩》、《幽通賦》、

《終南山賦》、《覽海賦》、《游居賦》、《竹扇賦》、《爲第五倫薦謝夷吾表》、《奏記東平王蒼》、《薦夏育與竇憲牋》六、《與弟超書》九、與《陳文通書》、《匈奴和親議》、《典引》、蔡邕注。《答賓戲》、《應譏》、《難巖周》、《竇車騎北征頌》、《東巡頌》、《南巡頌》、《封燕然山銘》、《高祖泗水亭碑銘》、《十八侯銘》、《難莊論》、《功德論》、《馬仲都哀辭》、《儗連珠》五首、《弈旨》、《郊祀靈芝歌》、《讀史詩》,此外可考者尚有《耿恭守疏》、《勒城賦》、見《文選注》。《白綺扇賦》、見《初學記》。《涿郡山祝文》、見《文選注》。《祀濛山祝文》、見《文心雕龍》,案"祀"當作"汜"。《與賈逵表》、《請楊終與諸儒議》、《五經同異表》、見本傳。《孝明帝頌》、《論衡》"揚子雲録宣帝至哀平,陳平仲紀光武,班孟堅頌孝明,漢家功德,頗可觀見"。《困學紀聞》"今子雲書不傳,平仲未詳其人,孟堅頌亦亡"。案明帝詔班固與睢陽令陳宗、長陵令尹敏、司隸從事孟冀共成《世祖本紀》,是《論衡》所稱平仲者乃陳宗也,王氏偶不記憶。《安豐戴侯頌》、見《文章流别》。《楚辭叙》、《離騷贊叙》、見《楚辭章句》。《在昔篇》、《太甲篇》、見《隋書·經籍志》。《梁氏哀辭》、見《文心雕龍》。《馬叔持誄》見《潘安仁〈馬汧督誄〉》注。"長安何紛紛,詔葬霍將軍"四句、見《太平御覽》,又《太平御覽·劍》引"寶劍值千金,延陵輕寶劍"二句。《漢頌論功歌》。見《通典》。

班昭集三卷

昭,字文姬,扶風曹世叔妻,同郡班彪之女也。年十四聘世叔。和帝數召入宫,令皇后貴人師之,號曰"大家"。兄固修《漢書》不終而卒,詔大家續之。馬融從受業,著《女誡》七篇,賦、頌、銘、誄、問、注、哀辭、書、論、上疏、遺令十六篇。懷三案:今可考者有《東征賦》、《大雀賦》、《鍼縷賦》、《蟬賦》、《欹器頌》、《爲兄超上書》、《請太后聽鄧騭乞身行服疏》、《女誡》、《女誡序》、《女史箴》、見《吹劍録》。《幽通賦注》、《烈女傳注》、《續漢書·天文志》、《漢書》八表、《難周季貞問神》。附班成妻《大家贊》一篇，曹豐生《難曹大家書》一篇。

史岑集一卷

王莽末，沛國史岑字子孝，以文章顯，莽以爲謁者，著頌、誄、《復神》、《説疾》四篇。懷三案：東漢有兩史岑，一字子孝，沛國人，王莽時爲謁者，著《復神》、《説疾》者也；一字孝山，當和熹之時，作《出師頌》及《鄧太后頌》者。《後漢書》注於《復神》、《説疾》下綴以《出師頌》，則混兩人爲一人矣。典籍散亡，未詳孝山爵里。

司隸從事馮衍集五卷《隋書·經籍志》"梁有《衍集》五卷"。

衍，字敬通，京兆杜陵人。世祖時爲曲陽令，尋爲司隸從事，以罪詣獄，有詔赦不問。建武中，上書自陳，猶以前過不用。卒於家。著有賦、誄、銘、記、《問交》、《德誥》、《慎情》、書記説、自叙、官録説、策五十篇，章懷太子賢注衍文見有二十八篇。懷三案：張天如題作《馮曲陽集》，目録有《顯志賦》、《初學記》引作《明志賦》，一作《揚節賦》。《説廉丹》、《説鮑永》、《與田邑書》、《移上黨書》、《上書陳八事》、《奏記鄧禹》、《與鄧禹牋》、《説鄧禹書》、《與鄧禹書》、《與陰就書》，出獄後《又與就書》、《上書自陳》、《自論顯志賦》、《與婦弟任武達書》、《與宣孟書》、《自叙》、《官録》、《刀陽銘》、《刀陰銘》、《杖銘》、《御覽》引作《竹杖銘》。《杯銘》、一作《爵銘》。《車前銘》、《車後銘》、《車左銘》、《車右銘》。《衍集》"鮑永行將軍事，安集并州，擁兵屯太原，與太原李仲房同心并力"。

司徒掾陳元集一卷

元，字長孫，蒼梧廣信人。父欽，受《左氏春秋》。元少傳父業，以高才辟司空李通府。通罷，辟司徒歐陽歙府。以病去，年老，卒於家。懷三案：今可考者，《請立〈左氏春秋〉博士疏》、《辨范升條奏〈左氏〉失十四事》、《難范升奏太史公違戾孔子及〈左氏春秋〉不可録者三十二事》，凡十餘上，《論司隸校尉督察三公疏》、《上書陳便宜事》、《上書追訟歐陽歙》、《上書訟司空宋宏》。見華嶠《後漢書》。

雲陽令朱勃集二卷

勃,字叔陽,扶風茂陵人。十二能誦《詩》、《書》,年二十右扶風請試守渭城宰,終雲陽令。懷三案:今可考者,《上書訟馬援》、見《援傳》。《薦伏湛表》。見任昉《文章緣起》,《北堂書鈔》引朱勃表。

新汲令王隆集二卷

隆,字文山,馮翊雲陽人。王莽時,以父任爲郎。避地河西,爲竇融左護軍。建武中,爲新汲令。著《小學漢官篇》、詩、賦、銘、誄二十六篇。懷三案:《小學漢官篇》見胡廣《漢官解詁》,餘並佚。

侍中賈逵集一卷

逵,字景伯,扶風平陵人。明帝時,拜爲郎,與班固並校祕書。肅宗即位,官侍中,遷衛士令。永元二年,拜左中郎將。八年,復爲侍中,領騎都尉。卒年七十二。所著經傳義詁及論難百餘萬言,賦、頌、誄、書、連珠、酒令九篇。懷三案:今可考者,《神雀賦》、《奏劉愷復國書》、《條上左氏大義》、《薦東萊司馬均、陳國汝郁書》、《上書論劉珍漢德論之美》、《上左傳國語解詁疏》、《表請楊終議白虎觀》、《薦楊終疏》、《永平頌》、《曆數論》、《連珠》一首。

崔篆集一卷

篆,涿郡安平人。王莽時,爲新建大尹。建武初,舉賢良。篆以受莽僞爵,慚愧漢朝,遂辭歸不仕。著《周易林》。臨終作賦以自悼,曰《慰志》。懷三案:今可考者,《尉志賦》、《明道》、《述志詩》、見陸機《遂志賦叙》。《御史箴》。

長岑長崔駰集十卷

駰,字亭伯,篆子。少游太學,與班固、傅毅齊名。竇憲爲車騎將軍,辟駰爲掾。憲驕恣,駰數諫,稍疏之,出爲長岑長。著有詩、賦、銘、書、記、表、《七依》、《昏禮結言》、《達旨》、《酒警》二十一篇。懷三案:張天如《駰集》目録有《反都賦》、《大將軍西征賦》、《大將軍臨洛觀賦》、《達旨》、《與竇憲書》、《與竇憲牋》三、《太尉諸箴》、《司徒箴》、《大理箴》、《虎賁中郎箴》、《河南尹箴》、《酒箴》、《仲山甫鼎銘》、《車左銘》、《車右銘》、《車後銘》、《樽銘》、《襪銘》、《縫銘》、《刀劍銘》,又《刻漏銘》、《六安枕銘》、《扇銘》、《上四巡頌表》、《西巡頌》、《南巡頌》、《北巡頌》、《東巡頌》、《明帝頌》、《北征頌》、《杖頌》、《章帝謚議》、《博徒論》,又《七依》、《昏禮結言》、《安豐侯詩》、七言詩,此外可考者尚有《武賦》、《文選·褚淵碑》注引。《趙公誄》、《文心雕龍》"崔駰誄趙",案以時考之,疑是太尉趙熹。《太常箴》、《廷尉箴》、《尚書箴》、《太平御覽》引。七言詩、《文選·郭泰機〈答傅咸詩〉》注引。三言詩、《北堂書鈔》引。《琴銘》。《古琴疏》"崔駰有琴曰卧水,背銘曰:'空桑之桐泗濱梓,丁緩造琴千策底,彈之福降壽無已'。"

車騎從事杜篤集一卷《唐志》五卷。《玉海》一卷,與《隋志》同。

篤字季雅,京兆杜陵人。光武時,上《論都賦》。仕郡文學掾,以目疾,二十年不闚京師。後馬防擊西羌,請爲從事。著有《明世論》十七篇、賦、誄、弔、讚、七言、《女誡》及雜文十八篇。懷三案:今可考者,有《上論都賦》、《奏論都賦》、《祓禊賦》、《北堂書鈔》引作《上巳篇》。《首陽山賦》、《書攄賦》、《眾瑞頌》、《文選·雪賦》注、《關中詩》注并引。《大司馬吴漢誄》、《弔比干文》、《文選·謝宣遠〈王撫軍庾征西陽集别詩〉》注、《西征賦》注并引。《通邊論》、《魏都賦》注引。《廣武論》、《王元長〈三月三日曲水詩序〉》注引。《迎鐘文》、《西征賦》注引,案《迎鐘文》當作《祭延鐘文》,見任昉《文章緣起》。《女誡》。《文章緣起》"後漢杜篤作《女誡》"。

六安丞桓譚集五卷梁五卷。《唐志》二卷。

譚,字君山,沛國人。王莽末,以父任爲郎。光武即位,拜議郎,遷郎中。以論讖忤帝意,出爲六安丞,道病卒。著書言當世行事二十九篇,曰《新論》,賦、諫書、奏二十六篇。懷三案:今可考者,《大道賦》、《集僊宫賦》並序、《奏書董賢》,與揚子雲辨蓋天,與劉子駿論方士養生,及土龍求雨、頓牟磁石、陳平解平城之圍,皆見《新論》,《侍詔上書》、《時政疏》、《諫用讖薄賞疏》、《上便宜事》、《東京賦》注引譚《上便宜事》,《太平御覽》引譚《上事》。《答揚雄事》、《文選·班孟堅〈答賓戲〉》注引。《奏言南郊事》、見《前漢書》。《上章言男子畢康殺母事》、見《新論》:"宣帝時,公卿朝會,丞相語曰:'聞梟生子,長且食其母,果然否?'有賢者應曰:'但聞烏子反哺耳。'丞相大慚。君子之於禽獸尚爲之諱,況人乎?"《上書獻新論》。

處士梁鴻集一卷

鴻,字伯鸞,平陵人,隱居霸陵山中。後居吴,臯伯通舍之於家。鴻潛著書十餘篇,卒於吴。懷三案:今可考者,《逸人頌》二十四篇、《東晢〈補亡詩〉》注引《安丘嚴平頌》,餘佚。《五噫歌》一篇、《適吴詩》一篇、《思友高恢詩》一篇、《責京邑蕭友書》。見《東觀漢記》。

蘭臺令史傅毅集二卷《隋志》二卷。梁五卷。《唐志》同。

毅,字武仲,扶風茂陵人。肅宗召文學之士,以毅爲蘭臺令史。後與班固並爲竇憲府司馬,早卒。著有賦、誄、頌、祝文、《七激》、《連珠》二十八篇。《典論》:傅毅之於班固,伯仲之間耳,而固小之。與弟超書曰:"武仲以能屬文,爲蘭臺令史,下筆不能自休。"懷三案:今可考者,有《神雀賦》、見《論衡》。《洛都賦》、《舞賦》、《琴賦》、亦作《雅琴賦》。《羽扇賦》、《顯宗頌》、《郊頌》、案顔氏《匡謬正俗》引作傅毅《郊祀賦》。《西征頌》、《竇撫軍北征頌》、《高闕析文》、《車左銘》、《扇銘》、《七激》、《迪志詩》、《冉冉孤生竹詩》、《文心雕龍》,《古詩十九首》中《冉冉孤生竹》傅毅作。《明帝誄》、《北海靖王興誄》、亦作傅龍撰。《與荆文姜書》、《琴銘》。《古琴疏》"傅毅有琴銘曰永寶,科斗正篆"。

樂安相李尤集五卷

尤,字伯宗,廣漢雒人。少以文章顯。和帝時,拜蘭臺令史,後爲諫議大夫,遷樂安相。年八十三卒。著有詩、賦、銘、誄、頌、《七歎》、《哀典》二十八篇。《李尤集》序:"尤好爲銘贊,門階户席,莫不著述。"㯒三案:張天如題作《李蘭臺集》,集仿漢人碑額,例重内也。《經籍志》、《玉海》書"樂安相",舉其所終之官也。目録有《函谷關賦》、《平樂觀賦》、《東觀賦》、《德陽殿賦》、《辟雍賦》、《七款》、《函谷關銘》、《孟津銘》、《河銘》、《洛銘》、《鴻池陂銘》、《上林苑銘》、《明堂銘》、《辟雍銘》、《靈臺銘》、《永安宫銘》、《德陽殿銘》、《闕銘》、《京師城門銘》、《正陽城門銘》、《高安館銘》、《平樂館銘》、《東觀銘》、《中東門銘》、《上西門銘》、《上東門銘》、《開陽城門銘》、《津城門銘》、《旄城門銘》、《廣陽城門銘》、《雍城門銘》、《夏城門銘》、《穀城門銘》、《堂銘》、《門銘》、《室銘》、《楹銘》、《牖銘》、《井銘》、《琴銘》、《鐘簴銘》、《漏刻銘》、《鼎銘》、《古鼎銘》、《屏風銘》、《舟楫銘》、《寶劍銘》、《笛銘》、《小車銘》、《天軿車銘》、《經槐銘》、《讀書枕銘》、《筆銘》、《墨硏銘》、《冠幘銘》、《文履銘》、《錯佩刀銘》、《金馬書刀銘》、《孤矢銘》、《弩銘》、《彈銘》、《盾銘》、《鉦銘》、《書案銘》、《牀几銘》、《鎧銘》、《良刀銘》、《轡銘》、《鞍銘》、《馬箠銘》、《卧牀銘》、《麈尾銘》、《薰鑪銘》、《安哉銘》、《羹魁銘》、《豐侯銘》、《箕銘》、《權衡銘》、《匱匣銘》、《武庫銘》、《圍碁銘》、《槃銘》、《樽銘》、《杯銘》、《盂銘》、《印銘》、《鏡銘》、《靈壽杖銘》、《金羊鐙銘》、《竈銘》、《席銘》、《鞠城銘》、《几銘》、《序九曲歌》,凡九十二篇。此外可考者,尚有《玄宗賦》、《政事論》七篇、《懷戎頌》、見《華陽國志》。《果賦》、見任昉《述異記》引"三十六園之朱李",又"如拳之李"。《上書諫廢太子》、見范書本傳。《七歎》、案亦作《七款》,《述異記》引作《七命》,句云"味兼龍羹","元和元年,下雨,有一青龍墜宫中。命烹焉,賜羣臣龍羹各一杯"。《和帝哀策》、見《文章緣起》,"漢樂安相李尤作《和帝哀策》"。《輪銘》、亦作《軺車銘》。《博銘》、見《太平御覽》。《席銘》、《蓍龜銘》、《杵臼銘》、見《文心雕龍》。《武功歌》。見《文選·謝宣遠〈張子房詩〉》、《沈休文〈齊故安陸昭王碑文〉》注。

魏郡太守黄香集二卷

香,字文彊,江夏安陸人。初除郎中,讀書東觀,拜尚書郎。永元四年,拜左丞,遷尚書。後爲東郡太守,遷魏郡太守。著有賦、牋、奏、書、令五篇。槐三案:今可考者,《九宫賦》、《天子冠頌》、《刻鏤屏風銘》、《讓東郡太守疏》、《科别東平清河妖言獄》、《奏移魏郡出所設什器》、《削臨邑侯劉萇爵議》、《濟北王罪議》、《責髯奴辭》。

郎中蘇順集五卷

順,字孝山,京兆灞陵人。和安間以才學見稱,好養生術,晚乃求仕,官郎中,著有賦、誄、哀辭十六篇。槐三案:今可考者,著有《歎懷賦》、《和帝誄》、《賈逵誄》、《陳公誄》、《應詔〈責躬詩〉》注引。《高士科》。皇甫謐《高士傳·序》"梁鴻頌逸民,蘇順科高士,或序屈節,雜而不純,又近取秦漢,不及遠古"。又案焦竑《國史經籍志》"蘇順"作"藉順",誤。

校尉劉珍集二卷

珍,字秋孫,一名寶,南陽蔡陽人。永和中爲謁者,遷侍中越騎校尉。延光四年,拜宗正,轉衛尉,卒。著有《漢德論》、《建武以來名臣列傳》、《中興以下名臣列傳》、詩、頌、連珠七篇,又撰《釋名》。槐三案:今可考者,《上書論劉毅之美》、《太后獻廟疏》、《贊賈逵詩》、《連珠》。

黄門侍郎葛龔集六卷《典論》"三輔學有俊才,茂陵馬季長、同郡曹伯師、梁葛元甫、南陽張平子、南郡胡伯始、安定胡節等,文冠當世也"。龔嘗爲人作書,草寫時忘去龔名,時人爲之語曰"作奏雖工,宜去葛龔"。

龔,字元甫,梁國寧陵人。永平中,舉孝廉,拜蕩陰令,辟太尉府,不就。永初中,遷黄門侍郎。著有文、賦、誄、碑、書記四篇。《玉海》作二十篇。懷三案:今可考者,有《遂初賦》、《文選·〈陶徵士誄〉》注引。《永初中上便宜四事》、《與張季景書》、《報竇章書》、《薦戴昱書》、《太平御覽》引。《喪伯父還傳記》、《文選·李令伯〈陳情表〉》注引。《讓州辟文》、《文選·陸士衡〈謝平原内史表〉》注引。《舉梁相書》、《任彦昇〈爲范始興求立太宰碑表〉》引。《薦郝彦書》、《劉孝標〈辨命論〉》注引。《與張略書》、《顔延年〈和謝監靈運詩〉》注引。《薦黄鳳文書》、《謝靈運〈初發石首城〉》詩注引。。《與梁相張府君牋》、《魏文帝〈雜詩〉》注,《北堂書鈔·囊部》、《初學記·墨部》並引。又劉孝標《廣絶交論》注引《葛龔集》"龔以毛羽之身,戴丘山之德"。

司徒掾桓驎集二卷

驎,字元龍,沛國龍亢人。桓榮孫,精鑒好學,碑、誄、讚、説、書二十一篇。摯虞《文章志》"驎文見有七首、詩七首、七説一首、《與沛相郭府君書》一首"。懷三案:今可考者,有《七説》、《答客詩》、附客美桓驎詩。《劉寬碑》、《西王母傳》,見《説郛》。餘並佚。案《隸釋》《劉寬碑》題作"亘驎撰"者,避宋欽宗諱也。《古琴疏》"驎有琴曰叢竹流風"。

校書郎劉騊駼集二卷梁《七録》、《唐志》並同。《玉海》作一卷。

騊駼與劉珍等著作東觀,共撰《中興以下名臣列傳》,又自造賦、頌、書、論四篇。懷三案:今可考者,《玄根賦》、《太平御覽》引。《與李子堅書》、《宦者傳論》注引。《郡太守箴》、《赭白馬賦》注引。詩佚句、《白帖》引"碧玉以爲瓦"。《上言請張衡撰集〈漢記〉參定漢家禮儀》。

大鴻臚竇章集二卷

章,字伯向,好學,有文章。懷三案:今可考者,有《竇貴人碑》及誄辭、《勸葛龔書》。

濟北相崔瑗集六卷《唐志》五卷。《中興書目》同。

瑗,字子玉,涿郡人。少孤,鋭志好學,盡傳父業。舉茂才,爲汲令,遷濟北相。所著賦、碑、銘、箴、頌、《七蘇》、《南陽文學官志》、《歎辭》、《移社文》、《悔祈》、《草書勢》、七言,五十七篇。懷三案:今可考者,有《言便宜上書》、《自訟上疏》、《北堂書鈔》引"孝廉限年後先舉"。表、見《漢官儀》,云"許敬年且百歲,猶居相位"。《與葛元甫書》、《藝文類聚·贈答》引。《胡公碑》、《赭白馬賦》注引。《張平子碑》、《大司空李郃碑》、《文心雕龍》"崔瑗之誄李公,比行於唐虞"。《太公廟碑》、《和帝誄》、《竇貴人誄》、《大司農鮑德誄》、《汝陽王哀辭》、見《文心雕龍》。《雜恬勑妻子》、見張受先《東漢文選》。《座右銘》、《竇大將軍鼎銘》、《几銘》、《三珠釵銘》、《遺葛龔佩銘》、《枕銘》、《杖銘》、《序箴》、《尚書箴》、《博士箴》、《東觀箴》、《關都尉箴》、《河堤謁者箴》、《北軍中候箴》、《侍中箴》、《司隸校尉箴》、《中壘校尉箴》、《七蘇》、《南陽文學官頌》、《篆書勢》、《草書勢》、《隸書勢》、《題門語》。見《世説新語》。

河間相張衡集十一卷梁十二卷,又一本十四卷。唐十卷。

衡,字平子,南陽西鄂人。少善屬文。安帝雅聞衡學術,公車徵,拜郎中,出爲河間相。乞骸骨,徵拜尚書,卒。著有詩、賦、銘、七言、《靈憲》、《算罔論》、《應間》、《七辨》、《東巡誥元圖》三十二篇。懷三案:張天如《衡集》目録有《西京賦》、《東京賦》、《南都賦》、《週天大象賦》、案《大象賦》李播撰,賦中用李郃辨使星事,決非衡作。播,李淳風之父也,後人誤編入《衡集》。《温泉賦》、《冢賦》、《髑髏賦》、《羽獵賦》、《思玄賦》、《定情賦》、《扇賦》、《觀舞賦》、《歸田賦》、《東巡誥》、《大疫上疏》、《陳時政疏》、《駁圖讖疏》、《論貢舉疏》、《論舉孝廉疏》、《水菑對策》、《求合正三史表》、《日食上表》、《請專事東觀收檢遺文表》、《與崔瑗書》二、《與特進書》四、《七辨》、《應間》、《曆議》、《渾儀》、《靈憲》、《靈應》、《南陽文學儒林書贊》、《大司農鮑德誄》、《司徒吕公誄》、《司空陳公誄》,又《怨篇》、《同聲歌》、《四愁詩》。此外可考者,尚有《逍遥賦》、《叙行賦》、《北堂書鈔》引。《陽嘉三年京師地震對策》、《崔瑗三珠釵銘》、《白帖》引。《大司農鮑德綬笥銘》、《初學記》引。《四聲詩》。《炙轂子》録《四聲詩》亦平子所作,又《初學記·春》引衡歌"浩浩陽陽春發,楊柳何依依。百鳥自南歸,閑翔萃我枝",《北堂書鈔·冬》引"冬月處城邑"句。

南郡太守馬融集九卷《唐志》五卷。

融,字季長,扶風茂陵人。有俊才,爲校書郎。順帝時,遷南郡太守。免官。後拜議郎,卒。著有賦、頌、碑、誄、書記、表、奏、七言、琴歌、對策、遺令二十一篇。懷三案:張天如《融集》目録有《長笛賦》、《圍棊賦》、《樗蒲賦》、《琴賦》、《上安帝請龐參等書》、《上論日食疏》、《上順帝遭兄子喪乞自劾疏》、《廣成頌》、《大將軍西第頌》、《高第頌》、《東巡頌》、《爲梁冀誣奏太尉李固書》、《與謝伯世書》、《與竇伯向書》、《忠經序》,此外可考者尚有《龍虎賦》、見裴駰《史記集解·東平世家》注。《上林頌》、見《文章流别論》。《上書訟梁慬乞自劾疏》、《陳星孛疏》、《與鄧耿尹兑共上書論劉珍漢德論之美》、案《初學記》載鄧耽《郊祀賦》。《陽嘉二年京師地震對策》、《安豐侯竇融頌》、《答北地太守劉瓌渾天説》、《自序》、《遺令》、《七厲》。見《文心雕龍》。

太傅胡廣集二卷

廣,字伯始,南郡華容人。州舉孝廉,遷陳留太守,再爲司徒,進司空,以太傅薨於位。撰百官箴及目録四十篇,所著詩、賦、銘、頌、箴、弔及諸解詁凡二十篇。懷三案:今可考者,有

《諫探籌建后疏》、《駮左雄察舉之制議》、《百官箴序》、《侍中箴》、《邊都尉箴》、《陵令箴》、《元德先生法高卿碑》、《弔伯夷叔齊文》、《文選・夏侯常侍誄》注引。《謁陵文》、《文心雕龍》"觀伯始謁陵之文,足見其典文之美"。《周官解詁》、《漢官解詁》、《漢官解詁序》、《漢書解詁》、《劾大司農朱寵》、數上書陳鄧騭罪惡、《與陳蕃表》、《薦徐稺追表》、《袁彭清潔綬笥銘》、《印衣銘》、《刀筆囊銘》、《太學碑》、《答記制》。

侍中王逸集二卷

逸,字叔師,南郡宜城人。著有書、論、雜文二十一篇、漢詩百二十三篇。櫰三案:今可考者,有《機賦》、《荔支賦》、《正部論》、《妍媸論》、《折武論》、《楚辭章句序》、《離騷經序》、《九歌序》、《遠游序》、《天問序》、《九章序》、《卜居序》、《漁父序》、《九辨序》、《招魂序》、《大招序》、《惜誓序》、《七諫序》、《哀時命序》、《九懷序》、《九歎序》、《招隱士序》、《九思序》、《九思》、《琴思楚歌》、《臨豫州教》、《與樊季齊書》。

王延壽集三卷

延壽,字文考,一字子山。《博物志》:王子山與父叔師到泰山,從鮑子真學筭,到魯作《魯靈光殿賦》,渡湘水溺死,時年二十四。櫰三案:今可考者,有《魯靈光殿賦》、蔡邕初作《魯靈光殿賦》,見延壽所作,遂爾輟筆。《蜀志》"劉琰侍婢百餘人,皆令誦《魯靈光殿賦》"。《顔氏家訓》"吾七歲時誦《靈光殿賦》,至今於十年一理,猶不遺忘"。《述寱賦》、《王孫賦》、《桐柏廟碑頌》。

徵士郎顗集一卷

顗,字稚光,北海安邱人,少傳父業。櫰三案:今可考者,有《詣闕拜章條對》、《七事臺詰對》、《薦黄瓊李固》、《陳四事奏》。《後漢書補注》引《郎顗集》"顗上書曰:'雷二月出地,百八十三日,雷出則萬物出;八月入地,百八十三日,雷入則萬物入。入則爲害,出則興利。'"

太尉李固集十二卷梁十卷,《唐志》同。

固,字子堅,漢中南鄭人,大司徒郃子。陽嘉二年對策,拜議郎,出爲廣漢令。永和中,拜荆州刺史,遷太山太守,拜大司農。沖帝即位,拜太尉。桓帝立,爲梁冀誣奏,誅死。所著章、表、議、教令、對策、記、銘十一篇。懷三案:今可考者,《對賢良策》、《論當世之敝》、《爲政所宜策》、《奏記梁商》、《與黄瓊書》、《與崔瑗書》、《與賓卿書》、《與弟圄書》、見《水經注》,張受先辨云:"獻帝時有郎中李固,書云'吾今年五十有七',太尉固被禍時年五十有四,爲郎中李固明矣。"《助展允昏教》、《駁百官四府遣大將發荆揚兖豫四萬人赴九真日南奏》、《陳事疏》、《請徵用楊厚疏》、《請白王龔罪疏》、《救种暠疏》、《表薦楊淮》、《表薦長沙桂陽太守趙歷》、《奏河南太守高賜臧罪》、案《華陽國志》作江夏南郡太守高賜、孔疇等。《與廷尉吴雄上疏言八使所糾急宜誅》、《與劉宣上書言選舉非人》、《荆州文學辟書》、見《長沙耆舊傳》。《沖帝山陵議》、《立清河王蒜議》、《與梁冀書》、《復與冀書》、《臨終與胡廣趙戒書》。

外黄令高彪集二卷梁一卷。

彪,字義方,吴郡無錫人,著賦、頌、詩、箴數篇。懷三案:今可考者,有《請立左氏博士書》、《薦申屠蟠書》、《與馬融書》、《第五永祖席箋》、《清誡詩》。《北堂書鈔·經典》引《彪集》"雜藝爲庖廚,五經爲府庫"。

臨濟長崔琦集一卷《唐志》二卷。

琦,字子偉,涿郡人。初舉孝廉,梁冀聞其才,請與交。冀多行不軌,琦頻引古今成敗以戒之,冀不能受。補臨濟長,不敢之官,冀後竟捕殺之。著賦、頌、銘、箴、弔、論、《九咨》、七言十三篇。懷三案:今可考者,有《白鵠賦》、《外戚箴》、《九咨》、《七蠲》、《四皓頌》。

酈炎集二卷

炎,字文勝,范陽人,有文才。靈帝時,州郡辟命,皆不就。後病風恍惚。性至孝,遭母憂,病甚發動。妻始産而驚死。妻家訟之,炎病不能對理,竟死獄中。盧植《酈文勝誄》:自髫齔未成童,著書十餘箱,文體思奥,爛有文章,箴縷百家。案《炎集》,炎自謂賦、頌、誄自少爲之,與誄合也。槐三案:今可考者,有《酈篇》、年十七作。《州書》、二十四作。《七平》、二十七作。《對事》、《太平御覽》引。《見志詩》、《詩紀匡謬》"酈炎《見志書》",東漢書無此題,《藝文類聚》引作《蘭詩》,《詩品》"文勝託詠霜芝,寄興不淺"。遺令。《文章九命》"酈炎有《遺令》四帖"。案炎子名止戈,見《遺令》。

冀州刺史朱穆集二卷

穆,字公叔,暉之子。鋭意講誦,梁冀素聞穆名,辟典兵事,拜冀州刺史。徵拜尚書,卒。著有論、策、奏、教、書、詩、記、嘲二十篇。槐三案:今可考者,有《鬱金賦》、前後《奏記梁冀》三篇、《上書稱劉矩等良輔不宜策免》、《冀州版書》、《除宦官疏》、《劾虎賁奏疏》、《馮緄奏父貞宣先生謚議》、《崇厚論》、《絶交論》、《與劉伯宗絶交詩》。袁山松《後漢書》"穆著論甚美,蔡邕嘗至其家寫之"。

京兆尹延篤集一卷梁二卷,《唐志》同。

篤,字叔堅,南陽犨人。桓帝時,以博士徵拜議郎,遷左馮翊,徙京兆尹。遭黨禁,卒於家,鄉里圖其象於屈原之廟。著書、論、銘、詩、應訊、表、教令凡二十篇。槐三案:今可考者,有《與高義方書》、《與張奂書》、《與劉祐書》、《與越嶲太守李文德書》、《與段紀明書》、《發梁冀客詣京兆求牛黄私書奏》、《仁孝論》、《戰國策論》。《養生論》注引延叔堅曰:"豫章與楢木相似,生七年乃可别耳。"《避暑録話》:樂君達生巴陵間,每起授羣兒經,口誦數百遍不倦。少閒,必曳履,慢聲抑揚,吟誦不絶。躡其後聽之,則延篤之書也。

陳相邊韶集一卷《唐志》二卷。

韶，字孝先，陳留浚儀人。桓帝時，徵拜大中大夫，著作東觀，遷北地太守，入拜尚書令，後爲陳相。所著詩、頌、碑、銘、書、策凡十五篇。檍三案：今可考者，有《塞賦》、《上言請用四分曆》、《楊秉不就徵議》、《縈瀆石門頌》、《老子廟碑》、《答弟子嘲》。

五原太守崔寔集二卷

寔，字子真，一名台，字元符，一作元始，崔瑗之子。桓帝初，舉孝廉，拜議郎，官至五原太守。建寧中，卒。著《政論》六篇、論、箴、銘、答、七言、祠、文、表、記、書十五篇。檍三案：今可考者，有《大赦賦》、《上書求歸葬行喪》、《政論》、《本論》、《答客譏》、《奏記公府》、見《文心雕龍》。《尚書令箴》、《諫大夫箴》、《大理箴》、《太醫令箴》、《父瑗碑頌》。

中郎將盧植集二卷

植，字子幹，涿郡涿人。建寧中，徵博士，拜九江太守。黄巾賊起，四府舉植北中郎將。董卓廢立，植獨抗議，卓欲誅之，以蔡邕救得免。免官，隱於上谷。初平三年卒。著碑、誄、表、記六篇。檍三案：今可考者，《日食上封事》、《上書請立五經博士》、《上書請蔡邕徙朔方》、《上書請專就東觀刊正碑文》、《與竇武書》、《與張然明書》、《酈炎誄》、《冀州記》、《奏事》。《初學記·皇后》引盧植奏，《皇太子》引《奏事》，《北堂書鈔·春秋》引《奏事》，《赭白馬賦》注引《盧植集》"詔給濯龍廄馬三百疋"。

司農卿皇甫規集五卷

規，字威明，安定朝那人。舉賢良對策，拜郎中，託疾歸。梁冀誅，分車徵，拜太山太守。西羌反，拜度遼將軍，封壽成亭侯，轉越騎護羌校尉。熹平三年，徵拜司農，卒於穀城，年七十二。著有賦、銘、碑、讚、禱文、弔、章表、教令、書檄、牋記二十七篇。懷三案：今可考者，有《芙蓉賦》、《對賢良方正策》、《上言馬賢不恤軍事狀》、《上書求自效邊事疏》、《上書自訟》、《上書薦張奐自代》，前後凡七，《上自請坐黨禁》、《訟楊秉忠正不宜久抑》、《劾奏屬國都尉李翕、涼州刺史郭閎、一作"郭泰"。督軍御史張禀、平陽太守趙熹、安定太守孫俊倚恃貴戚皆不任職奏》、《移書營郡》、《女師箴》、《追謝趙壹書》、《與馬融書》、《與張奐書》、《與劉司空牋》。

太常卿張奐集二卷

奐，字然明，敦煌酒泉人。辟大將軍梁冀府，舉賢良，對策第一，擢拜議郎，遷安定屬國都尉，使匈奴。中郎將冀誅，以故吏免官。禁錮在家四年，復拜武威太守，代皇甫規爲度遼將軍，以功封侯。黨事起，禁錮歸里。建和四年卒。著銘、傳、頌、書、教、誡、志述、對策、章奏二十四篇。檀三案：今可考者，有《上桓帝書》、《奏減定牟氏尚書章句》、《對賢良策》、《上疏讓封爵》、《上災異疏》、《上言東羌事》、《芙蓉賦》、《奏記段熲》、《與屯留君書》、《與崔元始書》、《與崔子真書》、《與許季將書》、《與宋季文書》、《與延篤書》、《與陰氏書》、《與孟季卿書》、《與張公超書》、《戒兄子書》、《古今人論》、見《左傳》疏。《遺令》。

扶風太守傅幹集一卷

幹，字彦林，小字别成，北地靈州人，漢陽太守燮子。幹知名，位至扶風太守。懷三案：今可考者，有《王命叙》、《皇后箴》、《諫征孫權書》、《肉刑議》、《與裴叔威書》、《與蘇文師書》。

徵士侯瑾集二卷

瑾，字子瑜，敦煌人。著《皇德傳》三十篇、《矯世論》一篇，餘所著雜文數十篇。懷三案：今可考者，有《箏賦》、《應賓難》、《矯世論》、《述志詩》。《初學記・皇后》引，又《北堂書鈔・大司馬》引侯瑾詩。

趙壹集二卷

壹,字元叔,漢陽西縣人。光和元年奉郡上計,司徒袁逢、河南尹羊陟共稱薦之,名動京師。西還,州郡争致禮命,不就,終於家。所著賦、頌、箴、誄、書、論及雜文十六篇。懷三案:今可考者,《刺世疾邪賦》、《窮鳥賦》、《迅風賦》、《解擯賦》、《與友人謝恩書》、《答皇甫規書》、《報羊陟書》、《非草書》。

外黄令張升集二卷

升,字彦真,陳留尉氏人。著賦、誄、頌、碑、書凡六十篇。懷三案:今可考者,《與任彦堅書》、《潘安仁〈寡婦賦〉》注引。《反論》、《潛研齋文集》:問:《昭七年》正義引張叔《皮論》“賓爵下革,田鼠上滕。牛哀虎變,鮌化爲熊。久血爲粦,積灰生蠅”。未審張叔皮何代人,下文兩稱張叔,則張叔似人姓名,又不知《皮論》何書也。曰:予初讀疏,亦蓄疑久之。後讀《文選》卷六引張升《反論》“噓枯則冬榮”,卷五十五引張升《反論語》“噓枯則冬榮,吹生則夏落”,卷四十三引張升《反論》“黄綺引身,巖栖南嶽”,卷四十引張升《及論》“青萍砥礪於鋒鍔,庖丁剖犧於用刃”,卷三十一引張叔《及論》“煩冤俛仰,淚如絲兮”。詳其詞意,與《春秋》所引是一篇之文,而篇名或云《反論》,或云《及論語》,或云《皮論》,或云《及論》,其名或云叔,或云升。考《後漢書・文苑傳》有張升字彦真,陳留尉氏人,著賦、誄、碑、頌、書凡六十篇,梁《七録》有《張升集》二卷。《反論》蓋升所撰之一篇,如《解嘲》、《釋譏》之類,曰“皮”,曰“及”,皆字形相涉而譌,“叔”與“升”亦字形相涉也。”《白鳩頌》、《御覽・鳩》引。《哀文》。見《文心雕龍注》引。

司空荀爽集三卷《唐志》二卷。《玉海》及焦竑《國史經籍志》並三卷。

爽,字慈明,一名諝,潁川人。獻帝即位,徵拜平原相,追爲光禄勳,視事三日,進拜司空。著《禮》、《易》等傳,《尚書正經》、《春秋條例》、《漢語公羊問》、《辨讖》,它所論叙題曰《新書》,凡百餘篇。懷三案:今可考者,《舉至孝對策》、《讓孝廉記》、《遺李膺書》、《與郭叔都書》、《辨讖》、《女誡》《薦朱野文》。案野字子遼,朱穆子,任至河南尹。

野王令劉梁集三卷梁二卷,《唐志》同。

梁,字曼山,一名恭,少有清才,以文學見貴,終野王令。懷三案：今可考者，有《破羣論》、《辨和同論》、《七舉》、《告北新城縣人李南碑》。

侍中荀悦集一卷

悦，字仲豫，儉之子。辟鎮東將軍曹操府，遷黄門侍郎，年六十二建安十四年卒。懷三案：今可考者，《申鑒》五篇、《崇德正論》、《漢紀序》、《後序》、《酈食其謀立六國論》、《家令説》、《太公論》、《貫高張敖論》、《高祖贊》、《立張氏爲惠帝后論》、《列侯論》、《禄制論》、《災異論》、《高后贊》、《時務論》、《立制度論》、《除田租論》、《馮唐論》、《文帝遺詔短喪論》、《文帝贊》、《景帝賜江都王非天子旌旗論》、《高帝封王侯約論》、《匈奴徐盧等論》、《三游論》、《丞相封侯論》、《神怪論》、《斬任安論》、《昌邑王論》、《王吉請改正尚主之禮論》、《單于朝位論》、《石顯論》、《赦論》、《矯制立功論》、《漢治跡論》、《經籍論》、《王商論》、《立定陶王爲太子論》、《成帝贊》、《罷司空官論》、《州牧論》、《阿保乳母論》、《原涉論》、《鄭崇論》、《哀帝贊》。

諫議大夫劉陶集三卷

陶，字子奇，一名偉，潁川潁陰人，濟北貞王勃之後。舉孝廉，除順陽長。所著《復孟軻》、《匡老子》、《反韓非》、條教、賦、奏、書、記、辨疑百餘萬言。懷三案：今可考者，有《游太學上疏》、《論張角疏》、《憂亂疏》、《災異疏》、《上便宜》、《訟朱穆書》、《改鑄大錢議》、《七曜論》、《黄公誄》。《文心雕龍》"劉陶誄黄"。

别部司馬張超集五卷

超，字子並，河間鄚人。袁紹時爲别部司馬。著賦、頌、碑、文、薦、檄、牋、書、謁文、嘲十九篇。懷三案：今可考者，有《誚青衣賦》、《尼父頌》、《靈帝河間舊廬碑》、《與太尉朱儁薦袁遺書》、《謁孔子文》、《與陳父牋》。《文選・曹元首〈六代論〉》注引張超牋。

大司農鄭玄集二卷《雅雨堂叢書》有刊本。

玄,字康成,北海高密人。獻帝遷都,舉趙相,道斷不至,徵大司農。建安五年,以病卒於家,年七十四。著有《周易》、《毛詩》、《儀禮》、《禮記》、《論語》、《孝經》、《尚書大傳》、《尚書中候》、《易緯》、《禮諱》、《乾象曆》注,又著《七政論》、《魯禮禘祫議》、《六藝論》、《毛詩譜》、《駁許慎五經異義》、《箴膏肓》、《發墨守》、《起廢疾》、《答臨孝存周禮難》,凡百餘萬言。懷三案:今可考者,有《嘉禾頌》、亦作《嘉瓜頌》。《戒子書》、《詩譜序》、《尚書大傳序》、《孝經注序》、《周官注序》、《論語注序》、《魯禮禘祫議》、《皇后父伏完朝賀議》、《通典》引。《六藝論》、《答何休》、《答甄子然難禮》、《答臨孝存周禮難》、《鄭志》、《鄭記》、《答張逸趙商諸弟子問》、《駁五經異義》、《自叙》、《遺令》。

左中郎將蔡邕集二十卷《世善堂書目》十卷。

邕,字伯喈,陳留圉人。辟橋玄府,稍遷至郎中,坐事徙朔方。後董卓辟邕,遷尚書令。卓被誅,王允收邕付廷尉,死獄中。著有詩、賦、碑、誄、銘、贊、連珠、箴、弔、論、議、《獨斷》、《勸學》、《釋誨》、《叙樂》、《七誡》、《女誡》、《篆勢》、祝文、章表、書記百四篇。懷三案:張天如《邕集》目録有《述行賦》、《漢津賦》、《協和昏賦》、《檢逸賦》、《協初賦》、《青衣賦》、《短人賦》、《瞽師賦》,又《筆賦》、《琴賦》,又《彈棋賦》,又《團扇賦》、《胡栗賦》、亦作《傷栗賦》。《蟬賦》、《陳政事七要疏》、《幽冀刺史久闕疏》、《上漢書十意疏》、案"意"當作"志",避桓帝諱。《爲陳留縣上孝子狀》、《上始加元服與羣臣上壽表》、《薦皇甫規表》、《薦太尉董卓表》、《讓高陽侯印綬符策表》、《再讓高陽侯印綬符策表》、《讓尚書乞閒冗表》、《巴郡太守謝表》、《尚書詰狀》、《自陳表》、《表賀録换誤上章謝罪》、《辭讓金龜紫綬表》、《與何進薦邊讓書》、《徙朔方報楊復書》、《徙朔方報羊丹書》、《辭郡辟讓申屠蟠書》、《與袁公書》、《與人書》、《又與人書》、《明堂月令論》、《正交論》、《銘論》、《桓彬論》、《諫伐鮮卑議》、《曆元議》、《宗廟迭毁議》、《答齋議》、《和熹鄧后謚議》、《朱公叔謚議》、《答詔問災異八事》、《封事釋誨》、《月令問答》、《廣連珠》、《東巡頌》、《南巡頌》、《胡廣黄瓊畫象頌》、《京兆樊惠渠頌》、《詩紀匡謬》"樊惠渠歌",《藝文類聚》第九渠類有此,在頌類前,序亦不同,是妄人删爲之者。《陳留太守行小黄縣頌》、《考城縣頌》、《祖德頌》、《麟頌》、《五靈頌》、《太尉陳公贊》、《焦君贊》、《琴贊》、《衣箴》、《橋公黄鉞銘》、《東鼎銘》、《中鼎銘》、《西鼎銘》、《朱公叔鼎銘》、《胡太傅祠前銘》、《京兆尹樊德雲銘》、《樽銘》、《槃銘》、《警枕銘》、《太尉橋公廟碑》、《太尉橋公碑》、《太傅文恭侯胡公碑》、《太傅胡公碑》、《胡公碑》、《太尉汝南李公碑》、《太尉楊公碑》、《司空文烈侯楊公碑》、《漢太尉楊公碑》、《文烈侯楊公碑》、《司空房楨碑》、《司空袁逢碑》、《荆州刺史庾侯碑》、《朱公叔墳前石碑》、《陳留太守胡公碑》、《太守胡公碑》、《顔氏家訓》作《議郎胡君碑》,"蔡邕爲胡灝作其父銘曰'葬我考議郎君'"。《陳太丘碑》、《陳太丘廟碑》、《文範先生陳仲弓碑》、《郭有道林宗碑》、《貞節先生范史雲碑》、《彭城姜伯淮碑》、《翟先生碑》、《汝南周巨勝碑》、《處士圂叔則碑》、《光武濟陽宫碑》、《王子喬碑》、《伯夷叔齊廟碑》、《九疑山碑》、《陳留索昏庫上里社碑》、《琅邪王傅蔡公碑》、《元文先生李子才碑》、《郡掾吏張元祠堂碑》、《袁滿來墓碑》、《童幼胡根碑》、《真定直父碑》、《太傅胡公夫人靈表》、《司徒袁公夫人馬氏靈表》、《濟北相崔君夫人誄》、《漢交阯都尉胡公夫人黄氏神誥》、《議郎胡公夫人哀贊》、《宗廟祝嘏辭》、《九祝辭》、《祝社文》、《祖餞祝文》、《禊文》、《弔屈原文》、《篆勢》、《隸勢》、《九惟文》、《飲馬長城窟行》、《答元式詩》、《答卜元嗣詩》、《翠鳥》,此外可考者尚有

《霖雨賦》、《玄表賦》、《金樓子》引"摯虞《文章流别》云邕《玄表賦》'《幽通》精以整,《思玄》博而贍,《玄表》儗之而不及',予以仲治此説爲然"。《長笛賦》、《北堂書鈔》"余同僚桓子野有故《長笛賦》,傳之耆艾云'蔡邕所作也'。初邕避難江南,宿於柯亭。柯亭之館,以竹爲椽,邕仰而盼之,曰'良竹也'。取以爲笛,奇聲獨絶,歷代傳之,以至於今"。《巴郡太守謝版》、見張采《兩漢文選》。《詔對崇德殿地震》、《對光和元年尚書宫城内武庫屋及外東垣前後垣並壞》、《詔對天投蜺》、《對光和三年蝗蟲冬踊》、《對熹平四年十二月癸酉朔日食》、《上書潁川太守王立義葬流民頌》、《北堂書鈔》引。《袁氏三公頌》、《顔氏家訓》"猗與我祖,出自有嬀"。《除三互議》、《通典》引。《朱公叔謚議》、《董卓稱尚父議》、《赤泉侯楊喜五世將相圖贊》、《何休碑》、《文選·褚淵碑》注。《趙歷碑》、《文選》注引。《度尚碑》、《顔延年〈祭屈原文〉》注引。《袁陽碑》、《文選》注引。《袁喬碑》、《張茂先〈勵志詩〉》注引。陳球三碑、《述征記》"並蔡邕所作"。《司隸校尉魯峻碑》、《天下碑録》"蔡邕書"。《童子逢盛碑》、《劉寬碑》、《隸釋》"亘驎撰文,蔡邕所書",《文選·曹子建〈王仲宣誄〉》注引作蔡邕。《小黄門譙敏碑》、《東觀餘論》"何藉以爲蔡中郎書"。《酸棗令劉熊碑》、王建詩"不向圖中尋舊見,無人知是蔡邕碑"。《交阯太守胡寵墓碑》、《水經注》"是蔡伯喈之辭"。《邊韶碑》、《通志》"蔡邕書,唐開封府"。《楊馥碑》、《北堂書鈔》引作蔡邕。《命論》、見劉昭《續漢書志補注》,案《命論》它無所見,當是《明堂月令論》"令"字之譌也。《故郡將子橋伯尉書》、見《北堂書鈔》。《車駕上原陵記》、《聖皇章》、《皇初篇》、《吴章篇》、《女史篇》、見《隋志》。《艱誓》、《悲温舒文》。見《太平御覽》。《第五永祖席詩》、見《高彪傳》。《初平詩》、《琴歌》、《青青河畔草》、《詩式》蔡邕作。《祖蔡儒碑》、見本傳注,案《顔氏家訓》引"蔡邕書集呼其姑女爲家姑家姊,班固書集亦稱家孫",今集中並無此語,蓋佚者多矣。陳振孫《書録解題》:《唐志》二十卷,今本闕亡,纔六十四篇。其間有稱建安年號,及爲魏宗廟頌述者,非邕文也。卷末有天聖癸亥歐陽靜所書辨證甚詳,以爲好事者雜編它人之文相混,非本書。

少府孔融集九卷梁十卷,《唐志》同。

融,字文舉,魯國人。少有異才,性好學,拜御史,歷官至將作大匠,遷少府。曹操積嫌,奏誅之,下獄,棄市。著有詩、頌、碑、文、論、議、六言、策、表、檄、教令二十篇。槐三案:張天如《融集》目録有《薦禰衡表》、《崇國防疏》、《薦謝該上書》、《上漢帝書》、《奏準古王畿制書》、《上三府所辟稱故吏事》、《奏馬賢事》、《東海王祇四時祭禮對》、《告高密縣立鄭公鄉教》、《修鄭公宅教》、《告昌安縣教》、《下高密縣恤甄子然教》、《答王修教》、《與王朗書》、《與張紘書》、《又與邴原書》、《與邴原書》、《與諸卿書》、《與從弟書》、《與許靖博士書》、《與虞翻書》、《與韋甫林書》,又《與曹操論盛孝章書》、《與曹操論酒禁書》,又《啁曹操討烏桓書》、《報曹操書》、《汝潁優劣論》、《聖人優劣論》,又《周武王漢高祖論》、《馬日磾不宜加禮議》、《肉刑議》、《衛尉張儉碑》、《離合郡國姓名字詩》、《雜詩》二首、《臨終詩》六言三首。此外可考者尚有《上書謝大中大夫》、《上書薦趙岐》、《薦邊讓》、見《邊讓别傳》。《隱劉表用郊祀禮疏》、《馳檄州郡》、《再告高密令教》、《教高密縣僚屬》、《楊氏四公贊》、《陳公碑》。見《文心雕龍》。案《養新録》"孔融爲北海相,告高密縣爲鄭康成特立一鄉,名鄭公鄉,其推許甚至。而《太平御覽》載融《與諸卿書》云'鄭康成多臆説,人見其名學,有爲所出也。證案大較,要在五經四部書,如非此文,近爲妄矣。若子所執,以爲郊天之鼓必當麒麟之皮也,寫《孝經》本當曾子家策乎?'予謂此必非孔文舉之言,殆魏晉以後習王肅者僞託。且晉荀勖《中經部》始有四部之分,文舉漢人,安得稱'四部書'?且鄭君注三禮,初無麒麟皮冒鼓之説也。范蔚宗及章懷皆無此語,不可執此無稽之言以誣盛德"。

處士禰衡集三卷

衡,字正平,平原般人。少有才辨,而尚氣傲物。曹操欲殺之,不肯往。操懷憤,而以才名,不欲殺,送劉表。表不能容,以江夏太守黄祖性急，送衡與之。後爲祖所殺。檭三案：本傳載《鸚鵡賦》一篇，外此可考者有《魯孔子廟碑》、《顔子碑》、《弔張衡文》、《弔寇柏松版文》、《顔延年〈陶徵士誄〉》注、《潘安仁〈河陽縣作〉》注並引。《爲劉表草奏》、《爲黄祖作書記》、《鼓歌》。見楊文公《談苑》。

尚書令士孫瑞集二卷

瑞，字君榮，扶風平陵人。世爲學門，瑞少傳家業，博達無所不通，歷官大司農，爲亂兵所害。檭三案：今可考者，有《奏事》、《北堂書鈔》九月九日引士孫瑞《奏事》。《劍銘》、《藝文類聚》引。《日食議》、《通典》"獻帝初平四年正月，當祀南郊，八座議欲卻郊日，又定冠禮而月朔日蝕。博士士孫瑞議：'八座書以爲正月之日，太陽虧曜，謫見於天，而冠者必有裸享之儀，金石之樂，飲燕之娱，獻酬之報，是爲聞災不祗肅，見異不怵惕也。'"案士孫瑞范書無傳，《三輔決録》"士孫萌字文始，少有才學，年十五能屬文。初董卓之誅也，萌父瑞知王允必敗，京師不可居，乃命萌將家屬至荆州，依劉表，果爲李傕所殺。及天子都許昌，追論誅董卓之功，封萌爲澹津亭侯。與山陽王粲善，萌當就國，粲作詩以贈萌"。又案《梁冀傳》"從扶風富人孫奮貸錢"，亦當作"士孫奮"。《誅董卓詔》。

太山太守應劭集三卷梁四卷，《唐志》同。

劭，字仲遠，亦作"仲瑗"。奉之子。少篤學，博覽多聞。靈帝時，舉孝廉，辟車騎將軍何苗掾。中平三年，舉高第，拜太山太守，卒。凡爲《駁議》三十篇，删定律令爲《漢儀》，著《漢官禮儀故事》，撰《狀人紀》、《中漢輯序》、《風俗通》，凡所著述三十六篇，又集解《漢書》。檭三案：今可考者，有《删定漢儀奏條》、《奏雒陽男子夜龍射北闕事》、《駁募鮮卑議》、《駁尚書陳忠罪疑惟輕議》、《舊君名諱議》、見《春秋左傳疏》。裴松之《三國志注》"時汝南主簿應劭議，宜爲舊君諱，論者皆互有異同，事在《風俗通》"，《張昭傳》"與王朗共論舊君諱事，州里才士陳琳等皆稱善之"。《風俗通序》、《遣五官掾孫艾》、《獻藥表》、《明文移營陵縣》、《申約吏民歲再祠城陽景王祠書》。

廉品集一卷

品爵里未詳。懷三案:今可考者,有《大儺賦》。

蔡琰集一卷。見《世善堂書目》。

琰字文姬,邕女。初適衛仲道,無子。西京之亂,爲匈奴左賢王所得,生二子。曹操使人遺金帛贖之,後嫁董祀。懷三案:今可考者,有《悲憤詩》二首、《胡笳十八拍》。案《胡笳十八拍》詞意淺率,多不成語,與《悲憤詩》迥别,係後人僞託,非琰所作也。

丞相忠武侯諸葛亮集二十五卷《世善堂書目》二十卷。

亮,字孔明,琅邪陽都人。昭烈帝屯新野,詣見之。及即位,拜爲丞相。後主延熙十二年卒。陳壽上《諸葛亮集》目録:《開府作牧》第一、《權制》第二、《南征》第三、《北出》第四、《計筭》第五、《訓厲》第六、《綜覈上》第七、《綜覈下》第八、《雜言上》第九、《雜言下》第十、《貴和第》十一、《兵要》第十二、《傳運》第十三、《與孫權書》第十四、《與諸葛瑾書》第十五、《與孟達書》第十六、《廢李平》第十七、《法檢上》第十八、《法檢下》第十九、《科令上》第二十、《科令下》第二十一、《軍令上》第二十二、《軍令中》第二十三、《軍令下》第二十四。懷三案:張天如《亮集》目録有《隆中對》、《羣臣上漢帝請先主爲漢中王表》、《請宣大行遺詔表》、《爲後主伐魏詔》、《前出師表》、《後出師表》、《薦吕凱表》、《廢李平表》、《廢廖立表》,又《臨終遺表》、《薦蔣琬密表》、《追尊甘夫人爲昭烈皇后表》、《街亭自貶疏》、《上事疏》、《公文與尚書》、《與羣下教》、又、《答蔣琬教》、《作斧教》、《黜來敏教》、《與張裔教》、《稱姚伷教》、又、《與參軍掾屬教》、又、《與關雲長書》、《與杜微書》、《答杜微書》、《答李嚴書》、又、《與張裔書》、《與張裔蔣琬書》、又、又、《與蔣琬董允書》、《與孟達論李嚴書》、《與李豐書》、《與劉巴書》、《與孟達書》、《與陸遜書》、《與步騭書》、《與兄瑾書》九、《誡子書》、又、《誡外孫書》、《與劉巴論張飛書》、《與吴王書》、《上先主書牋》、又、《遠涉帖正議》、《絶盟好議》、《作木牛流馬式》、《交論》、《黄陵廟記》、《司馬季主碑》、《南中紀功碑》、《陰銘》、《軍令》、又、又、《軍令》、《兵軍要誡》、《梁父吟》。此外可考者，有《上昭烈帝謚議表》、見《三國志》本傳。《與司馬懿書》、見張儼《默記》。《與張嶷書》、見《姜維傳》。《上後主論據武功表》、見《水經注》。《甘戚論》、見《華陽國志》。《讖記碑》、"知吾心事者，惟有宋曹彬"，見《宋稗》。《連弩法》、《行鍋》、《八分書》。

司徒許靖集二卷

靖，字文林，汝南平輿人。昭烈即位，拜爲司徒。懷三案：今可考者，有《上先主玉璽》、《勸進表》、《與曹操書》、《大漢樂金石志》、《與交阯太守士燮書》、《自表》。

征北將軍夏侯霸集二卷

霸，字仲權，譙人。後主時，官至鎮北將軍。文佚無考。

孟達集三卷

達，字公威。少與諸葛亮俱游學，以叛降魏伏誅。案達一字子敬，後以避昭烈帝叔父諱，改名子度。懷三案：今可考者，有《辭先主書》、《薦王雄表》、《與劉封書》、《與諸葛亮書》、《上堵吟》。《水經注》：達爲新城郡太守，治房陵故縣。有白馬山，達登之而歎曰："劉封、申躭據金城千里，而更失之乎?"爲《上堵吟》。又劉表性好鷹，登此臺，歌《野鷹來曲》，聲似孟達《上堵吟矣》。

鎮東將軍費亭侯曹操集十卷

操，字孟德，譙人。舉孝廉，遷南頓令。後封魏王，追謚武帝。案操雖自爲丞相，加九錫，封魏王，然卒於獻帝建安二十五年，其時魏國雖建，鼎祚未移，則操始終固漢臣也。書漢帝所授之官，係之漢末，所以削追謚之醜，亦以著丕之篡也。王粲、陳琳、劉楨、阮瑀、應瑒以下並終於建安，故附綴於末。懷三案：張天如《操集》目録有《春祠令》、《述志令》、《軍譙令》、《嚴敗軍令》、《重功德令》、《建學令》、《求賢令》、《舉士令》、《選舉令》、《選令》、又、《求逸才令》、《求直言令》、《封功臣令》、《分給諸將令》、《掾屬得失令》、《效力令》、《議禮令》、《抑兼併令》、《禁比周令》、《存恤令》、《給貸令》、《慎刑令》、《禁絶火令》、《禁鮮飾令》、《百辟刀令》、《修盧植墓令》、《褒太山太守吕虔令》、《表封田疇令》、《下田疇讓封令》、《與張範令》、《徐晃假節令》、《勞徐晃令》、《下州郡美杜襲令》、《賜杜襲令》、《與辛毗令》、《與邴原令》、《辟王必令》、《拜高柔爲理曹掾令》、《下諸侯長吏令》、《諸兒令》、《列孔融罪狀令》、《丁幼陽令》、《表青州刺史劉綜令》、《壽陵令》、《遺令》、《蠲河北租賦令》、《更始令》、《讓九錫令》、《遣使令》、《褒賞令》、《軍策令》、又、又、《鼓吹令》、《論將令》、《設官令》、《賜夏侯惇伎樂名倡令》、《褒夏侯淵令》、《論功行封二荀令》、《稱荀攸令》、《又請鍾繇參軍令》、《誅崔琰令》、《省西曹令》、《徐奕爲中尉令》、《諸子選官屬令》、《蔣濟爲揚州别駕令》、《蔣濟爲丞相西曹掾屬令》、《棗祗子處中封爵令》、《褒杜畿令》、《原劉廙令》、《議復肉刑令》、《禁用誹謗令》、《報和洽論毛玠令》、《杜襲爲留府長史令》、《内誡令》、又、《臨淄侯曹植犯禁令》、《遺命諸子令》、《與衛臻令》、《議田疇讓封教》、《授崔琰東曹掾教》、《征吴教》、《復肉刑教》、《與張遼等教》、《賜袁涣家穀教》、《上言破袁紹表》、《讓費亭侯表》、《又讓封表》、《讓增封武平侯表》、《讓增封表》、《讓還司空印綬表》、《讓九錫表》、《謝襲封費亭侯表》、《領兖州牧表》、《陳損益表》、《拜九錫表》、《請封荀彧表》、《請封田疇表》、《請恤郭嘉表》、《獲宋金生表》、《請封荀攸表》、《請增封郭嘉表》、《糜竺領嬴郡太守表》、《上獻帝器物表》、《破袁尚上事》、《上九醖酒法奏》、《上雜物疏》、《立卞夫人爲王后策》、《與少府孔融書》、《與太尉楊文先書》、《與王修書》、

《與荀彧書》、《報荀彧書》、《與荀彧悼郭嘉書》、《與鍾繇書》、《與荀攸書》、《與閻行書》、《報蒯越書》、《答朱靈書》、《報楊阜書》、《報劉廙書》、《答袁紹書》、《答吕布書》、《遺孫權書》、《與王芬書》、《爲兗州牧上書》、《報荀彧尺牘》、《與荀彧尺牘》、又、又、又、《與諸葛亮尺牘》、《孫子兵法序》、《祭太尉橋玄文》、《氣出唱》、《精列》、《度關山》、《薤露》、《蒿里行》、《對酒》、《陌上桑》、《短歌行》、《苦寒行》、《秋胡行》、《善哉行》、《卻出東門行》、《碣石篇》、《觀滄海》、《冬十月》、《土不同》、《龜雖壽》、《謠俗詞》、《董逃歌詞》。它可考者，有《上書》、陳蕃、竇武正直而見陷害，姦邪蓋朝，善人壅塞，操上書諫。《復上書》、是歲詔書敕三府：奏州縣政理無效，民作爲謠言者罷之。操上書切諫。《奏事》、《初學記》引魏王《奏事》"出門必用里門，面大道者名曰第。爵雖列侯食邑不滿萬户不得作第，其舍在軍中不得稱第"。《請州郡罷兵表》、《理楊彪表》、《禁用誹謗令》、《毛玠令又報和洽論》、《手書與吕布》、《東武吟》。

丞相掾王粲集十一卷《世善堂書目》十卷。

粲，字仲宣，山陽高平人。獻帝西遷，從至長安。西京擾亂，乃之荆州，依劉表。後曹操辟爲丞相右掾。魏國建，爲侍中。建安二十二年春，病卒。所著詩、賦、論、議、垂六十篇。《魏志》：粲善屬文，舉筆便成，無所改定，時人以宿搆。曹丕《與吴質書》：昔年疾疫，親故多罹其菑。徐、陳、應、劉，一時俱逝。頃撰其遺文，都爲一集。仲宣獨自善於辭賦，惜其體弱，不足起其文。至於所善，古今無以遠過。《金樓子》：仲宣在荆州，著書數十篇。荆州壞，盡焚其書，今存者一篇。《顔氏家訓》：吾初入鄴，與博陵崔文彦交游，嘗説《王粲集》中難鄭玄《尚書》事，崔轉爲諸儒道之。始將發口，懸見排蹙，云："文集止有詩、賦、銘、誄，豈當論講經書事乎？且先儒之中，未聞有王粲也。"《詩紀匡謬》：子桓《與吴質書》"徐、陳、應、劉，一時俱逝"，知數子盡卒於建安之年，藝文之序仲宣每云"漢王粲"可證。懷三案：張天如《粲集》目録有《游海賦》、《登樓賦》、《浮淮賦》、《初征賦》、《羽獵賦》、《思友賦》、《車渠盌賦》、《迷迭賦》、《柳賦》、《槐賦》、《白鶴賦》、《鸚鵡賦》、《鶡賦》、《鶯賦》、《傷夭賦》、《出婦賦》、《寡婦賦》、《神女賦》、《閑邪賦》、《大暑賦》、《酒賦》、《瑪瑙勒賦》、《爲劉荆州與袁譚書》、《爲劉荆州與袁尚書》、《爲荀彧與孫權檄》、《七釋》、《荆州文學記》、《務本論》、《三輔論》、《難鍾荀》、《太平論》、《儒吏論》、《爵論》、又、《安身論》、《務本論略》、《儒吏論略》、《連珠》四首、《正考父贊》、《反金人贊銘》、《刀銘》、《研銘》、《蕤賓鐘銘》、《無射鐘銘》、《鐘簴銘》、《弔夷齊文》、《太廟頌》三首、《俞兒舞歌》四首、《矛俞新福歌》、《弩俞新福歌》、《安臺新福歌》、《行辭新福歌》、《贈蔡子篤》、《贈士孫文始》、《贈文叔良》、《思親詩》、《雜詩》、《雜詩》四首、《七哀詩》三首、《詠史詩》、《公醮詩》、《從軍詩》五首。此外可考者,尚有《愁霖賦》、《投壺賦》、《圍棋賦》、《贈楊德祖詩》、《顔氏家訓》引"我君餞之,其樂洩洩"。《詩品》其源出于李陵,文秀而質羸。在曹、劉間,別搆一體。方陳思不足,比魏文有餘。《竹林詩品》:王粲之作,加梗枬杞梓,輪囷離奇,夫豈細材哉?《安世詩》、《玉海》:王粲所造《安世詩》,今亡。《阮元瑜誄》。

倉曹掾阮瑀集五卷

瑀,字元瑜,陳留人。少受學於蔡邕。操召爲軍謀祭酒,管記室書檄。建安十七年卒。瑀嘗爲操作書與韓遂,於馬上具草,書成,操覽筆欲有所定,而竟不能增。懷三案:今可考者,有《止欲賦》、《鸚鵡賦》、《紀征賦》、《箏賦》、《爲曹操與劉備書》、《爲曹操與孫權書》、《謝曹公牋》、《立齊桓公神堂議》、《爲曹丕作舒告》、《文質論》、《弔伯夷文》、《駕出北郭門》、《琴歌》、《文士傳》:太祖雅聞瑀名,辟之,不應,乃逃入山中。太祖使人焚山得瑀。太祖時征長安,大延賓客,怒瑀不與語,便就伎人列。瑀善解音,能鼓琴,撫弦而歌,爲曲既捷,音節殊妙,歌曰:"弈弈天門開,大魏應期運。青蓋巡九州,在東西人怨。士爲知己死,女爲悦己玩。恩義苟潛暢,它人焉能亂?"太祖大悦。案《文章志》瑀建安中初辭疾,得召即起,不聞有焚山事。操征荆州,瑀作書。十六年入關,而云得瑀在長安,瑀以十七年卒,操次年進爵魏公,辭稱"大魏",愈知其妄矣。《詠史詩》二首、《雜詩》二首、《七哀詩》、《隱士苦雨》、《公醼怨詩》、失題二首。

軍謀祭酒陳琳集十卷《世善堂書目》同。

琳,字孔璋,廣陵人。袁紹辟之,使典密事。紹死,曹操辟爲軍謀祭酒,典記室。建安二十二年病卒。琳作諸書及檄文成呈,操先苦頭風,是日病發,讀琳所作,翕然而起曰:"此愈我病!"曹丕《與吴質書》:孔璋章表殊健,微爲繁富。《顔氏家訓》:陳孔璋居袁裁書,則呼操爲豺狼;在魏則目紹爲蛇虺。在時君所命,不得自專,然亦文人之巨患也。懷三案:今可考者,有《武軍賦》、《神武賦》、《止欲賦》、《神女賦》、《大暑賦》、《瑪瑙勒賦》、《迷迭賦》、《柳賦》、《鸚鵡賦》、《大荒賦》、張天如《琳集》目録不載,《初學記》引"假龜筮以貞吉,問神諗以休祥"。《爲袁紹與爲公孫瓚書》、《更公孫瓚與子書》、《與臧洪書》、《爲曹洪與世子書》、《文帝集》序曰:"上平定漢中,族父都護還書與予,盛稱彼方土地形勢。觀其辭,如陳琳所爲也。"《名世文宗》評云:"案此書辭,因文帝疑其辭出陳琳,故辨其爲己作,則文帝所疑者,非此書也。此書之前必更有書,所謂盛稱彼方土地形勢者也。洪因爲彼窺其短長,故復以此書自明。觀其書時稱'琳頃多事,不能得爲'及'頗奮文辭'以下云云可見。"《爲曹操與韓遂書》、《答張紘書》、《爲袁紹拜烏桓三王爲單于版文》、《答東阿王牋》、《爲袁紹討曹操檄》、《檄吴將校部曲文》、《應譏》、《韋端碑》、《飲馬長城窟行》、《游覽詩》二首、《宴會詩》。《書録解題》:丞相軍謀掾廣陵陳琳孔璋撰。案《魏志》文帝爲五官中郎將,及平原侯植皆好文學。昔山陽王粲仲宣、北海徐幹偉長、廣陵陳琳孔璋、陳留阮瑀元瑜、汝南應瑒德璉、東平劉楨公幹並見友善。自邯鄲淳、繁欽、路粹、丁廙、楊修、荀緯等,亦有文采,而不在此七人之列,世所謂建安七子者,但自王粲而下纔六人,意子建亦在其間,而文帝《典論》則又以孔融舉首,並粲等謂之七子,植不與焉。

五官中郎將文學劉楨集四卷

楨,字公幹,東平人。辟丞相掾。丕嘗請諸文學,酒酣,命甄后出拜,坐中皆伏,楨平視。操收楨,減死,輸左作。著詩、賦數十篇。《與吴質書》:公幹時有逸氣,但未遒耳。懷三案:今可考者,有《魯都賦》、《遂志賦》、《黎陽山賦》、《瓜賦》、《初學記》引《瓜賦》序:在曹植坐,廚人進瓜,植命爲賦,促立成。《大暑賦》、《清慮賦》、《初學記》引"錯華玉以茨座,駢確黄以爲墀。紛以瑤蕊,糅以千黄","結東阿之扶桑,接西雷乎燭龍。上青腰之山,蹈琳珉之塗。玉樹翠葉,上栖金烏"。《答太子書》二、《與臨淄侯書》、《諫曹植書》、《文選・陸韓卿〈奉答内兄希叔詩〉》注引。《磨石對》、見《文士傳》。《答太子索廓落帶書》、《公讌詩》、《贈五官中郎將》四首、《贈徐幹》一首、《贈從弟》三首、《雜詩》、《鬬雞》、《射鳶》、《失題》二首、《思友》、見鍾嶸《詩品》。《處士文國甫碑》。此外尚有《御覽》引《天地無期竟》一首,《北堂書鈔》引"且發鄴城東"四句,《蓋》引"攬衣出邑去,素蓋何翩翩"句。《初學記》引"玄雲起高岳,終朝彌八方"句,《春》引"初春含寒氣"句。《詩品》:其源出於古詩。使氣愛奇,動多振絶。真骨凌霜,高風跨俗。但氣過其文,雕潤恨少。然自陳思以下,楨稱獨步。《竹林詩評》:劉楨之作,朗潤清越,如摐金考石,故宜稱於建安。

尚書右丞潘勖集二卷

勖字,元茂,陳留中牟人。《文章志》:初,勖名芝,改名勖。獻帝時,爲尚書郎,遷東海相,未發,拜尚書右丞。樑三案:今可考者,有《玄達賦》、謝靈運擬陳琳所作者。《魏公九錫文》、《荀彧碑》、《文選・齊故安陸昭王碑》引。《連珠》、《文心雕龍》叙連珠曰:"賈逵、杜篤、劉珍、潘勖欲穿明珠,多混魚目。"《符節箴》。見《文心雕龍》。

丞相主簿繁欽集二卷

欽,字伯休,潁川人。少以文辨知名,以豫州從事稍遷至丞相主簿。欽既長於書記,又善爲詩賦。建安二十三年卒。樑三案:今可考者,有《秋思賦》、《弭愁賦》、《征天山賦》、《建章鳳閣賦》、《暑賦》、《述行賦》、《避地賦》、《三胡賦》、《述征賦》、《桑賦》、《柳賦》、《與魏世子書》、《辨惑》、《文選・陸機〈辨亡論〉》注引。《嘲應德璉文》、案《文心雕龍》"應瑒之鼻,方於盜口削卵"即此文中語,黄琳叔注未及引之。《爲文叔良移檄零陵》、《川里先生訓》、《祠先主訓》、《丘儁碑》、《尚書箴》、《威儀箴》、《研頌》、《研贊》、《定情詩》、《勸誡詩》、《雜詩》、《贈梅公明詩》一首、《槐樹詩》。《北堂書鈔・雪》引《繁欽集》"陰雲起兮白雪飄"。

五官中郎將文學徐幹集五卷

幹爵里見前《中論》注，建安二十二年卒。《與吴質書》：偉長獨懷文抱質，恬澹寡欲，有箕山之志，可謂彬彬君子矣。懷三案：今可考者，有《嘉夢賦》、《初學記·漢水》引“昔嬴子與其友游於漢水之上，其夜夢見神女。”《西征賦序》、《征賦》、《齊都賦》、《車渠盌賦》、《玄猨賦》、《漏巵賦》、《橘賦》、《團扇賦》、《哀别賦》、《法象賦》、《論制王公以下奴婢限數及禁百姓任踐田宅議》、《七喻》、《行女哀詞》、建安中曹丕與臨淄侯植各失稺子，命公幹、偉長製哀詞。《室思詩》、《詩紀匡謬》：徐幹《室思》，其詩第三章曰：“自君之出矣，金翠闇無精。”《藝文類聚》亦題曰“儗室思”，則此詩之爲《室思》無疑也。今據以前五篇爲雜詩，而獨以“人靡不有初”爲《室思》，誤也。《爲挽船詩》、《與新娶妻别詩》、《答劉楨詩》、《詩品》：偉常與公幹往復，雖曰以莛扣鐘，亦能閑雅矣。《情詩》。《文選·沈休文〈齊安陸昭王碑文〉》注引。又《北堂書鈔·夏》引徐幹佚句“陶陶朱夏德，艸木昌且繁”。

丞相主簿楊修集二卷

修，字德祖，弘農人，太尉彪子。曹操以修前後漏洩言教，交通諸侯，乃收殺之。著爲賦、頌、碑、贊、哀、誄、表、記、書十五篇。懷三案：今可考者，有《出征賦》、《神女賦》、《許昌宫賦》、亦作“頌”。《節遊賦》、《大暑賦》、曹植作《大暑賦》，修亦爲之。既成，終日不敢獻。《傷夭賦》、《文選·潘安仁〈悼亡詩〉》注引。《孔雀賦》、序：魏王園中有孔雀，久在池沼，與眾鳥同列。其初至也，甚見奇偉，而今行者莫眡。臨淄侯感世人之待士，亦咸如此，故作賦以明志，并見命及，遂作賦。《五湖賦》、《水經注》引。《司空荀爽述赞》、《答临淄侯牋》、《为临淄侯前後條答教令》。

丞相掾应瑒集五卷

瑒，字德璉，汝南人，劭弟子。曹操辟爲丞相掾，後爲五官中郎將文學。建安二十二年卒。《與吴質書》：德璉常斐然有述作之志，其才學足以著書，美志不遂，良可痛惜！應休璉終於魏明帝時，故不録。懷三案：

今可考者,有《贊德賦》、《愍驥賦》、《迷迭賦》、《靈河賦》、《正情賦》、《征賦》、《馳射賦》、《鸚鵡賦》、《愁霖賦》、《喜霖賦》、《西狩賦》、《校獵賦》、《車渠盌賦》、《楊柳賦》、《神女賦》、《文質論》、《報龐惠恭書》、《弈旨釋賓》、《文選·辨命論》注引。《檄文》、《北堂書鈔·軍容》引。《報趙淑麗》一首、《公讌詩》、《侍五官中郎將建章臺集詩》二首、《別詩》二首、《鬬雞》一首。

軍謀祭酒路粹集二卷

粹,字文蔚,陳留人。少學於蔡邕。建安初,爲軍謀祭酒。十九年,從軍至漢中,坐違禁賤請驢伏法。懷三案:今可考者,有《枉奏孔融》。案孔北海見虎賁中郎將貌似蔡邕,引置座上,曰:"雖無老成人,尚有典刑。"粹親受學於邕,而甘心鷹犬,枉奏孔融,違禁請驢,罪不至死,卒以此伏法,蓋權奸之小人也。當其得志恣睢,引爲羽翼,藉以誅鉏善類,而其心固已厭而薄之矣,一旦犯法誅戮,不少貸,爲小人者可不戒哉!

右別集類上

案范書本傳有載疏奏數篇者,有録詩賦一二首者,其餘第撮其大略,史體固應爾也。王深寧《玉海》於諸集下略載著述,至采擇尚多未備,兹據袁宏《後漢紀》、《東觀漢記》、裴松之《三國志注》、《文選注》、《初學記》、《藝文類聚》、《北堂書鈔》、《太平御覽》、《白帖》、《文獻通考》、《東漢文類》、《古文苑》、《續文選》所引,及張天如《百三家集》所載,廣爲蒐輯,於各集下分類而條次之,吉光片羽,彌可珍貴,俾好古之士案圖索驥,有所考焉。它若楊終、有《雷電之意賦》、《神雀賦》、《制封禪書》、《寬刑還戍疏》、《獄中上書自訟》、《戒馬廖書》、《生民詩》、《晨風詩》、《孤憤詩》。侯諷、有《神雀賦》,見王充《論衡》。劉玄、明帝時人,有《簧賦》,見馬融《長笛賦序》。李勝、字茂通,有詩、頌、論數十篇,可考者有《王祐誄》,見《華陽國志》。臨邑侯劉復、有《漢德頌》。曹眾、字伯師,扶風人,有誄、書、論四篇。曹朔、有《漢頌》四篇。劉睦、有《終始論》、賦、頌數十篇。夏恭、有詩、賦、《勵學》二十篇。夏牙、有賦、頌、贊、誄四十篇。王符、有《羽獵賦》。王充、有《果賦》，見任昉《述異記》。劉廣世、有《七興》。桓彬、有《七説》。趙岐、有《監賦》、《戹屯詩》二十三章、《連珠》四十章、《與友書》、《病中遺令》、《三輔決録序》、《守邊策》、《禦寇論》、《壽藏頌》。邊讓、有《章華臺賦》一篇。崔烈、著詩、書、教、頌凡四篇。服虔、有賦、誄、碑、書、記、連珠十餘篇。趙商、有《鄭康成學書》、《遺闕文》、《譏詩賦》、詩二十餘篇，李密爲之釋。秦嘉、有《述昏詩》、《贈婦詩》五篇、《與婦書》。徐淑、有《答夫秦嘉書》、《答夫詩》一篇。馬融女芝、司徒袁隗妻也，有《申情賦》一篇。蘇伯玉妻、有《槃中詩》一篇。竇玄妻、有《怨歌》一篇、《與玄書》。仲長統、有《樂志論》、《樂志詩》、《社主非句龍議》。龐德公、有《於忽歌》二篇。費禕、有《麥賦》、《甲乙論》。郤正、有《釋譏》、《姜維論》。秦宓、有《帝系辨》、《皇帝王霸》、《養龍説》三篇、《答李權借戰國策書》、《與王商書》、《答王商書》、《奏記劉焉》。劉修、字季緒，表子，著書、詩、賦、頌六篇。杜秦姬、有《教子書》、《戒諸女及婦》。諸人無專集者附記於此。其諸帝詔令、璽書、制策、告勑及諸臣上書、疏、奏、封事、對策、論、議、書、牋、奏記、檄、移、嘲、答、箴、銘、頌、碑、誄、哀弔，各以時次另編作一卷。

卷 十

經學師承上

治施氏易

騎都尉陳留昏劉昆桓公、子宗正軼君文

本傳：受《施氏易》於沛人戴賓子軼，亦傳父業。《東觀漢記》：昆少治《施氏易》，篤志經學，教授弟子常五百餘人，爲光禄勳，授皇子經及諸王小侯五十人經。

漢陽太守北地靈州傅燮南容

本傳：師事太尉劉昆，治《施氏易》。

徵士廣漢梓潼景鸞漢伯

本傳：鸞少隨師事經，涉七州之地，治《施氏易》，兼明河雒圖緯。《華陽國志》：鸞與廣漢郝宗、蜀郡任叔本、潁川李仲則、渤海孟元叔游學七州，遂明經術。

治梁邱易

博士代郡范升辯卿

本傳：治《梁邱易》。

山陽太守吕羌

博士梁恭

見《范升傳》，俱修《梁邱易》。

左中郎將京兆楊政子行

本傳：從博士范升受《梁邱易》，與京兆祁聖元同好，時人爲之語曰“説經鏗鏗楊子行，論難僠僠祁聖元”。《續漢書》：政從代郡范升學。升嘗爲出婦所告，坐繫獄。政乃肉袒，以箭貫耳，抱升子潛伏道旁，候車駕出，涕泣辭請，有感帝心，詔曰：“乞楊生師。”即爲放出升。

太子少傅潁川郾陵張興君上、子屬國都尉魴

本傳：興習《梁邱易》，稍遷，至博士，弟子自遠方至者，著録且萬人。子魴亦傳父業。

漁楊太守南楊宛張堪君游

《東觀漢記》：堪受業長安，治《梁邱易》。本傳：年十六受業長安，諸儒號曰“聖童”。

重安侯相杜暉慈明

《隸釋》：治《梁邱易》。

治京氏易

主簿毗陵陸瑲仲芳

《毘陵先賢傳》：瑲操履清正，明《京氏易》、《尚書》，風角、星算皆及精奥，辟主簿視事，旬日，謝病去，隱會稽山。

沛獻王劉輔

本傳：輔好經書，善説《京氏易》。《東觀漢記》：永平五年，京師少雨，上御靈臺，召尚書取卦具，自爲卦，以《周易卦林》卜之。其繇曰：“蟻封穴户，大雨將集。”明日大雨，上即詔書問輔曰：“道豈有是邪？”輔上書曰：“案《易卦》震之蹇‘蟻封穴户，大雨將集’，《蹇》，艮下坎上，艮爲山，坎爲水。山出雲爲雨，蟻穴居而知天將雲雨，蟻封穴，故蟻爲興文。”詔報曰：“善哉！王次叙之。”

侍中兼虎賁中郎將汝南平輿戴憑次仲

本傳：習《京氏易》。

九真太守南陽宛任延長孫

《續漢書》:延治《京氏易》。謝承《後漢書》:年十二,學於長安,明《詩》、《易》、《春秋》,號曰"任聖童"。《會稽典録》:更始拜延會稽都尉,下車遣吏以中牢祠延陵季子。會稽頗稱多文士,延到皆禮之,聘請高行俊乂如董子儀、嚴子陵等,皆待以師友之禮。謝沈《後漢書》:延拜會稽都尉,時龍邱萇篤志好學,王莽篡位,隱居太末,以耕稼爲業。時鍾離意爲主簿,白請萇爲門下祭酒。

方正成武孫期仲彧

本傳:期少爲諸生,習《京氏易》、《古文尚書》。家甚貧,牧豕於澤中,學者皆執經隴畔以追之。

弘農太守南陽魏滿叔牙

本傳:習《京氏易》,教授。

太尉弘農楊秉叔節

本傳:兼明《京氏易》,博通書傳,隱居教授。

濟北相涿郡安平崔瑗子玉

本傳:明天官曆數、《京氏易》、六日七分,諸儒宗之。與扶風馬融、南陽張衡篤相友好。

吴令安邱郎宗仲綏、子郎中顗雅光

《顗傳》:父宗習《京氏易》。顗少傳父業,兼通經典,隱居海畔,延致門徒常數百人。

處士廣漢折像伯式

本傳:通《京氏易》,好黄老言。《華陽國志》:像,廣漢雒人也。從東平虞叔稚,以道自處門人。朋友自遠而至。時人爲諺曰:"折氏客誰?朱雲卿,段節英。中有佃子趙仲平,但説天文論五經。"

光禄大夫南陽魯陽樊英季齊

本傳：受業三輔，習《京氏易》，兼明五經，善風角、星算，諸經七緯，推步菑異。隱於壺山之陽，受業者四方而至。

郎中南昌唐檀子産

本傳：習《京氏易》，還鄉教授，常百餘人。

兖州太守京兆第五元先

案元先第五倫孫，范書不載元先名，以第五種字興先推之，知爲伯魚孫也。

大司農北海高密鄭玄康成

本傳：從第五元先受《京氏易》。《續漢書》：少造太學受業，師京兆第五元先，通《京氏易》、《公羊春秋》、《三統曆》、《九章算術》。又從東郡張恭祖受《周官》、《禮記》、《左氏春秋》、《古文尚書》。西入關，因涿郡盧子幹事扶風馬融。融門徒四百人，升堂進者五十餘人。融素驕貴，玄在門下三年不得見，迺使高業傳授於玄。玄日夜尋誦，未嘗倦怠。融會門人諸生考論圖讖，聞玄善算，迺召見於樓上。玄因從質諸疑義，畢辭歸。融喟然謂門人曰："鄭生今去，吾道東矣！"玄自游學十餘年乃歸鄉里，家貧，客耕東萊，學徒相隨已數百千人。其門人山陽郄慮至御史大夫，東萊王基、清河崔琰著名於世。杜密爲太山太守、北海相，行春至高密義鄉，玄爲鄉佐，知其異器，召試郡職，遣就太學。《别傳》：季長后戚，嫚於待士，玄不得見。住左右，自起精廬，既因介紹得通。時涿郡盧子幹爲門人冠首，季長又不解剖裂七事，玄思得五，子幹得三。季長謂子幹曰："吾與汝皆弗如也。"季長臨别，執玄手曰："大道東矣。"《世説》：鄭玄在馬融門下，三年不得見，高足弟子傳授而已。嘗算渾天不合，諸弟子莫能解。或言玄能者，召玄令算，一轉便決，衆咸駭服。及玄卒業辭歸，融有"禮樂皆東"之歎。

恐玄擅名而心忌焉。玄亦疑有追,迺坐橋下,在水上據屐。融果轉式逐之,告左右曰:"玄在土下水上而據木,此必死矣!"遂罷追,玄竟以得免。劉峻注:"馬融海内大儒,被服仁義。鄭玄名列門人,何猜忌而行鴆毒乎?委巷之言,賊夫人之子。"

懷三案:鄭君弟子見《魏志》者有樂安國淵子尼、淵字子尼,鄭玄奇其才,勸使從學。樂安任嘏昭光、光,博昌人。年十四就學,疑不再問,三年中誦五經,皆窮其義,兼苞羣言,時人謂之神童。受學鄭玄之門,著書二十篇,帝命下祕書以貫羣言。東萊王基、基,曲城人。王肅著經傳解及論定朝議,改易鄭玄舊説,基據玄元義,常與抗衡。山陽郄慮、《續漢書》:慮字鴻豫,山陽高平人。少受業於鄭玄。曹操《與孔融書》:鴻豫經學出於鄭玄之門,又明《司馬兵法》。清河崔琰;琰字季珪,東武城人。年二十二始感激讀書,逌《論語》、《韓詩》。至二十九,乃結公孫方,就鄭玄受學。《述初賦》:琰性頑口訥,至二十九,粗閲書傳。聞北海有鄭徵君,當世名儒,遂往造焉。見《蜀志》者有汝南南頓程秉德樞;秉逮事鄭玄①,後避地交州,與劉熙考論大義,遂博通五經。著《周易摘》、《尚書駁》、《論語弼》三萬餘言。見《崔琰傳》者有公孫方;見蕭常《續漢書》者有樂安孫炎叔然;炎受學鄭玄門,稱東州大儒。王肅集《聖證》以譏短玄,炎駁而釋之。及作《周易》、《春秋例》、《毛詩》、《禮記》、《春秋》三傳、《國語》、《爾雅》諸注。又著書十餘篇。見《後漢書》有河内趙商;鄭玄《自叙》:商字子聲,河内温人,博學有秀才,能講論,而吃不能劇談。案趙商有《詣鄭康成學書》見《太平御覽》,《遺闕文書》見梅鼎祚《東漢文紀》,又晉李密有《釋河内趙商譏詩賦》二十餘篇。見《别傳》者有尚書左丞北海張逸;尚書左丞同縣張逸年十三爲縣小吏,君謂之曰:"爾有過人之質。玉雖美,必雕琢而成,能爲書生以成爾志否?"對曰:"願之。"遂拔於其輩,妻以弟女。見《鄭志》及《鄭記》者有劉炎、炅模、田瓊、孫皓、冷剛、任厥、汜閣、陳鏗、一作"陳鑠"。焦喬、崇精、王權、劉德、王

① "秉",原作"乘",據《金陵叢書》本改。

瓚、桓翱、一作"祟翱"。鮑遺、臨碩、碩字孝存,北海人。案"臨"亦作"林",古字通用。史節《鄭公碑》孝存作"孝莊"。甄子然諸人;又《孝經疏》引宋均《詩譜序》云"我先師北海鄭司農",則均亦玄之傳業弟子也。

太尉河内杜喬叔榮

本傳:治《京氏易》,師事荀爽。魏明帝《甄表狀》:喬治《尚書》、《禮記》、《春秋》,晚好《老子》。

處士豫章南昌徐稺孺子

本傳:習《京氏易》。《海内玉品》:孺子嘗師事江夏黄公。公卒,孺子躬行會葬。無資以自致,齎磨鏡具自隨。每所至磨鏡取資,然後得前。既至祭畢而反。稺子允,字季登,隱居林藪,躬耕稼穡,倦則誦經。

聘士陳留申屠蟠子龍

《高士傳》:治《京氏易》。本傳:從姜肱受業,博通五經。蟠與王子居同在太學,子居卒躬,送喪至家。

召陵令鄮李炳子然

謝承《後漢書》:治《京氏易》、《韓詩》。

光禄勳弘農華陰劉寬文饒

謝承《後漢書》:治《京氏易》。

東海相京兆平陵韋著休明

謝承《後漢書》:治《京氏易》、《韓詩》,博通術藝。

遼東太守山陽湖陸度尚博平

司馬彪《續漢書》:通《京氏易》,時人語曰"海内清明度博平。"

會稽餘姚董春紀陽

《會稽典録》:餘姚董春,字紀陽,少好學,師事侍中王君仲,受《古文尚書》。後詣京房受《易》,究極聖指,條別科義。後還爲師,立精舍,遠方門徒學者常數百人。謝承《後漢書》:春立精舍,諸生每升講堂,鳴鼓三通,橫經捧手請問者百人,追隨上堂難問者百餘人。

蕩陰令陳留己吾張遷方公

《張遷碑》:治《京氏易》。

費縣令東平陽田君

《田君碑》:治《京氏易》。

北唐子真

《廣韻注》:通《京氏易》。

博士韓宗

《吴書》:張紘從博士韓宗受《京氏易》。

治孟氏易

太山都尉梁國蒙夏恭敬公

本傳:習《孟氏易》。

大鴻臚南陽淯陽洼丹子玉

本傳:世傳《孟氏易》,謂之洼君學。建武中,徵博士。

少府中山鮭陽鴻孟孫

時中山鮭陽鴻亦以《孟氏易》教授。

成安令汝陽袁良貢卿、孫司徒安邵公、安子蜀郡太守京仲譽、司空敞叔平、京子光禄勳彭伯楚、彭弟太尉湯仲河

本傳:安祖良習《孟氏易》。安少傳良業,作《難記》。子京傳安學三十萬言。京弟敞,少傳《易》教授。京長子彭,彭弟湯,亦傳父業。

贈褒親侯烏氏梁竦叔敬

本傳:習《孟氏易》。

博士廣漢綿竹任安定祖

本傳:師事楊厚,治《孟氏易》,時人爲之語曰"欲知仲桓問任安",又曰"居今行古任定祖"。安家居教授,弟子自遠方而至。杜微、何宗、杜瓊皆名士,至卿。

琅邪都尉蘭陵徐淑伯進

謝承《後漢書》:習《孟氏易》。

汝南太守南陽宗資叔都

謝承《後漢書》:習《孟氏易》。

陳留太守南郡胡碩季叡

蔡邕碑:君治《孟氏易》。

太尉南閣祭酒召陵許慎叔重

《說文解字》叙:言《易》稱孟氏。本傳:河南滎陽人,博學經籍,時人爲之語曰"五經無雙許叔重"。

零陵太守會稽虞光、子平輿令成、孫鳳、曾孫日南太守歆文繡

虞翻本傳:虞翻上《易注》,奏曰:"臣高祖父故零陵太守光,少治《孟氏易》。曾祖父故平輿令成,纘述其業。臣祖父鳳爲之最密。臣先考故日南太守歆,本受於鳳,最有舊書,世傳其業。"案蕭常《續後漢書》:翻,會稽餘姚人。四世祖廣零陵太守、曾祖承平輿令。)

治費氏易

尚書令南陽韓歆翁君

建武中,歆欲爲《費氏易》立博士。

司空南閣祭酒蒼梧廣信陳元長孫

《儒林傳》:傳《費氏易》。

大司農河南鄭眾仲師

《儒林傳》:傳《費氏易》。

徵士京兆摯恂季直

《馬融傳》:初,京兆摯恂以儒術教授,融從其游學。《高士傳》:恂字季直,伯陵十二世孫也。明《禮》、《易》,遂治五經,通百家之言。隱居渭濱,教授數百人。弟子扶風馬融、沛國桓驎,自遠方至者十餘人。融從恂受業,恂以女妻之,後果爲大儒,當世以是服恂之知人也。和帝時,三府交辟,公車徵,皆不就。

南郡太守扶風馬融季長

《儒林傳》: 陳元、鄭眾皆傳《費氏易》,其後馬融亦爲其傳。謝承《後漢書》: 融年十三明經。司馬彪《續漢書》: 融在東觀十年,窮究典籍。初,京兆摯恂以儒術教授,名重關西,融從其游學,博通經籍,爲世通儒。教養諸生常有千數,涿郡盧植、北海鄭玄皆其徒也。

大司農北海高密鄭玄康成

《儒林傳》: 玄作《易注》,荀爽又作《易傳》,白是《費氏》興,而《京氏》遂衰。

司空潁川荀爽慈明

見前注。

荆州五等從事南陽章陵宋衷仲子衷,或作"忠",

陸氏《釋文》。

鎮南將軍荆州牧山陽高平劉表景升

《魏志》本傳: 表受學於山陽王暢。《後漢書》本傳: 作《周易後定章句》。又見《英雄記》。

附黄門侍郎弘農華陰董遇季直

陸氏《釋文》: 作《易章句》。《魏志》注:《魏略》: 遇性質訥,好學。興平中,關中亂,與兄季中依將軍段煨。采稆負販,而常挾持書傳。建安中,舉孝廉,稍遷黄門侍郎。旦夕侍講,爲帝所愛。有從學者遇不宜教,云:"必當先讀百遍,其義自見。"

徵士樂安孫炎叔然

《魏志·王肅傳》: 樂安孫叔然受學鄭玄之門,人稱東州大儒。

徵爲祕書監,不就。肅集《聖證論》以譏短玄,叔然駮而釋之,作《周易》、《春秋例》、《毛詩》、《禮記》、《春秋》三傳、《國語》、《爾雅》諸注。

汝南南頓程秉德樞

《吴志》本傳:逮事鄭玄,作《周易摘》。

治大夏侯尚書

祁令新都楊則仲續

《楊厚傳》注:楊統曾祖父仲續,舉河東方正,拜祁令。樂河東風俗,留家新都,代修儒學,以《大夏侯尚書》相傳。

太尉參録尚書事北海安丘牟融子優

本傳:少博學,以《大夏侯尚書》教授,門徒數百人。

少府中山鮭陽鴻孟孫

本傳:習《大夏侯尚書》。

侍中領騎都尉扶風平陵賈逵景伯

本傳:亦以《大夏侯尚書》教授。

司隸校尉南陽宋意伯志

《意傳》:父京以《大夏侯尚書》教授,意少傳父業。

大司農定陶張馴子儁

本傳:以《大夏侯尚書》教授。

議郎齊國臨淄吴良大儀

《東觀漢記》:習《大夏侯尚書》。

治小夏侯尚書

大司徒司直東海蘭陵王良仲子

本傳:少好學,習《小夏侯尚書》,教授諸生千有餘人。

處士成陽閭葵廉仲潔

《隸釋》：治《小夏侯尚書》。

治歐陽尚書

大司徒夜侯樂安千乘歐陽歙正思

本傳：自歐陽生傳伏生《尚書》，至歙八世。歙既傳業，教授數百人。坐在汝南贓罪發，諸生守闕爲歙求哀千餘人，至有自髠剔者。《歐陽氏譜》：歐陽欽，字子敬，生三子：曰容，曰述，曰興，同受業於伏生。容爲博士，生子曰巨。巨生遠，遠生高。案高字子防。高生仲仁，仲仁生地餘。案地餘字長賓。地餘生政，政生歙。歐陽修曰："漢世以歙爲和伯八世孫，今譜無生而有容，疑漢世所謂歐生者以其經師謂之生，如伏生之類，而其實名容，容字和伯，於義爲通。"

郎中平原禮震仲威

本傳：從司徒歙受《歐陽尚書》。聞獄當斷，馳之京師，行到河南獲嘉縣，自繫，上書求代歙死。曰："伏見臣師大司徒歐陽歙，學爲儒宗，八世博士，而以臧咎當伏重辜。歙門單子幼，未能傳學，身死之後，永爲廢絶。上令陛下獲殺賢之譏，下使學者喪師資之益。乞殺身以代歙命。"書奏，而歙已死獄中。謝承《後漢書》：光武嘉其仁義，拜震郎中。

新息高獲敬公

本傳：少游學京師，與光武有舊。師事司徒歐陽歙，歙下獄當斷，獲冠鐵冠帶鈇鑕詣闕請歙。

諫議大夫濟陰曹曾伯山、子河南尹祉

本傳：從司徒歙受《歐陽尚書》，門徒三千人。子祉傳父業，教授。《拾遺記》：曾家財巨億，學徒貧者皆給食。天下名書，上古以來，文篆謁落，曾皆刊正，垂萬餘卷。及國難既平，收天下遺書於曾家，連車繼軌，踰於王府。諸弟子於門外立祠，曰“曾師祠”。及亂世，家家焚廬。曾慮先文湮没，乃積石爲倉以臧書，故謂曹氏爲“書倉”。

弘農楊寶文淵

《楊震傳》：習《歐陽尚書》。

兖州牧上黨屯留鮑永君長、子司隸校尉昱文泉

本傳：少有志操，習《歐陽尚書》。子昱少從父學，客授東平。

諫議大夫南陽堵陽尹敏幼季

本傳：習《歐陽尚書》，後受《古文尚書》。

中散大夫樂安臨濟牟長君高、子博士紆

本傳：少習《歐陽尚書》。建武二年，拜博士。諸生講學者常千餘人，著録者前後萬人。著《尚書章句》。子紆傳父業，隱居教授，門生千人。

潁川太守京兆長安宋登叔陽

本傳：少傳《歐陽尚書》。

太常關内侯沛國龍亢桓榮春卿

本傳：從九江朱普受《歐陽尚書》，學章句。《漢書》：普字公文，爲博士。《東觀漢記》：榮少勤學，講論不怠，治《歐陽尚書》，事九江朱文剛，窮極師道，貧窶無資，常客傭以自給，十五年不窺家園。

議郎彭閎作明

司馬彪《續漢書》：閎字作明。

揚州從事吴郡皋宏奉卿

《桓榮傳》：時《歐陽》博士缺，帝欲用榮。榮叩頭讓曰：“臣經術淺薄，不如同門生郎中彭閎、揚州從事皋宏。”謝承《後漢書》：宏，字奉卿，吴郡人，少有英才。

虎賁中郎將豫章南昌何湯仲弓

《桓榮傳》:門徒四百人,湯爲高第,以才明知名。榮年四十無子,湯乃去榮妻,爲更娶,生三子,榮甚重之。建武中,召湯授皇太子經,帝善其説,問本師爲誰,對曰:"臣本師桓榮。"帝即召榮。

太傅汝南細陽張酺孟侯

本傳:祖父充與光武同學。酺少從充受《尚書》。又師事太常桓榮,聚徒數百人。

侍講九江胡憲

見《桓榮傳》。

少府潁川定陵丁鴻孝公

本傳:鴻善論難,爲都講,遂篤志精鋭,不遠千里。代成封爲少府,門下由是益盛。《東觀漢記》:鴻年十三,師事太常桓榮,十六而通章句。謝承《後漢書》:榮弟子丁鴻學最高。

九江鮑駿

見《丁鴻傳》,與鴻俱師事桓榮。

太傅趙國襄陵張禹伯達

本傳:少好學,師事桓榮,習《歐陽尚書》。

太尉彭城劉愷伯豫

見《丁鴻傳》。弟子彭城劉愷、九江朱倀、北海巴茂皆至公卿。愷爲太常,論議常引正大義,諸儒爲之語曰:"難經伉伉劉太常。"

司徒九江朱倀孫卿

北海巴茂尉祖

蘄長陳留陳弇叔明

《儒林傳》:陳留陳弇,字叔明,亦受《歐陽尚書》於丁鴻。司馬彪《續漢書》:以《尚書》教授,躬自耕種,常有黄雀飛來,隨弇翱翔。

太常桓郁仲恩

本傳：郁篤學，傳父業，以《尚書》教授，門徒常數百人。門人楊震、朱寵皆至三公。

太尉弘農楊震伯起

本傳：受《歐陽尚書》於太常桓郁，明經博覽，無不窮究，諸儒爲之語曰："關西夫子楊伯起。"後以讒死。弟子陳留虞放、陳翼追訟其事。《楊震碑》：明《尚書》歐陽，《河》、《雒》緯度。謝承《後漢書》：震居湖縣，立精舍，家貧，常種藍自業。《續漢書》：教授二十餘年。家貧，與母獨居，假地種植。諸生常有助種藍者，震輒拔，更種以距其後。後有冠雀銜三鱓魚，飛集講堂前，都講取魚進曰："虵鱓者，卿大夫服之象也。數三者，法三台也，先生自此升矣。"

太尉京兆杜陵朱寵仲威

謝承《後漢書》：習《歐陽尚書》，師太尉桓郁。袁宏《後漢紀》：初爲潁川太守，表孝弟儒義，功曹、主簿皆選明經，使文學祭酒佩經書前驅，頓止亭傳，輒復教授。

大鴻臚陽平侯桓焉叔元、子御史中丞關内侯[①]典公雅

本傳：焉，郁中子，傳父業。永初中，入授安帝經。順帝爲太子，以焉爲太子太傅。順帝即位，復入授經，弟子傳業者數百人。黄瓊、楊賜最爲顯。子典復傳家業，以《尚書》教授潁川，門徒數百人。

太尉弘農楊秉叔節

本傳：少傳父業。秉弟奉，字季叔，奉子敷，篤志博聞，能世其家。子衆亦傳先業。蔡邕《楊公碑》：四方學者自遠而至，蓋

① "侯"下原衍"子"，據《金陵叢書本》删。

踰三千。

繁陽令楊馥

《楊馥碑》: 世授《尚書》,爲國師輔君。少傳祖業,兼苞載籍,靡不周覽。

司空臨晉侯楊賜伯獻

本傳: 賜少傳家業,師事太傅桓焉。篤學博聞,教授門生。靈帝將受學,詔太傅三公選通《尚書》桓君章句,三公舉賜,迺侍講於光華殿中。

侍中楊奇公挺

奇,字公挺,震之曾孫。少有志節,不以家勢爲名,交結英彦,不與豪右交通。於河南緱氏界立精舍,門徒常二百人。謝承《後漢書》: 奇字公偉,通經,才性敏暢,入補侍中。天子所問,引經據義,靡不條對。

太尉楊彪文先

本傳: 少傳家業。

司空郝鄉侯江夏黄瓊世英

本傳: 師事桓焉。

西平侯南陽鄧宏叔紀

本傳: 治《歐陽尚書》,師事劉述,授安帝禁中。子甫德傳父業。

處士豫章南昌徐穉孺子

本傳: 通《歐陽尚書》。《風俗通》: 師事江夏黄公。

大司農敦煌酒泉張奂然明

本傳: 師事太尉朱寵,習《歐陽尚書》。謝承《後漢書》: 奂詣太學受業,博通五經。隱在扶風界中,立精舍,斟酌法喬卿之雅訓,晝誦書傳,暮習弓馬。袁宏《後漢記》: 陳蕃、李膺、張奂、楊秉皆師事皇甫規。

太尉弘農華陰劉寬文饒

本傳：習《歐陽尚書》。《劉寬後碑》：周覽五經，汜篤《尚書》。

太尉河内杜喬叔榮

謝承《後漢書》：治《歐陽尚書》。

陳留太守南郡華容胡碩季叡

碑文：治《歐陽尚書》。

議郎南陽安眾宗資叔都

謝承《後漢書》：通《歐陽尚書》。

司空南陽安眾宏子高

□□年十五治《歐陽尚書》，常在師門，衣布徒行，講誦孜孜。

郎中鄭固伯堅

碑文：初受業於歐陽，遂窮究乎典籍。

上計掾熊師、子更督郵五官中郎將喬漢舉、孫綏民校尉領曲紅長名字缺。

碑：君祖父師，上計掾。君父喬，字漢舉，更督郵五官中郎將。君少傳祖、父業，治《歐陽尚書》、六日七分。碑首名字皆缺。

懷三案：歐陽公以喬爲綏民，非。

成陽閭葵龔叔謙

《唐扶碑》：處士閭葵班次子龔叔謙治《歐陽尚書》。

河南尹任城景君

步兵校尉景君

郯令景君以上名字並缺。

《郯令景君碑》：治《歐陽尚書》，傳祖父河南尹、父步兵校尉業，門徒上録三千餘。

郎中王政季輔

碑文：治《歐陽尚書》。

丹水丞汝南陳宣彥威

碑文:卿承家學《歐陽尚書》。碑建於建平四年,至明成化中,中鄉水薄岸崩始出。

郎中汝南平輿廖扶文起

習《歐陽尚書》,教授常數百人。太守謁焕先爲諸生從扶學,後臨郡未到,先遣吏修門人之禮。謝承《後漢書》:汝南廖扶畢志衡門,死葬北郭,號曰"北郭先生"。

博士韓宗

《吴書》:張紘從宗受《歐陽尚書》。

治古文尚書

郎中魯國孔僖仲和、子長彦、季彦

本傳:自安國以下,世傳《古文尚書》。曾祖父子建,少游長安,與崔篆友善。僖復與篆孫駰相友善,同游太學,習《顔氏春秋》,拜蘭臺令史。帝東巡狩,還過魯,以太牢祠孔子及七十子,作六代之樂,大會孔氏男子二十以上六十以下幾百人,命儒者講道。僖因自陳謝。帝曰:"今日之會,寧於卿家有光榮乎?"對曰:"臣聞明王聖主,莫不尊師貴道。今陛下親屈萬乘,辱臨敝里,此迺崇禮先師,增輝聖德。至於光華,非所敢承。"帝大笑曰:"非聖人子孫,焉有斯言乎!"拜僖郎中,賜褒成侯損及孔氏男女錢帛。僖子長彦,好章句學;季彦守其業,門徒數百人。時人語曰:"魯國孔氏好讀經,兄弟講習皆可聽。學士來者有聲名,不遇孔氏那得成?"《經義考》:《連叢子》載孔大夫與僖子季彦問答。大夫曰:"今朝廷以下,四海之内,皆爲章句學,而君獨治古義,盍固已乎?"季彦答曰:"先聖遺訓,壁出古文,臨淮傳義,可謂妙矣,而不在科策之列,世人固莫識其奇矣,賴吾家世世獨修之。"若是,則壁中之《書》僖家具存矣。獨怪肅宗幸魯,孔氏子孫備具恩禮。僖家既有臨淮傳義,其時上無挾書之律,下無偶語之禁,何不於講論之際一進之至尊,或上之東觀,迺祕不以示人。竊意僖家古義,亦止伏生所授諸篇,而五十八篇增多則至晉而後罔缺。櫰三案:晉時《古文尚書》梅賾僞撰。

會稽餘姚董春紀陽

《會稽典録》:師事侍中王君仲,受《古文尚書》。

博士汝南汝陽周防偉公

本傳:師事徐州刺史蓋豫,受《古文尚書》。《汝南先賢傳》:防字偉公。年十六,任郡小吏。世祖巡守汝南,召掾吏試經,防尤能誦讀,拜爲守丞。防以未冠,謁去。師事徐州刺史蓋豫。明經,舉孝廉,拜郎中,遷陳留太守。

陳留東昏楊倫仲理

本傳:少爲諸生,師事司徒丁鴻,習《古文尚書》。講授大澤中,弟子至千餘人。

安陵令安成周磐堅白

本傳:少游京師,學《古文尚書》、《左氏》。廬於墓側,教授門生常千人。臨終,夢先師東里先生講於陰堂之奥。謝承《後漢書》:磐字堅白,爲安陵令。以弟暢爲司隸,縣屬部,换平陽令,復换重合令。磐已歷二縣,恥復經二城,遂去還家,立精舍,教授,守先人舊廬,遠方知名。

大司空扶風杜林伯山

本傳:林前在西州,得漆書《古文尚書》一卷,常寶愛之。

議郎東海衛宏敬仲、濟南徐巡

本傳:少與鄭興俱好古學,初事九江謝曼卿,善《毛詩》。後從大司空杜林受《古文尚書》,作《尚書訓旨》。時濟南徐巡師事宏,後更從林受《古文尚書》,自是古文大興。[①] 櫰三案:袁宏《後漢紀》"徐巡"作"徐兆"。

---

① "自",原作"白",據《金陵叢書》本改。

潁陰令扶風賈徽元伯

《賈逵傳》:逵父徽受《古文尚書》於塗惲。案:惲字子真,平陵人。

侍中賈逵景伯

本傳:逵少傳父業,數爲帝言《古文尚書》與經傳《爾疋》訓詁相應,詔令選歐陽、大、小夏侯《古文尚書》三家異同,逵集爲三卷。杜林得漆書《古文尚書》,以授濟南徐巡、東海衛宏,同郡賈逵爲之作訓,馬融作傳,鄭玄注解。逵自爲兒童,常在太學,不通人事。身長八尺二寸,諸儒爲之語曰:"問事不休賈長頭。"《拾遺記》:逵年六歲,其姊聞鄰家讀書,日日抱逵就籬聽之。逵年十歲,迺暗誦六經。父曰:"吾未嘗教爾,安得三墳、五典誦之?"對曰:"姊嘗抱於籬邊聽鄰家讀書,因得而誦之。"逵博通墳典,門徒來學,皆口授經文。贈獻者積粟盈倉,或云:"逵非力耕,所謂誦經口饋,世謂之舌耕也。"

南郡太守扶風馬融

本傳:作《尚書注》。

大司農北海高密鄭玄康成

本傳:玄初從東郡張恭祖受《古文尚書》。史承節《大司農鄭公碑》作"張欽祖"。

諫議大夫南陽堵陽尹敏幼季

見前。

方正成武孫期仲彧

見前。

中護軍司馬扶風班固孟堅

見本傳。

大中大夫河南鄭興少贛、子大司農衆仲師

見本傳。

左中郎將涿郡盧植子幹

本傳：植上書曰："古文科斗，近於爲實，而厭抑流俗，降在小學。中興以來，通儒達士班固、賈逵、鄭興父子，並敦説之。宜置博士，爲立學，以助後學，以廣聖意。"

順陽長潁川潁陰劉陶子奇

本傳：明《尚書》、《春秋》，爲之訓詁，推三家《尚書》及古文，是正文字三百，名曰《中文尚書》。

河南尹中山劉祐伯祖

本傳：習《古文尚書》。初，仕郡爲主簿。郡將少子嘗出錢付之，令市買果實。祐悉以買筆書，白郡將曰："郎君年少，不入小學，而但傲狠，遠近謂明府無過庭之教，請出授書。"郡將遣子從祐受經，五日一試，不滿程限，白決罰，遂成學業也。

長陵令河南張楷公超

本傳：通《古文尚書》，門徒常百人。《孝德傳》：楷至孝自然，喪親哀毁，每讀書見素冠、棘人，未嘗不掩涕焉。自父黨夙儒，皆造門焉。車馬填門，徒從無所止。黄門及貴戚之家，皆起舍巷次，以候過客往來之利。楷疾其如此，輒徙避之。隱居弘農山中，學者隨之，所居成市。華陰山中遂有公超市。案楷張霸子，本蜀郡成都人。霸遺令葬河南，遂家焉，故籍隸河南。

洛陽令魯國孔昱世元

本傳：家傳《古文尚書》學，時人爲之語曰"海内才珍孔世元"。補洛陽令，以師喪去官。

徵士宛孔喬子松

謝承《後漢書》：學《古文尚書》。

治齊詩

伏波將軍新息侯扶風馬援文淵

本傳：授《齊詩》，師事潁川蒲昌。褱三案：《漢書》蒲昌潁川人，字君都，受《詩》於匡衡，爲詹事。蒲，一作"滿"。《廣韻》蒲字注引《風俗通》"漢有詹事蒲昌"，作"滿"者非。援門生有爰寄生。

徵士廣漢梓潼景鸞漢伯

本傳：能理《齊詩》，作《詩解文句》。

大司徒不其侯琅邪東武伏湛惠公

本傳：伏理字君游，受《詩》於匡衡，由是有匡、伏之學。《漢書》：理，高密太傅，家世傳業。湛少傳父業，教授數百人。伏生以後，世傳經學，清淨無競，青州號爲"伏不鬬"云。司馬彪《續後漢書》：湛字惠公，更始三年拜平原太守，遭倉卒兵起，莫不驚擾，而湛獨安然教授。

光禄勳伏黯稚文

本傳：明《齊詩》、改定章句，作《解說》九篇。

司空三老伏恭叔齊

本傳：恭，司徒湛之兄子也。黯無子，以恭爲後。恭少傳黯學，常試經第一，拜博士，遷常山太守。教授不輟，由是北方多爲伏氏學。初，父黯章句繇多，迺減省浮辭爲二十萬言。湛曾孫晨，謙敬博愛，好學尤篤。

侍中屯騎校尉伏無忌

本傳：少傳家學。永和元年，詔無忌與議郎黄景共校定中書五經諸子百家藝術。

郡功曹蜀郡繁任末叔本

本傳：少習《齊詩》，游京師，教授十餘年。後奔師喪，於道物故。臨命，敕兄子造曰："必致我尸於師門，使死而有知，魂魄不慚。"《拾遺記》：任末年十四，學無常師，負笈不遠險阻。每言："人不好學，則何以成?"或依林木之下，編茅爲菴，削荆爲筆,尅樹汁爲墨。夜則映月望星,暗則然蒿麻自照。好觀書,有合意處,則題其衣裳及掌裏,以記其事。門徒悦其勤學,更以淨衣易之。非聖人之言不視。《河》、《雒》祕奥,非正典所載,皆注記於柱壁及園林樹木,好學者輒來寫之,時人謂任氏爲"經苑"。

大鴻臚潁川陳紀元方

《紀碑》:君習《齊詩》。褱三案:《經義考》有白奇,奇與西漢蕭望之同時,不當列景鸞之前,附記於此。

治魯詩

大司農平原般高詡季回

本傳:曾祖父嘉以《魯詩》授元帝,父容傳嘉學,詡以父任爲郎中,世傳《魯詩》。光武即位,徵爲博士。

博士陳留許晏偉君

習《魯詩》,師事琅邪王扶,改學曰"許氏章句",時人諺曰"殿上成羣許偉君"。

明經廣漢梓潼李業巨游

本傳:習《魯詩》,師事博士許晏。褱三案:《業傳》作"博士許晃",當由傳寫而譌。

太傅褒德侯南陽卓茂子康

本傳:茂元帝時學於長安,事博士江生,習《詩》、《禮》及《曆算》,究極師法,稱爲通儒。案江生元帝時博士,號《魯詩》宗。

大鴻臚會稽曲阿包咸子良

本傳:少爲諸生,受業長安,師事博士右師細君,習《魯詩》、《論語》。立精舍教授。光武即位,迺歸鄉里。太守黄讜署户曹史,欲召咸入授其子。咸曰:"禮聞來學,而無往教。"讜遂遣子師之。《吴録》:咸字子良,爲郡主簿。黄君行春,留咸守郡。君少子緣樓探雀卵,咸責數以春日不宜破卵,杖之三十。

五官中郎將任城魏應君伯

本傳:少好學。建武中,詣博士受業,習《魯詩》。舉明經,除濟陰王文學。以事免官,教授山澤中,徒衆常數百人。建初四年,拜五官中郎將,詔入授千乘王經。弟子自遠方至者,著録數千人。肅宗甚重之,數進見,論難。時會京師諸儒於白虎觀,論五經同異。使應專掌難問,侍中淳于恭奏之。帝親臨稱制,如石渠故事。張璠《漢記》:應字君伯,任城人,明《魯詩》。章帝重之,數見,論難於前,特受賞賜劍、玦、衣服。

千乘貞王劉伉

從魏應受《魯詩》。

司徒扶風平陵魯恭仲堪、弟侍中丕叔陵

本傳:恭與丕俱居太學,習《魯詩》,閉户講誦,絶人間事,俱爲儒所宗。恭憐丕小,欲先就其名,因留新豐教授。丕舉方正,恭始爲郡吏。趙熹聞而辟之。肅宗會諸儒於白虎觀,恭特以明經得與其議。丕兼通五經,以《魯詩》、《尚書》教授,爲世名儒。《東觀漢記》:恭閉門講誦,兄弟雙高。丕拜趙相,雖有官,不廢教,門生就學常百人,關東號曰"五經復興魯叔陵"。《華陽國志》:鐔顯,字子誦,郪人。蔡弓,字子騫,雒人。俱攜手共學,冬則侍親,春行受業。與張霸、李郃、張皓、陳禪爲師友,俱師事司徒魯恭。

侍御史豫章宜春陳重景公

南頓令豫章鄱陽雷義仲公

《陳重傳》:與豫章雷義俱習《魯詩》。

召陵令鄮李炳子然

謝承《後漢書》:習《魯詩》。

太尉汝南西平李咸元卓

謝承《後漢書》：習《魯詩》、《春秋公羊傳》、三禮。

琅邪王傅蔡郎叔明

碑文：以《魯詩》教授。

河隄謁者沛陳宣子興

碑文：習《魯詩》。

司隸校尉忠惠父山陽昌邑魯峻仲嚴

碑文：君治《魯詩》。

執金吾丞任城武榮含和

碑文：君治《魯詩》韋君章句，闕幘傳講《孝經》、《論語》、《漢書》、《史記》、《左氏》、《國語》，廣學甄微，靡不貫綜，久遊太學，藐然高厲。

治韓詩

長沙太守汝南郅惲君章

本傳：習《韓詩》，客居江夏教授。建武中，授皇太子《韓詩》，講殿中。遷長沙太守。後免歸，避地教授。

千乘太守淮陽薛漢公子

本傳：世習《韓詩》。漢少傳父業，尤善説災異讖緯，教授常數百人。建武初爲博士。世言《詩》者推漢爲長。櫰三案：漢父方邱，字夫子，世習《韓詩》。父子以章句著名。惠棟《後漢書補注》：唐人所引《韓詩》，其稱薛君者，漢也；稱薛夫子者，乃方邱也，故《馮衍傳》注有《薛夫子章句》，傳不載漢父名字，後人以《章句》專屬諸漢者，失之。

河南尹南陽尹勤叔梁

《東觀漢記》：治《韓詩》，師事薛漢。身牧豕，事親至孝，無有交游，門生荆棘。

公車令犍爲武陽杜撫叔和

《薛漢傳》：弟子犍爲杜撫、會稽澹臺敬伯、櫰三案：敬伯名恭，官博士,見應劭《風俗通·姓氏篇》。鉅鹿韓伯高最知名。本傳:少有高才,受業薛漢,定《韓詩章句》。後歸鄉里授授,弟子千餘人。所作《詩題約義通》,學者傳之,曰"杜君注"。《華陽國志》:撫治五經,教授門生千餘人,作《詩通議説》。

合浦太守京兆廉范叔度

本傳:詣京師受業,師事博士薛漢。漢坐楚獄誅,故人門生莫敢視,范獨殮之。

有道山陰趙曄長君

本傳:詣杜撫受《韓詩》,究竟其術,積二十年,卒業乃歸。著《詩細歷神淵》。蔡邕至會稽,讀《詩細》而歎息,以爲過於《論衡》。邕至京師,傳之,學者咸誦習焉。謝承《後漢書》:曄常爲縣吏,奉檄送督郵,曄心恥於斯役,遂棄車馬去。到犍爲資中,詣杜撫受《韓詩》,究竟其術。《會稽典録》:撫嘉其精力,盡以其道授之。撫卒,曄經營葬之迺歸。

徵士南陽馮良君卿

《東觀漢記》:少作縣吏,恥在廝役,因壞車殺馬,毁裂衣冠,從杜撫學。《華陽國志》:撫弟子南陽馮良,以有道徵聘。《真誥》:從師受《詩》、《傳》、《禮》、《易》,復道術占候。

益州太守蜀郡成都王阜世公

《華陽國志》:年十一,辭父母,欲之犍爲定生所學《韓詩》。父母以少不見聽,迺攜錢二千、布兩端去。母追到武陽北男謁舍家得阜,將還。歲餘,白父母,迺聽,之定所受業,聲聞鄉里。謝承《後漢書》:阜幼好經學,從安定受《韓詩》。年十七,經學大就,聲聞鄉里。

光禄勳九江壽春召馴伯春

本傳:少習《韓詩》,博通書傳,以志義聞,鄉里號之曰"德行恂恂召伯春"。肅宗召入授諸王。

博士山陽張匡文通

《儒林傳》：習《韓詩》，作章句。

閬中令巴郡閬中楊仁文義

本傳：建武中，詣師習學《韓詩》。數年歸，靜居教授。太常上仁經中博士，仁以年未五十，不應舊科，上府辭讓。

大司馬安定烏氏梁商伯夏

《東觀漢記》：少持《韓詩》，兼綜書傳。[①] 商女，順帝梁皇后，治《韓詩》，略通章句。

太山都尉梁國蒙夏恭敬公

本傳：習《韓詩》，講授門生常千餘人。子牙，少習家業。

弘農令扶風平陵朱勃叔陽

司馬彪《續漢書》：年十二，能習《韓詩》。

武威太守安定臨涇李恂叔英

本傳：習《韓詩》，教授諸生數百人。

郎中豫章南昌唐檀子產

本傳：習《韓詩》。

召陵令鄮李炳子然

謝承《後漢書》：習《韓詩》。

東海相扶風平陵韋著休明

謝承《後漢書》：習《韓詩》。

光禄勳弘農華陰劉寬文饒

謝承《後漢書》：尤明《韓詩外傳》。

弘農令北海膠東公沙穆文乂

本傳：習《韓詩》。隱東萊山，學者自遠而至。

---

① 《後漢書》卷三四《梁商傳》李賢注引《東觀記》引此句作"兼讀衆書傳"。

太尉京兆杜喬叔榮

謝承《後漢書》：治《韓詩》。

大司農北海高密鄭玄康成

本傳：初從東海郡張恭祖受《韓詩》。史承節《碑》作"張欽祖"。

陳留太守南郡華容胡碩季叡

碑文：總角入學，習《韓詩》。

車騎將軍巴郡宕渠馮緄鴻卿

碑文：幽州君之元子也，少耽學問，習父業，治《春秋》嚴氏、《韓詩》倉氏。檏三案：緄父幽州刺史馮焕也。

會稽陳囂君期

《東漢觀記》：治《韓詩》，時人語曰"關東説詩陳君期"。

會稽陳修君遷

《會稽典録》：少爲郡幹，受《韓詩》、《穀梁春秋》。

矦包

見《毛詩》疏，著《韓詩翼要》十卷。

外黄濮陽闓

《吴書》：張紘從闓受《韓詩》。

山陽太守濟陰祝睦元德

碑文：齔髫入學，脩《韓詩》、《嚴氏春秋》。七典並立，兼綜百家。

廣漢屬國都尉丁魴叔河

碑文：君耽樂術藝，文雅少疇，治《易》、《韓詩》，垂意《春秋》，兼究祕緯。

郎中濟陰乘氏馬江元海

碑文：通《韓詩》，贊業聖典。

中常侍南陽湖陽樊安子仲

碑文：君幼好學，治《韓詩》、《論語》、《孝經》，兼通記傳古今異義。

斥彰長關中田君

歐陽斐《集古録》：總角修《韓詩》、《京氏易》，究洞神變，窮奧極微。

費令東平陽田君

《隸續》：始游學，治《韓詩》、《孝經》。

從事任成武梁綏宗

趙明誠《金石録》：治《韓詩》，闕幘傳講。

治毛詩

郎中魯國孔僖仲和

本傳：世傳《毛詩》。

諫議大夫南陽堵陽尹敏幼季

本傳：兼通《毛詩》。

議郎東海衛宏敬仲

本傳：從謝曼卿受《毛詩》，作《毛詩序》，善得《風》、《雅》之旨。

懷三案：《經典・序録》"徐敖授九江陳俠，俠傳謝曼卿，元始五年公車徵"。

潁陰令扶風賈徽元伯

從謝曼卿學《毛詩》。

大司農河南鄭眾仲師

侍中扶風賈逵景伯

南郡太守扶風馬融季長

大司農北海高密鄭玄康成

司空潁川荀爽慈明

皆見本傳。

涪李仁德賢、子太子中庶子譔欽仲

《蜀志》：益部多貴今文，而不崇章句。仁知其不博，乃游學荆州,從司馬德操、宋仲子受古學,以脩文自終。子譔,少受父業,又講問尹默,著《毛詩傳》、《左氏注解》。

學士南陽許慈仁篤

《蜀志》:師事劉熙,善鄭氏學,治《易》、《尚書》、三禮、《毛詩》、《論語》。建安中,與許靖自并州入蜀,爲博士。子勛,爲博士,傳父業。附:胡潛,字公興,魏郡人。卓犖強識,祖宗制度,喪紀五服之數,皆指掌畫地,有可采者。昭烈定蜀,承喪亂之後,學業衰廢,乃鳩合典籍,沙汰衆學。慈、潛並爲學士,與孟光、來敏等共掌文學。

五官中郎將文學東平劉楨公幹

撰《毛詩義問》。

樂安孫炎叔然

見《周易》。

附　衛將軍太常蘭陵景侯王肅子邕

作《毛詩注》、《毛詩義駮》、《毛詩奏事》、《毛詩問難》。

荆州刺史東萊王基伯輿

作《毛詩駮》。

散騎常侍袁準孝尼

作《詩傳》。

太子中庶子烏程令吴郡陸璣元恪

撰《毛詩艸木蟲魚疏》。

太常卿豫章徐整文操

撰《毛詩譜暢》。

侍中吴郡韋昭宏嗣

撰《毛詩問難》。

治慶氏禮

五官中郎將犍爲資中董鈞文伯

本傳：習《慶氏禮》。事大鴻臚王臨，博通古今。永平中，爲博士。時艸創五郊祭祀，及宗廟禮樂，威儀章服，輒令鈞參議，當時稱爲通儒。教授門生百餘人。《華陽國志》：永平中，議天地宗廟郊祀禮儀，鈞與太常定其制，又定諸王喪禮。以儒學繼叔孫通。

侍中魯國薛曹充、子侍中褒叔通

本傳：習《慶氏禮》，傳其子褒，遂撰《漢禮》。

治周官

河南緱氏杜子春

《正義》：杜子春，永平中年九十，能通《周官》讀識，鄭眾、賈逵往受業焉。

大中大夫河南鄭興少贛

本傳：尤明《左氏》、《周官》。

大司農鄭眾仲師

《儒林傳》：中興，鄭眾傳《周官經》，作《周官解故》。

侍中扶風賈逵景伯

本傳：作《周官解故》。

議郎東海衛宏敬仲

本傳：作《周官解詁》。

河間相南陽西鄂張衡平子

本傳：作《周官解説》。

太傅南郡華容胡廣伯始

本傳：廣學究五經，畢覽古今藝術，練達事體，明解朝章，作《周官解詁》，時人語曰："萬事不理問伯始。"

度遼將軍廣陵海西徐淑伯進

謝承《後漢書》：善《周官》、《禮記》。

南郡太守扶風馬融季長

本傳：融作《周官傳》,以授鄭玄。

大司農北海高密鄭玄康成

本傳：作《周官注》、《答臨孝存周禮難》。

太尉汝南西平李咸元卓

謝承《後漢書》：習三禮。

太僕扶風趙岐邠卿

本傳：岐讀《周官》,二義不通,迺往造馬融。

五官中郎將涿郡盧植子幹

本傳：少與鄭玄同事馬融,能通古今。學終辭歸,闔門教授。作《尚書章句》、《三禮解詁》。

尚書令山陽仲長統公理

本傳：尤精三禮。

學士南陽許慈仁篤

見前。

附　司徒東海郯王朗景興

作《周官傳》。

衛將軍太常蘭陵景侯王肅子邕

作《周官注》。

散騎常侍扶樂袁準孝尼

作《周官傳》。

治儀禮

南郡太守扶風馬融季長

本傳：作《儀禮注》。

大司農北海高密鄭玄康成

玄本習《小戴禮》,從東郡張恭祖受《周官》、《禮記》。後以古經校之,取其義長者作《儀禮注》,爲鄭氏學。

五官中郎將涿郡盧植子幹

見前注。

鎮南將軍荆州牧劉表景升

撰《後定喪服》。

大將軍録尚書事安陽亭侯零陵湘鄉蔣琬公玉

撰《喪服要記》。

樂安孫炎叔然

《釋文》:炎注《儀禮》。

巴西譙周允南

撰《喪服集圖》。

附　衛將軍太常蘭陵景侯東海郯王肅子邕

撰《喪服要記》。

散騎常侍扶樂袁準孝尼

撰《喪服經傳注》。

侍中太山平陽高堂隆升平

隆經學淹通,尤精三禮。

中書侍郎齊王傅彭城射慈孝宗

撰《喪服變除圖》。

選曹尚書沛郡竹邑薛綜敬文

述鄭氏禮五宗圖。

陳留阮諶士信

與鄭玄共撰《三禮圖》。

治小戴禮

河南尹中山劉祐伯祖

本傳:學《小戴禮》。

聘士陳留申屠蟠子龍

《高士傳》:治《小戴禮》。

太尉陳國橋玄公祖

本傳:世傳《戴氏禮》。

太山太守涿郡涿高誘

作《禮記注》。

南郡太守扶風馬融季長

作《禮記注》。

五官中郎將涿郡盧植子幹

作《禮記解詁》。

司空潁川荀爽慈明

作《禮傳》。

大司農北海高密鄭玄康成

本傳:玄本習《小戴禮》,作《禮記注》。

太子中庶子涪李譔欽仲

作《三禮傳》。

徵士樂安孫炎叔然

見周易。

鎮南將軍荆州牧劉表景升

撰《後定禮記章句》。

附　衛將軍太常蘭陵景侯東海郯王肅子邕

作《禮記注》。

中書令太子少傅會稽山陰闞澤德潤

少好學,貧無書,常爲人傭書,以供紙札。博覽羣籍,兼通曆數。澤以經傳文多,迺斟酌諸家,刊約禮文及諸注説,以授二宮,爲制出入及見賓儀。

中書侍郎齊王傅彭城射慈孝宗撰《禮記音》。

侍中國三老北海高密鄭小同

撰《禮記難記》。

外黄濮陽闓

《吴書》：張紘從闓受《禮記》。

彭城嚴峻曼才

少篤學，好《詩》、《書》、三禮，又好《説文》。

治公羊顔氏春秋

郎中魯國孔僖仲和

本傳：治《顔氏春秋》。

光禄大夫會稽陳宫

《會稽典録》：上見天下郡郎，制曰："文左武右。"陳宫迺正中立。上問："此何郡郎？"對曰："有文有武，未知何所如？"又問："何施？"答曰："文爲《顔氏春秋》，武爲《孫》、《吴兵法》。"上擢拜爲大夫。

博士河内河陽張玄君夏

本傳：少習《顔氏春秋》，兼通數家法。有難者，輒爲張數家之説，令擇從所安，諸儒皆服其多通，著録千餘人。初爲縣丞，嘗以職事對府，不知官署處，吏白門下責之。時琅邪徐業亦大儒也，聞玄諸生，試引見之，與語，大驚曰："今日相遭，真解矇矣。"遂請上堂，難問極日。會《顔氏》博士缺，玄試策第一，拜博士。居數月，諸生上言玄兼説顔氏、宣氏，不宜專爲顔博士，光武令且還署。《東觀漢記》：玄專意經營，方其講誦終日，忽然如不飢渴。

司隷校尉山陽昌邑魯峻仲嚴

碑文：通《顔氏春秋》。褱三案：峻門生刻石立銘者，有汝南于商、沛丁直、魏郡馬萌、渤海吕圖、任城吴盛、陳留誠屯、東郡夏侯宏。

郎中章豫南昌唐檀子産

本傳：游太學，習《顏氏春秋》。

治嚴氏春秋

大中大夫河南鄭興少贛

本傳：少學《公羊春秋》。案：東京雖立《顔氏》博士，然傳習者少。凡傳稱治《公羊春秋》者，皆《嚴氏春秋》也，文不具耳。

太子少傅北海安邱甄宇長文

本傳：習《嚴氏春秋》，教授數百人。傳業子普，普傳子承。承尤篤學，講授數百人。諸儒以承三世傳業，莫不歸服之。《東觀漢記》：宇持學精微，以白衣教授數百人。建武初，徵拜博士。賜博士羊，羊有大小肥瘦。時博士祭酒議欲殺羊分肉，又欲投鉤。宇恥之，因先自取最瘦者，由是不復争。後召會，問瘦羊博士所在，京師因以號之。

侍中騎都尉三老北海安邱周澤穉都

本傳：少習《嚴氏春秋》，隱居教授，門徒常數百人。

議郎董象平叔、子議郎軼

《甄宇傳》：宇弟子周澤、董象、平叔、叔子軼，[①]並以學拜議郎。

騎都尉關内侯東緡丁恭子然

本傳：習《嚴氏春秋》，義學精明，教授常數百人。建武初，爲諫議大夫、博士，遷少府。諸生自遠方至者，著録約數千人，當世稱爲大儒。太常樓望、侍中承宫、長水校尉樊儵皆受業於恭。

中郎將汝南汝陽鍾興少文

本傳：從少府丁恭習《嚴氏春秋》。

---

① "董象"，《永樂大典》卷二七二七引《東觀漢記》、武英殿聚珍本《東觀漢記》並作"董魯"。

左中郎將陳留雍邱樓望次子

本傳：少習《嚴氏春秋》，師少府丁恭。建武中，趙節王栩聞其高名，遣使齎玉帛請爲師，望不受。永平中，爲越騎校尉，入講省内。教授不倦，世稱儒宗，諸生著録九千人。年八十卒官。弟子會葬者數千人。

司隸校尉華松

謝承《後漢書》：松家本孤微，其母夜夢兩伍伯夾門，言司隸來此。松年十五，師事丁子然，學《春秋》。十九當冠。丁謂生曰："此宰相之器也。"

侍中琅邪姑幕承宫少子

本傳：爲人牧豬。鄉里徐子盛懷三案：子盛名業，琅邪人。明《春秋》經，授諸生。宫過其廬，值諸生講誦之日，愛而聽之，遂忘其豬。主人求索，欲笞之。門下生共禁，止。因留精舍門下樵薪。執苦十數年，遂通經。後師事少府丁恭。永平中，徵詣公車。駕幸臨雍，拜博士。司馬彪《續漢書》：宫常出行，得虎所殺鹿，持歸，肉分門下，取皮上師，師不受，宫因棄之。人問其故，宫曰："既已與人，義不可復取。"

長水校尉南陽樊儵長魚

本傳：從少府丁恭習《嚴氏春秋》，教授門徒三千餘人。北海周澤、琅邪承宫皆海内大儒，儵皆以爲師友。

司徒九江夏勤伯宗

司空潁川李脩伯游

《樊儵傳》：弟子九江夏勤、潁川李脩，皆爲三公。

會稽太守蜀郡成都張霸伯饒

本傳：七歲通《春秋》，復欲進餘經。父母謂曰："汝小未能。"霸曰："我饒爲之。"故字曰"饒"。後就長水校尉樊儵受《嚴氏春秋》，遂博覽五經。諸生孫林、劉固、段著等，各市宅其旁。

永元中,爲會稽太守,表用處士顧奉、公孫松。郡中争厲志節,習經者以千數,道路但聞誦聲。《華陽國志》: 霸致達名士,奉、松而外,又有畢海、胡母官、萬虞先、生演、李根,皆至大位。

征西大將軍陽夏節侯潁川馮異公孫

本傳: 通《嚴氏春秋》。

校書郎蜀郡成都楊終子山

本傳: 詣京師受業,習《春秋》。《華陽國志》: 通《公羊春秋》。

定遠侯扶風安陵班超仲升

本傳: 傳《公羊春秋》。

東平王劉輔

謝承《後漢書》: 學《春秋公羊傳》。

鉅鹿太守會稽山陰謝夷吾堯卿

謝承《後漢書》: 第五倫使子從謝夷吾學《公羊春秋》,待之如師弟子之禮,或遊戲不肯讀書,便白倫行罰,卒成。

酒泉太守濟北剛縣戴宏元襄

作《公羊解疑論》。宏濟北人,年十六,從父在縣丞舍。吴祐每行園,嘗聞諷誦之聲,奇而厚之,引以爲友,卒成儒宗。《雜記》: 宏爲河間相,因自免歸家,不復仕,灌園蔬,以經教授,年九十八卒。《濟北先賢傳》: 宏字元襄,剛縣人也。年二十二,爲郡督郵,曾以職事見詰,府君欲撻之。宏曰: "今鄙郡遭明府,以爲仲尼之君,國小人少,以宏爲顔淵,豈聞仲尼有撻顔回之義?"府君奇其對,即日教署主簿。

侍中扶風李育元春

本傳: 習《公羊春秋》,沈思專精,博覽經傳,知名太學。班固《奏記東平王蒼》曰: "扶風李育,經明行著,教授百人。"

博士羊弼

諫議大夫任城樊何休邵公

本傳：作《春秋公羊解詁》，與其師博士羊弼追述李育意，作《公羊墨守》、《左氏膏肓》、《穀梁廢疾》。又以《春秋》駁漢事六百餘條，妙得《公羊》本意。《拾遺記》：何休木訥多智，《三墳》、《五典》，陰陽算術，《河》、《雒》讖緯，及遠年古諺，歷代圖籍，莫不成誦。門徒有問者，則爲注記，而口不能說。作《左氏膏肓》、《公羊墨守》、《穀梁廢疾》，謂之"三闕"。言理幽微，非知幾藏往，不可通焉。京師謂康成爲"經神"，謂何休爲"學海"。

太尉汝南西平李咸元卓

謝承《後漢書》：學《春秋公羊傳》。

車騎將軍宕渠馮緄鴻卿

謝承《後漢書》：學《公羊春秋》、《司馬兵法》。碑文：治《春秋》嚴氏。

侍御史豫章宜春陳重景公

南頓令豫章鄱陽雷義仲公

《重傳》：俱習《嚴氏春秋》。

琅邪太守河内懷李章第公

本傳：習《嚴氏春秋》。

海西令豫章南昌程曾秀升

本傳：受業長安，習《嚴氏春秋》。積十餘年，還家講授。會稽顧奉等數百人常居門下。

蜀郡太守會稽顧奉季鴻

張勃《吴録》：奉字季鴻。《儒林傳》：奉受《嚴氏春秋》於豫章程曾。

長陵令河南張楷公超

本傳：少傳父業，習《嚴氏春秋》。

處士豫章南昌徐穉孺子

本傳：學《嚴氏春秋》。

河南尹中山劉祐伯祖

謝承《後漢書》：習《嚴氏春秋》。隱居立精舍講授，諸生常數百人。

陳留申屠蟠子龍

《高士傳》：治《嚴氏春秋》。

弘農令北海膠東公沙穆文乂

謝承《後漢書》：習《嚴氏春秋》。東游太學，無資糧，迺變服爲傭，爲吴祐賃舂。祐與語，大驚，迺定交於杵臼之間。

太尉梁國寧陵喬玄公祖

司馬彪《續漢書》：少治《禮》及《嚴氏春秋》。

兖州太守京兆第五元先

大司農北海高密鄭玄康成

本傳：從第五元先通《公羊春秋》。

牂柯太守綿竹劉寵世信

《華陽國志》：出自孤微，明《公羊春秋》。

司空潁川荀爽慈明

本傳：作《公羊問》。

大司農河南洛陽孟光孝裕

《蜀志》：光靈帝末爲講部吏。獻帝遷都長安，遂逃入蜀。博物識古，無書不覽，尤鋭意三史，長於漢家舊典。好《公羊春秋》而譏呵《左氏》，每與來敏争此二意。

豫州從事潁川鄢陵尹宙周南

碑文：君治《公羊春秋》，博通書傳。

重安侯相杜暉慈明

碑文：君治《公羊春秋》。

山陽太守祝睦元德

碑文：治《嚴氏春秋》。

太山都尉魯國孔宙季將

碑文：少習家訓，治《嚴氏春秋》。懷三案：碑陰載宙弟子自北海陸暹孟輔至下王政漢方凡十人，門生自鉅鹿張雲子平至下博張忠公直凡四十三人。又案宙《後漢書》作"伷"，然伷字公緒，陳留人，非季將也，當以碑爲正。王粲《漢末英雄記》、張璠《漢南記》又以"伷"作"宙"，並誤。

豫州從事孔褒文禮、弟謙德讓

碑文：君治家業《春秋》。孔謙謁述家業，修《春秋經》。

文學掾百石卒史孔龢

碑文：永興元年六月甲辰朔，十八日辛酉，魯相平、行長史事卞、守長擅，叩頭死罪，敢言之司徒司空府：壬寅詔書，爲孔子廟置百石卒史一人，掌主禮器，選年四十以上，經通一藝，雜試，能奉先聖之禮，爲宗所歸者。平叩頭叩頭，死罪死罪。謹案文書，守文學掾魯孔龢，師孔憲，户曹史孔覽等，雜試，龢修《春秋嚴氏》，經通高第，事親至孝，能奉先聖之禮，爲宗所歸，除龢補名狀如牒。

巴郡太守樊敏升達

碑文：總角好學，治《嚴氏春秋》。

東牟侯相祝長嚴訢少通

碑文：習《嚴氏春秋》馮君章句。

處士閭葵班宣高、子讓公謙

碑文：治《嚴氏春秋》。

處士東莞綦毋君

謝承《後漢書》：治《公羊春秋》。

廣陵太守琅邪趙昱元達

本傳：昱潛志好學，雖親友希得見之。謝承《後漢書》：就東莞綦毋君受《公羊春秋》,兼通羣業,至歷年潛思不窺園圃。

樂安孫炎叔然

見周易。

附　會稽山陰唐固子正

蕭常《後漢書》:固,闔澤州里先輩也,修身博學,稱爲名儒,著《國語》、《公羊》、《穀梁傳注》,講授嘗數百人。有嚴幹者,善《春秋》公羊。而繇好《左氏》,謂《左氏》爲大官,《公羊》爲賣餅家。數與幹辨折長短。繇機捷,善持論,而幹口吶,或絀而無以應。繇謂幹曰:"《公羊》竟爲《左氏》服矣。"幹曰:"直以故吏爲明使君服耳,公羊高未肯也。"

治穀梁春秋

司徒河南密縣侯霸君房

本傳:篤志好學,從九江太守房元治《穀梁春秋》,爲元都講。案前書,房鳳字子元,九江太守,《穀梁春秋》有房氏之學。《東觀漢記》:從鍾寧君受律。《百官表》:元始元年,尚書令潁川鍾元寧君爲大理。

諫議大夫南陽堵陽尹敏幼季

本傳:兼通《穀梁春秋》。

侍中扶風賈逵景伯

本傳:兼通《穀梁》、《左氏》之説。

會稽陳修奉遷

《會稽典録》:受《穀梁春秋》。

徵士樂安孫炎叔然

見周易。

博士扶風段肅

作《穀梁傳注》。

附　樂安太守麋信

作《穀梁傳注》。

會稽唐固子正

作《穀梁傳注》。

治《左氏春秋》

大中大夫南陽來歙君叔

本傳：治《左氏春秋》。附丞相司直虞俊仲卿，明《春秋》公羊、左氏傳。哀帝時爲御史，稍遷丞相司直。王莽秉政，召爲司徒，俊飲藥。光武即位，高其節行，與二龔比。

雍奴侯上谷昌平寇恂子翼

本傳：恂好學，爲汝南太守，乃修學校，教生徒聘能爲《左氏春秋》者受業焉。司馬彪《續漢書》：郡中無事，修行禮樂教授。

蒼梧廣信陳欽子佚、子博士祭酒元長生

《元傳》：父欽習《左氏春秋》，事黎陽賈護，與劉歆同時而別自名家。㰅三案：護字季長，哀帝時待詔爲郎，授蒼梧陳欽子佚。元少傳家業，建武中詣闕上疏，請置《左氏》博士。

將作大匠扶風馬嚴威卿

本傳：援兄子，從平原楊太伯講學，通《春秋左氏》。《東觀漢記》：從司徒祭酒陳元。

侍中扶風賈徽元伯、子侍中騎都尉逵景伯

《逵傳》：父徽從劉歆學《左氏春秋》，逵少傳父業。

尚書令南陽韓歆翁君

本傳：通《左氏春秋》。建武二年上疏，欲爲《左氏春秋》立博士。

武都太守關内侯右扶風茂陵孔奮君魚、弟奇子異、奮子城門校尉嘉山甫

本傳：少從劉歆受《左氏春秋》。弟奇，游學洛陽，博通經典，作《春秋左氏刪》。奮晚有子嘉，作《左氏説》。《連叢子》：孔子通《左氏傳義詁訓》序曰:“君魚少從劉子駿受《春秋左氏傳》,其於講業最明,精究其義。子駿自以才學不如也。其或訪經傳於子駿,輒曰:‘幸問君魚,吾已還從之諮矣。’由是大以《春秋》見稱於世。”

大中大夫河南鄭興少贛、子大司農眾仲師、眾子安世

本傳:興少學《公羊春秋》,晚善《左氏》。子眾傳父業。興去蓮芍,後遂不復仕,客授閿鄉。《東觀漢記》:興從金子嚴學《左氏春秋》,將門人從劉歆講正大義。眾年十二從父受《左氏春秋》,精力於學,明《三統曆》,作《春秋難記》,兼通《詩》、《易》,知名於世。子安世亦傳父業。

博士魏郡李封

《陳元傳》:太常選《左氏春秋》博士四人,元第一。帝以元新忿争,迺用其次司隸從事魏郡李封。會封病卒,《左氏》復廢。

大中大夫魏郡許淑惠卿

見杜預《左傳集解》序及陸德明《經典釋文》。建武二年,與博士范升争立《左氏春秋》。

安陵令汝安成周磐堅伯

本傳:通《左氏傳》。

汝南彭汪仲博

《經典釋文》:記先師奇説。

外黄令無錫高彪義方

本傳:通《左氏春秋》。彪爲諸生,游太學。嘗從馬融欲訪大義,融辭疾,不獲見,迺覆刺遺融。融省書慚,追謝之,彪逝不顧。後郡舉孝廉,試經第一。後遷外黄令。同僚臨送,祖於上東門,詔東觀畫彪象以勵學者。《彪碑》:師事太尉汝南許公,明於《左氏》。桓帝時,上書請置《左氏》博士。櫰三案:朱彝尊

《經義考》《左氏春秋》師承内列太尉汝南許公,而不載其名,考熊方《公卿表》,當是汝南平輿許敬鴻卿也。

南郡太守扶風馬融季長

本傳:著《三傳異同論》。

大司農北海高密鄭玄康成

本傳:從東郡張恭祖受《左氏春秋》,西入關,事馬融,受《左氏春秋》。

左中郎將涿郡盧植子幹

《北堂書鈔》載植奏事:丘明之傳《春秋》,博通盡變,囊括古今,表裏人事。

徵士宛孔喬子松

本傳:受《左氏春秋》。

西鄂長潁川棠谿典季度

謝承《後漢書》:通《左氏春秋》。

扶風賈伯升

《釋文》:京兆尹延篤受《左氏》於賈逵之孫伯升。檪三案:《經義考》作"許",誤。

京兆尹南陽延篤叔堅

本傳:從棠谿典受《左傳》,又從馬融受業,博通經傳百家之學。以師喪奔赴棄官。爲京兆尹,病免歸,教授家巷。《先賢傳狀》:篤從棠谿季度受《左傳》,欲寫本無紙。季度以殘牋紙與之,篤以殘牋紙不可寫,迺借本讀之。《經典釋文》:京兆尹延篤受《左氏》於賈逵之孫伯升,因而注之。《風俗通》:陳國張漢直到南陽,從京兆尹延篤讀《左氏春秋》。

高陽侯左中郎將陳留蔡邕伯喈

本傳:邕少博學,師事太傅胡廣。《蔡邕别傳》:邕與李則共讀《左氏傳》。《魏志》:路粹少受學於陳留蔡邕。郝經《續後漢書》:阮瑀少受學於蔡邕,又顧雍從蔡邕學琴書。

九江太守河間服虔子慎

本傳:初名重,又名祇,後改爲虔。入太學受業,從棠谿典受《左氏春秋》,論解經傳,多所駮正,後儒以爲折衷。《世説》:鄭玄欲注《春秋傳》,尚未成。時與服子慎遇,宿過客舍,先未相識。服在外車上與人説已注意,玄聽之良久,多與已同。玄就車與語曰:"吾久欲注,尚未了。聽君向言,多與吾同,今當盡以所注與君。"遂爲《服注》。

司徒南陽崔烈威考

《世説》:服虔既善《春秋》,將爲注。欲參考異聞,聞崔烈集門生講傳,遂匿姓名,爲烈門人賃作食。每至當講時,輒聽户壁間。既知不能踰己,稍共諸生叙其短長。烈聞,不測何人。然素聞虔名,意疑之。明早往,未及寤,便呼"子慎!子慎!"不覺驚應,遂相友善。

孝廉陳國長平潁容子嚴

本傳:善《春秋》左氏,師事太尉楊賜,著《春秋左氏條例》五萬餘言。

司徒掾王玢

《隋書·經籍志》注:玢,漢司徒掾,作《春秋左氏達義》。《新唐書·經籍志》作"長",《達長義》。

順陽長潁川潁陰劉陶子奇

本傳:明《尚書》、《春秋》,爲之訓詁。懷三案:《陶傳》第言《尚書》、《春秋》,不言《左氏》。考《三國志·士燮傳》及杜預《左氏傳集解》序,知陶治《左氏春秋》也。又《經義考》第列潁川劉子奇,不書陶名,特爲補出。

陳留邊讓文禮

蔡邕《薦邊讓書》:齠齔夙孤,不墜家訓,始任學問,便就大業,閒不游嬉。初覽諸經,見本知義,尋極緒,授者不能答其問,章句不能遂其意。《詩》、《書》、《易》、《禮》先通大義，業以次舉，眾傳篇章，無術不綜。心通性達，剖纖入冥，經典交至，檢括並合。《魏志》：楊俊，字季才，河南獲嘉人。受學於陳留邊讓，讓器異之。

荆州五業從事南陽宋衷仲子

《東京賦》注引宋衷《春秋傳》。

尚書郎諸暨程遐

《魏志》：遐學京師，治《毛氏詩》、《尚書》、《左氏春秋》。弟融學《尚書章句》，博而不精。

執慎將軍光禄大夫義陽新野來敏季達

《蜀志》：敏涉獵書籍，善《左氏春秋》，尤精《蒼》、《雅》訓詁，好是正文字。子忠亦博覽經傳，有敏風。

涪李仁德賢、子太子中庶子譔欽仲

《蜀志》：益部多貴今文，而不崇章句。仁知其不博，迺游學荆州，從司馬德操、宋仲子受古學，以修文自終。子譔少受父業。又講問尹默著《左氏注解》。

大中大夫涪尹默思潛

《華陽國志》：少與李仁俱受學司馬徽、宋忠等，博通五經。專精《左氏春秋》，自劉歆《條例》、鄭眾、賈逵父子、陳元、樓三案：蕭常《續後漢書》"陳元"作"陳紀"，考《紀傳》及《鴻臚陳君碑》不言治《左氏春秋》，當以"陳元"爲正。服虔注，咸略誦説。

吴郡高岱禮文

《江表傳》：隱於餘姚，善《左傳》。

京兆新豐賈洪叔業

魚豢《魏略》：洪好學有才，特精《春秋左傳》。建安中，歷守三縣令，所在輒開除廄舍親授。《魏志》：洪與馮翊、嚴苞才學最高。《太平御覽》：苞字文通，眾爲之語曰"州中煜煜賈叔業，議論洶洶嚴文通”。

外黄濮陽闓

《吴書》: 張紘從闓受《左氏春秋》。

白侯子安

《吴志》: 張昭少好學,從白侯子安受《左氏春秋》。蕭常《續後漢書》: 昭字子布,彭城人。少好學,工屬文,精隸書,通《左氏春秋》,博覽羣書。與琅邪趙昱、東海王朗齊名。

執金吾任城武榮含和

碑文: 講《左氏》、《國語》。

徵士樂安孫炎叔然

見周易。

公車司馬令南陽章陵謝該文儀

善《春秋左氏傳》。

文學祭酒河東樂詳文載

從謝該問《左氏》疑難數十事,作《左氏樂氏問》。蕭常《續後漢書》: 杜畿署詳文學祭酒,使教後進,於是河東古學大興。時太學初立,有博士十餘人,學多狹淺,又不熟悉。惟詳五業並授,其或難質不解,詳無愠色,以杖畫地,率引義類,至忘寢食,是以擅名遠近。年老罷歸,門生百餘人。

河南徵崇子和

蕭常《續後漢書》: 治《易》、《左氏春秋》,兼通内術,所教不過數人,欲令其業必有成也。

會稽介象元則

《神仙傳》: 學通五經,博覽百家之言。常徑來弟子駱廷雅舍,帷下屏牀間,有數生論《左傳》義,不平。象旁聞之不能忍,乃忿然爲決。

吴縣沈珩仲山

蕭常《續後漢書》：珩少綜經籍，尤善《春秋》内、外傳。

附　侍中大司農弘農華陰董遇季直

作《左傳章句》。

大司徒東海郯王朗景興

作《春秋傳》。

衛將軍太常蘭陵景侯王肅子雍

作《左傳注》。

荆州刺史東萊王基伯興

作《左傳注》。

徵士敦煌周生烈文逸

作《左傳注》。

交阯太守蒼梧廣信士燮彦威

《吴志》：燮少游學京師，師事潁川劉子奇，治《左氏春秋》。

治《古文孝經》

議郎東海衛宏敬仲

建武中校《古文孝經》。

南閣祭酒汝南召陵許慎叔重

許沖《上父慎〈説文〉》曰："《古文孝經》者，孝昭時魯國三老所獻，建武時議郎衛宏所校，皆口傳，官無其説，臣父學孔氏古文，撰具一篇並上。"

南郡太守扶風馬融季長

本傳：作《孝經注》。《孝經疏》：《古文》稱孔安國，又馬融亦作《古文孝經傳》，而世不傳。

治《今文孝經》

博士代郡范升辨卿

本傳：九歲通《孝經》。

大司農河南鄭眾仲師

《正義》引鄭眾《孝經説》。

諫議大夫任城何休邵公

本傳：作《孝經注》。

大司農北海高密鄭玄康成

《正義》：《孝經》今文推鄭玄。

太山太守涿郡高誘

作《孝經注》。

斥彰長關中田君

碑文：治《孝經》。

中常侍南陽湖陽樊安子仲

碑文：治《孝經》。

執金吾丞任城武榮含和

碑文：傳講《孝經》。

五官中郎將文學青州邴原根矩

《别傳》：年十一而孤，家貧。鄰有書舍，原過其旁而泣。師問曰："童子何悲？"原曰："孤者易傷，貧者易感。夫書者，必皆具有父兄者。一則羨其不孤，二則羨其得學，心中惻然而爲涕零也。"師亦哀原之意而爲之泣，曰："欲書可耳。"答曰："無錢資。"師曰："子苟有志，我徒相教，不求資也。"於是就書，一冬之間，誦《孝經》、《論語》。及長游學，單身負笈。至陳留則師韓子助，潁川則宗陳仲弓，汝南則交范孟博，涿郡則親盧子幹。後還鄉教授，由是青州有邴、鄭之學。

附　大司徒東海郯王朗景興

作《孝經傳》。

衛將軍太常東海郯王肅子雍

作《孝經注》。

駙馬都尉關内侯南陽何晏平叔

作《孝經注》。

散騎常侍陳留蘇林孝友

作《孝經注》。

光禄勳廣平劉邵孔才

作《孝經注》。

太常卿豫章徐整文操

作《孝經注》。

侍中吴郡韋昭弘嗣

彭城嚴畯曼才

作《孝經傳》。

謝萬

作《孝經注》。

治《論語》

沛獻王劉輔

本傳：善説《論語》。

校書郎扶風馬續季則

本傳：九歲通《論語》，十三治《尚書》，十六治《詩》。

博士代郡范升辨卿

本傳：九歲通《論語》。

大鴻臚會稽曲阿包咸子良、咸子福

本傳：以《論語》教授皇太子。子福傳業，以《論語》入授和帝。謝承《後漢書》：咸受業長安。王莽末，嘗負笈隨師。爲赤眉所得，見拘執。咸日夜誦經自若，賊異而遣之。

南郡太守扶風馬融季長

《論語集解》序:《古論》惟博士孔安國爲之傳,而世不傳。至順帝時,南郡太守馬融爲之訓説。

司空潁川荀爽慈明

本傳:年十二通《春秋》、《論語》。《荀氏家傳》:爽一名諝。幼而好學,年十二,能通《春秋》、《論語》。太尉杜喬見而稱之,曰:"可爲人師。"爽遂耽思經書,慶弔不行。潁川爲之語曰:"荀氏八龍,慈明無雙。"謝承《後漢書》:爽幼而岐嶷,游太學,儒林咸歎息之,太尉杜喬師焉。

大司農北海高密鄭玄康成

本傳:玄就《魯論》考校篇章,考之《齊》、《古》爲之注。

周生

作《論語注》。案皇侃及邢昺《疏》並謂周生,不著名。

盍氏、毛氏

見《石經論語》。

敦煌周生烈文逸

作《論語注》。

巴西譙周允南

作《論語注》。

汝南南頓程秉德樞

見前周易。

附　司空潁川陳羣長文

作《論語義説》。

衛將軍太常蘭陵景侯東海郯王肅子雍

作《論語注》。

山陽王弼輔嗣

作《論語釋疑》。

駙馬都尉關内侯南陽何晏平叔

作《論語集解》。

會稽餘姚虞翻仲翔

作《論語注》。

撫軍中郎彭城張昭子布

作《論語注》。

蜀郡李𫞩孟元

《益部耆舊傳》：𫞩字孟元，江源人，脩《易》、《論語》，大義略舉。

右經學師承

圖讖

懷三案：朱竹垞云："東漢之世，以通七緯者爲内學，通五經者爲外學。蓋自桓譚、張衡而外，鮮不爲所惑者。"今將專精圖緯諸儒傳授注釋篇名彙爲一卷，時鄭君注經引緯爲説，今附於小學之末，以備考云。

大司空固始侯南陽宛李通次元

通父守，少師事劉歆，好星曆讖記之言，云"漢當復興，李氏爲輔"，私竊議之非一朝也。世祖往候通，言及兵起及讖文，遂深相結。

諫議大夫南陽堵陽尹敏幼季

建武二年，上書陳《洪範》銷災之術。帝以敏博通經記，令校圖讖，使蠲去崔發所爲王莽著録次比。敏因其文增之曰："君無口，爲漢輔。"帝見而怪之，召敏問其故。敏對曰："臣見前人增損圖書，敢不自量，竊幸萬一。"懷三案：此劉勰《文心雕龍》所謂"尹敏戲其深瑕"也。

沛獻王劉輔

本傳：善説圖緯。

有道徵士廣漢梓潼景鸞漢伯

受《河》、《洛》圖緯，著《河洛交集》。

千乘太守淮陽薛漢公子

善説災異讖緯。建武初爲博士，受詔定圖緯。

侍中魯國曹褒叔通

次序禮事，依準舊典，雜以五經讖記之文。

長水校尉南陽樊儵長魚

以讖記正五經文字。

虎賁中郎將武始侯京兆杜陵張純伯仁

明習故事，自郊廟冠昏喪紀禮儀，多所正定。建辟雍，案七經讖。

光禄大夫汝南郭憲子横

《汝南先賢傳》：憲學貫祕奥，師事東海王仲子。

道德三老新都楊統仲通

統父春卿，善圖讖，爲公孫述將。漢兵平述，春卿自殺，臨終戒子統曰："吾綈篋中有先祖所傳祕記，爲漢家用，爾其修。"統感父遺言，服闋，辭家從犍爲周循學習先法，又就同郡鄭伯山受《河》、《洛》書及天文推步之術。案馬援有《與隗囂將楊廣書》稱"字曰春卿"，疑廣初爲隗將，後乃事公孫述。《華陽國志》：統事華里先生炎高。高戒統曰："漢九世王出圖書，與卿適應之。"建武初，天下初定，求通《内讖》二卷者，不得。永平中，刺史張志舉統方正。上《家法章句》及二卷《解説》。秋碧案《巴漢志》，《内讖》者，《孔子内讖》也。

侍中楊厚仲桓

統次子，少傳父業，精力著述。後歸家教授，門生著録者千餘人。謝沈書"厚潛身藪澤，耦耕誦經，司徒楊震表其高操，公車特徵，不就"。

侍中賈逵景伯

《逵傳》：五經家皆無以證圖讖明劉氏爲堯後者，而《左氏》獨有明文。劉焯謂《左氏》稱"在夏爲陶唐氏，其處者爲劉氏"，非魯史本文，乃漢儒欲其傳，特爲此語，以漢出堯後，獨《左氏》爲有明文，以此求重於世。又案《堯母慶都碑》稱"昔慶都遊觀河濱，感赤龍交，始生堯，漢感赤龍，堯之苗胄"，許叔重亦言"堯親慶都出觀於河，有赤龍負圖而至，受天之圖，有人赤衣，面光八采"，皆襲圖讖之説而爲之附會耳。蔡邕《典引注》"《春秋傳》'陶唐氏既衰，其後有劉累者，在夏爲御龍氏，在商爲豕韋氏，在周爲唐杜氏。成王滅唐，宣王殺杜伯，杜伯之子隰叔奔晉，其後士會奔秦而復歸，其子留秦者爲劉氏'，以是明之漢爲堯後"。《左傳疏》：士會之子，在秦不顯，其處者爲劉氏，不知何以言此。討尋上下，其文不類，疑此句非本旨。蓋漢世初興，棄捐古學，《左氏》不顯於世，先儒無以自伸，劉氏從秦從魏，其源本出劉累，插注此辭，將以媚於世。明帝時，賈逵上疏云："五經皆無證圖讖以明劉氏爲堯後者，而《左氏》獨有明文。"竊謂前世藉此以求道通，故引之以爲證耳。賈注《國語》云："隰叔，杜伯之子。宣王殺杜伯，其子奔晉，子士蔿。士武子，蔿之孫，即士會"。又《世本》"蔿生士伯缺，缺生會，會生燮"。會，蔿之孫，是爲堯後。會子在秦不被賜族，故自復姓爲劉氏。秦爲滅魏，劉氏徙大梁。漢高祖之祖爲豐公，又徙沛，故高祖爲沛人。閻若璩曰："《隋志》讖緯篇云'賈逵之徒獨非之'，與范書'逵能附會，文致最差，貴顯者不合'，蓋《隋志》不詳考此奏，而誤讀張衡疏内'侍中賈逵指摘互異三十餘事，諸言讖者皆不能説'，以爲逵首非之，不知逵第摘其互異處初無所非也。"

博士扶風平陵蘇竟伯況

竟以明《易》世爲博士,講書祭酒,善圖緯,能通百家之言。

尚書令江夏黄香文強

兼明圖讖、天官、星氣、鍾律、曆算、窮極道術。

鉅鹿太守會稽山陰謝夷吾堯卿

謝承《後漢書》:謝夷吾學風角占候。班固薦夷吾曰:"推考星度,綜校圖録。"《會稽典録》:謝夷吾字堯卿,爲西部督郵。烏程長有罪,太守第五倫使夷吾往收之,到縣入閣便大哭,以三百錢爲禮便歸。倫問其故,曰:"三十日當死,故不收之。"至時果如其言。

濟北相涿郡崔瑗子玉

從賈逵質正大義,明天官、《易傳》、六日七分。

大司徒漢中南鄭李郃孟節

李頡以儒學稱,官至博士。郃襲父業,遊太學,通五經,善《河》、《洛》圖緯。郃卒,門人上黨馮胄獨制服,心喪三年。和帝遣使者二人微行至蜀,宿郃候舍。郃爲出酒夜飲,露坐。郃問曰:"君來時,寧知二使何時發來耶?"二人怪問之。郃指星言曰:"有二使星入益部矣。"後一人爲漢中太守,命爲功曹,遂馳名。

太尉李固子堅

大司徒郃子,學明五經,善風角、《河圖》、星算、讖緯。

河間相南陽西鄂張衡平子

《平子碑》:金匱玉板之奥,讖契圖緯之文,罔不該羅其指,原始要終。

巴西閬中周舒叔布

少學術於廣漢楊厚,名亞董扶、任安。時人有問《春秋讖》曰:"'代漢者,當塗高',此何謂也?"舒曰:"當塗高者,魏也。"子羣,少受業於舒。

侍中綿竹董扶[①]茂安

少游太學,與任安齊名,俱事同郡楊厚,學圖讖,還家教授。

聘士綿竹任安定祖

從楊厚學圖緯,究極其術。《益部耆舊傳》: 安廣漢人,少事聘士楊厚,究極圖籍,游覽京師,還家講授,與董扶俱以學行齊聲。

犍昭約節宰

綿竹寇歡文儀

蜀郡何萇幼正

蜀郡侯祈升伯

皆楊厚弟子。《華陽國志》: 皆徵辟聘舉,馳名當世。

博士成都楊班仲桓

公府辟士羅衡仲伯

並何萇弟子,見《華陽國志》。

徵士南陽樊英季齊

以圖讖教授。

太邱長潁川陳寔仲弓

《英傳》: 寔少從英學。

博士陳郡夏陽郤巡仲信

《樊英別傳》: 英忽披髮拔刀斫舍中,妻問故,曰:“郤生道遇鈔。”郤生還,云:“道遇賊,賴披髮老人相救得全。”郤生名巡,字仲信,陳郡夏陽人,能傳英業。

貞節先生范冉史雲

冉到南陽受業於樊英。

---

① “扶”,原作“按”,據武英殿本《後漢書》改。

徵士南陽魏衡伯梁

《華陽國志》：少師事隱士樊英齊。[①]《楚國先賢傳》：樊英忽謂學者曰："成都市火甚盛。"因含水西向潄之。後有從蜀郡來者，云"是日大火，須臾大雨，火遂滅"。

尚書會稽上虞魏朗少英

亡命到陳留，從博士郤仲信學《春秋》圖緯，又詣太學受五經。

郎中南昌唐檀子產

好星占。永寧元年，南昌有婦人生四子，太守劉祗問檀變異之應。檀以爲京師當有兵氣，其禍發於蕭牆。至延光四年，黄門孫程揚兵殿省，誅皇后兄閻顯等，立濟陰王爲天子。

將作大匠雒翟酺子超

少事段翳，以明天官爲侍中尚書。常見太史令孫懿，欷歔泣曰："圖書有'賊臣孫登，將以才智爲黄門官所害'，君相實應之，是以淒愴。"懿懼，不敢對策。酺試策第一。又言漢四百年當有弱主閉門聽政，數在三百年之間。注《孝經援神契》、《孝經鉤命決解詁》。酺善天文曆算，時尚書有缺，詔將大夫六百石以上試對政事、天文、道術，以高第補之，酺對第一。

隱士夫子新都段翳元章

習《易》，明風角。《華陽國志》：翳明經術，妙占未來。常告大渡津口曰："某日當有諸生二人荷擔問翳舍處者，幸爲告之。"後竟如其言。又有人從冀州來學積年，自以精究翳術，辭去。翳爲筒作書，封頭與之，告曰："有急發之。"至葭萌，争津破頭，開筒得書，言"到葭萌破頭者，以膏裹之"。生乃喟然歎，知不及翳，還更精學。翳常隱匿，不使人知。門人皆號夫子。

① 按，"樊英齊"，《華陽國志》卷十下作"樊季齊"。此處有誤。

江夏太守會稽山陰韓説叔儒

博通五經，尤善圖緯。

謁者僕射蜀郡郫何英叔俊

學通經緯。

徵士東平平陸王輔公助

學《公羊傳》、《援神契》。

博士渤海郭鳳君張

好圖讖，善説災異吉凶占驗。自知死期，令弟子市棺斂具，至其日而没。

高士成都楊由哀侯

少習《易》，并七政、元氣、風角、占候。《華陽國志》：由爲太守廉范文學，言當有賊發。頃之，廣柔羌反。鄉人冷豐齎酒候之，由知其多少。又言人當致果，其色赤黄。果有送甘橘者。大將軍竇憲從太守索兵《雲氣圖》，由諫莫與，憲尋誅。其明如此。

徵士平原隰陰襄楷公矩

好學博古，善天文陰陽之術。《九州春秋》：陳蕃子逸與術士平原襄楷會於冀州刺史王芬坐，楷曰："天文不利宦者，黄門、常侍真滅族矣。"逸喜。芬曰："若然，芬願效驅除。"於是與許攸等結謀。

徵士北海安丘郎宗仲綏、子顗

宗善風角、星算、六日七分。顗少傳父業，隱居海畔，延致學徒常數百人。晝研精義，夜占星度。《真誥》：宗學精道術，候占風氣。一日有暴風經窗間，占知京師火，燒大夏門，遣人往參，果爾。懷三案：顗上事引《易雌雄祕曆》，亦緯書所不載。《潛研齋文集》問郎顗傳"陽嘉二年，上書言：正月三日至乎九日，三公卦也"，注"凡卦法，一爲元士，二爲大夫，三爲三公，四爲諸侯，五爲王位，六爲宗廟。分卦直日之法，爻主一日，即三日九日,并爲三公之卦也",此説然否？曰："非也。京氏卦氣直月之法,坎離震兑用事分至之首,得八十分月之七十三,餘卦皆主六日八十分日之七。郎氏父傳於世傳六日七分,即其術也,今以四分術推,是歲天正,十一月甲戌朔,二十九日壬寅冬至,坎卦用事；次日癸卯,十二月朔日也。自癸卯至戊申,中孚卦用事,己酉至甲寅,復卦用事；乙卯至庚申,屯卦用事；辛酉至丙寅,謙卦用事；丁卯至壬申,睽卦用事；癸酉至戊寅,升卦用争；己卯至甲申,臨卦用事；乙酉至庚寅,小過卦用事；辛卯至丙申,蒙卦用事；丁酉至癸卯,益卦用事；甲辰至己酉,漸卦用争。漸主正月,三公之卦也。是歲正月壬寅朔,甲辰爲月之三日,甲辰至己酉六日,而尚有餘分,故云正月三日至乎九日三公卦也。自正月九日至二月九日,泰、需、隨、晉五卦更用事,而及於大壯,故郎再上書言"今月九日至十四日,大壯用事",今月謂二月也。

太常蜀郡成都趙典仲經

謝承《後漢書》：志學孔子七緯,《河圖》、《雒書》,内外藝術,受業者七百餘人。

侍中廣陵劉瑜季節

少好經學,尤善圖讖天文曆算之術。子琬,傳父業。

處士彭城姜肱伯淮

博通五經,兼明星緯。弟子遠來就學者三千人。

聘士陳留申屠蟠子龍

從姜肱受業,博貫五經,兼明星緯。

太尉沛國蘄縣施延君子

謝承《後漢書》：少爲諸生,明五經星官風角。

徵士扶風法真高卿

博通内外圖典,爲關西大儒。弟子自遠方至者,陳留范冉等數百人。《三輔決録》注：少明五經,兼通讖緯,學無常師。謝承《後漢書》：法真隱居大澤,講論術藝,歷年不問園圃。

諫議大夫任城何休邵公

注風角七分。《公羊注》：夫子素案圖籍,知庶姓劉季當代周,見薪采者獲麟,知爲漢出者何？麟者木精,薪采者庶人,然火之意,此赤帝將代周居其位,故麟爲薪采者所執。西狩獲之者，從東方王於西也。東卯木，西金象也。言獲者，兵戈文也。言漢姓卯金，以兵得天下。不地者，異也。又先是螺蟲冬踊，彗金精埽旦置新之象。夫子知其將有六國争強從橫相滅之象，秦、項驅除，積骨流血之虞，然後劉后乃帝。絶筆於春，不書三時者，起木絶火，王制作道備，當授漢也。得麟之後，天下血書魯端門曰："趨作法，孔聖没。周姬亡，彗星出。秦政起，胡破術。書記散，孔不絶。"子夏明日往視之，血書飛而爲赤烏，化爲白書，署曰《演孔圖》，中有作圖制法之狀。孔子仰惟天命，俯察時變，知漢當出，繼大亂之後，故作撥亂之法以授之。

聘士豫章徐穉孺子

兼綜風角、星官、算曆、《河圖》、七緯、推步、變易。

有道徵士太原郭泰林宗

家藏書二千卷，皆言天文圖讖之事。蔡邕《郭有道碑》：考覽六經，探綜圖緯，周流華夏，隨集聖學，收文武之將墜，極微言之未絶。

南郡太守扶風馬融季長

常命門生考校圖讖，以鄭玄善算，乃召見於樓上。

大司農北海高密鄭玄康成

《世説・文學》劉峻注引《玄别傳》：玄少好學，年十三，誦五經，好天文、占候、風角、隱術。年十七，見大風起，詣縣曰："某時當有火災，宜祭爟禳，廣設禁備。"至時果然，而不爲害，知者異之。"宜祭爟禳"二句，據《御覽・咎徵部》引補。年二十一，博極羣書，精術數圖緯之學，兼精算術。注《尚書璇璣鈐》、《尚書中候》、《尚書帝命驗》、《尚書考靈曜》，注《易乾鑿度》、《易稽覽圖》、《易辨終備》、《易乾元序制記》、《易通卦驗》、《易是類謀》、《易坤靈圖、》《易乾坤鑿度》，注《詩汎歷樞》，注《禮記默房》、《禮含文嘉》、《禮斗威儀》,注《孝經鉤命決》。

太傅南郡胡廣伯始

《胡廣碑》: 探孔子之房奥。

中郎將陳留蔡邕伯喈

邕《陳時政疏》及《天投蜺對》、《蝗蟲踊冬對》多引緯書。

琅邪王傅蔡朗仲明

《朗碑》: 包洞典籍,刊摘沈祕。

郎中汝南周勰巨勝

《勰碑》: 總六經之要,括《河》、《雒》之機。

大鴻臚南陽宛李休子材

《休碑》: 既綜七籍,又精群緯。

太尉弘農楊震伯起

《震碑》: 明《河》、《雒》緯度,窮神知變。

山陽太守濟陰祝睦元德

《睦碑》: 該洞七典,探賾窮神。

咸陽令潁川郾唐扶正南

《扶碑》: 綜緯《河》、《雒》,咀嚼七經。

酸棗令廣陵海西劉熊孟光

《熊碑》: 敦五經之緯圖,兼綜古學,覈其妙,七業勃然而興。

高陽令弘農楊著

《著碑》: 窮七道之奥,博綜書籍,時以儒學詔書勑留定經東觀。

郃陽令敦煌效穀曹全景完

《全碑》: 甄祕極緯,靡文不綜。

槀長蔡湛子德

《湛碑》: 少耽七典。

小黄門譙敏漢達

《敏碑》：其先故國師譙贛，深明冀隩，讖録圖緯，精徹天意，傳道與京君明。君承厥後，不忝其美，幼而好學，才略聰敏，《詩》、《書》是綜，言合典謨。

從事任城武梁綏宗

《梁碑》：兼通《河》、《洛》。

太尉弘農華陰劉寬文饒

《寬碑》：明星官、風角、算曆。

冀州從事張表公方

《表碑》：該覽羣緯，靡不究窮。

廣漢屬國都尉丁魴叔河

《魴碑》：兼究祕緯。

溧陽長陳國長平潘乾元卓

《乾碑》：幼學典謨，祖講《詩》、《易》，剖演奧義，外貫百家。

廣漢屬國候李翊

《翊碑》：通經綜緯。

鉅鹿太守丹陽歙方儲聖明

曉風角占，爲句章長。時人田土，置餘粟一石及刀鉏於田陌。明日求之，亡去，疑其東家。儲曰："此人非偷。"自呼功曹，謂曰："君何故取人粟，置家後積茭中？"功曹款服。後爲洛陽令。功曹是竇憲客，爲憲所諷，夜殺人，斷頭著匳中，置廄門下，欲令儲去官。儲摩死者耳邊問誰所殺，有頃曰："死人言，爲功曹所殺。"功曹考竟具服。

弘農令北海膠東公沙穆文乂

謝承《後漢書》：鋭思《河》、《洛》推步之術。《白帖》：公沙穆爲弘農令，永壽元年，三輔已東漂没。穆曉占候，告乃百姓，令徙高地，免漂没也。

孝廉汝南姚浚

謝承《後漢書》：尤明圖緯祕奥。

治中祭酒什邡朱倉雲卿

《華陽國志》：受學於蜀郡張寧，著《河洛解》。

荆州刺史牂柯毋斂尹珍道直

從應世叔學圖緯，通三才，還家教授。

徵士丹陽句容李南孝山

謝承《後漢書》：李南少明風角，女亦曉家術，爲由卷縣民妻。晨詣爨，卒有暴風，婦便上堂，從姑求歸，辭其二親。姑不許，乃跪而泣曰："蒙傳術，疾風卒起，先吹竈突及井，此禍爲女主爨者，妾將亡之應。"因著其亡日。《抱朴子》：李南乘赤馬行，逢一人乘白馬，白馬先鳴，赤馬應之。南謂從者曰："白馬言'汝當見一黄馬左目盲，是吾子，可令駛行相及也'。"須臾果逢盲黄馬，赤馬果先鳴，盲馬應之。

博士敦煌侯瑾季瑜

王隱《晉書》曰："漢末，敦煌侯瑾善内學，語弟子曰：'涼州城西有泉水當竭，當有雙闕起其上。'魏嘉平中，武威太守起學舍，築闕於此。酒泉太守慎永造起樓，與闕相望。"

侍御史豫章周騰叔達

騰字叔達，爲侍御史。桓帝當郊，平明應出，騰仰觀曰："夫王者象星，今中宿及策馬星悉不動，上明不出。"四更，皇太子卒。

太常成都杜瓊伯瑜

師事任安，通經緯術義。譙周問當塗之讖，答曰："魏，闕名也。當塗而高，聖人取類而言耳。"周未達，瓊又曰："古者名官職不言曹，自漢以來，官盡言曹，吏言屬曹，卒言侍曹，殆天意也。"瓊書柱曰："眾而大，期之會。具而授，若何復？"

大鴻臚蜀郡郫何宗彦英

《華陽國志》：通經緯、天官、推步、圖讖。知劉備應漢九世之運，贊立先主。《季漢輔臣》注：從廣漢任安學，問究安術。與杜瓊同師而名問過之。

諫議大夫涪杜微國輔

任安弟子。

徵士巴西西充譙峅**榮始、子周允南**

治《尚書》，兼通諸經及圖緯。子周，幼孤，耽古篤學，研精六經，頗曉天文而不以留意。譙周書版文："典午忽兮，月酉没兮。"譙周讖："廣順漢北有大賊，曰流曰特攻難得，歲在元宫自相賊。"武平府君云："譙周言：'没後三十年，當有異人入蜀，蜀由之亡。'"蜀亡之歲，去周三十三年。又曰："宋岱不死，則孫阜不交。市三旬之内，流離之首縣於轅門。"後終如其説。

御史大夫王立

袁宏《後漢紀》：尚書令王允奏曰："太史王立説《孝》當六隱事，令朝廷行之，消卻災邪，有益聖躬。"詔曰："王者當修德爾，不聞孔子制《孝經》有此而卻邪者也。"允固奏請，帝乃從之。常以良日，王允與立入，爲帝誦《孝經》一章，以二丈竹簞畫九宫其上，隨日對而出入焉。案《孝經》六隱未詳所出，《風俗通》亦云"郅伯夷誦《六甲》、《孝經》、《易本》"，六隱其亦六甲與？疑緯書有是説。張璠《漢紀》：初王師敗於曹陽，欲浮河東下。御史大夫王立曰："先是太白犯鎮星於斗牛，過天津，又逆行守河北，不可犯也。"由是過北渡河，將有軺車東出。立又謂宗正劉艾曰："前太白守天闕，與熒惑會；金火交會，尊金之象。漢祚終矣，晉、魏必有興者。"後立數言於帝曰："天命有去就，五行不常盛。代火者土也，承漢者魏也。

能安天下者曹姓,惟在任曹氏而已。”曹公聞之,使人謂立曰:“知公忠於朝廷,天道深遠,幸勿多言。”瓌三案:蔡中郎有《潁川太守王立義葬流民頌》,見《北堂書鈔》,以時考之,疑即此王立。

盧氏尹軌公度、平原管輅公明

《神仙傳》:軌字公度,博學五經,尤明天文、星氣、河洛、讖緯。管輅字公明,善《周易》星數風卜相,無不精究。

赤伏符

諸生彊華自長安奉《赤伏符》至鄗,羣臣因復上尊號。

校定圖讖

尹敏奉詔校定圖讖,使蠲去崔發所爲王莽著録次比。

楊春卿　祕記

楊統　家法章句一卷

楊統　内讖解説二卷

統字仲通,事華里先生弓高。高戒統曰:“漢九世出圖書,卿應之。”建武初定天下,求通《内讖》者,不可得。永平中,刺史張志舉統方正,司徒魯恭辟爲掾。與恭共定律,上《家法章句》二卷、《内讖解説》二卷。

孝經援神契孝經鉤命決詁十二篇

翟酺注。酺字子超,廣漢雒人,注《孝經援神契》、《鉤命決》。

春秋緯注十二篇

魏朗注。朗字少英,會稽上虞人。

易緯注九卷《隋志》:鄭玄《易緯注》八卷,梁九卷。《舊唐志》及李淑《書目》遂作九卷。凡《乾鑿度》、《稽覽圖》、《通卦驗》各二,《辨終備》、《是類謀》、《坤靈圖》各一。今三館所藏《乾鑿度》通出爲一書,而《易緯》止有鄭氏注七卷,《稽覽圖》第一,《辨終備》第四,《是類謀》第五,《乾元序制記》第六,《坤靈圖》第七,二卷、三卷無目。《崇文總目》:鄭玄《易乾鑿度注》二卷、《易稽覽圖》一卷。

易緯稽覽圖二卷

易緯通卦驗二卷

易緯是類謀一卷

易緯坤靈圖一卷

易緯乾元序制記一卷

以上並鄭氏注。

尚書緯注三卷

《文選·木玄虚海賦》注、《永明十一年策秀才文》注、《藝文類聚》帝王夏后氏條、《開元占經》並引《尚書璇璣鈐》鄭注。《文選·石闕銘》注、《太平御覽·皇王部》並引《尚書帝命驗》鄭注,《禮記·月令》正義、《爾雅·釋天》正義、《藝文類聚·虹部》、《夏部》、《開元占經》並引《尚書考靈曜》鄭注,《海賦》引《尚書緯》鄭注。

尚書中候注五卷《隋志》:鄭玄《尚書中候注》五卷,梁有八卷,今殘。

《玉海》:《詩正義》鄭玄注《中候》依《運斗樞》以伏犧、女媧氏。《類聚·祥瑞部》、《帝王部》、《禪部》、《開元占經》並引《尚書中候注》。

詩緯注

《開元占經·石氏外宫占》引《詩汎歷樞》鄭注。

禮緯注三卷

《文選·魯靈光殿賦》注、《開元占經》並引《禮斗威儀》鄭注,《太平御覽·天部》引《禮含文嘉》、《禮記默房》鄭注。

孝經緯注

《東京賦》注、《太平御覽·皇王部》並引《孝經鉤命決》鄭注。

宋衷　易緯注

《文選·景福殿賦》注引宋衷《易緯注》"天文者謂之三光"。

宋衷　春秋緯注

《文選·羽獵賦》注引宋衷《春秋緯注》"驚,動也",《北征賦》注引宋衷《春秋緯注》"五運,五行用事之運也",《盧子諒〈贈劉琨詩〉》注引宋衷《保乾圖注》之“運作之迹”,《四子講德論》引宋衷《保乾圖注》“緒,業也”,《沈休文〈齊故安陸昭王碑文〉》引宋衷《春秋元命苞注》“爲模者,師傅之德也”。

宋衷　孝經援神契注

《藝文類聚》引宋衷《孝經援神契注》“神靈滋液,則犀駭雞”,宋衷曰“角有光,雞見而駭驚”。

宋衷　樂緯注

《上林賦》注引宋衷《樂汁圖徵》“焦明,似鳳皇”,宋衷曰“小鳥也”。宋衷《動聲儀注》“六英,能爲天地四時六合也。五莖,能爲五行之道,立根本也”。

宋均　春秋孝經緯注

張掖郡玄石圖一卷

高堂隆撰。隆字升平,太山平陽魯高堂生之後。

右讖緯類

跋

右補《後漢書藝文志》十卷,顧秋碧先生未定本也。無凡例,無序跋,引書篇名或注或否,或詳或略,甚至互訛。傳鈔者之過與?抑殺青未竟與?其師承類有“上”字,而今未見下卷;小學已見卷三,或移易次第,未及删“上”字;其别集上末葉有“諸帝詔令及諸臣上書等别編作一卷”語,今亦無之,則又似未曾卒業矣。明月之珠不能無纇,固不害其爲瓌寶也。稿本舊藏魯通甫先生家,其文孫子剛明經攜之金陵,翁鐵梅丈假以録副,仍以原本歸之。今年從事校印,見此編頗有訛脱,乞魯氏藏本以備讎校,則遺失久矣。副本幸存,彌足珍惜。先生此書有數善焉:一曰通今。班氏志《藝文》詳載若干篇若干卷,皆以載籍見存。今從數千年後掇拾遺文,則不復能依其例。四部之名始於荀勗,東漢尚無此稱,然今人習慣分别部居,《太史公書》百三十篇,非編年體,而班《志》附春秋家,其時史未成家也。今烏得不稱之曰史。《楚辭》班《志》入詩賦,《通志》列别集前,兹編從之,是曰通今。一曰信古。七家《後漢書》,自范書盛行,諸家遂微,然史家載筆不諱潤色,毁譽愛憎或失其真,諸家并在范前,見聞爲近,殘篇斷簡,皆可寶貴。諸書既佚,復從類書中轉録而出,《書鈔》出一人之手,徵引即有異同,《御覽》集眾人所成,增減亦分優劣。此編取舍皆有斟酌,且有合併參用者,蓋有著述之意,不專以考證爲主。既廣異聞,亦求定論,是曰信古。一曰正名。蔚宗作《後漢書》,自謂體大思精,於《三國志》中如孔融諸人抽出另作列傳,可謂有識。然未爲曹瞞作傳,則以劉宋之於晉,與曹魏之於漢,如出一轍,未能直筆。司馬文正之書武侯

“入寇”,皆有不得已之苦衷,先生此編於别集類大書曰“鎮東將軍費亭侯曹操集”,削追謚之陋。於蜀漢之人引而近之,魏吴之人低一格,以示區别,可謂誅姦諛於既往,發潛德之幽光。先生維持世教深矣,是曰正名。一曰紀實。一代之書必依一代之事實,《貨殖》、《游俠》,前漢所有,范《書》删之,無者不能虚懸其目也。《黨錮》、《逸民》、《獨行》,前漢所無,范《書》增之,有者不能遽掩其真也。圖讖之學桓譚非之,諸儒或且目爲内學,康成至據以釋經,《通志》以讖緯附正經之下,此編别爲一類,列之末卷,所以存當年之偏尚,袪後世之大惑也。道家遠在釋家之前,然張道陵崇於孝和之世,佛教則自孝明時入中國,其書在前可知,故移佛於前。《爾雅》班《志》附孝經家,《通志》入經類,然班氏以《小爾雅》一篇、《古今字》一卷、《弟子職》一篇連類書之其下,即爲小學家,是《爾雅》爲羣經之功臣,爲小學之初祖。此編移冠小學,所以顯釋經之用,此皆實事求是,不苟從衆,是曰紀實。乃先生之用心,則又有度越尋常者。乾嘉中,崇尚考据,一時風會所趨,大抵負其博學者,濟以雄辨,務以攻人之短,齗齗相争,沾沾自喜,自所著書,徵引必詳注出處,如訟者之求,直唯恐不勝而人亦别尋佐證以難之,亦文人相輕之陋習。先生無汲汲近名之心,於數千年之吉光片羽博採旁搜,並世作者所著論,有足發明,亦見甄采,可謂大雅,卓爾不羣矣。第先生著書時,如《説文》則據大徐,《書鈔》則據陳本、俞本,《經典釋文》則未見盧校本,《水經注》則未見戴校本,此時代限之,不足爲失。讀此編者須以原書參考,亦即先生之功臣已。甲寅秋七月鄉後學蔣國榜跋。

補後漢書藝文志
[清]侯康撰
王正一 郭偉宏 整理

底本:清光緒十七年廣雅書局刻本

校本:1955 年中華書局影印《二十五史補編》本

卷　一

經之類十有一：一曰易，二曰書，三曰詩，四曰禮，五曰樂，六曰春秋，七曰孝經，八曰論語，九曰羣經，十曰小學，十一曰讖緯。

易類

洼丹　易通論七篇

凡諸書見本傳及《隋》、《唐》、《宋志》、《釋文・叙録》者，皆不著所出。若采自他書或附傳者，則著之。謹發其凡於此。

鄭衆　周易注　存疑。

諸家俱不著録。然史徵《周易口訣義・觀》大象引鄭衆曰："從俗所爲，順民之教，故君子治人不求變俗。"《震》九四引鄭衆曰："身既不安，豈能安衆？"《兑》大象引鄭衆曰："樂耽於酒則有沈酗之凶，志累於樂則有傷性之患，所以君子樂之美者，莫過於尚《詩》、《書》，敦習道義，教之盛矣，樂在斯焉。"則衆於《易》似有成書，本傳稱衆兼通《易》，《儒林傳》稱衆傳《費氏易》，其言又相合也。今創録其書，亦過而存之之意云。《左傳序》疏云："鄭衆、賈逵、虞翻、陸績之徒，以《易》有'箕子之明夷'、'東鄰殺牛'，皆以爲《易》之爻辭，周公所作，此或是鄭衆注《左傳》之文，無以必其爲《易》注也。"

景鸞　易説

袁太伯　易章句　臨淮人。

見《論衡・案書篇》，稱"爲劉子政、揚子雲不能過也"。

袁京 易難記

樊英 易章句

馬融 周易傳十卷

諸書卷數互異,則從其多者著録。蓋卷數之少或是後人闕佚,非原本也。如此書《隋志》作一卷,《七録》作九卷,《釋文·叙録》及《唐志》作十卷。今從《釋文》、《唐志》,後仿此,其有可攷證者,不在此例。又,此書《隋志》稱《周易注》,《釋文》稱《傳》,《唐志》稱《章句》,今亦從《釋文》,以《釋文》爲專門之學也。後有似此者不悉注,有攷證則聊一出之。荀悦《漢紀》曰:"馬融著《易解》,頗生異説。"虞翻曰:"馬融名有俊才,其所解釋不及荀諝。"案虞氏之譏馬者,如以《坤》西南、東南爲孟秋、孟春;以《大過》初爲女妻、上爲老婦;以《艮》卦"厲閽心"爲"熏灼其心",皆是也。《經義攷》云:"馬氏《易傳》見於《釋文》與今《易》異者:'聖人作而萬物覩'作'聖人起';'婚媾'作'冓';'擊蒙'作'繫蒙';'血去'作'恤去';《履》'愬愬'作'虩虩';'天道虧盈'作'毁盈';'介於石','介'作'扴';'由豫'作'猶豫';'盍簪'作'臧';'天命不佑'作'右';'百果草木皆甲坼'作'甲宅';'萃亨'無'亨'字;'德之修也','修'作'循'。"案朱氏所引猶未備。如"訟有孚窒"作"咥";"失得勿恤"作"矢得";"夷於左股"作"左般";"後説之弧"作"壺";"範圍天地"作"犯違";《繫辭傳》"覆公餗"作"公粥",皆與今本異者也。至"婚媾"作"冓"一條,《釋文》曰:"馬云'重婚',本作冓。"雖文承馬氏之下,未見必爲馬本也。張惠言《易義别録》曰:"費氏古文《易》有書自馬融始,馬融爲《易傳》,授鄭康成。馬以乾坤十二爻論消息,以人道政治議卦爻,此鄭所本於馬也。馬於象疏,鄭合之以爻辰,馬於人事雜,鄭約之以《周禮》,此鄭所以精於馬也。"案馬傳中如以爻辭爲周公作,以

“王用三驅”爲乾豆賓客君庖，以“盥而不薦”爲灌爵薦牲，以“利用禴”爲殷春祭名，以“大衍之數五十”爲太極、兩儀、日月、四時、五行、十二月、二十四氣，皆鄭所不從。

鄭康成　周易注十二卷

《魏志・高貴鄉公紀》：淳于俊曰：“鄭玄合《彖》、《象》於經，欲使學者尋省易了也。”《周易正義》：“鄭玄作《易贊》及《易論》。”王應麟曰：“何休見鄭玄注《易》，謂其‘道出繫表’。”又曰：“康成注《易》，多論互體。”又曰：“康成《詩箋》多改字，其注《易》亦然。如‘包蒙’，謂‘包’當作‘彪’，文也；《泰》‘包荒’，謂‘荒’讀爲‘康’，虛也；《大畜》‘豶豕之牙’，謂‘牙’讀爲‘互’；《大過》‘枯楊生荑’，謂‘枯’音‘姑’，无姑山榆；《晉》‘錫馬蕃庶’，讀爲‘藩遮’，謂藩遮禽也；《解》‘百果草木皆甲宅’，‘皆’讀如‘解’，‘解’謂‘坼’，罅皮曰甲，根曰宅；《困》‘劓刖’，當爲‘倪仉’；《萃》‘一握爲笑’，‘握’讀爲‘夫三爲屋’之‘屋’；《繫辭》‘道濟天下’，‘道’當作‘導’；‘言天下之至賾’，‘賾’當为‘動’；《説卦》‘爲乾卦’，‘乾’當爲‘幹’。”盧見曾曰：“往余讀《五經正義》所采鄭《易》，間及爻辰，初未知爲何物，及攷鄭注《周禮・太師》與韋注《周語》，乃律家合辰、樂家合聲之法，蓋乾坤十二爻左右相錯，《乾鑿度》所云‘間時而治六爻’，故謂之‘爻辰’也。漢儒説《易》並有家法，其不苟作如此。”案鄭《易》今有王應麟、惠棟、孫堂三家輯本。

荀爽　周易傳十一卷　爽，一名諝。

荀悦《漢紀》：“爽著《易傳》，據爻象承應陰陽變化之義，以十篇之文解説經意，由是兖、豫言《易》者咸傳荀氏學。”虞翻曰：“潁川荀諝號爲知《易》，其注有愈俗説，至所説‘西南得朋，東北喪朋’，顛倒反逆，了不可知。孔子歎《易》曰：‘知變化之道者，其知神之所爲乎！’以美大衍四象之作，而上爲章首,尤可怪笑。”案荀傳如解《大過》以初爲女妻,二爲老夫,五爲士夫,上爲老婦;解《艮》卦以“厲薰心”爲誤而改作“動”,皆虞氏所譏。以今攷之,亦各明一義也。陸德明曰:“鄒湛譏荀爽訓‘箕’爲‘荄’,詁‘子’爲‘滋’,漫衍無經,不可至詰。”王應麟曰:“爽説見於李鼎祚《集解》。若‘乾升於坤曰雲行,坤降於乾曰雨施;乾起坎而終於離,坤起離而終於坎;離坎者,乾坤之家而陰陽之府,故曰大明終始’,皆諸儒所未發。”

劉表　周易章句九卷録一卷

《易義別録》曰:“景升《章句》闕略難攷。案其義於鄭爲近,大要《費氏易》也。”案劉《易》與王本不同者,如“君子以經綸”作“經論”,見《正義》;“多識前言往行”作“多志”;“其欲逐逐”作“篴篴”;“習坎”作“習欿”;“寘于叢棘”,“寘”“示”;“家人嗃嗃”作“熇熇”;“其牛掣”,“掣”作“觢”;“懲忿窒欲”作“澂忿懫欲”;“孚乃利用禴”,“禴”作“爚”;“知以藏往”,“藏”作“臧”,並見《釋文》。

宋忠　周易注十卷　字仲子,南陽章陵人,荆州五業從事。忠,或作衷。

虞翻曰:“北海鄭玄、南陽宋忠,雖各立注,忠小差玄,而皆未得其門,難以示世。”　惠棟《易漢學》曰:“忠注‘見羣龍’一節,獨勝諸儒。”　《易義別録》曰:“以殘文推之,仲子言乾升坤降,卦氣動静,大抵出入荀氏。虞君以爲差勝康成者,或以此,大要《費氏易》也。然《費氏易》無變動,而仲子注《革》九五,[①]云‘九者變爻’,則其異於鄭、荀者,不可得而聞云。”

---

① “九”字原脱,今補。

書類

明帝 五家要説章句 一名《五行章句》。

見《桓郁傳》。此書未知宜何屬，以明帝從桓榮受《尚書》，又《尚書》有《鴻範》五行之學，故入書部。

桓君大、小太常章句 桓榮及子郁删定。

牟長 尚書章句

賈逵 尚書今古文同異三卷

《尚書·堯典》正義曰："百篇次第，鄭依賈氏所奏《别録》爲次。"又曰："後漢初，賈逵奏《尚書》疏云：'流爲烏。'"《詩·齊風》正義曰："《洪範》稽疑論卜兆有五曰'圛'，蓋古文作'悌'，今文作'圛'。賈以今文校之，定以爲'圛'。"及《商頌》疏引賈逵説"五服"，《五經異義》引賈逵説"六宗"，《魏志·高貴鄉公紀》引賈逵説"曰若稽古"爲"順攷古道"，《釋文》引賈逵説《酒誥》"成王若曰"爲"戒成康叔以慎酒，成就人之道，故曰成"。大約皆此書中語也。

周防 尚書雜記三十二篇

衛宏 古文尚書訓旨

《前漢書·儒林傳》注引衛宏《定古文尚書序》曰："伏生老，不能正言，言不可曉也，使其女傳言教鼂錯。齊人語多與潁川異，錯所不知者凡十二三，略以其意屬讀而已。" 洪頤煊《讀書叢録》曰："《説文》'㪿'字注引衛宏説。《史記·五帝本紀》，《集解》當作《索隱》引衛宏云'摯立九年而唐侯德盛，因禪位焉'，皆古文《尚書》説。"康案《酒誥》、《釋文》引衛、賈以"成王"爲"戒成康叔以慎酒，成就人之道也，故曰成"，亦此《書》中語。

馬融　尚書傳十一卷

《釋文·叙録》、《隋志》並作《尚書注》,惟《唐志》作《傳》,今攷《書》序正義云:"馬融、王肅亦稱'注'爲'傳'。"又《左傳》襄公三十一年正義引馬融《尚書傳》序,則作"傳"者是。《釋文》、《隋志》亦有馬融作《傳》之語,但其標題則稱《注》耳。馬《傳》王謨有輯本,然尚多遺漏。如"曰若稽古帝堯",《魏志·高貴鄉公紀》引馬《注》"順攷古道"。"黎民阻饑",《詩·周頌》釋文引馬《注》作"祖",云'始也'。"上宗奉同瑁",虞翻引馬《注》以爲"同者,大同天下",此類皆未收也。

張楷　尚書注

張奂　尚書記難　删定牟氏章句

劉陶　中文尚書　翊寅案,本傳陶明《尚書》、《春秋》,爲之訓詁。《隋》、《唐志》皆不著録。當補列目,與《春秋》訓詁同例。

惠棟曰:"俗本《後漢書·陶傳》作'是正文字三百餘事',今從北宋本改正,作'七百餘事'。《藝文志》曰:'劉向以中古文校三家經文,文字異者七百有餘。'蓋古文與今文異者,本有此數,故陶從而是正也。"案《玉海·藝文》引《陶傳》,亦作七百。

鄭康成　尚書注九卷

高貴鄉公曰:"鄭玄云'稽古同天,言堯同於天也',王肅云'堯順攷古道而行之',二義不同。仲尼稱'惟天爲大,惟堯則之',堯之大美,在乎則天,順攷古道,非其志也。" 虞翻曰:"鄭氏所注《尚書》,以《顧命》康王執瑁,古'冃'似'同',從誤作'同',既不覺定,復訓爲杯,謂之酒杯。成王疾困憑几,洮頮爲濯,以爲澣衣成事,'洮'字虚更作'濯',以從其非。又古大篆'卯'字讀爲'柳',古'柳'、'卯'同字,而以爲昧。'分北三苗','北'古'别'字,又訓北,言北猶别也。若此之類,誠可怪也。"案此四事,近王鳴盛、江聲、孫星衍、汪家禧、方觀旭、方廷瑚、趙坦，皆申鄭難虞。《書·堯典》正義曰："鄭玄於伏生二十九篇之内分出《盤庚》二篇，《康王之誥》，又《泰誓》三篇，爲三十四篇。更增益僞書二十四篇，爲五十八。"案鄭所增益者，乃真古文，非張霸僞書，孔疏誤。鄭雖增此二十四篇，而作注則仍止三十四篇。馬季長所謂逸十六篇，絶無師説，十六篇即二十四篇，蓋合九共九篇爲一也。故馬、鄭諸儒皆不注之也。王應麟曰："鄭康成注《禹貢》九河云：'齊桓公塞之，同爲一。'《詩》正義云：'不知所出何書'。愚案《書》正義引《春秋緯·寳乾圖》云：'移河爲界，在齊吕，填閼八流以自廣。'鄭蓋據此文。"又曰："鄭康成《書》注，閒見於疏義，如作服十二章、州十二師，孔注皆所不及。"又曰："若爾三王，是有丕子之責於天，《史記》以'丕'爲'負'，《索隱》引鄭玄曰：'丕讀曰負。'隗囂《移檄》曰：'庶無負子之責。'蓋本此。"案王氏有鄭《書》注輯本，孫詒穀疑惠定宇託名，非深寧所輯也。又案《隋志》、《釋文》皆有鄭康成《尚書音》，然《釋文》云"漢人不作音，後人所託"，故今不著録。後凡鄭氏諸經音仿此。又《經義攷》有康成《書贊》，攷《書序》正義云："鄭玄避序名，故謂之贊。"則《書贊》非别一書。《書》疏又引康成《書論》，蓋皆在《書注》九卷之中，無容别出。鄭君注《易》亦有《易贊》、《易論》，《經義攷》不載其名而獨載《書贊》，是爲例不純也，故削之。

鄭康成　尚書大傳注三卷

尚書義問三卷　鄭康成、王肅及晋孔晁撰。

《經義攷》謂此書乃孔晁采鄭康成及肅參以己見者，則當屬之孔晁，不屬鄭、王。然無顯證，姑録之。

盧植　尚書章句

荀爽　尚書正經

詩類

謝曼卿　毛詩訓　九江人。

《釋文·叙録》稱謝曼卿元始五年公車徵説《詩》。又賈徽、逵之父。衛宏後漢初人,皆受學於曼卿,則曼卿似前漢人。而《隋志》稱爲後漢,或曾入光武時也。

伏黯　齊詩章句解九篇　黯子恭,復減定爲二十萬言。

薛氏　韓詩章句二十二卷

惠棟曰:"《唐書·宰相世系表》:'薛廣德生饒,饒生愿,愿生方丘,字夫子,方丘生漢。'唐人所引《韓詩》其稱薛君者,漢也。稱薛夫子者,方丘也。故《馮衍傳》注有《薛夫子章句》是也。《薛漢傳》不載漢父名字,後人以章句專屬諸漢,失之。"案《馮衍傳》注之文亦見《明帝本紀》注,而彼引作薛君,據此則凡稱薛君者,亦有薛夫子説矣。

景鸞　齊詩解

衛宏　毛詩序

杜撫　詩題約義通

《華陽國志》作《詩通議説》,名似較順。然陸機先於常璩,其稱名已同范史矣。

侯包　韓詩翼要十卷　包,一作苞。

侯氏説見於《正義》者:《斯干》詩"載衣之裼",云示之方也,明褓制方,令女子方正事人之義。《白華》詩"天步艱難,之子不猶",云天行艱難,於我身不我可也。《江漢》詩"武夫滔滔",云衆至大也。《抑》詩云衛武公刺王室,亦以自戒,行年九十有五,猶使臣日誦是詩而不離於其側。又《隋書·音樂志下》云:"牛弘修皇后房内之樂,據毛萇、侯苞、孫毓故事,皆有鐘聲。"

趙長君　韓詩譜二卷　詩神淵一卷　詩細

虞翻曰："有道山陰趙煜，徵士上虞王充，各洪才淵懿，學究道源，著書垂藻，絡繹百篇，釋經傳之宿疑，解當世之槃結，或上窮陰陽之奥祕，下據人情之歸極。"惠棟曰："漢儒皆以《行葦》爲公劉之詩，趙長君曰：'公劉慈仁，行不履生草，運車以避葭葦。'案見《吴越春秋》。長君從杜撫受學，義當見《韓詩》也。"

張匡　韓詩章句　字文通，山陽人，舉有道。

見《趙長君傳》。

鄭衆　毛詩傳

范蔚宗、陸機、陸德明皆但云鄭衆傳《毛詩》，不言作《傳》，惟《隋志》有作《傳》之文，而亦不著其書，疑誤也。今亦未敢臆斷，姑録之。其説今絶無存，惟旁見《周禮注》者：《宰夫之職》注引《詩》曰"家伯維宰"，以宰爲宰夫，與鄭《箋》云冢宰異。王肅從之。《典瑞》注引《詩》曰"邮彼玉瓚，黄流在中"，與今本作"瑟"、作"瓚"異。《大司馬》注引《詩》曰"言私其豵，獻肩於公"，一歲爲豵，二歲爲豝，三歲爲特，四歲爲肩，五歲爲慎。與《傳》、《箋》俱異，"獻豜"作"獻肩"亦異。至如《序官》、《膳夫》注引"仲允膳夫"，《䱷人》注引"敝笱在梁"，《大司徒》注引"錫之山川，土田附庸"，《大司馬》注引"邦畿千里"，《射人》注引"不出正兮"，《隸僕》注引"有扁斯石"，《小司寇》注引"詢於芻蕘"，則固無異解也。

賈逵　毛詩雜議難十卷

《風俗通·祀典篇》引賈逵説靈星之義，當是《絲衣篇》注解。

馬融　毛詩傳十卷

馬雖治《毛詩》而不株守毛義，如"南有樛木"，同《韓詩》作"朻"，見《釋文》。《廣成頌》詩詠"圃草"，與《韓詩》"東有圃草"合，"旃旝摻其如林"則與《説文》引《詩》"其旝如林"合。然此猶或毛氏異文,無大差互,惟《龐參傳》載融上書以《出車》詩"赫赫南仲"爲宣王時,則與班固《匈奴傳》引《詩》合,而與毛《傳》大乖。或行文偶參用三家説,而《詩傳》固仍宗毛乎?

鄭康成　毛箋二十卷　詩譜三卷

荀爽　詩傳

荀悦《漢紀》曰:"臣悦叔父,故司空爽,著《詩傳》,皆附正義,無他説。"

禮類

杜子春　周官注河南緱氏人。

賈公彦《序周禮廢興》引馬融《傳》曰:"此謂融所作《周官傳》,非范史本傳也。劉歆弟子河南緱氏杜子春,永平之初,年且九十,家於南山,能通《周官》讀,頗識其説。"

鄭興　周禮解詁

鄭衆　周禮解詁

馬融《傳》曰:"鄭衆、賈逵受業杜子春,衆、逵洪雅博聞,又以經書記轉相證明爲解。逵解行於世,衆解不行,兼攬二家爲備,多所遺闕。然衆時所解説,近得其實。獨以《書》序言成王既黜殷命,還歸在豐,作《周官》,則此《周官》也,失之矣。"

衛宏　周禮解詁

見鄭康成《周禮序》。

賈逵　周禮解詁

馬融《傳》曰:"逵以爲六鄉大夫,則冢宰以下及六遂爲十五萬家,絚千里之地,甚謬焉。"康案《魏書·劉芳傳》引賈逵云:"東郊木帝太皞八里,南郊火帝炎帝七里,西郊金帝少皞九里,北郊水帝顓頊六里,中兆黄帝之位并南郊之季,故云'兆五帝於四郊也’。”又《隋書·音樂志下》引賈逵曰:“圜鍾,夾鍾也。”皆出此書。

張衡　周官訓詁

據劉昭《百官志·序》注,平子爲侍中時所作也,書名作《周官解説》,與本傳不同。

馬融　周官傳十二卷

自序曰:“六十爲武都守,郡小少事,乃述平生之志,著《易》、《尚書》、《詩》、《禮》傳,皆訖。惟念前業未畢者,爲《周官》。年六十有六,目瞑意倦,自力補之,謂之《周官傳》也。”《毛詩正義》曰:“馬融爲《周禮注》,欲省學者兩讀,故具載本文。”

臨碩　周禮難　字孝存,北海人。

賈公彦曰:“林孝存以爲武帝知《周官》末世瀆亂不驗之書,故作《十論》、《七難》以排棄之,惟鄭玄能答林碩之論《難》。”案鄭康成、孔融二傳“林”皆作“臨”,今從之。

鄭康成　周官禮注十二卷　答臨碩周禮難

康成《答臨碩》,《大雅》、《魯頌》、《王制》正義俱引之。

鄭康成　儀禮注十七卷

馬融　喪服經傳注一卷

《通典》屢引之。王謨、孫馮翼俱有輯本。

鄭康成　喪服譜注一卷　喪服變除一卷

《隋志》又有康成《喪服經傳注》一卷,本在十七篇注中,當時蓋自别行,故《隋志》複出,今削之。《唐志》又有康成《喪服紀注》一卷,亦即《喪服經傳注》也。

劉表　後定喪服一卷

《隋志》作《劉表新定禮》,今從《通典》。《通典》八十三引劉表《後定喪服》云:“既除喪,有來弔者,以縞冠深衣,于墓受之,畢事反吉。”又云:“君來弔臣,主人待君到,脱頭绖,貫左臂,去杖,出門迎。門外再拜,乃厭,還,先入門,東壁向君讓。君於前聽進,即堂先哭。乃止於廬外伏哭,當先君止。君起致辭,子對而不言,稽顙以答之。"又八十九引劉表云:"父亡在祖後,則不得爲祖母三年,以爲婦人之服,不可踰夫。孫爲祖服周,父亡之後,爲祖母不得踰祖也。"此條不稱書名,然證以九十七卷所引,亦出是書也。

曹充　慶氏禮章句辯難

曹褒　通義十二篇　演經雜論百二十篇

景鸞　禮略二卷　月令章句

《隋志》有《禮略》二卷,不著名,以鸞傳攷之,則鸞撰也。蔡邕《月令問答》稱"前儒爲章句者,皆用意傳,非其本旨",疑即指鸞書。

馬融　禮記注

《釋文·叙録》引陳邵云:"後漢馬融、盧植攷諸家同異,附戴聖篇章,去其繁重及所叙略而行於世,即今之《禮記》是也。"《隋志》:"戴聖删大戴之書爲四十六篇,謂之《戴記》。漢末馬融遂傳小戴之學,融又作《月令》一篇、《明堂位》一篇、《樂記》一篇,合四十九篇。"案《隋志》所云似因陳邵之説而傅會之,其實馬融注《禮記》,但有解釋,并無去取,邵言微誤。《隋志》謂融增入三篇,尤誤。劉向《别録》已稱《禮記》四十九篇,橋仁著《禮記章句》四十九篇,見《橋玄傳》。皆在前漢時,不待融足三篇也。　融《廣成頌》曰:"臣聞昔命師於鞬櫜。"李賢注曰:"鞬以藏箭,櫜以藏弓。鞬音紀言反。《禮記》孔子曰:'武王克殷,倒載干戈包以獸皮,名之曰鞬櫜。'鄭注曰:'鞬讀爲鍵,音其蹇反,謂藏閉之也。此馬、鄭異義。"

盧植　禮記解詁二十卷

《唐書·儒學傳》:元澹釋疑曰:"小戴《禮》行於漢末,盧植合二十九篇而爲之解，世所不傳。"《經義雜記》云："盧氏校定《禮記》，今日雖亡，漢、唐人偶有稱述，尚可得其略。其一《檀弓下》'子顯以致命於穆公'，鄭注：'使者公子縶也。'盧氏云：'古者名字相配，"顯"當作"韅"。'今攷《詩·白駒》'縶之維之'，《傳》：'縶，絆也。'《禮記·月令》'則縶騰駒'，是'縶'爲維絆義。《説文》：'顯，頭明飾也。'與縶義無涉。'韅，著掖鞥也。'又《釋名》云：'韅，經也。横經其腹下也。'與維絆義合。故名縶，字子韅。此校之盡善者。其一《曲禮》'猩猩能言，不離禽獸'，《釋文》：'禽獸'，盧本作'走獸'。《正義》曰：'别而言之，羽則曰禽，毛則曰獸，通而爲説，鳥不可曰獸，獸亦可曰禽。故《易》云："王用三驅，失前禽。"則驅走者亦曰禽也。'又《周禮·司馬職》云：'大獸公之，小禽私之。'以此而言，則禽未必皆鳥也。又康成注《周禮》云：'凡鳥獸未孕曰禽。'《周禮》又云：'以禽作六摯，卿羔，大夫雁。'《白虎通》云：'禽者，鳥獸之總名。'以此諸經證禽名通獸者，以其小獸可擒，故通名禽也。孔氏所據精博，盧氏定爲'走獸'，失之拘泥。此校之未盡善者。"康案本傳稱植作《三禮解詁》，非也。植未嘗兼注三《禮》，今從《三國志·盧毓傳》注引《續漢書》。王謨、臧鏞堂俱有此書輯本。

鄭康成　禮記注二十卷　禮議二十卷

王謨曰："諸經正義多引鄭氏《魯禮禘祫志》，本傳作《魯禮禘祫義》，《隋志》俱不著録，而别有《禮議》二十卷，案《隋志》無，見《唐志》。則《禘祫志》乃《禮議》中一篇目也。"

蔡邕　月令章句十二卷

王謨曰："《隋志》但有《月令章句》，無《明堂月令論》，而陶氏《説郛》又有蔡邕《月令問答》一篇，檢其中'更叟'一條，據《三國志》注，亦引作《明堂月令論》。案見《高貴鄉公紀》，無"月令"二字。

而《御覽》引《明堂論》'門闈'一條,又作章句,大抵此書原祇案《月令》十二月爲《章句》十二卷,其所問答乃是卷首發凡,而《明堂論》則又因其中有明堂、太廟之文,推而論之者也。要祇《章句》一書,後人各從所引稱謂。"案此書王謨輯本不及蔡雲輯本之詳。濬宣案臧庸、馬瑞辰輯本更精。

荀爽　禮傳

《通典》七十九引荀爽《禮傳》曰:"天子諸侯事曾祖以上,皆稱曾孫。"

鄭康成　三禮目録一卷

三禮圖九卷　鄭康成及侍中阮諶等撰。

《魏志·杜恕傳》注引《阮氏譜》曰:"諶字士信。徵辟無所就,造《三禮圖》傳於世。"《後魏書·禮志四》:"阮諶《禮圖》並載秦漢以來輿服。"梁正曰:"陳留阮士信,受學於潁川綦毌君,取其説爲《圖》二卷,多不案《禮》文,而引漢事,與鄭君之文違錯。"

劉熙　謚法注三卷　字成國,北海人,安南太守。

《玉海》引沈約《謚法序》云:"劉熙注《謚法》,惟有七十六名。"又云:"劉熙注解時或有所發明。"洪頤煊《讀書叢録》云:"《隋志》:《大戴禮記》十三篇。注云:'梁有《謚法》三卷,劉熙注。'案《大戴禮》本有《謚法篇》,見《白虎通》。《北堂書鈔》卷九十三引《大戴禮·謚法》,其時尚未亡。《太平御覽》卷五百六十二引《大戴禮》曰'周公旦太師望相嗣王,作謚法'一段,與《周書·謚法篇》同。"又云:"宋蘇洵《謚法解》多引劉熙《注》。《一切經音義》卷二十引《謚法》曰:'賤而得幸曰嬖。'《釋名》云:'嬖,卑賤婢妾媚以色事人,得幸者也。'今《釋名》無此文,是劉熙《謚法注》。《文選·景福殿賦》注引劉熙《孟子注》'獻猶軒,軒在物上之稱也',亦是《謚法注》,皆後人誤改。”

樂類

桓譚　樂元起二卷　琴操二卷

馬瑞辰曰：“《唐志》載桓譚《琴操》二卷。案桓譚《新論》有《琴道篇》，不聞有《琴操》。《琴操》言伏羲始作琴，與《琴道》言神農始作琴不合，則《琴操》決非桓譚所作。《文選》注引《新論》雍門説孟嘗君曰：‘今君下羅帳，來清風。’《北堂書鈔》引作《琴操》，是唐人誤以《琴道篇》爲《琴操》之證也。”案馬説甚辨，然《唐志》所有，未敢輕删。

蔡邕　琴操二卷

馬瑞辰曰：“蔡邕本傳言邕所著有《叙樂》，而無《琴操》，而今本《琴操》及傳注所引皆屬蔡邕，疑《琴操》即在《叙樂》中，猶《琴道》爲《新論》之一篇耳。《北堂書鈔》引蔡邕《琴賦》，言‘仲尼思歸，即將歸操也。梁公悲吟，即楚高梁子霹靂引也。周公越裳，即越裳操也。白鶴東翔，即别鶴操也。樊姬遺歎，即列女引也’。與夫《鹿鳴》三章，楚曲《明光》，俱與《琴操》合，則《琴操》爲中郎所撰，信有徵矣。”

春秋類

北海王睦　春秋旨義終始論

賈徽　春秋左氏條例二十一卷　字元伯，潁陰令。

陳元　春秋左氏訓詁　一作《左氏同異》。

孔奇　春秋左氏删三十一卷　一名《左氏傳義詁》。

《連叢子》序曰：“先生名奇，字子異，其先魯人褒成君之後也。

雅好儒術,淡忽榮禄,不願從政,遂删撮《左氏傳》之難者,集爲《義詁》。發伏闡幽,讃明聖祖之道,以祛學者之蔽。著書未畢,而早世不永。宗人子通痛其不遂,惜玆大訓不行於世,乃校其篇目,各如本第,並序答問,凡三十一卷。”

鄭興　春秋左氏條例章句訓詁

鄭衆　春秋左氏傳條例九卷　春秋删十九篇

馬融曰:“鄭君博而不精。”《周禮·小宗伯》注鄭司農云:“古文《春秋》經‘公即位’爲‘公即立’。”《公羊序解》曰:“鄭衆作《長義》十九條十七事,專論《公羊》之短,《左氏》之長。”案《唐志》有鄭衆《牒例章句》九卷,蓋即一書而異名,《釋文》又作《左氏條例章句》,《通志·藝文略》及《經義攷》分録之,誤。今削去。

賈逵　春秋左氏長經章句二十卷　一作《左氏長義》。

《御覽》六百五十引《三輔決録》曰:“賈逵建初元年受詔列《春秋公羊》、《穀梁》不如《左氏》四十事,名《左氏長義》。”《釋文·序録》:“逵受詔列《公羊》、《穀梁》不如《左氏》四十事,奏之,名曰《左氏長義》,章帝善之。”《公羊》疏云:“賈逵作《長事》四十一條,云《公羊》理短,《左氏》理長。《公羊》以魯隐公爲受命王,黜周爲二王後。案《長義》云:名不正則言不順,言不順則事不成,今隐公人臣而虚稱以王,周天子見在上而黜公侯,是非名正而言順也。如此,何以笑子路率爾?何以爲忠信?何以爲事上?何以誨人?何以爲法?何以全身?”又“宋人執鄭祭仲”疏引《長義》云:“若令臣子得行,則閉君臣之道,啓篡弑之路。”《左傳序》疏云:“章帝時賈逵上《春秋大義》四十條,以抵《公羊》、《穀梁》,帝賜布五百匹。又與《左氏》作《長義》。”案本傳稱擿出《左氏》三十事,諸書或言四十事,或言四十一條,皆一書也。據陸德明、徐彦則四十事,即《長義》，而《左傳序》疏歧爲二，似誤。《史通·申左篇》："賈逵撰《左氏長義》，稱在秦者爲劉氏，乃漢室所宜推先，但取悦當時，殊無足採。"

賈逵　春秋左氏解詁三十卷　濬宣案《釋文·序録》作"訓詁"。

馬融曰："賈君精而不博。"《南齊書·陸澄傳》："澄與王儉書曰：'《左氏》泰元晉孝武帝年號。取服虔，而兼取賈逵經。服傳無經，雖在注中，而傳又有無經者故也。今留服而去賈，則經有所闕。'"案觀此知服虔注傳不注經，賈逵則兼注經、傳。《左傳》襄三十一年疏："賈逵注經。"今攷賈本經文，有與杜異者。如莊九年本"公伐齊，納子糾"，賈本無"子"字；宣十二年"宋師伐陳"，賈無此句；昭十一年"齊國弱"，賈本作"國酌"，是也。

賈逵　春秋三家經本訓詁十二卷

康案《公羊》莊十二年："宋萬弒其君接。"疏引賈氏云：《公羊》、《穀梁》曰"接"；昭四年"大雨雹"，疏引賈氏云：《穀梁》作"大雨雪"；五年疏引賈氏云：秦伯罃，《穀梁傳》云"秦伯偃"；定十年"宋樂世心出奔曹"，疏云："'世'字亦有作'泄'字者，故賈氏言焉。"哀四年"亳社災"，疏引賈氏云：《公羊》曰"薄社"。皆此書中語也。又定十年"叔孫州仇、仲孫何忌帥師圍費"，疏云："《左氏》、《穀梁》此'費'字皆爲'郈'，賈氏不云《公羊》曰'費'者，蓋文不備，或所見異也。""齊侯、衛侯、鄭游遬會於窐"，疏云："《左氏》、《穀梁》作'安甫'，賈氏不云《公羊》曰'窐'者，亦是文不備。"十五年"齊侯、衛侯次于籧篨"，疏云："《左氏》作'籧挐'字，賈氏無説，文不備也。"據此數條，知此書體例於《左氏》經文之異《公》、《穀》者，必釋之曰"《公》、《穀》作某"，故偶有未言，徐彦即以爲不備也。

賈逵　春秋釋訓一卷　春秋左氏經傳朱墨别一卷

孔嘉　春秋左氏説　字山甫，扶風人，官侍中。

此據《釋文·叙録》。《孔奮傳》則謂官至城門校尉。

馬融　春秋三傳異同説

據此書名似是爲三家折衷,然《正義》所引馬融説"虢仲、虢叔"一條,"夷吾無禮"一條,"二叔不咸"一條,"皇父二子"一條,"組甲被練"一條,"《三墳》、《五典》、《八索》、《九丘》"一條,"祈招之詩"一條,《王制》疏引"高圉、亞圉、周人所報而不立廟"一條,《水經·清水》注引"南陽"一條,《文選·吴都賦》注引"驌驦"一條,皆與《公》、《穀》無涉。疑此書雖以異同名,而所釋者《左氏》爲多,蓋融本欲注三《傳》,而中止者也。

劉陶　春秋訓詁　翊寅案,本傳靈帝詔陶次第《春秋》條例。《舊唐志》:"《春秋左氏傳條例》二十卷,劉寔撰。""寔"即"陶"之譌。

延篤　春秋左氏注

《釋文·叙録》:"京兆尹延篤受《左氏》於賈逵之孫伯升,因而注之。案本傳稱從堂谿典受《左氏》,蓋兩師也。篤解《三墳》、《五典》、《八索》、《九丘》,用張平子説,以《三墳》爲三《禮》,《五典》爲五帝常道,《八索》爲《周禮》八議之刑,《九丘》爲《周禮》九刑,見《正義》。

鄭康成　春秋左氏分野一卷　春秋十二公名一卷　駮何氏漢議　二卷翊寅案《隋志》有《駁何氏漢議叙》一卷。

服虔　春秋左氏傳解誼三十一卷

《世説·文學篇》:"鄭玄欲注《春秋傳》,尚未成。時行,與服子慎遇,宿客舍,先未相識。服在外車上與人説以注《傳》意,玄聽之良久,多與己同。玄就車與語,曰:'吾久欲注,尚未了。聽君向言,多與吾同,今當盡以所注與君。'遂爲《服氏注》。"又云:"服虔既善《春秋》,將爲注,欲參攷同異。聞崔烈集門生講傳,遂匿姓名,爲烈門人賃作食。每當至講時,輒竊聽户壁閒。既知不能踰己,稍共諸生叙其短長。烈聞,不測何人，然素聞虔名，意疑之。明蚤往，及未寤，便呼：'子慎，子慎！'虔不覺驚應，遂相與友善。"趙坦《寶甓齋札記》曰："服注雖本鄭氏，然時與鄭違。如鄭注《尚書・微子篇》以箕子爲紂諸父，服氏以爲紂庶兄；鄭注《禮記・内則篇》以《左氏傳》'鞶厲'爲'鞶裂'，服氏以'鞶'爲大帶，'厲'是大帶之垂者；鄭注《明堂位》云'周公曰太廟，魯公曰世室，羣公稱宫'，服注《左傳》'太室屋壞'云'太廟之室'；鄭注《雜記》引《春秋傳》'齊晏桓子卒'云云，《正義》稱服注《左傳》與鄭違。又僖四年《傳》'五侯九伯'，服注云：'五侯，公、侯、伯、子、男。九伯，九州之長。'鄭云：'五侯，侯爲州牧。九伯，伯爲州伯。一州一牧，二伯佐之，太公爲王官之伯，二人共分陜而治，當四侯半，一侯不可分，故言五侯。九伯則九人。'昭四年《傳》'西陸朝覿而出之'，服以'二月日在婁四度。春分之中，奎始晨見東方'，鄭答孫皓謂四月立夏之時。《詩・小雅譜》，《大雅・生民》下及《卷阿》，《小雅・南有嘉魚》下及《菁菁者莪》，周公、成王之詩也。襄二十九年《傳》'爲之歌《小雅》'，服注云：'自《鹿鳴》至《菁菁者莪》，道文、武脩小政，定大亂，致太平。'是服氏以《小雅》無成王詩。《傳》又云'爲之歌《大雅》'，服注：'陳文王之德、武王之功，自《文王》以下至《鳧鷖》，是爲正《大雅》。'是服氏以《生民》、《行葦》、《既醉》、《鳧鷖》爲武王詩，皆與鄭異。"

服虔　春秋成長義九卷

《公羊》昭三十一年疏引服虔《成長義》云："邾婁本附庸三十里耳，而言五分之，爲六里國也。"

服虔　春秋左氏膏肓釋痾十卷

劉昭注《續漢書・禮儀志上》引《春秋釋痾》曰："漢家郡守行大夫禮，鼎俎籩豆，工歌縣。"《初學記》二十六引《春秋釋痾》：

何休敏字當衍。曰“遺越人以冠,終不以爲惠”。

服虔　春秋漢議駮二卷　春秋塞難三卷　春秋音隱一卷

孔融　春秋雜議難五卷

彭汪　春秋左氏傳注　字仲博,汝南人,記先師奇説及舊注。

《左傳》襄十九年疏,服虔引彭仲博云:“齊欲誅衛,呼而下,與之言,固可取之,無爲揖之復令登城。仲博以爲齊侯號衛,衛慚而下,云‘問守備焉’,問衛之守高唐者。衛無恩信,故令守者以無備告,齊侯善其言,故揖之,乃命士卒登城。服虔謂此説近之。”

許淑　春秋左氏傳注　字惠卿,魏郡人,太中大夫。

杜預曰:“賈景伯父子、許惠卿皆先儒之美者也。”案《釋例》屢引許説,杜多不從。惟昭七年《傳》“暨齊平”,《正義》引許惠卿以爲燕與齊平,則杜氏從之。

潁容　春秋釋例十卷　濬宣案,《後漢書·潁容傳》:“著《春秋左氏條例》五萬餘言。”《釋文·序録》同。此依《隨志》。

杜預曰:“末有潁子嚴者,,雖淺近,亦復名家。”案潁氏之例多與劉子駿、賈景伯同。其書王謨有輯本,然杜預《釋例》所載蕭吉《五行大義》所引者,尚未採也。

謝該　左氏釋　翊寅案,樂詳問而謝該釋之,見本傳。又樂詳《左氏問》亦當列目。

王玢　春秋左氏達義一卷　司徒掾。

鍾興定嚴氏春秋章句　翊寅案,本傳“興從丁恭受《嚴氏春秋》,光武詔定章句”,目當列樊儵前。原誤,今正。

樊儵刪定嚴氏春秋章句

張霸減定嚴氏春秋章句

李育　難左氏義

楊終　春秋外傳十二篇　改定春秋章句　翊寅案,本傳“終改定章句十五萬言”,即嚴氏學。

案本傳不言習《春秋》何家,然終上疏有云:“臣聞‘善善及子孫,惡惡止其身'。"又云:"魯文公毁泉臺,《春秋》譏之曰'先祖爲之,而己毁之,不如勿居而已',襄公作三軍,昭公舍之,君子大其復古。"又云:"《春秋》殺太子母弟,直稱君甚惡之者,坐失教也。"則終所習乃公羊氏學。

戴宏　解疑論 字元襄,剛縣人,官酒泉太守。

《公羊序》疏云:"戴宏作《解疑論》難《左氏》,不得《左氏》之理,不能以正義決之。"又引戴宏序云:"子夏傳與公羊高,高傳與其子平,平傳與其子地,地傳與其子敢,敢傳與其子壽。至漢景帝時,壽乃共弟子齊人胡母子都著於竹帛,與董仲舒皆見於圖讖。"案宏事見《吴祐傳》及注引《濟北先賢傳》。《公羊疏》卷一又引《解疑論》,文繁不録。

何休　春秋公羊解詁十一卷　公羊墨守十四卷鄭康成發。**左氏膏肓十卷**鄭康成箴。**穀梁廢疾三卷**鄭康成釋。

徐彦《公羊》疏云:"何氏作《墨守》以距敵《長義》,爲《廢疾》以難《穀梁》,造《膏肓》以短《左氏》,蓋在注《傳》之前,猶鄭君先作《六藝論》訖,然後注書。"《崇文總目》:"漢司空掾何休始撰《答賈逵事》,因記《左氏》所短,遂頗流布。學者稱之,後更删補爲定,今每事左方輒附鄭康成之學。" 陳振孫曰:"何休著《公羊墨守》三書,多不存,惟范甯《穀梁集解》載休之説,而鄭君釋之,當是所謂《起廢疾》者。"案此三書散見甚多,今皆有輯本,不止見《穀梁》注也。

何休　春秋漢議十三卷

《通典》卷八十:"後漢安帝崩,立北鄉侯,未踰年薨,以王禮葬。於《春秋》何義也?何休答曰:'《春秋》未踰年,魯君子野卒,降君稱子,從大夫禮可也。'"當即出是書。

何休　春秋公羊文謚例一卷

《隋志》無"文"字,據《公羊》疏增。《公羊》疏稱此書有《春秋》

五始、三科、九旨、七等、六輔、二類之義,其目具載解中。

何休　春秋公羊傳條例一卷　春秋議十卷

荀爽　公羊問　春秋條例

段肅　春秋穀梁傳注十四卷 弘農人,功曹史。

惠棟《九經古義》云:"《經典・序録》不詳肅何人,《隋志》疑漢人。棟案《後漢・班固傳》:'固奏記東平王云:"弘農功曹史殷肅,達學洽聞,才能絶倫,誦《詩》三百,奉使專對。"'章懷注云:'《固集》"殷"作"段"。'然則'殷肃'即'段肃'也。"

鄭衆　春秋外傳國語章句

韋昭曰:"鄭大司農爲《外傳》訓注、解疑、釋滯,昭晰可觀,至於細碎有所闕略。"宋庠曰:"後漢大司農鄭衆作《國語章句》,亡其篇數。"

賈逵　春秋外傳國語注二十一卷

韋昭曰:"侍中賈逵,其所發明大義略舉爲已憭矣,然於文閒時有遺亡。"《經義攷》曰:"《太平御覽》引賈氏解《平公射鷃篇》云:'徒林,園中林也。言唐叔有才藝封於晉。'案見《御覽》卷九百二十一。餘見韋注者不少。"王謨曰:"李善注《文選》,每並引賈逵、韋昭《國語注》,而韋解多即賈《注》,猶班班可攷,且如《類聚》、《書鈔》於耕籍門所引《國語》數條,具載賈《注》,則賈書固不以韋廢也。"

卷　二

孝經類

鄭衆　孝經注一卷

馬融　孝經注一卷

《釋文·序録》:"馬融作《古文孝經傳》,世不傳。"《通鑑》:"漢平帝元始四年,宗祀孝文以配上帝。"胡三省注引馬融曰:"上帝,泰一之神,在紫微宫,天之最尊者。"康案《隋志》已列馬《注》於亡書内,胡身之無緣得見。據《書》釋文則此乃"肆類於上帝"注,或注《孝經》亦與之同,而胡身之從他書轉引耶?

何休　孝經注

鄭氏　孝經注一卷　或云鄭康成。其立義與康成所注餘書不同,故疑之。

《玉海》引鄭氏序曰:"《孝經》者,三才之經緯,五行之綱紀,孝爲百行之首,經者不易之稱。"《宋書·陸澄傳》:"時國學置鄭玄《孝經》,澄與王儉書云:'世有一《孝經》,題爲鄭玄注,觀其用辭,不與注書相類。案玄自序所著衆書,亦無《孝經》。'儉答曰:'鄭注虚實,前代不嫌,意謂可安,依舊立置。'"《釋文·序録》:"《孝經注》與康成注五經不同。"《王制》疏:"《孝經注》:'諸侯五年一朝天子,天子亦五年一巡狩。'案鄭注《尚書》:'四方諸侯分來朝於京師,歲徧則非,五年乃徧。'《孝經》之注多與鄭義乖違,儒者疑非鄭注,今所不取。"《唐會要》:開元七年四月七日,左庶子劉子玄上《孝經注》議曰:"謹案今俗所行《孝經》,題曰鄭氏注,爰自近古,皆云鄭即康成,而魏晋之朝無有此説。至晋穆帝永和十一年,及孝武帝太元元年,再聚羣臣,共論經義。有荀昶者,撰集《孝經》諸説,始以鄭氏爲宗。自齊、梁以來,多有異論。陸澄以爲非玄所注,請不藏於祕省,王儉不依其請,遂得見傳於時。魏、齊则立於學官,著在律令。蓋由膚俗無識,故致斯訛舛。然則《孝經》非玄所注,其驗十有二條。據鄭君自序云:'遭黨錮之事,逃難注《禮》,黨錮事解,注《古文尚書》、《毛詩》、《論語》,爲袁譚所逼,來至元城,乃注《周易》。'都無注《孝經》之文,其驗一也。鄭玄卒後,其弟子追論師所著述,及應對時人,謂之《鄭志》。其言鄭所注者,惟有《毛詩》、三《禮》、《尚書》、《周易》,都不言鄭注《孝經》,其驗二也。又《鄭志》目録記鄭之所注,五經之外有《中侯》、《書傳》、《七政論》、《乾象曆》、《六藝論》、《毛詩譜》、《答臨碩难禮》、《駁許慎異義》、《發墨守》、《箴膏肓》及《答甄子然》等書,寸紙片札,莫不悉載,若有《孝經》之注,無容匿而不言,其驗三也。鄭之弟子,分授門徒,各述師言,更相問答,編録其語,謂之《鄭記》,唯載《詩》、《書》、《禮》、《易》、《論語》,其言不及《孝經》,其驗四也。趙商作《鄭先生碑銘》,具稱其所注、箋、駁、論,亦不言注《孝經》,晋《中經簿》,《周易》、《尚書》、《尚書中候》、《尚書大傳》、《毛詩》、《周禮》、《儀禮》、《禮記》、《論語》,凡九書,皆云鄭氏注名玄,至於《孝經》,則稱《鄭氏解》,無名玄二字,其驗五也。《春秋緯·演孔圖》云:'康成注三《禮》、《詩》、《易》、《尚書》、《論語》,其《春秋》、《孝經》别有評論。'宋均於《詩譜》序云'我先師北海鄭司農',則均是玄之傳業弟子也。師所著述,無容不知,而云《春秋》、《孝經》唯有評論,非玄之所注,於此特明,其驗六也。宋均《孝經緯注》引鄭《六藝論》叙《孝經》云:'玄又爲之注,司農論如是,而均無聞焉。有義無辭,令余昏惑。"舉鄭之語,而云無聞，其驗七也。宋均《春秋緯注》云'玄爲《春秋》、《孝經》略説'，則非注之謂，所謂'玄又爲之注'者，汎辭耳，非事實。序《春秋》亦云'玄又爲之注'也，寧可復責以實注《春秋》乎？其驗八也。後漢史書存於世者，有謝承、薛瑩、司馬彪、袁山松等，具爲鄭玄傳者，載其所注皆無《孝經》，其驗九也。王肅《經傳》，首有司馬宣王之奏，並奉詔令諸儒注述《孝經》，以肅説爲長。若先有鄭注，亦應言及，而不言鄭，其驗十也。王肅著書，發揚鄭短，凡有小失，皆在《聖證》。若《孝經》此注亦出鄭氏，被肅攻擊，最應煩多。而肅無言，其驗十一也。魏晋朝賢，辨論時事，鄭氏諸家無不撮引，未有一言引《孝經》之注，其驗十二也。凡此證驗，易爲考覈，而世之學者不覺其非，乘彼謬説，競相推舉，諸解不立學官，此注獨行於世，觀夫言語鄙陋，固不可示彼後來，傳諸不朽。"國子祭酒司馬貞議曰："《注》縱非鄭氏所作，而義旨敷暢。將爲得所，其數處小有未穩，實亦非爽經傳。"《困學紀聞》："康成有'六天'之説，而《孝經注》云：'上帝，天之别名。'故陸澄謂'不與注書相類'。"康案以上諸説多疑鄭《注》，然劉氏十二驗中，據《鄭志》諸書皆不言注《孝經》，則范史本傳亦不言其注《周官》，唐史承節撰碑亦不言其注《論語》，秉筆偶疏，未爲典要。説本錢侗。此數事不足疑也。又案王肅好發揚鄭短而無言攻擊《孝經注》，然《郊特牲》疏引王肅難鄭《孝經注》"社后土也"之文，是肅未嘗無言，此一事亦不足疑也。王伯厚以"上帝，天之别名"一語，謂與"六天"之説不符，考《禮・大傳》注云：《孝經》曰："郊祀后稷以配天，配靈威仰也。宗祀文王於明堂，以配上帝，汎配五帝也。"然則上帝者，五帝之總稱，天即五帝中之一帝，郊祀之天非圜丘之天，故云"上帝，天之别名"，與鄭生平宗旨不背。此説亦不足疑也。至謂與鄭他經注不類，今不盡可考。然康成箋《詩》不同注《禮》,《鄭志》諸説每異羣經,博雅通儒固宜有是,亦無可疑也。宋均《孝經緯》注引鄭《六藝論》序《孝經》云"玄又爲之注",此即康成注《孝經》之明證,而宋均又云"均無聞焉"者,意注未卒業,不行於世故耶?《太平寰宇記・沂州費縣南城》:"《後漢書》:'鄭玄漢末遭黄巾之難,客於徐州。今《孝經序》,鄭氏所作。其序云:"僕避難於南城山,栖遲巖石之下,念昔先人餘暇,述夫子之志而注《孝經》。"蓋康成胤孫所作。今西上可二里許,有石室焉,周迴五丈,俗云鄭康成注《孝經》於此。'"《御覽》卷四十二同。　《崇文總目》:"《孝經》一卷,鄭康成注。五代兵興中原,久逸其書。咸平中,日本僧以此書來獻,議藏祕府。"《書録解題》:"《孝經注》一卷,漢鄭康成撰。案《三朝志》,五代以來,孔、鄭注皆亡。周顯德中,新羅獻别序《孝經》即鄭注者,而《崇文總目》以爲咸平中日本國僧奝然所獻,未詳孰是。乾道中,熊克子復從袁樞機仲得之,刻於京口學宫。"康案此書近有日本國僞本,不足信。惟臧鏞堂、陳鱣、洪頤煊三家輯本可據。

高誘　孝經解　涿縣人,河東監。

見《吕氏春秋・序》。誘事見《淮南子・序》。

劉熙　孝經注一卷　一作劉邵。

論語類

包咸　論語章句

周氏　論語章句

何晏曰:"安昌侯張禹,本受《魯論》,兼講《齊》説,善者從之。號曰'《張論》',爲世所貴。包氏、周氏章句出焉。"

馬融　論語訓

何晏曰:"古《論》惟博士孔安國爲之訓解,而世不傳。至順帝時,南郡太守馬融亦爲之訓說。"

何休　論語注

《北堂書鈔》卷九十六引《論語》何休注云:"君子儒將以明道,小人儒則矜其名。"康案何《注》,《隋》、《唐志》已不著録。虞氏未必見其書,所引二語與何晏《集解》引孔注同。未知"休"字爲"晏"字傳寫之訛,抑虞氏從他書轉引也。

鄭康成　論語注十卷　論語釋義一卷

何晏曰:"漢末,大司農鄭玄就《魯論》篇章,攷之《齊》、《古》,爲之注。"

《隋志》"梁、陳之時,惟鄭玄、何晏立於國學,而鄭氏甚微。周、齊鄭學獨立,至隋何、鄭並行,鄭氏盛於人間。"《釋文》:"鄭校周之,《经義攷》引《釋文》"周之"二字作"《魯論》",當從之。本以《齊》、《古》讀正,凡五十事。"《經義攷》:"鄭氏注與今文不同者:'衆星共之','共'作'拱';'先生饌'作'餕',云食餘曰餕。'舉直錯諸枉','錯'作'措',云投也。下同。'子張問十世可知也',無'也'字。'必也射乎','必也'句截。'哀公問社'作'主',云'主,田主'謂社'。'無適也,無莫也','適'作'敵'、'莫'音'慕',云無所貪慕也。'吾黨之小子'句截。'則吾必在汶上矣'無'則吾'二字。'子之燕居'作'宴'。'子疾病',無'病'字。'冕衣裳者','冕'作'弁'。'異乎三子者之撰'作'僎',讀曰'詮',詮之言善也。'詠而歸',作'饋',云饋,酒食也。'有是哉！子之迂也','迂'作'于',往也。'直躬'作'弓',直人名弓。'子貢方人','方'作'謗'。'某何爲是栖栖者與',無'爲'字。'在陳絶糧'作'粻',音'長',云糧也。'而謀動干戈於邦内',作'封内'。'歸孔子豚','歸'作'饋'。

‘惡徼以爲直者’,‘徼’作‘絞’。‘齊人歸女樂’,‘歸’亦作‘饋’。‘朱張’作‘侏張’,陟留反。‘厲己’讀爲賴,云恃賴也。又以申棖爲孔子弟子,申續子、桑伯子爲秦大夫,陳司敗爲人名,齊大夫,老彭爲老聃、彭祖,太宰是吴太宰嚭,卞莊子爲秦大夫,與諸家異義。”康案鄭《注》今有王謨、宋翔鳳輯本。

鄭康成　論語孔子弟子目録一卷

王謨曰:“是書之亡已久,其名次無得而攷。獨賴裴駰《史記集解》於列傳下時引《目録》證諸弟子籍里,如魯人、衛人,可攷見者三十有八人。竊意裴氏當日必猶見《目録》原書與《史記》大略相同,故採其異者注本傳下,其同者不復注也。”

鄭康成　古文論語注十卷　存疑。

康案諸書皆但言康成以《齊》、《古》校正《魯論》,未聞别撰《古文注》。且《古文》與《魯論》不同者,亦不過兩《子張》及四百餘字之異。既注《魯論》,亦無容别注《古文》也,然《七録》所有,姑存疑。

麻達　論語注

《廣韻》:“麻,姓。《風俗通》云:‘齊大夫麻嬰之後,漢有麻達注《論語》。’”康案蔡邕石經《論語》篇末云“而在於蕭墻之内”,盍、毛、包、周無,則盍氏、毛氏蓋亦注《論語》之人,然别無他據。又列名於包咸之前,或西漢人亦未可知。故今未敢著録,而附誌其疑於此。

羣書類

沛王　五經通論

白虎通六卷　班固等撰。

程曾　五經通難

許慎　五經異義

鄭康成　駁五經異義

鄭康成　六藝論一卷

《公羊序》疏云："鄭君先作《六藝論》訖，然後注書。"

鄭記六卷　鄭康成弟子撰。

劉知幾曰："鄭之弟子分授門徒，各述師言更相問答，編録其語，謂之《鄭記》。"

劉表　五經章句後定　表命綦毋闓、宋忠等撰。

《藝文類聚》卷三十八引魏王粲《荆州文學記·官志》曰："有漢荆州牧曰劉君稱曰：'於，先王爲世也，則象天地，軌儀憲極。設教導化，叙經志業，用建雍泮焉，立師保焉。作爲禮、樂，以作其性，表陳載籍，以持其志。上知所以臨下，下知所以事上。官不失守，民德無悖，然後太階平焉。夫文學也者，人倫之首，大教之本也。乃命五業從事宋衷所作文學，延朋徒焉。宣德音以贊之，降嘉禮以勸之，五載之閒，道化大行。耆德故老綦毋闓康案當作"闓"。等，負書荷器，自遠而至者三百有餘人。於是童幼猛進，武人革面，總角佩觿，委介免胄，比肩繼踵，川逝泉涌，亹亹如也，兢兢如也。'"

小學類

靈帝　皇羲篇五十章

樊光　爾雅注六卷　京兆人，中散大夫。

《釋文·序録》云："沈旋疑非光注。"　《經義攷》："樊氏《注》見於陸氏《釋文》者，《釋言》'舫'作'坊'，'泭'作'坿'。《釋訓》'躍躍'作'濯濯'，'儵儵'作'攸攸'，'皋皋'作'浩浩'，'愮愮'作'遥遥'，又作'洮洮'。《釋草》'凮'作'駮'。《釋木》

‘著’作‘屠’,‘槔’作‘槔’,‘檕’作‘槅’,‘炕’作‘抗’。《釋鳥》‘爰居’,注云:‘似鳳凰。’‘亢鳥嚨’,注云:‘嚨嚨,亢鳥之頸也。’皆邢氏疏所不載。”邵晋涵《爾雅正義》曰:“《詩》疏所引有某氏《注》,《左傳》疏引樊光之《注》與某氏《注》同,則某氏疑即樊光。然《詩》疏亦閒引樊光《注》與某氏互見,其爲一人與否,疑未能定也。”

李巡　爾雅注三卷　汝南人,中黄門。

《經義攷》:“李氏注《釋言》,‘虹’作‘降’,‘握’作‘幄’,‘氂’作‘毳’。《釋器》‘康瓠’作‘光瓠’,‘箷’作‘箟’。《釋鳥》‘鶼鶼’,注云:‘鳥有一目一翅,相得乃飛,故曰兼兼也。’《釋獸》‘麝父’作‘澤父’,亦見《釋文》。”康案巡事見《吕强傳》。

杜林　蒼頡訓纂一篇　蒼頡故一篇

《前漢書·藝文志》:“《蒼頡》作古文,俗師失其讀,宣帝時徵齊人能正讀者,張敞從受之,傳至外孫之子杜林,爲作訓故。”康案《隋志》作《蒼頡注》二卷,《唐志》作《蒼頡訓詁》二卷,蓋合二篇爲一書也,今從《前漢志》。又案張揖亦有《蒼頡訓詁》,《三蒼訓詁》之一。與杜林書同名。《顔氏家訓·風操篇》、《音辭篇》引《蒼頡訓詁》,皆有反音,則皆爲張揖注。《一切經音義》屢引《蒼頡訓詁》,疑亦非杜氏書。惟《説文》廾部“弅”,杜林以爲騏驎字,木部“構”,杜林以爲椽桷字,朩部“朩”,杜林説“朩亦朱木字,巢部“㞋”,杜林説以爲貶損之貶,黽部“鼂”,杜林以爲朝旦。《水經注》卷四十引杜林曰:“敦煌,古瓜州也。”此則皆當出《訓故》二篇中矣。

衛宏　古文官書一卷

段玉裁《經韻樓集》云:“韓退之言‘李少温子服之,以科斗書衛宏《官書》相贈’。見於《隋書·經籍志》曰‘《古文官書》一卷,後漢議郎衛敬仲撰’。見於《唐書·藝文志》曰‘衛宏《詔定古文字書》一卷’。‘字’者,‘官’之譌字也。唐初玄應《衆經音義》引衛宏《詔定古文官書》三條,曰‘㝷、得同體’,曰‘枹、桴同體’,曰‘圖,啚同體’。張守節《史記正義》曰:‘衛宏《官書》數體,吕忱或字多奇。’然則其書體製蓋同張揖《古今字詁》,而字體爲古文、籀文。唐人以爲難得,至唐季,其書亡矣。郭忠恕多假託,易稱衛宏《字説》,非真宏説也。《漢書·儒林傳》注引衛宏《詔定古文官書序》云:‘秦既焚書,患苦天下不從所改更法,而諸生到者拜爲郎,前後七百人,迺密令冬種瓜於驪山阬谷中温處。瓜實成,詔博士諸生説之,人人不同,迺命就視之。爲伏機,諸生賢儒皆至焉,方相難不決,因發機,從上填之以土,皆壓,終迺無聲。’《尚書正義》、《藝文類聚》引此文略同,乃系之衛宏《古文奇字序》。‘奇字’者,‘官書’二字之誤也。《儒林傳》注又引衛宏《定古文官書序》云:‘伏生老,不能正言,言不可曉也,使其女傳言教錯。齊人語多與潁川異,錯所不知者凡十二三,略以其意屬讀而已。’《經典釋文·序録》、《史記·袁盎鼂錯列傳》正義,亦引此文。而今本《漢書》譌爲衛宏《定古文尚書》,今本《史記》譌爲衛宏《詔定古文尚書》,今本《釋文》譌爲《古文尚書》,‘尚’字皆‘官’字之誤也。”洪頤煊《讀書叢録》曰:“《隋書·經籍志》‘《古文官書》一卷,後漢衛敬仲撰’。《史記·儒林列傳》正義、《漢書·儒林傳》師古注俱引作衛宏《詔定古文尚書》。頤煊案,衛宏從杜林學林前於西州得漆書《古文尚書》一卷。韓愈《科斗書後》云:‘李服之者,陽冰子,授予以其家科斗書《孝經》、衛宏《官書》,兩部合一卷。’《官書》即漆書,以其詔定,故亦稱《官書》。《新唐書·藝文志》作《衛宏古文字書》者,誤也。”康案以上兩説,段氏定當作“官書”,洪氏定當作“尚書”,竊謂衛宏有《古文尚書訓旨》見於本傳,而《古文官書》,韓文公時尚存,則作《隋志》者必目覩其書,列之小學,決非無據,似宜分《官書》、《尚書》爲二種。若《史記正義》、《漢書·儒林傳》注、《釋文·序録》所引皆事涉《尚書》,則其出《古文尚書》無疑。段氏必欲盡改爲《官書》,未免武斷,至如"㝵、得同體"諸條,及《汗簡》所引衛宏《字説》,與《集韻》云"馴,衛宏通作駣;曩,古國名,衛宏説與杞同",此明爲小學之書,則還以系之《官書》可也。又如《藝文類聚》卷四十九引衛宏《古文官書》曰:"太常主導贊助祭者,皆平冕七旒,玄上纁下,畫華蟲七章,漢陵屬三輔,太常月一行。"此與《釋名》體例旁及官制者略同,而與《尚書》絶無涉,亦斷不能系之《古文尚書》者也。至於或稱《古文奇字》,或稱《古文字書》,或稱衛宏《字説》,殆即《官書》之異名與。

班固　太甲篇一卷　在昔篇一卷

《前漢書·藝文志》:"元始中,徵天下通小學者以百數,各令記字於庭中。揚雄取其有用者以作《訓纂篇》,凡八十九章。臣復續揚雄作十三章,原注韋昭曰:"臣,班固自謂也。作十三章,後人不別,疑在《蒼頡》下篇三十四章中。"凡一百二章,無復字,六藝羣書所載略備矣。"

賈魴　滂喜篇　郎中。

《法書要録》卷二引梁庾元威《論書》曰:"李斯造《蒼頡》七章,趙高造《爰歷》六章,胡母敬造《博學》七章,後人分五十五章,爲《三蒼》上卷。至哀帝元嘉中,揚子雲作《訓纂》記康案疑當作"訖",下同。《滂喜》爲中卷。和帝永元中,賈升卿更續記《彦原注音盤。均》爲下卷。"康案魴事蹟無攷,《法書要録》引王愔《文字志》中卷有魴名,不載其字,庾元威稱賈升卿,或即魴之字與?

張懷瓘《書斷下》:"揚雄作《訓纂篇》二十四章,孟堅復續十三章。和帝永初中,賈魴又撰異字,取固所續章,而廣之爲三十四章，用訓纂之末字以爲篇目，故曰《滂喜篇》，言滂沱大盛，凡百二十三章，文字備矣。”

賈魴　字屬一卷

曹喜　筆論一卷　字仲則，扶風平陵人，祕書郎。

王羲之《筆勢傳》：“喜見李斯筆勢，悲歎不已，作《筆論》一卷。”《書斷中》：“曹喜字仲則，扶風平陵人，明帝建初中爲祕書郎。篆、隸之工，收名天下。蔡邕云：‘扶風曹喜，建初稱善。’衛恒云：‘喜善篆，小異於李斯。’”

崔瑗　飛龍篇篆草勢合三卷

《晋書・衛恒傳》：“漢興而有草書，不知作者姓名。後有崔瑗、崔寔，亦皆稱工。崔氏甚得筆勢，而結字小疏。作《草書勢》。”文不録。《書後》：“品崔瑗小篆，爰效李斯，點畫皆如鐵石。”《書斷中》：“崔瑗善章草，師於杜度，點畫之閒，莫不調暢。”康案瑗本傳及衛恒皆但稱瑗有草書勢，無篆勢，《唐志》有之，豈因瑗兼善小篆而附益之耶？

許慎　説文解字十五卷

劉珍　釋名三十篇　存疑。

曹壽　解史游急就章一卷

壽名見王愔《文字志》中卷。

蔡邕　勸學篇一卷

《世説・紕漏篇》注：“《大戴禮・勸學篇》曰：‘蟹二螯八足，非蛇蟺之穴無所寄託者，用心躁也。’故蔡邕爲《勸學章》取義焉。”康案《勸學篇》皆以四字協韻爲文。如《魏書・劉芳傳》引云：“周之師氏，居虎門左，敷陳六藝，以教國子。”《藝文類聚》卷六引云：“蚓無爪牙，軟弱不便，穿穴洞地，食塵飲泉。”《太平御覽》卷四百九十引云：“瞻彼頑薄，執性不固，心遊目蕩，意與手互。”又卷七百六十七引云：“木以繩直，金以淬剛，必須砥礪,就其鋒鋩。"又卷八百三引云:"明珠不瑩,焉發其光?寶玉不琢,不成珪璋。"《易・晋卦》正義引云:"鼫鼠五能,不成一技。"《文選・閒居賦》注引云:"人無貴賤,道在則尊。"《書斷中》引云:"齊相杜度,美守名篇。"皆是也。至《爾雅》、《釋文》"鼫鼠"條下引云:"五技者:能飛不能上屋,能緣不能窮木,能泅不能度瀆,能走不能絶人,能藏不能覆身。"與四字成文者不類,然《易・晋》正義引此作注文。王念孫謂古人引書注,多直言某書以注附本文,不復識别。《衆經音義》引"儲,副君也","傭,賣力也",皆《勸學篇》注而並引作《勸學篇》,例與此同。

蔡邕　聖皇篇一卷　一作《聖草章》。

《書斷上》引之云:"程邈删古立隸文。"又云:"漢靈帝熹平年詔蔡邕作《聖皇篇》,篇成詣鴻都門上。"

蔡邕　篆勢

《晋書・衛恒傳》:"漢末蔡邕采斯喜之法,爲古今雜形,然精密閑理不如邯鄲淳也。作《篆勢》。"文不録。

蔡邕　女師篇

服虔　通俗文一卷

《顔氏家訓・書證篇》:"《通俗文》,世閒題云'河南服虔字子慎造'。虔既是漢人,其敘乃引蘇林、張揖,蘇、張皆是魏人。且鄭玄以前,全不解反語,《通俗》反音,甚會近俗。阮孝緒又云'李虔所造'。河北此書,家藏一本,遂無作李虔者。《晋中經簿》及《七志》並無其目,竟不得知誰制。然其文義允愜,實是高才。殷仲堪《常用字訓》,亦引服虔《俗説》,今復無此書,未知即是《通俗文》,爲當有異?"洪亮吉《更生齋文甲集・復臧鏞堂問〈通俗文〉書》云:"此書自劉昭《續漢書注》後徵引者不下十餘家,然惟李善《文選注》及《太平御覽》所采最夥。攷

《文選注》引《通俗文》不著服虔者:如《上林賦》注'水鳥食謂之啑',《長楊賦》注'骨中脂曰髓',《登樓賦》注'暗色曰黲',《江賦》注'髮亂曰鬖髿'等是也;有引《通俗文》而明著服虔者:《赭白馬賦》注'天子出,虎賁伺非常,謂之遮迾',《長笛賦》注'營居曰鄔',《洛神賦》注'耳珠曰璫',《琴賦》注'樂不勝謂之嗢噱'等是也。《御覽》引《通俗文》不注服虔者:'脣不覆齒謂之齖',原注下同卷三百六十八。'乳病曰疕',三百七十一。'幘導曰簪',六百八十八。'障牀曰幨'六百九十九。等是也;引《通俗文》而明著服虔者:'剡葦傷盜謂之搶',三百三十七'毛飾曰毦',三百四十一。'匕首,劒屬。其頭類匕,故曰匕首。短而便用',三百四十六。'矛長八尺謂之矟',三百五十四。'大杖曰棓',三百五十七。'所以制馬曰鞚',三百五十八。'凡勒飾曰珂,第韉尾曰鞘'三百五十九。等是也。至如他書所引,有止言服虔,而文法絶似《通俗文》者,《史記·禮書》集解引服虔云'簀謂之第'等是也;有變文言《通俗篇》者,《文選·琴賦》注引服虔《通俗篇》是也;又有止言服虔《俗説》者,《顔氏家訓·書證篇》'殷仲堪《常用字訓》,亦引服虔《俗説》'之類是也。若《左傳》文三年'螭魅罔兩',《周禮·家宗人》正義引服虔注云'魑魅,木石之怪',而《一切經音義》引《通俗文》'木石怪謂之罔兩',益可爲服氏著《通俗文》之證。至襄十四年'射兩軥',《詩·小戎》正義引服注云:'軥,車軛。'而《御覽》七百七十六。引《通俗文》云'軸限者謂之枸,枸、軥古字同',又可知義訓無不合矣。至前人疑此書出李虔者,不過因《晋中經簿》所無,又引《初學記·器物部》舟第十一引李虔《通俗》'晋曰舶'一語,以證梁阮孝緒之説,不知《器物部》牀第五先引服虔《通俗文》云'牀三尺五曰榻板,獨坐曰枰,八尺曰牀',近在一卷之中,且牀第五引服虔之説緊次《説文》,而舟第十一引李虔之説則次於《廣雅》

之後,明《通俗文》係服虔所作而李虔續之。名既相同,阮孝緒等遂合二書爲一。《唐書·藝文志》固明標李虔《續通俗文》,言續則非始自李虔可知。君家先人《經義雜記》又以《隋書·經籍志》次此書於沈約《四聲》等書後,而證其爲李虔,不知《隋志》亦唐人所修,與徐堅、釋玄應相距不遠。今徐堅所引則次於《説文》,《一切經音義》所引則皆在《三蒼》、《釋名》之上,則唐人亦皆以此書爲服虔所造也。至若反音,不妨爲後人所補入,或専係李虔續書中語,與《通俗文》之爲服虔書無礙也。又輯本中亦尚有脱漏處,如《御覽·人事部》二十三引《通俗文》'容麗曰媌。形美曰婧。容美曰婠。南楚以好爲娃,肥骨柔弱曰婐娜。頰輔妍美曰嫵媚,容茂曰⿰女樂。不媚曰嫱,可惡曰嬒,大醜曰⿱大羔,醜稱曰娭'等語,足下引其半而遺其半,未審何故。"

馬日磾　集羣書古文

《汗簡》卷下之一引四字云:"[illegible],鮍。[illegible],鱺。[illegible],鯨。[illegible],勇。"卷下之二引一字云:"虎,近。"

郑康成　字指存疑。

孫志祖曰:"《隋》、《唐志》無此書。《文選》注有,疑誤。"

張芝　筆心論五篇　字伯英,有道徵,不就。

《書勢傳》云:"芝見蔡邕作《筆勢》,遂作《筆心論》五篇。"

劉熙　釋名八卷

郭訓　雜字指一卷　字顯卿,太子中庶子。**古文奇字二卷**

《隋志》作郭顯卿,《唐志》作郭訓,而書名正同,則一人也。唐玄應《道行般若經》卷二音義云:"[illegible],郭訓《古文奇字》以爲古文'逝'字。郭忠恕《汗簡》屢引郭顯卿《字指》。"

一字石經周易三卷　一字石經尚書六卷　一字石經魯詩六卷　一字石經儀禮九卷　一字石經禮記　一字石經春秋一卷一字

石經公羊傳九卷　一字石經論語二卷

顧藹吉《隸辨》云："石經之傳疑，有五經、六經、七經之不同。《靈帝紀》云：'詔諸儒正五經文字，刻石立於太學門外。'《儒林傳》云：'正定五經，刊於石碑。'《宦者傳》云：'與諸儒共刻五經文字於石。'《盧植傳》云：'時始立太學石經，以正五經文字。'而《蔡邕傳》云：'奏求正定六經文字。'《張馴傳》云：'與蔡邕共奏定六經文字。'《後漢書》所載五經、六經，已自不同。《隋書・經籍志》云：'後漢鐫刻七經，著於石碑。'則又以爲七經，其目有《周易》、《尚書》、《魯詩》、《儀禮》、《春秋》、《公羊》、《論語》。而《蔡邕傳》注所引《洛陽記》，則有《尚書》、《周易》、《公羊》、《禮記》、《論語》，而無《魯詩》、《儀禮》、《春秋》，乃多一《禮記》，則又不止七經矣。攷之《金石録》與《隸釋》所載，皆有《魯詩》、《儀禮》。《金石文字記》云：'苟非傳拓之本出於神龜以前，則不應以宋人之所收，而魏時猶未見，此則《洛陽記》之疏略，《隋書》爲可信也。若《禮記》則本自有碑。'《盧植傳》云：'攷《禮記》失得，刊石碑文。'《洛陽伽藍記》載石經四部中有《禮記》，《邵氏聞見後録》洛陽張氏發地所得亦有《禮記》，而《隋書》失之者，案《洛陽記》云：'《禮記》十五碑悉毁壞。'豈當時無傳拓之本，故不得列於目邪？以愚論之，《靈帝紀》、《儒林傳》、《宦者傳》、《盧植傳》所引五經者，蓋以《儀禮》、《禮記》爲一經，《春秋》、《公羊》爲一經，與《周易》、《尚書》、《魯詩》爲五經，實則七經也。唐開成時，立石壁九經，《新唐書・儒學傳序》止云：'文宗定五經，鑱之於石，張參是正訛文三卷。'亦曰五經文字，蓋《禮》兼三《禮》，《春秋》兼三《傳》，故曰五經。漢之七經爲五經，猶唐之九經爲五經也。蔡邕、張馴傳所云六經者，益以《論語》而爲六也。案《舊唐書・經籍志》有《今字石經論語》

二卷,蔡邕注。隸書,唐謂之今字。《隸釋》載《論語》殘碑有盍、毛、包、周,有無不同之説,此即邕所注者。蓋當時詔定者五經,邕乃奏定六經,益之以《論語》,張馴與邕共奏定六經,故其傳亦曰六經也。然則漢碑乃有八經。"康案石經經數諸家互有論辨,惟顧氏此文較確,今從之。至一字之爲漢立,三字之爲魏立,自趙明誠、洪景伯以來久有定論,故今於諸家攷證概不復及云。

讖緯類

楊統　内讖二卷解説　家法章句

《華陽國志·廣漢士女讚》:"楊統,字仲通,新都人也。建武初,天下求通《内讖二卷》者,不得。永平中,刺史張志舉統方正。司徒魯恭辟掾,上《家法章句》及《二卷解説》。"康案統事范書附載《楊厚傳》中。

景鸞　河洛交集

朱倉　河洛解　字雲卿,什邡人,州治中從事。

《華陽國志·廣漢士女讚》:"朱倉,字雲卿,什邡人也。受學於蜀郡張寧,注《河洛解》。家貧,恒以步行。爲郡功曹。每察孝廉,羞碌碌詣公府試,不就。州辟治中從事,以諷詠自終。"

翟酺　孝經援神鉤命解詁十二篇

荀爽　辨讖

鄭康成　易緯注九卷　《稽覽圖》《乾鑿度》《坤靈圖》《通卦驗》《是類謀》《辨終備》《乾元序制記》

康案康成《易緯注》,《七録》"九卷",《隋志》僅存八卷而不詳緯書之名。章懷注《樊英傳》稱《易緯·稽覽圖》、《乾鑿度》、《坤靈圖》、《通卦驗》、《是類謀》、《辨終備》凡六篇，《玉海》引李淑《書目》"《易緯》九卷，《乾鑿度》、《稽覽圖》、《通卦驗》各二，《辨終備》、《是類謀》、《坤靈圖》各一"，緯書六而卷數九，與《七録》及《後漢書》注皆符。《玉海》又云："今三館所藏《乾鑿度》、《通卦驗》皆别出爲一書，而《易緯》止有鄭氏注七卷，《稽覽圖》第一，《辨終備》第四，《是類謀》第五，《乾元序制記》第六，《坤靈圖》第七，二卷、三卷無標目。"以上《玉海》文。《書録解題》載《易緯》七卷，鄭康成注，即三館之鄭氏《注》七卷也。又載《易通卦驗》二卷，《乾鑿度》二卷，亦鄭氏注，則三館所謂别出爲一書者也。據所言，是《易緯》又有七篇，多《乾元序制記》，而卷數則分爲十一，《郡齋讀書後志》載《易緯》鄭注亦六篇，有《乾元序制記》而無《乾鑿度》，與諸書又復參差。今《四庫》中從《永樂大典》采出者七篇，据鄭《注》言。與宋三館、《書録解題》同。卷數不同。《四庫書目》疑《乾元序制記》本古緯所無，後人於各緯中分析以成此書。然則《易緯》篇名自當以章懷注及李淑《書目》爲合，今仍録《乾元序制記》者，亦疑以傳疑之意。至各緯卷數互有不同，蓋皆後人所分，非康成原本，故今僅從《七録》總稱九卷，而不復細析之云。七緯《注》並倣此。

鄭康成　尚書緯注六卷　《璇璣鈐》《考靈耀》《刑德放》《帝命驗》《運期授》

康案七經緯篇名皆從《樊英傳》注，其書及注久亡。趙在翰纂《七緯》，盡爲采入，故今不復記所出。爲趙氏采《運期授》注無鄭氏，今攷其所引《詩·文王》序正義一條，云"周文王以戊午蔀二十九年受命"，但稱注而無注人名，據《正義》，此條下即引《易是類謀》注，而總之曰"是鄭意以入戊午蔀二十九年季秋之月甲子，赤雀銜丹書而命之也"云云，則《運期授》此注,亦出鄭注無疑,且與鄭氏他經傳注皆合也。《文王》序正義屢引諸緯注皆出康成,蓋發明鄭義,故即引鄭注證之也。

鄭康成　尚書中候注八卷

康案范書《方術傳》序"緯候之部"注:"緯,七經緯也。候,《尚書中候》也。"是《中候》不入七緯之數,故《隋志》别著録。《古微書》有此書輯本,缺漏頗多,又别出《中候握河記》、《中候攷河命》、《中候摘洛戒》、《中候雜篇》,其實皆《中候》篇名,宜合爲一也。《詩·文王》序正義引《雒師謀》亦《中侯》篇名。注一條云"文王既誅崇侯,乃得吕尚於磻谿之崖",孔沖遠頗非之。

鄭康成　詩緯注三卷　《汎歷樞》

康案趙氏《七緯》但有鄭氏《汎歷樞》注,然《唐志》作三卷,疑是以一緯爲一卷,與《禮緯》同。且康成諸緯皆有注釋,不應於《詩》獨遺其二也。然究無明文,姑闕之。

鄭康成　禮緯注三卷　《含文嘉》《稽命徵》《斗威儀》

康案趙氏《七緯》祇載《含文嘉》、《斗威儀》二注,而無《稽命徵》。然所采《詩·烈祖》序正義一條,以《正義》下文攷之,即鄭注也。

鄭康成　禮記默房注三卷

鄭康成　樂緯注　《動聲儀》《稽耀嘉》

康案趙氏祇載《動聲儀注》,然所采《檀弓》正義、《稽耀嘉注》亦鄭注也。《正義》引鄭氏諸經傳注往往不名,餘人則名。唯《叶圖徵注》無攷,今姑闕之。

鄭康成　春秋運斗樞注

范書《李雲傳》注引《春秋運斗樞》曰:"'五帝修名立功,修德成化,統調陰陽,招類使神,故稱帝。帝之言諦也。'鄭玄注云:'審諦於物色也。'"康案《樊英傳》注載《春秋緯》十三,而諸書所引《春秋緯》注多出宋均、宋衷或無注人名,其明標鄭氏者,獨此一條耳。又《文選·褚淵碑文》注引鄭玄《春秋緯注》曰:"遯,去也。"不言緯書之名,未知即出《運斗樞注》,抑别出他篇,不可攷矣。

鄭康成　孝經鉤命決注

鄭康成　洛書注

《初學記》卷九引《洛書》曰:"有人出石夷掘地代,戴成鈐,懷玉斗。鄭玄注曰'懷璇璣玉衡之道,姚氏以禹胸有黑子如北斗'。"

宋衷　樂緯注 《動聲儀》《叶圖徵》

宋衷　春秋緯注 《元命苞》《保乾圖》《説題辭》

宋衷　孝經緯注 《援神契》《鉤命決》

郗萌　春秋災異十五卷 郎中。集圖緯讖占爲之,凡五十篇。

康案《續漢書·天文志》注屢引郗萌占,蓋出於此。《隋志》稱讖緯"漢代有郗氏、袁氏説",當即萌之先,則萌亦世傳内學者。今不詳郗、袁所説何篇,無從著録,姑附識於此。又《經義攷》有鄭康成《雒書靈准聽注》,蓋本之《古微書》,然《古微書》所載,乃《乾鑿度》下卷引《雒書靈准聽》之文,鄭注即《乾鑿度》注,非别有《靈准聽》注也,故今亦不復著録焉。

卷 三

史之類十有一:一曰正史,二曰編年,三曰雜史,四曰起居注,五曰故事,六曰職官,七曰儀注,八曰刑法,九曰雜傳,十曰地志,十一曰譜牒。

正史類

光武皇帝本紀 明帝撰。

見《東平王蒼傳》。

續史記 晋馮、段肅等撰。

《史通·正史篇》:"《史記》所書,年止漢武。太初已後,闕而不録。其後劉向、向子歆及諸好事者,若馮商、衛衡、揚雄、史岑、梁審、肆仁、晋馮、段肅、金丹、馮衍、韋融、蕭奮、劉恂等相次撰續,迄於哀、平閒,猶名《史記》。"康案晋馮以下,蓋皆後漢人。馮京兆祭酒,肅弘農功曹史,見《班固傳》。"段",一作"殷"。

班固 漢書一百一十五卷

楊終 删太史公書

許慎 漢書注 存疑。

王鳴盛《十七史商榷》云:"許慎嘗注《漢書》,今不傳,引見顔注中者尚多。"

東觀漢記一百四十三卷 起光武至靈帝,長水校尉劉珍等撰。

胡廣 漢書音義

康案《漢書》注屢引胡公，即廣也。似皆出廣所著《漢官解詁》，惟《史記・賈誼傳》索隱兩引胡廣，《司馬相如傳》索隱九引胡廣，則顯爲《漢書》注矣。

漢書舊注 失名。

《風俗通・聲音篇》引《漢書舊注》云："菰，吹鞭也。菰者，憮也。言其節憮威儀。"又引《漢書注》："荻，角也。言其聲音荻荻，名自定也。"

延篤 史記音義一卷 翊寅案，《漢書・天文志》顔師古注引有延篤《漢書音義》，當列目。

《史記索隱》序云："太史公之書，古今爲注解者絶省，音義亦稀。始後漢延篤乃有《音義》一書，又別有《章隱》五卷，不記作者何人，近代鮮有二家之本。"翊寅案，裴駰《集解》引有《史記音隱》，"章"即"音"字之譌。《隋志》不著録，蓋已亡佚。

蔡邕 漢書音義

服虔 漢書音訓一卷

應劭 漢書集解音義二十四卷

顔師古曰："服、應曩説疏紊尚多。" 又曰："《漢書》舊無注解，唯服虔、應劭等各爲音義，自別施行。至典午中朝，有臣瓚者，總集諸家音義，稍以己之所見，續厠其末，舉駮前説，喜引《竹書》，凡二十四卷，分爲兩帙。今之《集解音義》則是其書，而後人見者不知臣瓚所作，乃謂之應劭等集解。王氏《七志》，阮氏《七録》，竝題云然，斯不審耳。"康案《隋志》有應劭《漢書集解音義》而無臣瓚書，蓋即誤以瓚書爲應書也。然應劭亦實有《漢書注》，又此名相沿已久，故仍從《隋志》著録。

編年類

何英　漢春秋十五卷　字叔俊,郪人,謁者僕射。

康案《華陽國志·蜀都士女》卷中有英傳,不言何代,而《序志》卷中則屬之後漢。《經義攷》引《蜀中著作紀》以爲何武之弟,未知何本,即如其言,亦未嘗不可入後漢也。

荀悦　漢紀三十卷

應劭等注荀悦漢紀三十卷

劉艾　漢靈獻二帝紀六卷　宗正,行御史大夫。

康案《隋志》稱"侍中劉艾"。攷艾官侍中在獻帝興平年閒,《獻帝本紀》"興平元年,使侍中劉艾出讓有司"是也。據《三國志·董卓傳》注引《獻帝紀》,知其曾爲陜令;據范書《董卓傳》,知其曾爲卓長史;據《魏武紀》建安元年注引張璠《漢紀》、十九年注引《獻帝起居注》,知其又爲宗正;據廿一年注引《獻帝傳》,知其又以宗正使持節行御史大夫,而《隋志》但稱侍中者,豈其著書在興平間邪?今攷《後漢書·靈紀》、《獻紀》、《董卓傳》注,《三國志·武紀》、董卓、張楊、賈翊、劉焉、孫堅諸傳注屢引此書,或稱"紀"爲"記"。皆興平及建安初年事,惟《賈詡傳》引一條云"後以段煨爲大鴻臚、光禄大夫,建安十四年以壽終"。此或後來又有增益。艾官至行御史大夫,以後更不見其事蹟,蓋未嘗入魏。獻帝之名,當是後人追加耳。

雜史類

衛颯　史要十卷　約《史記》要言,以類相從。

越絶書十五卷　會稽袁康撰,吴平屬定。

吴君高　越紐録　會稽人。

康案見《論衡·案書篇》。論者多疑即《越絶書》,然究無實證,今仍分録之。

周長生　洞歷十篇　會稽人。

《論衡·超奇篇》:"周長生者,文士之雄也,作《洞歷》十篇,上自黄帝,下至漢朝,鋒芒毛髮之事,莫不紀載,與太史公《表》、《紀》相似類也。上通下達,故曰洞歷。"又見《案書篇》。

趙曄　吴越春秋十二卷

應奉　漢事十七卷　删《史記》、《漢書》及《漢記》。三百六十餘年,自漢興至其時。

侯瑾　漢皇德傳三十卷　起光武至沖帝。

《宋書·大且渠蒙遜傳》:"茂虔奉表獻《皇德傳》二十五卷。"《御覽》卷九十一引《皇德傳》曰:"安帝崩,北鄉侯即尊位。十月,北鄉侯薨,以王禮葬。未即位不成君,故以王禮葬。"卷四百二十六引《漢皇德傳》曰:"蓋留,敦煌人。天性皎潔,自小未嘗過人飯。貧爲官書,得錢足供而已,不取其餘。"八百二十九引《漢皇德頌》曰:"侯瑾,字子瑜,敦煌人。少孤貧,依宗人居。性篤學,恒傭作爲資。暮還,輒爇柴讀書。"凡兩引皆作《皇德傳》,與本傳及《宋書》同。《隋》、《唐志》作《皇德紀》,蓋異名也。"侯瑾"一條當即本書中自叙語,范史采用之。

伏侯古今注八卷　伏無忌撰。上自黄帝,下盡漢質帝。

康案《後漢書》諸本紀注,又劉昭注《續漢志》屢引之,他列傳亦閒引。或稱伏侯,或不稱伏侯,核其文義,皆出伏書,非出崔豹書也。惟《靈帝紀》注引一條云"宏之字曰大",此則甚誤。章懷明言其書下盡質帝。《禮儀志下》注引此書備載後漢諸帝陵丈尺頃畝,亦至質帝静陵止。蓋無忌撰書在桓帝時,故不及桓、靈以後也。《史記索隱》屢引《古今注》而不著名姓,其不見崔豹書者,當皆出此。然今世所行崔書亦非原帙,《索隱》所引終難定其爲崔爲伏耳。

延篤　戰國策論一卷

《顏氏家訓·書證篇》:"《太史公記》曰:'寧爲雞口,無爲牛後。'此是删《戰國策》耳。案延篤《戰國策音義》曰:'尸,雞中之主。從,牛子。'然則'口'當爲'尸','後'當爲'從',俗寫誤也。"《史記·高祖本紀》索隱:"《戰國策》曰'商君告歸',延篤以爲告歸,今之歸寧也。"《蘇秦傳》索隱:"《戰國策》云'寧爲雞尸,不爲牛從'。延篤注云:'尸,雞中主也。從,謂牛子也。言寧爲雞中之主,不爲牛之從後也。'"《魯仲連傳》索隱:"延篤注《戰國策》云:'陶,陶朱公也;衛,衛公子荆。'"《匈奴傳》索隱:"《戰國策》云'趙武靈王賜周紹貝帶黄金師比'。延篤云'胡革帶鉤也'。"據諸所引全非論體,顏黄门稱《戰國策音義》,其名似勝《隋》、《唐志》。

應劭　中漢輯序

荀爽　漢語

《漢書·文帝紀》:"後元七年,自當給喪事服臨者,皆無踐。"晋灼曰:"《漢語》作'跣'。"《史記集解》同。《昭帝紀》:"元鳳元年,賂遺長公主、丁外人。"晋灼曰:"《漢語》字少君。"《宣帝紀》:"地節四年,長安男子馮殷。"晋灼曰:"《漢語》字子都。"《霍光傳》:"光長女爲桀子安妻,有女年與帝相配。"晋灼曰:"《漢語》光嫡妻東閭氏生安夫人,昭后之母也。"又"及顯寡居,與子都亂",晋灼曰:"《漢語》東閭氏亡,顯以婢代立,素與馮殷姦也。"

高誘　注戰國策二十一卷

王粲　漢末英雄記八卷

起居注類

建武注記 馬嚴、杜撫等撰。

漢明帝起居注 明德馬皇后撰。

《初學記》三十引《風俗通》曰:"案《明帝起居注》曰:'東巡泰山。到滎陽,有烏飛鳴乘輿上,虎賁王吉射中之。作辭曰"烏烏啞啞,引弓射左腋,陛下壽萬歲,臣爲二千石"。帝賜錢二百萬,令亭壁畫爲烏也。'"《御覽》七百三十六、九百二十同,《文選·赭白馬賦》注小異,今《風俗通》佚此文。

長樂宫注

見《和熹鄧皇后紀》。

漢靈帝起居注

見袁宏《後漢紀序》。《序》尚有《獻帝起居注》,其書似魏人作。說詳《補三國藝文志》。故今但録《靈帝志》。

故事類

建武故事三卷

永平故事三卷

漢諸王奏事十卷 以上三書並存疑。

職官類

王隆 小学漢官三篇

"小學"二字,据《續漢書·百官志》序及《輿服志》注增。孫星衍輯本序曰:"《漢官篇》仿《凡將》、《急就》,四字一句,故在小學中。"

胡廣　漢官解詁三篇

廣《序》見《續漢書·百官志》注。

百官箴四十八篇　崔駰、胡廣等撰,廣又爲之解。

《御覽》五百八十八引胡廣《百官箴》叙曰:"箴諫之興,所由尚矣!聖君求之于下,忠臣納之于上,故《虞書》曰'予違汝弼,汝無面從,退有後言',墨子著書,稱《夏箴》之辭。"又引崔瑗《叙箴》曰:"昔楊子雲讀《春秋傳·虞人箴》而善之,於是作爲九州及二十五官箴規匡救,言君德之所宜,斯乃體國之宗也。"康案《百官箴》今載《古文苑》者四十一篇,中有兩《尚書箴》,據《初學記·職官部》,其一爲繁欽作,不得列四十八篇内,當除去,尚缺八篇。《御覽》二百廿九引胡廣《陵令箴》,崔寔《太醫令箴》、揚雄《太官令箴》,二百卅五引揚雄《太史令箴》,二百四十一引胡廣《邊都尉箴》,尚缺三篇。《廣傳》稱揚雄《十二州》、《二十五官箴》,其九箴亡闕。崔駰及子瑗、劉騊駼增補十六篇,廣繼作四篇。今合諸亡篇攷之,其二爲廣作,其一篇不可攷,《古文苑》所載名字參錯故也。《胡廣傳》載作箴諸人無崔寔,而《古文苑》及《御覽》有之,《廣傳》有廣及劉騊駼,而《古文苑》無之。然所載崔瑗《侍中箴》,《初學記·職官部》引作胡廣,崔瑗《郡太守箴》,《藝文類聚·郡部》引作劉騊駼,以此類推,知其中或尚有劉、胡作而誤題崔氏者。又《文選·赭白馬賦》注引劉騊駼《郡太守箴》二語,《古文苑》不載。《御覽·職官部》引《河南尹箴》多四語,《司徒箴》多二語,蓋《古文苑》亦從諸書采輯而來,容有脱漏也。

應劭　漢官儀十卷

《直齋書録解題》:"案《唐志》有《漢官》五卷,《漢官儀》十卷。今惟存《漢官儀》一卷,載三公官名及名姓、州里而已。其全書亡矣。" 孫星衍輯本序曰:"《邵傳》云:'初,父奉爲司隸時,並下諸官府郡國,各上前人像贊,劭乃連綴其名,録爲《狀人紀》。'今諸書引《漢官儀》有諸人姓名、《狀人紀》者,疑即其書中篇名。"康案《續漢書·百官志》注引應劭《漢官名帙》,《輿服志》注引劭《漢官鹵簿圖》,《宋書·樂志》、《唐六典》卷十四、十六、十八亦引之,《六典》作《漢官儀鹵簿篇》。蓋皆此書子目。又《御覽》二百三十七引《漢官·宰尹下》,其文與《北堂書鈔》引《漢官儀》略同,則所引者必應劭《漢官》,非王隆《漢官》。《宰尹》,蓋亦其篇名,而又分上、下也。

應劭 漢官注五卷

康案《隋志》於《漢官》稱應劭注,《漢官儀》稱應劭撰,疑《漢官》即王隆《小學篇》,劭與胡廣皆有注也。本傳但指其自撰者,故祇有一書。

蔡質 漢官典職儀式選用二卷 字子文,陳留人,衛尉。

《北魏書·元子思傳》:"尚書郎中裴獻伯云:'案舊事,御史中尉逢臺郎於複道,中尉下車執板,郎中車上舉手禮之。'問事何所依。尚書郎中王元旭報,出蔡氏《漢官》。" 《書録解題》:"《隋志》有《漢官典職儀式》二卷。今存一卷,漢衛尉蔡質撰,雜記官制及上書謁見禮式。"康案質事見《蔡邕傳》,邕叔父也。

儀注類

衛宏 漢舊儀四卷

衛宏 漢中興儀一卷

馬第伯 封禪儀記

《續漢書·祭祀志》注引應劭《漢官》中載之。

曹褒 漢禮百五十篇

《宋書・禮志一》:"漢順帝冠兼用曹褒《新禮》。褒《新禮》今不存。"

胡廣　漢制度

《續漢書・禮儀志》注引謝承書曰:"太傅胡廣博綜舊儀,立漢制度,蔡邕因以爲志。"康案《後漢書・光武紀》、《儒林傳》兩注,《續漢志》注俱引之,中有但稱胡廣説者。《御覽・服章部》引董巴《輿服志》中每引胡廣説,應亦出此書。

何休　冠儀約制

《宋書・禮志一》引作何禎。《通典》五十六引作何休而冠以"後漢"二字,則非休字誤矣。禎魏晋間人,見《管寧傳》注。

汝南君諱議二卷

《吴志・張昭傳》:"與王朗共論舊君諱事,州里才士陳琳等皆稱善之。"裴注:"時汝南主簿應劭議宜爲舊君諱,論者皆互有異同,事在《風俗通》。"康案應劭議既載《風俗通》,而《隋志》别爲一書者,蓋諸家議論又自别行也。《左傳》成十年疏引應劭《舊君諱議》,今以《張昭傳》注覈之,則所引乃張昭之言,非應劭之言,因其書創於應劭,故以應劭統之。

刑法類

建武律令故事三卷

《唐六典》卷六:"漢建武有《律令故事》上、中、下三篇,皆刑法制度也。"康案據此則《隋志》作二卷者誤,今從《唐志》。

鮑昱　决事都目八卷

《晋書・刑法志》:"司徒鮑公撰嫁娶辭訟决爲《法比都目》。"

《周禮・大司寇》鄭司農注:"邦成,謂若今時决事比也。"疏云:"今律,其有斷事者,皆依舊事斷之,其無條取,比類以决之，故云決事比也。”《意林》引《風俗通》云：“汝南張妙會杜士，士家聚婦，酒後相戲，張妙縛杜士，捶二十，又縣足指，士遂致死。鮑昱《決事》云：‘酒後相戲，原其本心，無賊害之意，宜減死也。’”《御覽》六百四十引《風俗通》云：“南郡讞女子何侍爲許遠妻，侍父何陽素酗酒，從遠假求，不悉如意，陽數罵詈。遠謂侍曰：‘汝翁復罵，吾必揣之。’侍曰：‘類作夫妻，奈何相辱？揣我翁者搏若母矣。’其後陽復罵，遠遂揣之。侍因上搏姑耳再三。下司徒鮑宣，康案當作“昱”。下同。宣未嘗爲司徒，亦無《決事》一書。《決事》曰：‘夫妻，所以養姑者也。今聟自辱其父，非姑所使。君子之于凡庸，不遷怒，況所尊重乎？當減死罪論。’”又八百四十六引《風俗通》云：“陳留有趙祐者，酒後自相署，或稱亭長督郵。祐復于外騎馬，將絳幡，云：‘我，使者也。’司徒鮑宣《決獄》云：‘騎馬將幡，起于戲耳，無它惡意。’”

陳寵　辭訟比七卷

陳忠　決事比 三十三條。

叔孫宣　律章句

郭令卿　律章句

馬融　律章句

鄭玄　律章句

《晋書·刑法志》曰：“律凡九百六卷。世有增損，率皆集類爲篇，結事爲章。一章之中或事過數十，事類雖同，輕重乖異。而通條連句，上下相蒙，錯糅無常。後人生意，各爲章句。叔孫宣、郭令卿、馬融、鄭玄諸儒章句十有餘家，家數千萬言。凡斷罪所當由用者，合二萬六千二百七十二條，七百七十三萬二千二百餘言，言數益繁，覽者益難。天子于是下詔，但用鄭氏章句，不得雜用餘家。”康案叔孫宣、郭令卿不知何時人。

《晉志》敘于馬、鄭之前,且魏時其《律章句》已行,則必後漢人矣。前書《諸侯王表》注張晏引"律鄭氏説,封諸侯過限曰附益",即康成《章句》也。

應劭　漢朝議駮三十卷 八十二事。　**漢議二百五十篇　律略論五卷**

康案《漢議》,本傳作《漢儀》,兹據《晉志》。

雜傳類

南陽風俗傳 光武帝詔撰。

京兆耆舊序 光武帝詔撰。

《玉海·藝文》引許南容策云:"《京兆耆舊》,光武創其篇。"康案《隋志》稱"後漢光武,始詔南陽撰作風俗,故沛、三輔有耆舊節士之序,魯、廬江有名德先賢之讚"。則《京兆耆舊》即《三輔耆舊》也。沛、魯、廬江諸書,《隋志》但渾括其名,無從著録,今附誌于此。

梁鴻　逸民傳頌

《史通·雜述篇》:"若劉向《列女》,梁鴻《逸民》,趙采《忠臣》,徐廣《孝子》,此之謂别傳者也。"康案本傳但稱鴻仰慕前世高士,爲四皓以來二十四人作頌,而劉知幾謂之别傳,則當日必已成書,每人各系以傳也。

圈稱　陳留耆舊傳二卷 字孟舉,議郎。

稱字見《匡謬正俗》卷八。

曹大家　列女傳注十五卷

曾鞏曰:"劉向叙《列女傳》凡八篇,《隋書》及《崇文總目》皆稱向《列女傳》十五篇,曹大家注。以頌義攷之,蓋大家所注,離其七篇爲十四,與頌義凡十五篇,而益以陳嬰母及東漢以來凡十六事，非向書本然也。《唐志》録《列女傳》十六家，大家注十五篇無録，然其書今在。"康案《顏氏家訓》卷六引大家注云："衿，交領也。"《初學記》卷十三引大家注云："少采，降三采也。以秋分祀夕月以迎陰氣也。"

馬融　列女傳注

鄭廑　巴蜀耆舊傳　字伯邑，臨邛人，漢中太守。

《華陽國志·陳壽傳》云："益部自建武後，蜀郡鄭伯邑、太尉趙彥信及漢中陳申伯、祝元靈、廣漢王文表皆以博學洽聞，作《巴蜀耆舊傳》。"康案廑事又見《漢中志》及《蜀郡士女目録》，范書《西羌傳》作鄭勤。

趙謙　巴蜀耆舊傳

《華陽國志·蜀郡士女目録》云："侍御史常詡，字孟元，江原人。在趙太尉公《耆舊傳》。"康案太尉即謙也，字彥信。范書附《趙戒傳》末。

祝龜　漢中耆舊傳　字元靈，南鄭人，葭萌長。

常璩《漢中士女志》："祝龜，字元靈，南鄭人也。年十五，遠學汝、潁及太學，通博蕩達，能屬文。太守張府君奇之，曰：'吾見海内士多矣，無如祝龜者也。'州牧劉焉辟之，不得已，行，授葭萌長。撰《漢中耆舊傳》，以著述終。"康案《仙人唐公房碑陰》有處士南鄭祝龜，蓋未授葭萌長以前之稱也。

王商　巴蜀耆舊傳　字文表，廣漢人，蜀郡太守。

常璩《廣漢士女志》："王商，字文表，廣漢人也。博學多聞。州牧劉璋辟爲治中，試守蜀郡太守。荆州牧劉表、大儒南陽宋仲子遠慕其名，皆與交好，許文休稱商'中夏王景興輩也'。"康案商事范書附《王堂傳》，堂曾孫也。

應劭　狀人紀

趙岐　三輔決録七卷

康案范書《隗囂傳》注引一條云:"平陵之王,惠孟鏘鏘,激昂囂、述,困于東平。"則其書似有韻語作贊,然他不多見。《三國志·荀彧傳》注稱岐作《三輔決録》,恐時人不盡其意,故隱其書。惟以示同郡嚴象,則當時蓋甚自矜重,今見于諸書所引者尚夥,然每與摯虞注相紊。

劉熙　列女傳八卷

蔡邕　王喬傳一卷

《御覽》卷三十三引蔡邕《王喬録》曰:"漢永和元年十二月臘夜,王喬墓上哭聲。王伯聞,旦往視之。天大雪,見大鳥跡,并祭祀處。采薪者尹禿見人衣冠曰:'我王喬也,汝莫取吾墓樹。'忽不見。"

仲長統　山陽先賢傳一卷

王閎本事

《御覽》三百六十八引之云:"閎爲琅琊太守,張步欲誅之。出東武城門,馬奔,墮車折齒。閎心惡,移病歸府,遂得免。"康案王閎,范書附《張步傳》,又見前書《董賢傳》。不載此事,得此足補其闕。其書未詳撰人,姑附于此。

張純別傳

《御覽》二百四十一引之云:"純字伯仁,郊廟、冠婚、喪紀禮儀多所正定。上甚重之,以純兼虎賁中郎將,一日數見。"康案此事范書亦載之,凡別傳多無撰人,大約皆同時人作,故今悉爲著録,其撰人可攷者不在此例。

鍾離意別傳

本傳注、《郡國志》注及《御覽》屢引之,其事多本傳所不載。

樊英別傳

《世説·文學篇》注引之云:"漢順帝時,殿下鐘鳴。問英,對曰:'蜀岷山崩,山於銅爲母,母崩子鳴,非聖朝災。'後蜀果上山崩，日月相應。"《御覽》卷三百七十三引之云："英披髮，忽拔刀斫舍中，妻問故，曰：'郄生道遇鈔。'郄生還，云：'道遇賊，賴披髮老人相救得全。'郄生名巡，字仲信，陳郡陽夏人，能傳英業。"此二事本傳不載，蓋以其事瑣屑也。餘見《藝文類聚》及《御覽》者尚多，皆與本傳同。

李郃別傳

《御覽》引之云："郃以郎謁者，爲上林苑令。"卷二百三十二。又云："郃上書太后，數陳忠言，其辭雖不能盡施用，輒有策詔褒贊焉。博士著兩梁冠，朝會宜隨士大夫例。時賤經學，博士乃在市長下，公奏以爲非所以敬儒德，明國體也。上善公言，正月大朝，引博士公府長史前。"卷二百三十六，又《類聚》四十六。又云："鄧騭弟豹爲將作大匠。河南尹缺，豹欲得之。上及騭亦欲用豹，難便召拜，下詔令公卿舉，騭以旨遣人諷公卿悉舉豹。李郃曰：'司隸、河南尹，當整頓京師，檢御貴戚，今反使親家爲之，必不可爲後法。'令舉司隸羊浸，不舉豹。豹竟不得尹，恨公卿不舉，對士大夫曰：'李公寧能不舉？不舉我，故不得尹耶！'"卷二百五十二。又云："公長七尺八寸，多鬚髯，入眉，左耳有奇表，項枕如鼎足，手握三公之字。"卷三百六十四、七十。又云："公居貧而不好治產，有稻田三十畝，第宅一區。至京學問，常以賃書自給，爲人深沈宏雅，有大度。"卷四百八十五。又云："郃侍祠南郊，不見六宗祠，奏曰：'案《尚書》肆類于上帝，禋于六宗。漢興，于甘泉汾陽祭天地，亦禋六宗。至孝成時，匡衡奏立北郊，復祠六宗。至建武都洛陽，制郊祀不道祭，六宗由是廢，不血食。今宜復舊。'上從公議。由是遂祭六宗。"卷五百二十八。此數事本傳皆不載，惟《類聚》卷一、《御覽》卷七百七十九所引與本傳同。

馬融別傳

《藝文類聚》六十九卷引之,其文全與本傳同。

李固别傳

《御覽》卷二百六十五引之云:“益州及司隸辟,皆不就。門徒或稱從事掾,固曰:‘未嘗受其位,不能獲其號。’”此事本傳不載,餘多見本傳。又卷四百二十八引《李固外傳》,當即一書。

李燮别傳

《御覽》卷二百五十二引之云:“燮字德公,京兆人。涉下文而誤,當作南鄭人。拜京兆尹,本傳作河南尹,《華陽國志》與此同。吏民愛敬,乃作歌曰‘我府尹,道教舉。恩如春,威如虎。愛如母,訓如父’。”卷六百五十二引之云:“燮常逃亡,匿臨淄,爲酒家傭。靈帝即位,時月經陰道,暈五車,史官曰:‘有流星昇漢而北,揚芒迫昴,熒惑入火角,犯帝座,其占當有大臣被誅者。故太尉李固,西土人,占在固。今月經陰道,圍五車,宜有赦令,以除此異。’上感此變,大赦天下,求公子孫,酒家具車乘厚送之。”其事皆本傳不載。《續漢書》及《華陽國志》載之。

梁冀别傳二卷

《續漢書·五行志》、《百官志》注俱引《梁冀别傳》,當即此書也。其事皆足與本傳互證,《御覽》亦屢引,事多與本傳同。惟二百三十二引云:“冀妻壽姊夫宗炘不知書,因壽氣力起家,拜太倉令。”二百四十二引云:“冀妻孫壽從弟安,以童幼拜黄門侍郎、羽林監。”皆本傳所不載。

鄭康成别傳

本傳注引之,餘見諸書引者,多與本傳同。惟《世説·文學篇》注引云:“玄少好學書、數,十三誦引五經,好天文、占候、風角、隱術。年十七,見大風起,詣縣曰‘某時當有火災’,至時果然,智者異之。扶風馬季長以英儒著名,玄往從之。時涿郡盧子幹爲門人冠首,季長不解七事,玄思得五,子幹得三，季長謂子幹曰：‘吾與汝皆弗如也。’”原文甚詳，今節録其未見本傳者。《御覽》五百四十一引云：“故尚書左丞同縣張逸年十三，爲縣小吏。君謂之曰：‘爾有贊道之質。玉雖美，須雕琢而成器。能爲書生不？’對曰：‘願之。’乃遂拔于其輩，妻以弟女。”五百八十八、八百三十九引云：“玄年十六，號曰‘神童’，民有獻嘉禾一作“瓜”。者，異本同實。縣欲表府，文辭鄙略，玄爲改作，又著頌一篇。侯相高其才，爲脩冠禮。”數事皆本傳不載。

陳寔別傳

《御覽》卷二百六十四、四百三、四百九十九引之，事已見本傳。

盧植別傳

《御覽》卷五百五十五引之，事已見本傳。

何永使君家傳一卷

《御覽》卷四百四十四、七百二十二俱引《何永別傳》，疑即此書也。其文云：“永，字伯求，有人倫鑒。同郡張仲景，總角造永，永謂曰：‘君用思精而韻不高，後將爲良醫。’卒如其言。永先識獨覺，言無虚發。王仲宣年十七，嘗過仲景，仲景曰：‘君有病，宜服五石湯，不治且成，後年三十，當眉落。’仲宣以其貰長遠，不治也。後至三十，病果成，竟眉落。其精如此。仲景之方術今傳于世。”此事本傳不載。

郭泰別傳

《魏志·衛臻傳》注引《郭林宗傳》曰：“衛兹弱冠與同郡周文生俱稱盛德。林宗與二人共至市，子許案衛兹字。買物，隨價酬直，文生訾呵，減價乃取。林宗曰：‘子許少欲，文生多情，非徒兄弟，乃父子也。’後文生以穢貨見損，兹以烈節垂名。”其事本傳不載，所云傳乃別傳也。《王昶傳》注亦引一條，則本傳載之，餘見本傳注。《黄憲傳》注、《世説》注、《藝文類聚》、

《御覽》引者甚多,閒亦足補本傳之闕,然皆范蔚宗所謂"後之好事,附益增張"者也。

董卓别傳楊孚撰。

《續漢書·五行志》注引楊孚《卓傳》,蓋即《董卓别傳》也。楊孚當是撰傳之人。孚又有《交州異物志》一書,據黄佐《廣州先賢傳》、歐大任《百越先賢志》,則孚在章、和時無由撰《董卓傳》。然未知所本,今仍題楊孚名,而不敢必爲即撰《異物志》之人,或異人同姓名也。其書又見本傳注、《袁紹傳》注、《禮儀志下》注及《御覽》屢引之。

蔡邕别傳

見本傳注。

王允别傳

《御覽》卷二百六十三引之,其事已見本傳。

趙岐别傳

《御覽》卷五百五十八引之,其文全同本傳。

孔融别傳

本傳注兩引融《家傳》,核以《御覽》三百八十五所引,即《别傳》也。餘見《藝文》七十三、《御覽》三百九十六、四百廿八,其事皆見范書中。與范書異者,本傳稱"年十歲,詣河南尹",《李膺别傳》作"詣漢中李公"。李固。攷融卒于建安十三年,年五十六,則年十歲當桓帝延熹五年,是時李固誅死已久,而李膺正以延熹二年徵,再遷河南尹,《别傳》誤也。

禰衡别傳

《魏志·荀彧傳》注引《平原禰衡傳》,當即《别傳》也。餘見《藝文》、《御覽》引者,多與本傳同。惟弔胡政文一事,見《御覽》五百九十六。本傳不載,黄祖殺衡事,《御覽》八百三十三。亦視本傳爲詳。

司馬徽別傳

范書無徽傳,《世説·言語篇》注引《别傳》,載徽事甚詳。

劉根别傳

《藝文》、《御覽》屢引之,皆神仙家言。本傳不載,本傳稱"潁川太守史祈以根爲妖妄,收執諸郡",《别傳》則載"太守高府君從根求消除疫氣之術",《御覽》卷七十四、七百四十二。蓋在史祈前也。

蘇耽傳一卷成武丁傳附。

見《通志·藝文略》。二人皆不見范書,據《水經·耒水》注引《桂陽列仙傳》:"耽,漢末時郴縣人。少孤,養母至孝,後仙去。"《御覽·道部》六引陰君自序:"武丁,桂陽人,後漢時爲縣小吏,少言大度,博通經學,後爲地仙。"又《御覽》引《桂陽先賢畫讚》亦載二人事。卷三百四十五、八百二十四、九百八十四。

荀采傳

《御覽》卷八百七十引之,其事與范書《列女傳》同而文異,蓋《别傳》也。

蔡琰别傳

《藝文類聚》卷四十四引一條,又見《御覽》。本傳不載。章懷注引劉昭《幼童傳》載之,亦不及《别傳》之詳。餘見《御覽》引者,皆不出本傳之外。

地理志

楊終　哀牢傳

《論衡·佚文篇》:"楊子山爲郡上計吏,見三府爲《哀牢傳》不能成,歸郡作上,孝明奇之,徵在蘭臺。"康案范史《西南夷傳》注引此書。

楊孚　交州異物志一卷字孝元,南海人,議郎。

據黄佐《廣州先賢傳》、歐大任《百越先賢志》諸書,則孚乃章、和時人,然未知所本。劉昭注《續五行志》引楊孚《卓傳》,謂《董卓傳》也,則又似漢末人,未知孰是。其書見于《水經注》三十七卷所引者,又稱楊氏《南裔異物志》,餘諸書引者甚多。

張衡　地形圖一卷

見張彦遠《列代名畫記》。

圈稱　陳留風俗傳三卷字孟舉,議郎。

《匡謬正俗》卷八:"圈稱《陳留風俗傳》自序云:'圈公之後。圈公爲秦博士,避地南山。漢祖聘之,不就。惠太子即位,以圈公爲司徒,自圈公至稱,傳世十一。'案班書述四皓,但有園公,非圈公也。公當秦之時,避地而入商洛深山,則不爲博士明矣。又漢初不置司徒,安得以圈公爲之乎?且呼惠帝爲惠太子無意義,孟舉之説實爲鄙野。"《漢書·王貢兩龔鮑傳》注:"四皓更無姓名可稱。後代皇甫謐、圈稱之徒,竟爲四人施安姓字,自相錯互,語又不經。"康案圈稱不知當漢何代,《水經注》卷八引《陳留風俗傳》曰"孝安帝以建光元年封元舅宋俊爲侯國",則稱章帝後人也。

王逸　廣陵郡圖經

《文選·蕪城賦》注引之云:"郡城,吴王濞所築。"

趙寧　鄉俗記　蜀郡成都人。

《華陽國志·蜀志》云:"太尉趙公初爲九卿,適子寧還蜀,太守陳留高眹命爲文學,撰《鄉俗記》。"康案范書《趙典傳》載,典父戒及兄子謙皆爲太尉,寧不知爲戒子爲謙子也。《隸釋》有《益州太守高眹修周公禮殿記》,陳留人,事在初平五年。高,眹,蓋即高眹。

盧植　冀州風土記

《御覽》卷一百六十一引之曰:“冀州,聖賢之泉藪,帝王之舊地。”

應劭 十三州記

《水經·泗水》注引之云:“漆鄉,邾邑也。”《淄水》注引云:“太山,萊蕪縣,魯之萊柞邑。”《夏水》注引云:“江別入沔,爲夏水源。”

應劭 地里風俗記

《水經注》屢引之。

譜牒傳

鄧氏官譜

《隋志》云:“晋亂已亡。”

宋衷 世本注四卷

康案諸書引《世本》多兼引宋衷注,故存者尚夥。

宋衷 世本别録一卷存疑。

康案《唐志》載此書,文承宋衷《世本》之下,未知是衷撰否,姑存之。

卷　四

子之類十有二:一曰儒家,二曰法家,三曰兵家,四曰農家,五曰道家,六曰雜家,七曰天文,八曰曆算,九曰五行,十曰醫方,十一曰雜藝,十二曰小説。

儒家類

桓譚　新論十七卷

《御覽》卷六百二引《新論》曰:"余爲《新論》,述古今,亦欲興治也,何異《春秋》褒貶耶? 今有疑者,所謂蚌異蛤,二五爲非十也。譚見劉向《新序》、陸賈《新語》,乃爲《新論》。莊周寓言乃云'堯問孔子',《淮南子》云'共工爭帝地維絶',亦皆爲妄作,故世人多云短書不可用。然論天莫明于聖人,莊周等雖虚誕,故當采其善,何云盡棄耶?"康案此文似《新論》自序,故録之。餘見諸書引者甚多,孫馮翼有輯本,未見。《論衡·超奇篇》云:"桓君山作《新論》,論世間事,辨照然否,虚妄之言,僞飾之辭,莫不證定。彼子長、子雲説論之徒,君山爲甲。"《定賢篇》云:"世間爲文者衆矣,是非不分,然否不定,桓君山之論,可謂得實。孔子素王之業在于《春秋》,桓君山素丞相之跡,存于《新論》者也。"《案書篇》云:"質定世事,論説世疑,桓君山莫上也。"又云:"《新論》之義,與《春秋》會一也。"《对作篇》云:"冢事不失實,凡論不壞乱,则桓谭之論不起。"

鄒伯奇　元思　東番人。

見《論衡·案書篇》。

鄒伯奇　檢論

《論衡·對作篇》:"桓君山《新論》、鄒伯奇《檢論》,可謂論矣。"

韋卿子十二篇　韋彪撰。

唐子　唐羌撰,字伯游。汝南人,臨武長書,凡三十餘篇。

見《和帝紀》注引謝承書。

程曾　孟子章句

劉陶　復孟子

鄭康成　孟子注七卷

《讀書叢録》云:"《史記·五帝本紀》'堯知子丹朱之不肖',《索隱》:'鄭玄云:"肖,似也。不似,言不如人也。"'疑即《孟子注》。"

趙岐　孟云注十四卷

高誘　正孟子章句

見《吕氏春秋》序。似是正程曾之書也。

劉熙　孟子注七卷

康案劉氏《孟子注》與今本不同者:"孟子去齊,宿于晝","晝"作"畫",音獲,云"齊西南近邑"。《史記·田單傳》注。"摩頂放踵",作"摩頂致于踵",云"致,至也"。《文選·江文通詣建平王上書》注。

張衡　太玄經注

崔瑗　太玄經注

並見《華陽國志·蜀郡士女讚》。

宋衷　太玄經注九卷

陸績《太玄經注》自述云:"章陵宋仲子作《太玄解詁》。仲子之思慮誠爲信篤,然玄道廣遠,淹废歷載,師讀斷絶,難可一備,故往往有違本錯誤。"又云:"夫玄之大義,揲蓍之謂,而仲子失其指歸,休咎之占,靡所取定,雖得文閒異説,大體乖矣。"

宋衷　法言注十三卷

侯苞　法言注六卷

《御覽》九百二十二引揚子《法言》曰:"朱鳥翾翾,歸其肆矣。"侯苞注曰:"朱鳥,燕别名。肆,恣肆也。"

王子五篇　王祐撰,字平仲,郪人。

《華陽國志·廣漢士女讚》:"王祐,字平仲,郪人也。少與雒高士張浮齊名,不應州郡辟命。司隸校尉陳紀山,名知人,稱祐天下高士。年四十二卒。弟獲志其遺言,撰《王子》五篇。"

王逸　正部論八卷

《意林》載《正部》十卷,徵引凡十二條。其中一條云:"《淮南》浮僞而多恢,《太玄》幽虚而少效,《法言》雜錯而無主,《新書》繁文而鮮用。"其自負蓋出數書之上也。

王符　潛夫論十卷

馮顥　刺奢説

見常璩《廣漢士女讚》。

應奉　後序十二卷

魏子三卷　魏朗撰。

《意林》作十卷,徵引數條。餘見《御覽》卷十五所引者云:"北夷之氣象羣羊,南夷之氣類船,山海之氣象樓臺,宫闕、都邑之氣象林木。"又云:"雲霧之盛須臾而訖,暴雨之盛不過終日。是以人君喜怒不見于容。"五百九十八引云:"仲尼無券契于天下,而德著古今,善惡明也。"七百三十八引云:"待扁鵲乃治病,終身不愈也。用道術,則無所不治也。"九百三十二引云:"夫樹樹異風,人人異心,不可以一檢量。故黿鼉得水則生，虎豹得水則死。”多《意林》所未載，惟“仲尼”一條與《意林》同。

荀爽　新書

荀悦　申鑒五卷

陳子　陳紀撰。

邯鄲淳《鴻臚陳君碑》云：“既處隱約，潛躬味道。足不踰閾，乃覃思著書三十餘萬言，言不務華，事不虛設，其所交釋合贊規聖哲，而後建旨明歸焉，今所謂《陳子》者也。”

仲長統　昌言十卷

《抱朴子》曰：“仲長統作《昌言》未竟而亡，後董襲撰次之。”《御覽》卷七百三十九引繆襲撰《仲長統昌言表》。《崇文總目》：“今所存十五篇，分爲二卷，餘皆亡。”《玉海》引《中興書目》：“今存十六篇。”

文檢六卷　似是後漢末人撰。

《宋書·大且渠蒙遜傳》：“茂虔獻《文檢》六卷。”

曹大家　女誡一卷

《書録解題》云：“俗號《女孝經》。”

蔡邕　女誡

《文選·女史箴》注及《御覽》俱引之，或作《女訓》。

荀爽　女誡

見《藝文類聚》卷二十三。

法家類

崔寔　政論六卷

《玉海·藝文》引司馬公曰：“寔論以矯一時之枉，非百世之通義。”

劉陶　反韓非

農業類

崔寔　四民月令一卷

韓鄂《四時纂要序》曰:"偏閱羣书,《爾雅》則言其土産,《月令》則序彼時宜,氾勝種藝之書,崔寔試穀之法。"《經義攷》曰:"案《四民月令》其書雖佚,而賈思勰《齊民要術》引之特多,合以《太平御覽》所載,好事者尚可捃摭成卷也。"康案王謨有此書輯本。

仙釋類

戴孟　太微黄書本姓燕,名濟,字仲微。

葛洪《神仙傳》:"戴孟本姓燕,名濟,字仲微,漢明帝時人也。入華山及武當山,受裴君《玉珮金璫經》及受《石精金光符》,復有《太微黄書》,能周遊名山。"《御覽》六百六十二引《三洞珠囊》曰:"戴公柏有《太微黄書》十餘卷,壺公之師也。"康案據此則戴公柏即戴孟,蓋又有别名。《御覽》六百七十三引《太微黄書經》。

王喬　養性治身經三卷

見《抱樸子·遐覽篇》。《御覽》卷九引《養性經》曰:"治身之道,春避青風,夏避赤風,秋避白風,冬避黑風。"蓋即出此書也。

陰長生書九篇　新野人。

《神仙傳》云:"陰長生者,新野人也,漢皇后之親屬。聞馬鳴生得度世之道,乃尋求之,鳴生不教其度世之法,但日夕别與之高談,論當世之事,治農田之業。如此十餘年,長生不懈。同時共事鳴生者十三人皆悉歸去,惟長生執礼彌肅。鳴生告之曰:'子真能得道矣。'乃將入青城山中,煮黄土爲金以示之,立壇西面,乃以《太清神丹經》授之。鳴生别去,長生乃歸。所合之丹成,服半劑不盡即昇天。著書九篇,云:'上古仙者多矣,不可盡論。但漢興以來得仙者四十五人,連余爲六矣。二十人尸解,餘並白日昇天。'"

陰長生　注金丹訣一卷　修三皇經一卷　修真君五精論一卷

翊寅案《修三皇經》一卷,道士鮑靚撰,託名陰長生者,見唐貞觀二十五年敕旨,不當列目。又長生撰《參同契注》,當著録。

並見《通志·藝文略》。

樊英　石壁文三卷

見《抱樸子·遐覽篇》。

魏伯陽　周易參同契二卷 會稽上虞人。 **周易五行相類一卷**

魏伯陽　内經一卷

見《抱樸子·遐覽篇》。

魏伯陽　大丹記一卷　大丹九轉歌訣一卷　七返靈砂歌一卷　火鑑周天圖一卷　龍虎丹訣一卷　感應訣一卷　蓬萊山東西竈還丹歌一卷

並見《通志·藝文略》。

魏伯陽　百章集一卷　注太上金碧經二卷

並見《書録解題》。

徐氏　周易參同契注 青州人,官從事。

見彭曉《參同契序》。

張道陵　中山玉櫃神氣訣一卷　剛子丹訣一卷　神仙得道靈藥經一卷　峨嵋山神異記三卷

並見《藝文略》。翊寅案《神仙傳》"道陵著《道書》二十篇",《真誥》云二十餘篇,

《法苑珠林》云二十四卷,皆荒誕不足信。

道家類

馬融　老子注

劉陶　匡老子

想余　注老子二卷　不詳何人。一云張魯,或云劉表。

牟子二卷　一名《理惑論》。

《自序》云:"牟子既修經傳、諸子,書無大小,靡不好之。雖不樂兵法,然猶讀焉。惟讀神仙不死之書,抑而不信,以爲虚誕。是時靈帝崩後,天下擾亂,獨交州差安,北方異人咸來在焉。多爲神仙辟穀長生之術,時人多有學者,牟子常以五經難之,道家術士莫敢對焉,比之于孟軻距楊朱、墨翟。先是時,牟子將母避世交趾,年二十六,歸蒼梧娶妻。太守聞其守學,謁請署吏,時年方盛,志精于學,又見世亂,無仕宦意,竟遂不就。是時諸州郡相疑,隔塞不通,太守以其博學多識,使致敬荆州。牟子以爲榮爵易讓,使命難辭,遂嚴當行。會被州牧優文處士,辟之,復稱疾不起。牧弟爲豫章太守,爲中郎將笮融所殺。時牧遣騎都尉劉彦將兵赴之,恐外界相疑,兵不得進,牧乃請牟子曰:'弟爲逆賊所害,骨肉之痛,憤發肝心。當遣劉都尉行,恐外界疑難,行人不通。君文武兼備,有專對才,今欲相屈之零陵、桂陽,假塗于通路,何如?'牟子曰:'被秣伏櫪,見遇日久。烈士忘身,期必騁效。'遂嚴當發。會其母卒亡,遂不果行。久之,退念以辯達之故,輒見使命。方世擾攘,非顯己之秋也。乃歎曰:'老子絶聖棄智,修身保真,萬物不干其志,天下不易其樂。天子不得臣,諸侯不得友,故可貴也。'于是鋭志于佛、道,兼研《老子》五千文,含玄妙爲酒漿，翫五經爲琴笙。世俗之徒多非之者，以爲背五經而向異道。欲爭則非道，欲默則不能，遂以筆墨之閒，略引聖賢之言證解之，名曰《牟子理惑》云。"洪頤煊曰："《隋書·經籍志》：'《牟子》二卷，後漢太尉牟融撰。'《新》、《舊唐志》同。梁僧祐《弘明集》有漢牟融《理惑論》三十七篇，前有《自序》云，一名《牟子理惑》。《世説》注、《文選》注、《太平御覽》引《牟子》數條，雖字句異同，皆在《理惑論》三十七篇中，知《隋》、《唐志》所載《牟子》即是書也。《後漢書·牟融傳》'融代趙熹爲太尉，建初四年薨'，是書《自序》云'靈帝崩後，天下擾亂'，則相距已百餘年，《牟子》非融作明矣。《弘明集》題下有注云：'一云蒼梧太守牟子博傳。'子博之名不見于史。據《自序》云'歸蒼梧娶妻。太守聞其守學，謁請署吏，不就'，是牟子本蒼梧人，未嘗爲蒼梧太守，或下脱'從事'、'掾史'等字。又據《自序》，牟子未嘗居官，《弘明集》作'蒼梧太守牟子博傳'，豈從其後而署之邪？抑別有其人邪？是書雖崇信佛、道，尚不背于聖賢之旨，故《隋志》列于儒家。"康案《隋志》列于儒家，究不若《唐志》列于道家之爲善，今從《唐志》。

雜家類

郅惲書八篇

周黨書二篇

杜篤　明世論十五篇

王充　論衡二十九卷

王充　譏俗書十二篇

《論衡·自紀篇》："俗性貪進忽退，收成棄敗。充升擢在位之時，衆人蟻附，廢退窮居，舊故叛去。志俗人之寡恩，故閒居作《譏俗》、《節義》十二篇。冀俗人觀書而自覺，故直露其文，集以俗言。"又云："充疾俗情，作《譏俗》之書。"

王充　政務書

《論衡・自紀篇》："充閔人君之政，徒欲治人，不得其宜，不曉其務，愁精苦思，不睹所趨，故作《政務》之書。"又《對作篇》屢以《論衡》、《政務》並稱。

王充　養性書十六篇

許慎　淮南子注二十一卷

《郡齋書志》："許慎注《淮南子》，標其首皆曰'閒詁'，次曰'淮南鴻烈'，自名注曰'記上'，第七十九闕。"《書録解題》："今本題許慎記上，而詳序文則是高誘。"《玉海》云："蘇頌去其重複，共得高注十三篇，許注十八篇。"《四庫提要》："慎注散佚，傳刻者誤以誘注題慎名也。"洪亮吉曰："許君注《淮南王書》，今不傳。惟《道藏》中《淮南鴻烈篇》三十八卷，尚題漢南閣祭酒許慎注，或當有據。然世所盛行之本，則皆題漢涿郡高誘注。今攷許君之注，有淆入誘注中者，或本誘采用許君之説，後人遂誤以爲誘也。今略論之，《淮南王書》'輴其肘'，高誘注'輴讀近茸，急察言之'，又'罧者扣舟'，高誘注'今沇州人積柴水中捕魚爲罧'，皆與《説文》之説同。此類尚多，以是知許君之注有淆入誘者矣。"康案《問經堂叢書》有許叔重《淮南子注》一卷。

何汶　世務論三十篇　字景由，郫人。

常璩《蜀都士女讚》："汶字景由，亦深學。初徵，上日食盜賊起，有效，爲謁者。京師旱，請雨，即澍。遷犍爲屬國。著《世務論》三十篇。卒。"

唐子三十篇　唐檀撰。翊寅案《方術傳》"檀字子產，豫章南昌人。著書二十八篇"，此云三十篇，誤。

應奉　洞序九卷録一卷

馬融　淮南子注

應劭　淮南子注　風俗通義三十一卷録一卷

《文選·長楊賦》注引應劭《淮南子注》云:"堯之時,窫窳封豕鑿齒,皆爲人害。窫窳類貙,虎爪,食人。"

高誘　淮南子注二十一卷　淮南鴻烈音二卷　吕氏春秋注二十六卷

聊子 侍中聊蒼著。

見《廣韻》及《通志·氏族略》引《風俗通》。未知是後漢抑前漢,俟攷。

天文類

張衡　渾天儀一卷

《晋書·天文志上》:"張平子既作銅渾天儀,于密室中以漏水轉之,令伺之者閉户而唱之。其伺之者以告靈臺之觀天者曰'璇璣所加,某星始見,某星已中,某星今没',皆如合符也。"又曰:"張衡制渾象,具内外規、南北極、黄赤道,列二十四氣、二十八宿,中外星官及日月五緯,以漏水轉之于殿上室内,星中出没與天相應。因其關戾,又轉瑞輪蓂莢于階下,隨月盈虚,依曆開落。"《宋書·天文志一》:"古舊渾象以二分爲一度,凡周七尺三寸半分。張衡更制,以四分爲一度,凡周一丈四尺六寸。"又曰:"衡所造渾儀,傳至魏、晋,中華覆敗,沈没戎虜。"晋安帝義熙十四年,高祖平長安,得衡舊器,儀狀雖舉,不綴經星七曜。"康案《續漢書·律曆志下》注引張衡《渾儀》。

張衡　靈憲一卷

《隋書·天文志上》:“張衡爲太史令,鑄渾天儀,總序經星,謂之《靈臺》。所鑄之圖,遇亂堙滅,星官名數,今亦不存。”康《續漢書·天文志》注引《靈憲》,《晉·天文志》引衡説郡國所分十二次宿度,其學本之京房,蓋亦《靈憲》中語也。

張衡　玄圖一卷　“玄”,一作“懸”。

康案据李賢本傳注,則《玄圖》本在衡集中。而《隋志》有《玄圖》一卷,無撰人,必出張衡無疑,蓋後人析出别行也。[①] 張溥輯衡集無《玄圖》,當已失傳。《御覽》卷一引之云:“玄者,無形之類,自然之根,作于太始,莫之與先。”

劉陶　七曜論

鄭康成　注日月交會圖一卷　天文七政論

劉叡　荆州星占三十卷　武陵太守。

《晉·天文志中》:“漢末劉表爲荆州牧,命武陵太守劉叡集天文衆占,名《荆州占》。其雜星之體,有瑞星,有妖星,有客星,有流星,有瑞氣,有妖氣,有日月旁氣,皆略具名狀,舉其占驗,次之于此。”文繁不録。下文客星一條,亦引《荆州占》。　《通志·藝文略》:“《荆州劉石甘巫占》一卷,漢荆州牧劉表命武陵太守劉意集甘、石、巫咸等之占,今存一卷。”康案《唐志》于劉叡書外,别出劉表《荆州星占》二卷。據《晉志》,則劉叡書即劉表書,《唐志》誤分之。《通志》又作劉意,《崇文總目》亦同,未詳孰是。《續漢書·天文志》注及《御覽》卷七屢引《荆州星占》,又卷四引一條載皇后救月蝕儀。

趙爽　周髀算經注一卷　字君卿,一名嬰。

① “析”,原誤作“晰”,據《補編》本改。

小説類

漢武洞冥記四卷 郭憲撰。

陳寔 異聞記

胡元瑞《二酉綴遺》曰:"陳太邱絶不聞著書,而《抱樸子》載陳仲弓《異聞記》云云。康案在《對俗篇》。案此書《太平廣記》及《御覽》俱不載,蓋其亡已久。"周嬰《巵林》曰:"予又覽《北户録》引陳仲弓《異聞記》曰:'東城池有王餘魚。池決,魚不得去。將死,或以鏡照之,魚看影,謂其有雙子,于是比目而去。'則此書唐尚存也。"康案《隋》、《唐志》無此書。唐時未必存,或段公路從他處轉引。

右《補後漢書藝文志》四卷,國朝番禺侯康君謨撰。案顧寧人《日知録》謂二漢文人所著絶少,又謂東都之文多於西京,而文衰矣,而正不必然也。顧班史有《藝文志》,而范史無之,所宜亟補已。是書剌取羣籍,凡諸書見本傳及《隋》、《唐》、《宋志》、《釋文·叙録》,皆不著所出,其采自他書或附傳者則著之,而他書復有可攷證者,亦備録焉。然如《困學紀聞》"《律章句》,馬、鄭諸儒十有餘家。范蜀公曰:'律之例有八:以、准、皆、各、其、及、即、若。若《春秋》之凡。'宋莒公曰:'應從而違,堪供而缺,此六經之亞文也。'"一條、"崔寔《四民月令》,朱文公謂見當時風俗,及其治家整齊,即以嚴致平之意"一條、"崔寔《政論》諺曰:'一歲再赦,好兒喑啞。'唐太宗之言,蓋出於此"一條,以無關攷證,亦未録入,最見矜慎。又如班固《漢書》,《西京雜記》稱"劉子政著《漢書》一百卷,傳之劉歆,歆撰《漢書》,未及而亡。班固所作全用劉書,小異耳"。

據此,則班史不但襲司馬矣。然古今良史大都如此,即司馬何嘗不襲昔人也,録之反覺無謂,亦不採入。又如楊終删《太史公書》,《因樹屋書影》稱“然則《史記》曾經删定,非本書矣,更不知删去何等。或删本與原本並行,後世獨行原本耶”一條,然究無確證,均未采入。又如桓譚《新論》,《抱朴子》稱其未備而終,班固爲成之,而《因樹屋書影》則謂班固惟續成《琴道》一篇,疑以傳疑,故董襲撰次仲長統《昌言》則采之,而此獨缺,均《抱朴子》之言也,至如《高齋漫録》稱郭林宗撰《玉管通神》,有云“貴賤視其眉宇,安否察其皮毛,苦樂觀其手足,貧富觀其頤頰”,此贋書也,正如《林宗别傳》,范蔚宗謂後之好事者附益增張者也,缺之宜矣。與《補三國藝文志》均無卷數,並各釐爲四卷,校訂以付梓人。庚戌中元令節,南海伍崇曜謹跋。

侯康補後漢書藝文志補
[清]陶憲曾 撰
陳錦春 整理

底本：清光緒三十一年陶氏家塾刻《靈華館叢稿》卷四本

馮顥 易章句

常璩《廣漢士女志》:"馮顥,字淑宰,郪人也。少師事楊仲桓及蜀郡張光超,後又事東平虞叔雅。初爲謁者,威儀濟濟。爲成都令,遷越嶲太守,所在著稱。爲梁冀所不善,冀風州追之。隱居,作《易章句》及《刺奢説》,修黄老,恬然終日。"

劉陶 尚書訓詁

高誘 禮記注

見《藝文類聚》。

鄭衆 婚禮

馬國翰曰:"《晉書·禮志》云:'古者婚禮皆有醮,鄭氏醮文三首具存'。杜佑《通典》云:'後漢鄭衆百官六禮辭,大略因於周'。歐陽詢《藝文類聚》引鄭氏《婚禮謁文》,又引《謁文贊》,皆其篇目"。

崔駰 婚禮結言

惠棟曰:"鄭仲師有《婚禮謁文》,駰因之作《結言》,蓋納徵、問名之辭也。"憲曾案《藝文類聚》卷四十引云:"乾坤其德,恒久不已。爰定天綱,夫婦作始。乃降英媛,有淑其儀。姬姜是侔,比則姚嬀。載納嘉贄,申結鞶縭"。

劉陶 春秋條例

鄭衆 論語傳

見《册府元龜》。

朱陽 九江壽春記

《太平寰宇記·淮南道》引之。

聊氏萬姓譜潁川太守。

見《通志·氏族略》序,又見《廣韻·三蕭》。

李尤 政事論七篇

見常璩《廣漢士女志》。

杜篤　女誡

鄭康成　老子注存疑。

沈濤《銅熨斗齋隨筆》云:"《南齊書·王僧虔傳》:'常有書誡子曰:"汝開《老子》卷頭五尺許,未知輔嗣何所道,平叔何所説,馬、鄭何所異,指例何所明,而便盛於麈尾,自呼談士,"然則馬、鄭皆有《老子注》矣,而今不傳,他書亦所未載。"憲曾案馬融嘗注《老子》,見范書本傳,惟鄭不詳何人。然僧虔以與融并稱,似爲康成。但諸書皆不載,絶無他證,姑録之以備攷。

高誘　淮南萬畢術注

沈濤《銅熨斗齋隨筆》云:"《史記·孝武本紀》正義引高誘注《淮南子》云:'取雞血與鍼磨擣之,以和磁石,用塗碁頭,曝乾之,置局上,即相拒不止也。'今《淮南子》注中無此文。《封禪書》索隱引顧氏按《萬畢術》云,其語略同。然則《萬畢術》亦高誘注矣。"憲曾案《太平御覽》九百八十八亦引《淮南萬畢術》,與《史記正義》所引正合,則其爲《萬畢術》注無疑。但以爲高誘注,則無可攷。《隋》、《唐》諸志亦未載誘所注《萬畢術》,《史記正義》所稱,疑誤也。今亦未敢臆斷,姑録之。

張升　反論

孫志祖《讀書脞録》曰:"翟教授灝《四書攷異》云:'《文選·廣絶交論》注引張升《反論語》,今不知《反論語》是何等書。據其名目,恐亦如劉子玄輩所爲。'是以《反論語》與疑孟删孟同科也。志祖案:張升乃後漢人,見范書《文苑傳》。其所著《反論》雖不載本傳中,大概如應劭《風俗通·十反篇》之意。《文選》注引語曰'嘘枯則冬榮,吹生則夏落',此語又見《魏都賦》注引,但標張升《反論》。乃《反論》中引述成語,義主相反,晴江誤以'論'、'語'二字屬讀,故疑其類疑孟删孟爾。《左傳·昭七年》正義引張叔皮論云'賓雀下革,田鼠上騰,牛哀虎變,鯀化爲熊,久血爲燐,積灰生蠅',張叔皮亦張升《反論》之謁。"

張衡 算罔論

洪頤煊《讀書叢録》曰:"《張衡傳》'著《靈憲》、《算罔論》',李注:'衡集無《算罔論》,蓋網絡天地而算之,因名焉。'頤煊案《九章算術》劉徽注引張衡算,謂'立方爲質,立圓爲渾',又言'質六十四之面,渾二十五之面',又云'方八之面,圓六之面',疑皆《算罔論》之文。"

李梵 四分曆三卷

蔡邕議曰:"孝章皇帝用清河李梵之言,改從四分。"

乾象曆五卷會稽都尉劉洪等。

劉昭注《續漢書·律曆志》中引《袁山松書》:①"劉洪,字元卓,泰山蒙陰人,魯王之宗室也。洪善算,當世無偶,作《七曜術》。及在東觀,與蔡邕共述《律曆記》,考驗天官。及造《乾象術》,十餘年,考驗日月,與象相應,皆傳於世。"徐幹《中論》曰:"至靈帝時,《四分曆》猶復後天半日,於是會稽都尉劉洪更造《乾象曆》,以追日月星辰之行。考之天文,於今爲密。會宮車晏駕,京師大亂,事不施行,惜哉!"

鄭康成 乾象曆注

《晉書·律曆志》曰:"漢靈帝時,會稽東部尉劉洪考史官自古迄今曆法,原其進退之行,察其出入之驗,規其往來,度其終始,始悟四分於天疏闊,皆斗分太多故也,更以五百八十九爲紀法,百四十五爲斗分,作《乾象法》,冬至日日在斗二十二度。以術追日月五星之行,推而上則合於古,引而

① "山松",二字原誤倒,據武英殿本、百衲本《後漢書》乙正。

下則應於今。其爲之也,依《易》立數,遯行相號,潛處相求,名爲《乾象曆》。又創制日行遲速,兼考月行,陰陽交錯於黄道表裏,日行黄道,於赤道宿復有進退,[①]方於前法,轉爲精密矣。獻帝建安元年,鄭玄受其法,以爲窮幽極微,又加注釋焉。"

霍融　漏刻經三卷

《隋書·經籍志》曆數類《漏刻經》注云:"梁有。後漢待詔太史霍融、何承天、楊偉等撰,三卷。"

徐岳　九章算經注二卷東萊人,字公河。見《宋書·曆志》。　**算經要用百法一卷　數術記遺一卷**

王景　大衍玄基

張衡　黄帝飛鳥曆一卷

見《隋書·經籍志》五行類。

鄭康成　九宫經注三卷　九宫行棊經注三卷

見《隋書·經籍志》五行類。

鄭康成　九旗飛變一卷

見《舊唐書·經籍志》五行類,《新唐志》同。

何休　風角注

何休　七分注

應劭　災異志記建武以來。

見《續漢書·五行志》。

許峻　易林十卷

范書《方術傳》:"許曼者,汝南平輿人也。祖父峻,字季山,善卜占之術,多有顯驗,時人方之前世京房,所著至今行於世。"何焯曰:"今世所傳《焦氏易林》,疑即峻所著,焦氏不聞有書

---

① 中華書局標點本《晉書》"宿"後有"度"字。

也。”周壽昌《後漢書注補正》曰：“案《焦氏易林》雖不著班史，而《隋書・經籍志》載《易林》十六卷，焦贛撰，梁又本三十二卷。《易林變占》十六卷，焦贛撰。《易新林》一卷，後漢方士許峻等撰，[①]梁十卷。《易災條》二卷，許峻撰。《易訣》一卷，許峻撰，梁有《易雜占》七卷，許峻撰；又《易要訣》三卷，亡。《唐書・經籍志》：‘《焦氏周易林》十六卷，焦贛撰。《許氏周易雜占》七卷，許峻撰。’是《焦氏易林》盛傳於隋、唐以前，卷數較多，不止如今傳之十六卷也。許峻所著亦盛行，不止一種，且不盡名《易林》，惜隋時漸亡，唐後僅存目也。何氏因《前書》焦延壽僅附見於《京房傳》，未載《易林》一書，遂直斷爲許作而抹殺焦氏，并《隋》、《唐志》亦不屑攷。不知列傳未載本人所著書者甚多，如劉表《周易章句》九卷《録》一卷，衞颯《史要》十卷，延篤《史記音義》一卷，本傳皆未之載，亦豈得云非所著耶？”

許峻　易災條二卷　易訣一卷　易雜占七卷

見《隋書・經籍志》五行類。

甘始　演益容成元素法一卷

見葛洪《神仙傳》。

蔡邕　本草七卷

郭玉　經方頌説

見常璩《廣漢士女志》。

李助　經方頌説

常璩《梓潼士女志》：“助字翁君，涪人也。通名方，校醫術，作《經方頌説》，名齊郭玉。”

明帝　畫讚五十卷

---

① “方”上原衍“書”字，據武英殿本與百衲本《隋書・經籍志》删。

《御覽》七百五十引魏陳思王《畫讚序》,疑即此書序也。卷一太極類亦引。

楊由書十篇

憲曾案范書《方術傳》稱由著書十餘篇,名曰其平,茲從《華陽國志》。

二十五史藝文經籍志考補萃編總目

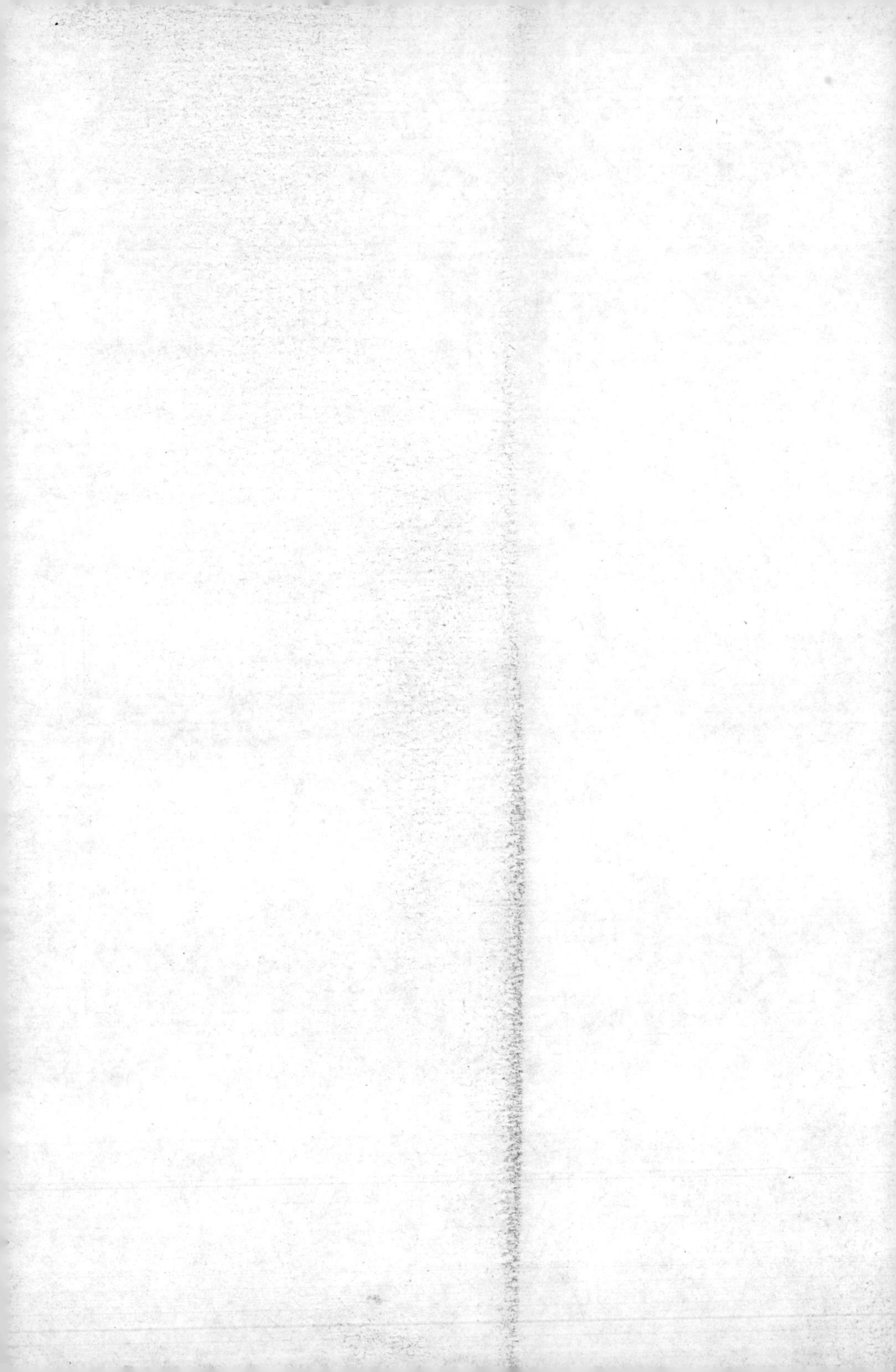